RESPONSABILITÀ CIVILE

E

RISARCIMENTO DI DANNI

Avv. CESARE BALDI

Giudice di Tribunale

RESPONSABILITÀ CIVILE

E

RISARCIMENTO DI DANNI

MANUALE PRATICO

IN ORDINE ALFABETICO

delle responsabilità civili secondo la Legge e la Giurisprudenza,
corredato di copioso indice analitico.

TORINO

FRATELLI BOCCA, EDITORI

MILANO - ROMA

1908

Torino — Tipografia Vincenzo Bona — (10509).

A SUA ECCELLENZA

LUIGI FACTA

SOTTOSEGRETARIO DI STATO

DEPUTATO AL PARLAMENTO NAZIONALE

PREFAZIONE

Non poche e pregievolissime opere giuridiche furono pubblicate sulla teorica della colpa contrattuale ed extra-contrattuale e tra esse non posso tacere il recente e dottissimo trattato del prof. G. P. Chironi; cosicchè sarebbe stata vana presunzione la mia se avessi voluto dare alle stampe un nuovo lavoro teorico sulla stessa materia. Ma dedicato per ragion del mio ufficio alla soluzione giornaliera delle questioni pratiche che si agitano davanti i Tribunali in tema di risponsabilità civile, ho creduto di fare cosa non inutile e forse giovevole, raccogliendo a guisa di Massimario varie disposizioni legislative, nonchè parecchie decisioni rese dalle sentenze dei Magistrati.

Non intendo aver contemplato tutti i casi pratici possibili, imperocchè col progresso della civiltà e delle scoperte va facendosi sempre più esteso il campo già immenso della umana attività, dalla cui esplicazione si incontrano sempre nuove risponsabilità verso i consociati individualmente o collettivamente; ma ho raccolto i casi più frequenti o di maggiore importanza, che presentarono ragion di contesa.

E per rendere più spedita e rapida la ricerca, li ho raggruppati per materia e per ordine alfabetico, che, come il più facile e pronto, già ho seguìto nel mio Manuale Pratico del Magistrato nelle Materie Speciali, *e nel mio* Saggio sulla Pignorabilità ed Impignorabilità.

Alessandria, Marzo 1907.

Cesare Baldi
Giudice di Tribunale.

INTRODUZIONE

È principio antichissimo di diritto che qualunque
fatto illecito dell'uomo (consista esso in un'*azione* od
in un'*omissione*), obbliga colui per cui colpa il fatto
è avvenuto, a risarcire il danno che ne sia derivato,
donde la disposizione analoga dell'art. 1151 Cod. civile, che comprende due specie di *fatti illeciti*, cioè i
delitti e i *quasi-delitti*.

Il Pothier ne dà questa definizione: " Dicesi *delitto*
il fatto col quale una persona per *dolo* o *malizia* arreca qualche danno od ingiuria ad alcuno: dicesi invece *quasi-delitto* il fatto con cui una persona per *imprudenza* che non è scusabile, arreca danno altrui „ (1).
Altri scrittori, a completare queste definizioni, aggiun-
gono che il fatto illecito che costituisce delitto è di
regola *contemplato* dalla *legge penale*, sebbene possa

---

(1) Pothier, *Delle obbligazioni*, n. 116. Edizione Sonzogno.

anche esservi un *delitto civile*; cosicchè il Sourdat (1) definiva *delitto* ogni fatto dannoso ed illecito, quantunque non previsto dalla *legge penale*, commesso colla intenzione di nuocere; *quasi-delitto* ogni fatto illecito di omissione o di commissione, non previsto dalla legge penale, che cagiona ad altri un pregiudizio, ma che è seguìto senza intenzione di nuocere.

Tra il delitto *civile* ed il delitto *penale* intercede una distinzione che importa rilevare. " *Le délit criminel* (scrive il Laurent) *consiste dans l'infraction d'une loi pénale; et qui la caractérise, c'est qu'une peine est encourue par le coupable dans un intérêt social. Dans le délit civil l'intérêt de la société n'est pas en cause, la partie lésée agit une réparation du dommage que le délit lui a causé; c'est un intérêt privé, il n'y a pas de coupable proprement dit, il y a un débiteur et un créancier.*

" *Il se peut dire que le délit criminel ne produise ni délit civil ni quasi-délit; tel serait un tentative de crime qui ne causerait aucun dommage. Par contre un fait peut être un quasi-délit et un délit civil, sans constituer un délit criminel* „ (2).

Quando trattasi pertanto di delitto in senso penale,

---

(1) *Traité général de la responsabilité*, vol. I, n. 412. Paris 1876.
(2) Laurent, *Principes de droit civil*, vol. 20, tit. V, n. 835. — Giorgi, *Teoria delle obbligazioni*, vol. V, n. 141, pag. 208.

esso dà sempre luogo ad un'azione *civile* per il risarcimento del *danno privato* da esso cagionato (art. 1 Cod. proc. penale), la quale azione può esperirsi o nello stesso giudizio civile colla *costituzione di parte civile*, oppure in sede separata. E delle risponsabilità civili nascenti da reato non ci occupiamo in questo manuale che in via secondaria, trattandosi invece specialmente dei casi di risponsabilità pei così detti *delitti civili* e *quasi-delitti*, cioè quei fatti, che pur non inducendo risponsabilità di fronte al Codice penale, pur costituiscono una lesione dell'altrui diritto in base a fatto illecito, derivante da colpa, imprudenza, negligenza, azione od ommissione.

Il danno può consistere o in un vero danno *emergente* oppure in un *lucro cessante*; può derivare o da una colpa nell'esecuzione di un contratto o di una obbligazione (*colpa contrattuale*) o da un altro fatto non avente base nel contratto (colpa *extracontrattuale* od *aquiliana*). La risponsabilità di cui trattiamo può essere *diretta* quando riguarda il *fatto proprio* (1) (art. 1151, 1152 Codice civile) od *indiretta* se ri-

---

(1) *art. 1151:* Qualunque fatto dell'uomo che arreca danno ad altri, obbliga quello, per colpa del quale è avvenuto, a risarcire il danno.

art. 1152: Ognuno è risponsabile del danno cagionato non solamente per un fatto proprio, ma anche per propria negligenza od imprudenza.

guarda il fatto altrui, cioè delle persone dipendenti (1) (art. 1153 Cod. civ.). I danni possono pure essere cagionati dalle *cose* che ci appartengono, o dagli *animali* di cui siamo risponsabili (2).

La risponsabilità incombe non solo alle persone *fisiche*, ma anche alle persone *morali*. I corpi morali però non avendo materiale risponsabilità, sono tenuti ai danni nella persona dei loro legittimi rappresentanti. Così lo *Stato*, le *Provincie*, i *Comuni*, i *pubblici istituti, opere pie, corporazioni legalmente costituite, società di commercio*, ecc. ecc. La persona *giuridica*

---

(1) *art. 1153*: Ciascuno parimenti è obbligato non solo pel danno che cagiona per fatto proprio, ma anche per quello che viene arrecato col fatto delle *persone* delle quali deve rispondere, o colle *cose* che ha in custodia. Il padre e, in sua mancanza, la madre, sono obbligati pei danni cagionati dai loro figli minori abitanti con essi; i tutori pei danni cagionati dai loro amministrati abitanti con essi; i padroni ed i committenti pei danni cagionati dai loro domestici e commessi nell'esercizio delle incombenze alle quali li hanno destinati; i precettori e gli artigiani pei danni cagionati dai loro allievi ed apprendenti nel tempo in cui sono sotto la loro vigilanza.

La detta risponsabilità non ha luogo, allorché i genitori, i tutori, i precettori e gli artigiani provano di non avere potuto impedire il fatto cui dovrebbero essere risponsabili.

(2) *art. 1154:* Il proprietario di un animale o chi se ne serve, pel tempo in cui se ne serve, è obbligato pel danno cagionato da esso, tanto se si trovi sotto la sua custodia, quanto se siasi smarrito o sia fuggito.

art. 1155: Il proprietario di un edifizio è obbligato pei danni cagionati dalla rovina di esso, quando sia avvenuta per mancanza di riparazione o per un vizio della costruzione.

art. 1156: Se il delitto o quasi-delitto è imputabile a più persone; queste sono tenute *in solido* al risarcimento del danno cagionato.

risponde per regola generale ogni qualvolta il danno è causato dal rappresentante nell'esercizio legittimo della rappresentanza, e risponderà il *rappresentante in proprio* quando è uscito dai limiti delle incombenze a lui assegnate.

I *danni* infine possono essere di due specie: *materiali* o *morali,* cioè corrispondenti ad una perdita sofferta, o guadagno mancato (danno emergente o lucro cessante) oppure consistenti nelle sofferenze, dispiaceri, offese ed ingiurie subìte nella stima, nell'onore, negli affetti. Sempre però detti danni, sia morali che materiali, debbono derivare dal fatto colposo (1).

Ciò premesso, veniamo ad esaminare i singoli casi pratici di responsabilità civile, disposti alfabeticamente.

----

(1) Studio del dottor Muzio Mainoni, *Legge,* 1895, II, 678.

Borsari, *Commento al Codice civile,* art. 1153, § 3051. App. Milano 17 aprile 1894, *Monitore dei Tribunali,* pag. 429; Cass. Firenze, pagina 736; App. Milano, pag. 771.

ABBREVIAZIONI

Ann.	Periodico: *Annali di Giurispr. Italiana* (Firenze).
App.	Sentenza di Corte d'Appello.
Art.	Articolo.
Boll. Op. Pie . .	Periodico: *Bollett. delle Op. Pie e dei Comuni* (Roma).
Cass.	Sentenza di Corte di Cassazione.
Cass. Un. Civ. .	Periodico: *La Cassaz. Unica*, Parte Civile (Roma).
Cass. Un. Pen. . .	» *La Cassaz. Unica*, Parte Penale (Roma).
Circ. giur.	» *Circolo giuridico* (Palermo).
Cod. civ. . . .	Codice civile.
Cod. comm. . .	Codice di commercio.
Cod. pen. . . .	Codice penale.
Cod. proc. civ. .	Codice di procedura civile.
Cod. proc. pen. .	Codice di procedura penale.
Cons. Com. Op. Pie	Periodico: *Consigliere dei Comuni e delle Opere Pie* (Roma).
Cons. Giud. Conc.	» *Consigliere dei Giudici Concil.* (Roma).
Cons. comm. . .	» *Consulente commerciale* (Roma).
Contr. Lav. . .	» *Contratto di Lavoro* (Roma).
Dir.	Diritto.
Dir. comm. . .	Periodico: *Diritto commerciale* (Pisa).
Esatt. imp. . . .	» *Esattore delle imposte dirette* (Bari).
Foro Bol. . . .	» *Foro Bolognese* (Bologna).
Foro Cat. . . .	» *Foro Catanese* (Catania).
Foro Puglie . .	» *Foro delle Puglie* (Trani).
Foro It.	» *Foro Italiano* (Roma).
Foro Sardo . .	» *Foro Sardo* (Sassari).
Foro Sic. . . .	» *Foro Siciliano* (Palermo).
Gazz. Proc. . .	» *Gazzetta del Procuratore* (Napoli).
Giud. Conc. . .	» *Il Giudice Conciliatore* (Roma).
Giur. Tor. . . .	» *La Giurisprudenza di Torino* (Torino).
Giur. Cat. . . .	» *La Giurispr. di Catania* (Catania).
Giur. It. . . .	» *La Giurisprudenza Italiana* (Roma).
Legge	» *La Legge* (Roma).
Mon. Pret. . . .	» *Il Monitore dei Pretori* (Firenze).
Mon. Trib. . . .	» *Il Monitore dei Tribunali* (Milano).
Palazzo Giust. .	» *Il Palazzo di Giustizia* (Roma).
Pret.	Sentenza di Pretura.
Riv. Amm. . . .	Periodico: *La Rivista Amministrativa* (Roma).
Riv. Giur. Tosc. .	» *Rivista di Giurispr. Toscana* (Firenze).
Riv. Univ. . . .	» *Rivista Universale* (Roma).
Temi Gen. . . .	» *Temi Genovese* (Genova).
Temi Sic. . . .	» *Temi Siciliana* (Messina).
Tit.	Titolo.
Trib.	Sentenza di Tribunale.
Vol.	Volume.

Acque.

> (Vedi pure **Fiumi** — **Innondazione** — **Possesso**).

Innovazioni.

Il concedente dell'acqua risponde verso il concessionario del danno dato con illecite novità dal proprio affittavolo, specialmente se, tratto in giudizio, abbia assunta con questo la difesa del costui fatto e sia rimasto soccombente (1) (art. 649 Cod. civ.).

Il proprietario di un fondo danneggiato da un torrente non può costruirsi un nuovo argine, che riversi le acque sul fondo del vicino (2).

È risarcibile il danno causato dalla costruzione di un argine ferroviario che, formando ritegno, impedisce che le acque si spandano liberamente sui terreni più depressi e fa sì che invece si alzino ad un livello superiore sommergendo terre e case che prima andavano immuni da innondazioni, e determinando ristagni nelle terre più basse (3).

---

(1) Cass. Torino, 7 settembre 1887, *Giur. Tor.*, 680.
(2) Cass. Napoli, 16 marzo 1875, *Giur. Tor.*, XII, 804.
(3) App. Torino, 21 maggio 1869, *Giur. Tor.*, VI, 516.

Mancata riparazione di argini.

È proponibile l'azione giudiziaria per danni cagionati dalla colpevole negligenza di un Comune nella riparazione di un *argine di torrente*, purchè la colpa del Comune consista nella sua inerzia, e per accertarla, non occorra al Tribunale di indagare la regolarità ed opportunità amministrativa della gestione comunale, cioè debbansi prendere ad esame deliberazioni municipali, bilanci od altri atti amministrativi; imperocchè fuori di questo caso, a termini dell'art. 124 della legge sui lavori pubblici 20 marzo 1865, alleg. *F*, non può proporsi azione davanti ai Tribunali per risarcimento di danni derivanti da opere su *acque pubbliche*, se non quando le opere stesse siano state riconosciute dannose dall'Autorità amministrativa. Questa restrizione non si applica nel caso di danni derivati dalla mancanza di riparazioni ad opere idrauliche preesistenti (1).

Cumulo di azioni.

Più individui possono cumulare le loro distinte azioni in un unico atto contro la pubblica amministrazione chiedendo il risarcimento dei danni derivanti a diverse proprietà per innondazione, che si afferma causata da opere ferroviarie costruite nell'alveo di un torrente (2). Al privato non compete azione giudiziaria però per costringere l'amministrazione a provvedere alle opere ritenute necessarie al buon regime delle acque pubbliche ed alla difesa delle private proprietà contro i pericoli di innondazione (3).

La pubblica amministrazione non incontra responsabilità pei danni derivati dalle opere di *bonifica*, se non

---

(1) Cass. Roma, Sezioni unite, 11 settembre 1895, *Legge*, 686.
(2) App. Catanzaro, 2 agosto 1898, *Legge*, II, 707.
(3) Cass. Roma, 15 febbraio 1900, *Legge*, I, 617.

quando si dimostri che tali opere abbiano innovato le preesistenti condizioni dei luoghi cagionando innondazioni e danni che prima non si verificavano (1).

Valutazione di forza idraulica — Errori.

(Vedi **Ingegneri**).

Responsabilità della Pubblica Amministrazione.

(Vedi **Amministrazione Pubblica** — **Innondazioni**).

Il Comune è risponsabile dei danni prodotti da un deflusso di acque avvenuto in conseguenza dell'avere il sindaco ordinata la chiusura di una chiavica, ancorchè l'ordine sia stato dato per evitare una innondazione (2).

L'azione che il privato promuove contro la pubblica amministrazione per farsi aggiudicare il risarcimento del danno cagionato alla sua proprietà da innondazione derivata da opere malamente eseguite per regolare il corso di un fiume, spetta alla competenza dell'autorità giudiziaria, la quale potrà estendere il suo sindacato a conoscere delle opere stesse come causa di danno al privato, senza però che essa possa prescriverne la modificazione e senza che l'autorità amministrativa, per effetto di questo giudicato, possa essere tenuta a modificare le opere stesse, non essendo applicabile a questa materia speciale la regola dell'art. 4 della legge sul Contenzioso amministrativo 20 marzo 1865, alleg. *E* (3).

Industrie e loro esercizio.

Il concessionario di una derivazione da un corso d'acqua pubblica non può usare della sua concessione in modo

---

(1) Cass. Roma, 10 febbraio 1900, *Legge*, I, 485.
(2) Cass. Firenze, 18 novembre 1902, *Mon. Trib,*, 1908, pag. 149.
(3) Cass. Roma Sez. Unite, 8 febbraio 1904, *Giur. It.*, I, 1, 588.

tale da danneggiare l'esercizio dell'industria di altro concessionario. E così l'industriale esercente una *fabbrica di zucchero* non può, *sotto pena del risarcimento dei danni*, riversare nel fiume le acque dopo essersene servito nella sua industria, qualora l'inquinamento derivante da queste acque di rifiuto danneggi l'esercizio della *piscicoltura* spettante ad altro concessionario (1).

Aperture di canali nuovi.

La preesistenza di sorgenti, di capi o di aste di fonti, canali, acquedotti destinati ad usi agricoli od industriali non impedisce l'apertura di altri canali, fonti od acquedotti che possono quelli pregiudicare; ma solamente obbliga a quelle maggiori distanze ed opere che siano necessarie ad impedire ogni danno, salvo all'Autorità giudiziaria il conciliare il conflitto nel modo più logico ed equo (2).

Opere idrauliche.

La pubblica amministrazione, che, aderendo alle istanze di un privato, autorizza la soppressione di date opere in un corso d'acqua, non è responsabile dei danni verso altro privato da cui abbia risentito danno (3).

Fu giudicato anche che sia applicabile l'art. 628 del Codice civile non solo quando le opere di ribocco e di invasamento esistono nel fiume o torrente, da cui le acque vengono derivate, ma anche quando sono eseguite su terreno proprio, e se vi sia stata contravvenzione al divieto di costruire tali opere, il giudice può ordinare nella sua sentenza altre opere per impedire il ristagno o l'invasione delle acque purchè la contravvenzione al-

---

(1) Cass. Roma, 15 dicembre 1902, *Legge*, 759.
(2) Cass. Torino, 9 febbraio 1903, *Giur. Tor.*, 328.
(3) Cass. Torino, 4 luglio 1905, *Giur. Tor.*, 1260.

l'obbligo non sia già avvenuta, e può condannare il contravventore al risarcimento dei danni (1).

Deflusso naturale delle acque.

L'art. 536 Cod. civ. stabilisce che i fondi inferiori sono soggetti a ricevere le acque che dai più elevati scolano naturalmente senza che vi sia concorsa l'opera dell'uomo. Il proprietario del fondo superiore non può fare alcuna cosa che renda più gravosa la servitù del fondo inferiore; e non può cambiare con opere artefatte la direzione naturale delle acque ed imprimere loro un corso differente da quello che è dato dalla situazione naturale dei luoghi, quando ciò possa pregiudicare al fondo inferiore. Se ciò egli fa e ne segue pregiudizio, si applicherà la responsabilità di danni di cui agli art. 1151, 1152 Cod. civ. (2).

Derivazioni demaniali.

Il Demanio è responsabile dei danni se ricostruendo una diga nel proprio interesse patrimoniale nell'alveo di un torrente per migliorare il servizio di irrigazione dei canali demaniali, viene a diminuire la derivazione concessa al privato (3).

Argini e sponde.

Tutti i proprietari ai quali è utile la conservazione delle sponde e degli argini e rimozione degli ingombri allo scolo delle acque, hanno diritto al risarcimento dei danni verso coloro che diedero luogo alla distruzione degli argini o alla formazione degli ingombri di cui nell'art. 538 Cod. civ. (art. 539 Cod. civ.).

---

(1) Cass. Torino, 22 febbraio 1895, *Legge*, I, 551.
(2) Cass. Torino, 28 gennaio 1884, *Legge*, II, 120.
(3) App. Parma, 12 maggio 1896, *Legge*, II, 93.

Quelli che hanno diritto di derivare od usare acque a mente dell'art. 613 del Codice civile, debbono evitare tra gli utenti superiori ed inferiori vicendevole pregiudizio che possa derivare dallo stagnamento, rigurgito o diversione delle acque, e coloro che vi abbiano dato luogo sono tenuti al risarcimento dei danni. — Per l'esercizio della presa d'acqua e sue modalità per non incorrere in responsabilità per danni, vedi Codice civile art. 412-427, 536 al 545-599, 599 al 615, 619 al 628, 648 al 661 (1).

Responsabilità civile in base a fatti repressi .dalla legge penale.

Oltre i casi di responsabilità civile portati dalle leggi sui lavori pubblici e dal Codice civile, ve ne sono altri che per la loro gravità e per produrre oltre che un danno privato anche un danno *sociale*, sono repressi dalla legge penale, e così costituendo *reato*, nasce da essi, oltre l'azione penale, anche quella *civile* per risarcimento (art. 1 Cod. proc. pen., art. 39 Cod. pen.).

E così accenniamo:

1° *Procurata innondazione* (art. 302 Cod. pen.);

2° *Rottura di opere* (argini, dighe e simili) con pericolo di innondazione od altro disastro (art. 303 Cod. pen.);

3° *Sottrazione di apparecchi o impedimento di opere* contro le innondazioni (art. 307 Cod. pen.);

4° *Innondazione cagionata* per imprudenza o negligenza (art 311 Cod. pen.) — (art. 328, 329, 330 Cod. pen.);

---

(1) Vedi pure: Legge 20 marzo 1865, n. 2245, all. *F*, art. 90 al 181; Legge 10 agosto 1884, n. 2644; Regol. 9 novembre 1885, n. 3544; Testo unico 2 aprile 1885, n. 3095; Regol. 25 marzo 1888, n. 5379; Legge 30 marzo 1893, n. 173, che modifica alcuni articoli; Regol. 26 novembre 1893, n. 710; R. Decreto 19 dicembre 1895, n. 722, che modifica l'art. 6 Regol. 26 novembre 1893; R. D. 11 dicembre 1902, n. 551, sui progetti delle opere idrauliche e forestali di terza categoria; R. Decr. 25 luglio 1904, n. 523 (testo unico sulle opere idrauliche).

5° *Usurpazione* (deviamento di acque pubbliche e private per procacciarsi *indebito* profitto) (art. 422 Cod. pen.);

6° *Danneggiamento* ad argini, canali, chiaviche (art. 424, n. 4 e 5, Cod. pen.).

In tutti i casi di reato i colpevoli sono tenuti al risarcimento dei danni derivati sia alle persone che alle cose.

Agenzie di affari o di collocamento.

Persone di servizio.

L'esercente di un ufficio di collocamento, il quale, contro compenso, propone ad una famiglia come persona di servizio una donna autrice di furti, e già designatagli come ladra e falsaria dall'Autorità di Pubblica Sicurezza, *è responsabile dei danni* derivanti dal fatto che la persona stessa abbia con false chiavi e con rottura derubato la famiglia presso cui aveva trovato (mercè l'ufficio) collocamento (1).

Impiego mal sicuro.

L'esercente di un ufficio di collocamento, il quale, allo scopo di percepire il compenso (spesso di 100 e più lire secondo gli usi) induce chi gli si rivolge, con referenze inesatte, incomplete e false sulla posizione finanziaria di un commerciante, ad entrare come impiegato presso di lui, versando una cauzione (di L. 3000 ad esempio), si *rende responsabile di danni* se poi il commerciante poco dopo scompare e cade in fallimento, appropriandosi la cauzione, ed il risarcimento dei danni può consistere nell'obbligo di rifondere una somma uguale alla cauzione

---

(1) Corte di Parigi, 28-aprile 1905, *Mon. Trib.*, 998.

stata versata e di restituire il compenso percepito per il collocamento (1).

Informazioni.

Un'agenzia di informazioni commerciali, la quale, sia pure senza dolo, ma per negligenza inescusabile e colpa gravissima, fornisca informazioni affatto contrarie al vero, è responsabile dei danni, nonostante che la *scheda informativa* portasse la clausola " senza garanzia „ (2).

È così pure risponde di tutti gli errori commessi nel rendere le chieste informazioni; ma non può essere tenuta responsabile per gli errori nei quali sia stata indotta da una richiesta meno esatta, per quanto, usando una grande diligenza, avrebbe potuto evitarli domandando più precisi schiarimenti al richiedente (8).

Così pure non solo le agenzie, ma anche il semplice *commerciante* che dà informazioni erronee sulla solvibilità di una persona, inducendo quindi chi lo ha richiesto ad entrare in rapporto d'affari con essa, è responsabile del danno che da tal fatto possa derivare (4).

In generale il solo fatto di aver dato ad altri in buona fede informazioni favorevoli circa la solvibilità di una persona e sua onestà, non implica responsabilità giuridica, ma solo *morale*, nel caso che la persona raccomandata venga meno ai suoi impegni, giacchè la fideiussione non si presume, ma deve essere sempre espressa (5); ma

---

(1) Cass. di Parigi, 17 luglio 1885, *Mon. Trib.*, 998.
(2) Cass. Torino, 7 maggio 1892, *Legge*, II, 158.
(8) App. Milano, 28 luglio 1896, *Legge*, 1897, I, 598.
(4) Cass. Torino, 8 agosto 1898, *Legge*, 1894, II, 282.
(5) Cod. civ., art. 1902; Cass. Firenze, 9 maggio 1881, *Legge*, II, pag. 14.

Merlin, *Répertoire*, *Caution*, § 4, n. 1; Ricci, *Corso di Dir. civ.*, vol. IX, n. 820. Vedi pure Troplong, *Depôt*; Pacifici Mazzoni, *Istituzioni di diritto civille*, vol. VI, § 108-115; Gianturco, *Enciclopedia giuridica*, vol. 1, parte II, voci *Alberghi - Albergatori.*

nel caso di una *agenzia*, questa, nel dare inesatte informazioni, è in *colpa contrattuale*, essendo essa venuta meno alla diligenza che doveva prestare nell'adempimento del còmpito informativo : in questo caso la informazione inesatta, comunque fornita in buona fede, costituisce un *quasi-delitto*, essendo data con colpa per l'omessa diligenza nell'assumere le notizie, e quindi impegna la responsabilità dell' agente informatore, tanto più che questi esercita tale còmpito per professione e mediante corrispettivo, per cui è in obbligo di procedere con tutta la serietà ed oculatezza, senza di che l'opera sua diventa non solo senza valore, ma reca pregiudizio altrui (1).

Albergatori.

Generalità e disposizioni sulla responsabilità degli albergatori.

Gli osti e gli albergatori sono obbligati come *depositarii*, per gli effetti portati entro i loro alberghi dal viandante che vi alloggia, ed il deposito di tali effetti deve riguardarsi come deposito necessario (art. 1866 Cod. civ.). L'espressione *nel loro albergo* comprende anche l'*omnibus* dell'albergo stesso che accoglie il viaggiatore alla stazione e quindi la responsabilità dell'albergatore si estende anche alle cose perdute nell'omnibus prima di arrivare all'albergo (2).

Non è applicabile a tale trasporto l'art. 406 del Codice di commercio, perchè il trasporto dei bagagli dalla stazione alla locanda non è un contratto di trasporto per sè stante, ma un accessorio della somministrazione dell'alloggio (3).

---

(1) Vedi Laurent, *Principes de droit civil*, vol. XXVIII, n. 155.
(2) App. Milano, 19 ottobre 1886, *Legge*, 1887, I, 129.
(3) Cass. Torino, 26 aprile 1887, *Legge*, II, 659.

Gli osti ed albergatori sono obbligati pel *furto* o pel *danno* cagionato agli effetti del viandante nel caso che il furto sia stato arrecato dai domestici o dalle persone preposte alla direzione degli alberghi, o da estranei che li frequentano·(art. 1867 Cod. civ.). Fu però giudicato che la responsabilità dell'albergatore non si estenda agli oggetti di *valore* lasciati dai viaggiatori dentro casse o valigie di loro pertinenza senza neanche denunziarli; sopratutto poi se le casse furono lasciate in luogo accessibile a tutti e senza indicazione del nome del viaggiatore (1).

Gli albergatori non sono obbligati per i furti commessi a mano armata o altrimenti con forza maggiore, o per *negligenza grave del proprietario* (art. 1868 Cod. civ.). Così sarebbe negligenza grave se il viaggiatore non si fosse servito di un armadio chiudibile a chiave per riporvi gli effetti (2), od avesse lasciato aperto o mal chiuso l'armadio o mal custodita la chiave. Al fatto del viandante si deve assimilare quello del suo domestico.

La responsabilità degli albergatori stabilita dalla legge viene meno se l'albergatore desse alloggio a persone del luogo, o locasse per un certo termine (anche breve), appartamenti o camere a forestieri per una *dimora* non momentanea (3).

Non si ritiene *forza maggiore*, secondo il Chironi, ai sensi degli articoli citati l'*incendio*, perchè può essere cagionato da colpa.

Chiudiamo avvertendo che quasi a compensare l'albergatore della responsabilità per gli effetti del viandante la legge gli accorda per il suo credito per somministrazioni e mercedi, privilegio sugli effetti stessi che siano nel suo albergo (art. 1958, n. 8, Cod. civ.).

---

(1) App. Genova, 2 maggio 1881, *Eco giur. civ.*, 961.
(2) App. Parigi, 2 aprile 1881.
(3) Chironi, *Colpa contrattuale*, pag. 223.

Cavalli depositati nelle scuderie di alberghi.

L'albergatore, al quale venne da un avventore che alloggia nell'albergo consegnato un cavallo in custodia, risponde del danno dato al medesimo dal cavallo di altro avventore, pure consegnatogli, ove non provi che il danno avvenne per *caso fortuito* o per *forza maggiore*, oppure per *colpa grave del proprietario del cavallo danneggiato*. L'albergatore non ha diritto, nel caso esaminato, di essere rilevato dal proprietario del cavallo che fu causa del danno (1).

Danni per imprudenza di avventori.

Gli albergatori, trattori e simili non sono responsabili dei danni arrecati ai loro avventori dal fatto imprudente di un altro avventore, il quale, ad esempio, maneggi una arma carica in mezzo agli altri avventori, ed esplodendo l'arma ferisca alcuno dei presenti (2).

Danni all'albergatore per morte di un avventore.

Il proprietario di uno stabilimento balneare (od albergo) nel quale muoia un pensionante, ha diritto, non per colpa aquiliana, ma *ex contractu*, al risarcimento dei danni contro gli eredi del defunto per l'allontanamento della clientela per causa del luttuoso avvenimento (del quale fatto specifico deve dare prova precisa e rigorosa) (3).

Venne giudicato per altro che se durante il soggiorno di una famiglia in un albergo, un figlio è colpito da malattia contagiosa che non permette di trasportarlo al-

---

(1) Pretura di Casale, 24 gennaio 1905, *Monit. Trib.*, 258 (Vedi *Animali*).

(2) App. Genova, 14 aprile 1905, *Giur. It.*, I, 2, 433 ; *Monit. Tribunali*, 715.

(3) Trib. Genova, 26 novembre 1903, *Guid. Concil.*, 43.

trove prima della sua convalescenza, il proprietario dell'albergo non ha diritto a risarcimento di danni, ma solo al rimborso delle spese sostenute per la disinfezione del letto, biancheria e locali dopo la partenza dell'ammalato (1).

Fu pure ritenuto che il proprietario di un albergo nel quale venne accettata una persona colpita da affezione cancrenosa, ha diritto, nel caso di morte di'essa, al rimborso delle spese incontrate per la cura, per la assistenza straordinaria, il funerale, la disinfezione dei locali, il cambio dei mobili e tappezzeria della camera occupata dal defunto, ma non ha diritto a risarcimento di danni per sviata clientela se non dimostra che la persona malata fu dai parenti mandata al suo albergo colla certezza che vi sarebbe morta (2). E per vero, tutte le spese sopra accennate sono derivate da prestazioni d'opera che l'albergatore non avrebbe dovuto fare con un avventore sano, ed è giusto sia risarcito. — La massima adottata vale anche pel caso di altre malattie infettive in genere (V. pure *Malattie infettive*) (3).

Responsabilità per i bagagli.

L'albergatore è responsabile degli effetti introdotti dall'avventore nel suo albergo, ed è tenuto pei danni arrecati agli effetti medesimi, che provengono da qualsiasi causa, purchè però non da forza maggiore o da negligenza grave per parte dello stesso proprietario degli effetti danneggiati (4). Quindi l'albergatore risponde del *furto* commesso a danno di un viandante, cui fu, durante la momentanea sua assenza dalla camera, e mediante rottura della valigia, involata una somma di danaro,

---

(1) Trib. della Senna, 30 giugno 1893, *Legge*, 1894, I, 596.
(2) App. Milano, 7 luglio 1897, *Legge*, II, 704.
(3) App. Genova, 12 marzo 1895, *Legge*, I, 623.
(4) App. Torino, 14 dicembre 1866, *Giur. Tor.*, vol. IV, 125.

sebbene avesse il viandante stesso lasciata aperta per breve tempo, e di giorno, la finestra della camera prospiciente un terrazzo dell'albergo, e sebbene non avesse chiuso il denaro nel cassettone che esisteva nella camera stessa. Per giustificare il quantitativo della somma derubata si deve aver riguardo alla condizione del viandante, alla sua professione, ed allo scopo per cui recavasi od era di passaggio nel paese in cui il furto avvenne.

L'albergatore è responsabile degli effetti introdotti nel suo albergo dal viandante, quantunque questi non glieli abbia consegnati (1).

Però l'albergatore non è responsabile degli effetti che il viandante avesse consegnati ad un cameriere all'atto in cui parte dall'albergo *senza conservare a proprio carico la camera* durante la temporanea sua assenza, quando anche sia partito senza saldare il conto, se gli effetti smarriti non furono lasciati all'albergatore in garanzia del suo credito (2).

Fu ancora giudicato che il proprietario dell'albergo risponde del furto commesso da un viandante a danno di altro viandante (3); ed in senso contrario fu deciso anche che non è obbligato l'albergatore, in tesi generale, pel furto commesso da un viandante a danno di altro viandante (4).

Per aversi tale responsabilità occorre che il furto sia stato reso possibile dal difetto, per parte dell'albergatore, delle debite cautele, atte ad impedirlo (art. 1867, 1152 Cod. civ.) e non si ha tale difetto di cautele, e non vi ha quindi responsabilità nell'albergatore pel furto commesso di notte da un viandante introdottosi nella camera di altro viandante dormiente, aprendone la serra-

(1) App. Torino, 27 novembre 1863, *Giur. Tor.*, vol. I, 8.
(2) App. Torino, 27 dicembre 1864, *Giur. Tor.*, II, 39.
(3) App. Genova, 10 febbraio 1901, *Giur. Tor.*, 1901, 460.
(4) App. Casale, 30 novembre 1897, *Giur. Tor.*, 1531.

tura con grimaldelli. Infatti in generale i furti con effrazione o scalata si considerano come avvenuti per forza maggiore, e quindi l'oste non risponde di essi (1). — Il Maleville (2) sostiene che gli *estranei* cui accenna la legge, che vanno e vengono per l'albergo, sono gli avventori, dei quali risponde l'albergatore, mentre non sarebbe egli tenuto pel furto commesso da estranei nel vero senso della parola, cioè da gente introdottasi clandestinamente nell'albergo stesso. La stessa Corte di Casale però con sua sentenza 30 giugno 1889, est. Bernasconi (*Giurispr. Casalese*, 224), ritenne che l'oste risponde pure del furto commesso da *ignoti*.

La teoria più logica è quella svolta nella sentenza citata della Corte d'appello di Casale 30 novembre 1897. Può darsi infatti che l'oste abbia trascurato le cautele ordinarie atte a garantire il ·viandante e allora sta a suo carico la responsabilità generale della propria negligenza ed imprudenza (art. 1152 Cod. civ.), senza uopo di ricorrere all'art. 1864 e ai principii del deposito necessario. Ma se questa omissione di cautele non è provata, l'oste è esonerato da responsabilità, salvo i casi speciali di cui all'art. 1867 Cod. civ., cioè se si tratti di furto commesso dai domestici o preposti alla direzione degli alberghi od estranei *chè li frequentano*, e così per gli estranei che *non frequentano l'albergo*, l'oste non deve rispondere. — E la ragione è ovvia. Pei domestici e preposti, a carico dell'oste sta la colpa *in eligendo* o *in vigilando* (art. 1153 Cod. civ.); per gli *estranei* che *frequentano* la locanda, sta la colpa di avere l'oste permesso che nel proprio esercizio bazzichino dei ladri, cui egli aveva dovere di conoscere ed allontanare. L'avventore

---

(1) Zachariae, II, n. 406, nota 7; Troplong, *Deposito*, 285; Giorgi, *Obbligazioni*, vedi n. 282; Laurent, *Principes*, XXVII, n. 441; Ricci, *Dir. Civ.*, IX, n. 255; Pothier, *Dépôt*, n. 79; Aubry e Rau, IV, pagina 629.

(2) *Diritto civile francese*, art. 1954.

che sè e le cose sue confida all'albergo, ha diritto di pretendere di trovarsi fra persone oneste, sotto pena della responsabilità dell'oste in caso contrario. Ma questa garanzia non sempre si può ragionevolmente pretendere dall'oste, come nel caso di viandanti giunti sconosciuti. L'oste non può *a priori* sapere chi sia l'avventore che gli discende dall'omnibus, e neppure gli sarebbe lecito per il solo fatto di non conoscere l'avventore di respingerlo. Ciò sarebbe ingiustificato ed ingiurioso, donde trae giustificazione la massima sancita dalla Corte di Casale.

Nel diritto romano (legge 1, paragrafo ultimo, *Digesto, furt. adv. naut.*) si stabilisce che l'oste è tenuto a rispondere pel solo fatto di coloro *qui in ea caupona eius cauponae exercendae causa ibi sunt* e di coloro *qui habitandi causa ibi sunt*; e poscia si soggiunge: *Viatorum autem factum non praestat: namque viatorem sibi eligere caupo non videtur, nec repellere potest iter agentes: inhabitatores perpetuos vero ipse quodammodo elegit qui non rejecit, quorum factum oportet eum praestare.*

Soltanto nel **caso di furto** di cose state consegnate in **custodia all'oste** od al capitano di una nave, questi erano, secondo il diritto romano, tenuti a rispondere: *nauta factum non solum nautarum praestare debet, sed et vectorum sicut et caupo viatorum* (leg. 1, § ultimo, legge 2 e 3).

Ed altrove si legge pure:

In factum actione caupo tenetur pro his qui habitandi causa in caupona sunt: hoc autem non pertinet ad eum qui hospitio repentino recipitur, veluti viator (*Dig.*, leg. 6, § 3, *nautae caup.*).

Nel diritto romano pertanto, onde aversi la responsabilità dell'oste, occorreva che gli effetti (stati poi rubati) fossero dati espressamente in *consegna* all'albergatore, mentre nel nostro diritto, in forza dell'art. 1866 Cod. civ., basta che gli effetti siano portati nell'albergo, per aversi implicitamente la tradizione necessaria per l'articolo 1837 Cod. civ. a costituire il deposito.

Anche oggidì poi se gli effetti o valori furono consegnati al *comptoir*, non vi ha dubbio che l'oste ne risponda sempre anche se rubatigli da viaggiatore sconosciuto (1).

Insegna dell'albergo.

La *denominazione* data al proprio *stabilimento industriale* costituisce una proprietà che importa il diritto di impedire che uguale denominazione si adotti dai proprietarii di altri stabilimenti simili. Questo diritto cessa però col cessare dell'esercizio dello stabilimento dandosi ai locali un'altra destinazione (2).

E così, ad esempio, chiudendosi un albergo dell'insegna dell'*Angelo* destinando i locali ad altro uso, ben può altri aprire un albergo nella stessa città colla stessa denominazione.

Animali consegnati in custodia.

Il proprietario di un cavallo che lo deposita in un albergo per esservi, mediante pagamento, alimentato e custodito, ha azione di indennità contro l'albergatore, se il cavallo vi rimanga ferito; nè per questo gli corre l'obbligo di provare che ciò sia avvenuto per colpa dell'albergatore o di un suo dipendente. Anche nel caso che il ferimento del cavallo sia avvenuto per un calcio lanciatogli da altro cavallo depositato nello stesso albergo, l'albergatore è sempre responsabile del danno (art. 1867 Cod. civ.) (3).

Furto di bicicletta.

Il ciclista che pranzi ad un *restaurant* di un albergo *senza alloggiarvi* o *riposarvi*, non può considerarsi come

---

(1) Nota di *asb.* nella *Giur. Tor.*, anno 1897, pag. 1531.
(2) App. Torino, 3 luglio 1894, *Giur. Tor.*, 1895, 47.
(3) Cass. Torino, 25 febbraio 1891, *Giur. Tor.*, 475.

un viaggiatore, e quindi invocare la responsabilità speciale degli albergatori a termini dell'art. 1867 Cod. civ. (art. 1953 Codice Francese), qualora durante la sua permanenza nel locale gli venga rubata la bicicletta ivi depositata, sia pure nel luogo indicatogli dal proprietario (1). Altri giudicati ritennero invece che l'albergatore è responsabile della mancanza della bicicletta del viaggiatore alloggiato nell'albergo, *qualunque* sia il locale di detto albergo in cui la bicicletta venne deposta (2), e fu ritenuto ancora che la bicicletta entra nella categoria degli effetti portati dai viaggiatori e di cui gli albergatori sono responsabili a termini del Codice civile, e perciò l'albergatore è responsabile del furto di una bicicletta commesso in una *camera* di un viaggiatore quand'anche esista nell'albergo una *rimessa* speciale per il deposito delle biciclette.

Se poi il furto fosse avvenuto nella rimessa stessa, allora sarebbe anche più evidente la colpa perchè l'albergatore deve vigilare alla buona custodia di quanto sia depositato nella rimessa e non lasciare che vi si introducano dei ladri.

Cibarie ad elettori.

L'oste, che nelle elezioni si è incaricato di fornire *per conto* di un candidato cibi e bevande agli elettori senza corrispettivo da parte degli elettori stessi, si rende complice di fatto illecito costituente reato, poichè la legge considera come mezzo di corruzione anche il pagamento di cibi o bevande a favore di un elettore, e quindi non ha alcuna azione nè di pagamento nè di danni verso il candidato che poi non lo rimborsi delle spese per le som-

---

(1) Trib. civile di Lione, 3 gennaio 1900, *Legge*, II, 165.
(2) Trib. di Soisson, 5 dicembre 1902, *Riv. del T. C. I.*, 1903, pagina 260; *Justice de Paix de Paris*, idem, pag. 30.

ministranze stesse, imperocchè è obbligazione che ha per base un fatto *contra legem, contra bonos mores* (1).

Avventore morto di tubercolosi — Danni.

L'albergatore, nel cui albergo sia morta una persona di malattia infettiva, ha diritto, in virtù del contratto di locazione, al rimborso delle spese necessarie per disinfettare i locali, ed alla rifusione del *lucro cessante* durante i lavori; ma non può pretendere i danni per sviata clientela, se non prova la colpa aquiliana del defunto o di chi lo rappresenta nel contrattare; e così il marito cui sia morta la moglie nell'albergo per tubercolosi, non può ritenersi perciò solo responsabile del danno per sviata clientela (2).

Rottura di cristallerie o stoviglie per opera del personale di servizio (Vedi Artefici ed Operai).

Risponsabilità penali.

Gli albergatori debbono osservare le prescrizioni di legge sugli esercizi pubblici sotto pena di rispondere in via *contravvenzionale*, e così non possono *aprirsi* alberghi, locande, trattorie, osterie, caffè, esercizi di vendita al minuto di vini, birra, liquori ed altre bevande, sale da bigliardo, stabilimenti di bagni, senza aver ottenuto la licenza a senso degli art. 50 al 54 della legge vigente di Pubblica Sicurezza, 47 e segg. del regol. relativo. Debbono *osservare l'orario* prescritto per la chiusura (articolo 56 legge P. S.) e tenere affisse nelle sale di giuoco le tabelle, vidimate dall'Autorità di P. S., contenenti l'indicazione dei giuochi proibiti. Debbono tenere il *registro delle persone alloggiate* e *notificare* giornalmente

---

(1) Trib. Casale, 20 novembre 1898, *Legge*, 1899, I, 234.
(2) App. Bologna, 31 dicembre 1898, *ivi*, 1899, I, 407.

l'arrivo e la partenza all'autorità di P. S. (art. 61 della legge e pure 61 del regol. per la legge di Pubblica Sicurezza).

Gli esercenti alberghi, osterie, ecc., rispondono pure personalmente se prestano il locale o permettono che in esso si tengano *giuochi* d'azzardo (art. 484 Cod. pen.).

Oggetti dimenticati da avventori.

L'oste od albergatore che si impossessi di cose abbandonate in una camera già occupata da un viandante, dopo che questi, pagato il suo conto, se ne è andato, commettono una vera *appropriazione* di cosa smarrita e rispondono, oltre che *civilmente pei danni*, anche penalmente (1).

Alberi.

Prolungamento di radici.

Il proprietario che sul proprio fondo ha piantato alberi a distanza legale, non è tenuto a rispondere di danni cagionati al vicino dal prolungamento delle radici nel fondo del vicino (2).

Taglio indebito.

Il proprietario che sconfinando dal suo fondo taglia delle piante appartenenti ad altro proprietario, è tenuto ad indennizzargli il danno; e se questi ha concesso in affitto il suo fondo, l'indennità va a favore dell'affittuario (3).

---

(1) App. Trani, 23 marzo 1905, *Mon. Trib.*, 678.
(2) App. Trani, 10 marzo 1904, *Foro delle Puglie*, 244.
(3) App. Roma, 12 marzo 1891, *Legge*, 11, 673.

Gelsi.

Compete azione pel danno recato alle proprie piante di gelso dalla colposa immissione per parte del proprietario del fondo vicino, di residui *fluoridrici* (1).

Distanze.

L'art. 579 del Codice civile stabilisce le distanze legali pel piantamento di alberi verso il confine del vicino. Queste distanze però non sono applicabili agli alberi piantati sulle *strade pubbliche*, pei quali non vi è alcuna legge che limiti le distanze (2).

Nel caso che gli alberi siano stati piantati a distanza legale ma il tronco ingrossandosi abbia invasa la proprietà del vicino, questi ha diritto che sia tagliata la porzione di tronco entrata nel suo fondo, anche quando ciò possa produrre la morte dell'albero (3). Gli alberi debbono piantarsi a quella distanza dal confine verso il vicino, che è determinata dai regolamenti locali, od in difetto dal detto articolo 579, cioè *tre metri* per gli alberi di alto fusto (es. i noci, i castagni, le querce, i pini, i cipressi, gli olmi, i pioppi, i platani, le robinie, i gelsi della China e simili); un *metro e mezzo* per quelli non di alto fusto (es. gli alberi da frutto non indicati precedentemente, i gelsi, i salici, le robinie ad ombrello, e simili); un *mezzo metro* per le viti, gli arbusti, le siepi vive, i gelsi tenuti nani, piante da frutta nane o da spalliera ed a altezza non maggiore di due metri e mezzo.

Per le siepi di *ontano, castagno* o piante simili che si recidono periodicamente vicino al ceppo, la distanza sarà di *un metro*, e per le siepi di *robinia* sarà di *due metri*.

---

(1) Cass. Torino, 17 aprile 1906, *Giur. Tor.*, 881.
(2) Cass. Napoli, 16 maggio 1888, *Legge*, II, 735.
(3) Cass. Torino, 15 settembre 1882, *Giur. It.*, 1883, I, 1, 153.

Il vicino può esigere che si estirpino gli alberi e le siepi che si piantassero o nascessero a distanze minori di quelle precedentemente determinate (art. 581 Codice civile).

Infine colui, sul cui fondo si protendono i rami degli alberi del vicino, può costringerlo a tagliarli, e può *egli stesso tagliare le radici* che si addentrino nel suo fondo, salvo in ambedue i casi l'osservanza dei regolamenti ed usi locali per quanto riguarda gli ulivi (art. 582 Codice civile).

Se poi il vicino non eseguisce l'obbligazione, sarà dovuto il risarcimento dei danni a mente dell'art. 1218 Cod. civ., ed inoltre, a termini del successivo art. 1220, può chiedersi di essere autorizzato a far adempiere a spese del vicino stesso i tagli od estirpazioni che siano del caso.

Danni a piantate di viti, alberi od arbusti fruttiferi.

Questi, se recati deliberatamente, costituiscono reato e dànno luogo a risarcimento in base all'azione penale (art. 424, n. 6, Cod. pen.).

Amministratori.

(Vedi pure **Amministrazione Comunale** — Opere pie — Società).

La legge comunale e provinciale all'art. 280 provvede espressamente per la responsabilità civile degli amministratori in tutti i casi di colpa secondo il diritto comune (1). Fu però ritenuto che non cadono nella disposizione dell'art. 280 della legge comunale del 1898, quegli

---

(1) App. Torino, 1 giugno 1900, *Giur. Tor.*, 904.

amministratori che contraggono impegni senza la rigorosa osservanza delle formalità prescritte dalla legge, quando ciò sia richiesto dalla tutela degli interessi e dal decoro dell'amministrazione comunale (1). Neppure sono tenuti a risarcimento di danni verso gli esercenti i membri di una Giunta comunale che abbiano stipulato un contratto di appalto di *diritti daziarii* di macellazione con alcuni esercenti locali, nullo perchè non vistato dal Prefetto, avendo il Consiglio comunale votato invece il sistema degli *abbonamenti* coi singoli esercenti, da combinarsi dalla Giunta (2).

(Vedi pure *Funzionarii pubblici*).

Mandati comunali.

Gli amministratori comunali sono responsabili in proprio verso il Comune del pagamento indebito eseguitosi dalla cassa comunale in base ad un mandato da essi per errore colposo rilasciato per pagamento di somme già state in precedenza soddisfatte in base ad altro mandato da essi pure rilasciato. Essi avrebbero solo azione di rilievo verso colui al quale fu fatto il duplicato pagamento, limitatamente però a quanto in capitale ed interessi i medesimi debbono rifondere al Comune, esclusi i maggiori danni della lite (3).

Banche — Responsabilità degli amministratori (Vedi **Banche**).

Amministratori di società commerciali (Vedi **Società commerciali** — Vedi anche **Minorenni**).

---

(1) App. Venezia, 14 giugno 1898, *Temi ven.*, 591 ; Corte dei Conti, 17 aprile 1898, *Mun. It.*, 285.

(2) App. Torino, citata sentenza, 1º giugno 1900.

(3) App. Torino, 30 marzo 1886, *Giur. Tor.*, 394.

Amministrazione Comunale.

Generalità.

Circa la responsabilità delle amministrazioni comunali per gli atti di *gestione*, non vi ha dubbio alcuno, e dottrina e giurisprudenza sono concordi nell'ammetterla (1).

La responsabilità delle amministrazioni comunali deriva sempre dai fatti illeciti dei suoi amministratori o suoi impiegati e funzionarii, cosicchè si applicano in sostanza le disposizioni della responsabilità indiretta dei committenti per i fatti dei loro commessi. Esaminiamo alcuni casi pratici di responsabilità decisi dalla giurisprudenza.

(Vedi pure *Amministrazione in generale*).

Inaffiamento delle strade — Danni.

L'innaffiamento delle pubbliche vie è da considerarsi come un atto di interesse sociale, avente per iscopo la sanità pubblica, e quindi non può dar luogo a responsabilità civile da parte del Comune per i possibili danni cagionati dalle persone preposte a questo pubblico servizio (2). Circa la responsabilità in generale dei Comuni, è da ritenersi che i Comuni sono tenuti a risarcire sempre il danno recato colposamente dai loro funzionari, e così dal fatto del *Sindaco*. Quanto a quest'ultimo vuolsi però avvertire che egli, oltre che essere capo dell'amministrazione comunale, è, anche *Ufficiale del Governo*. Ora è massima costante che il Comune non risponde mai delle colpe in cui il Sindaco fosse incorso quale Ufficiale del Governo, poichè le sue funzioni in tal caso non sono amministrative, ma politiche. Di queste ultime dovrebbe rispondere lo Stato.

---

(1) Circa le distinzioni tra atti *jure gestionis* ed atti *jure imperii*, vedi il titolo *Stato (Responsabilità)*.

(2) Cass. Roma, 3 dicembre 1898, *Legge*, 1899, I, 276.

Degli atti compiuti dal Sindaco come Ufficiale del Governo si ha esempio negli articoli 121, 126, 132 della legge Comunale e Provinciale; negli articoli 77, 80, 378 della legge sulle Opere Pubbliche, nella legge Sanitaria, ecc. ecc.

Non risponde mai di danni il Comune se di colpa non è responsabile il Sindaco, il quale abbia agito di conformità ai poteri che la legge gli accorda.

Furto di animali dal mattatoio.

Il Comune è civilmente responsabile del trafugamento di un animale depositato nelle stalle annesse al mattatoio comunale quando tale fatto sia dovuto alla negligenza degli agenti municipali incaricati della custodia (1). Di tale opinione è il Chironi, il quale sostiene risolutamente la piena responsabilità degli Enti amministrativi per il fatto illecito dei proprii agenti; in tutti i casi senza distinguere gli atti di imperio da quelli di gestione (2).

Ma altri giudicati ritennero invece che lo Stato, le Provincie ed i Comuni non sono civilmente responsabili per il fatto illecito o colposo dei proprii impiegati od agenti, quando si tratti di atti o funzioni compiute non già *jure gestionis*, cioè nel proprio interesse patrimoniale, ma bensì *jure imperii*, e per fine di interesse pubblico; ed una funzione di podestà e di governo non si trasforma in atto di gestione patrimoniale perciò solo che non abbia carattere obbligatorio per l'Ente che l'adempie nè per i privati, che se ne valgono, e che costoro, per l'uso o godimento del relativo servizio, sian tenuti al pagamento di una tassa, per cui concludono che non sia a ritenersi responsabile il Comune per il trafugamento di un animale custodito nell'ammazzatoio Comunale,

---

(1) Cass. Roma, 29 marzo 1900, *Legge*, I, 616.
(2) Chironi, *Colpa contratt.*, 2ª edizione.

benchè il proprietario dell'animale abbia pagato il relativo diritto di custodia e di stallaggio (1).

Alunni delle scuole elementari.

Il Comune è responsabile del danno subìto da un alunno delle scuole elementari comunali per mancata sorveglianza degli inservienti comunali (es. per la perdita di un occhio in sèguito ad aggressione ingiusta di un compagno) (2).

Concorso ad impiego (Vedi **Amministrazione pubblica** in genere).

Guardia municipale, falsa denuncia.

Il Comune è civilmente responsabile, in forza dell'articolo 1153 Cod. civ., dei danni causati da una Guardia municipale che abbia denunziato un reato inesistente (3).

Perdita di cauzione.

Il Comune è responsabile della perdita della cauzione dell'appaltatore del dazio consumo, depositata nella cassa comunale (il cui tesoriere sia ad es. fuggito colle somme depositate) (4).

Fu però anche ritenuto che il Comune non risponde della perdita del deposito cauzionale dell'appaltatore daziario quantunque fatto presso la tesoreria municipale, quando per *contratto* l'appaltatore avrebbe dovuto farlo presso la Cassa Depositi e prestiti (5).

---

(1) Cass. Roma, 9 luglio 1897, *Legge*, I, 400.
(2) Cass. Torino, 31 dicembre 1902, *Legge*, 1171 (Vedi *Scuole*).
(3) Trib. Ancona, 16 settembre 1904; Corte Ancona, I, 419.
(4) App. Palermo, 10 giugno 1904, *Riv. amm.*, 80.
(5) App. Torino, 12 giugno 1903, *Boll. opere pie*, 84.

Costruzione di orinatoi.

Il privato ha ragione di danni contro il Comune che costruisca un orinatoio in un vicolo adiacente alla sua casa, per l'ammorbamento dell'aria che diminuisca il valore della casa stessa (1).

Ritardato rilascio di certificato.

L'azione per danni per ritardato rilascio di un certificato di moralità, non può essere diretta contro l'ente *Comune*, ma soltanto contro la *persona del Sindaco*, ed in quanto *si provi* che egli *ha mancato* a precisi suoi doveri (2).

Noleggio di barche.

Il Comune che cede in affitto un lago per l'industria del noleggio delle barche, non risponde in confronto di terzi della negligenza con cui l'industria è esercitata dal conduttore (es. se una barca per vetustà o mancate riparazioni si sfascia); e non risponde malgrado che nel contratto di affitto si fosse riservato di stabilire norme per regolare l'esercizio del lago e di far collaudare il materiale nautico (3).

Omissione di opere per difesa contro fiumi o torrenti.

Se siano derivati danni per *colpevole* omissione di opere, di cui all'articolo 99 della legge sui Lavori Pubblici, ne è *responsabile il Comune* che deve promuovere il consorzio, e costringere i frontisti al concorso delle spese,

---

(1) App. Trani, 27 aprile 1904, *Boll. delle Opere Pie*, 146.
(2) App. Cagliari, 4 agosto 1904, *Mon. Trib.*, 198.
(3) Cass. Roma, 8 giugno 1905, *Giur. It.*, I, 1, 1055.

ed ha l'obbligo diretto alla pubblica tutela (1). — L'articolo 99 citato prescrive che le opere che unicamente provvedono alla difesa dell'abitato di città, villaggi o borgate contro un fiume o torrente *sono a carico del Comune* col concorso di frontisti in ragione del rispettivo interesse, a modo di *consorzio*. In caso che la spesa fosse sproporzionata alle forze del Comune e del consorzio potrà essere chiamata a concorrere la Provincia, ed essere accordato anche un sussidio dal Ministero dei Lavori Pubblici.

Manutenzione di strade comunali.

La costruzione e manutenzione delle strade comunali è funzione puramente amministrativa ed il privato non ha azione giudiziaria per costringere la pubblica amministrazione a compierla; e non può quindi domandare il risarcimento dei danni che gli siano derivati per la mancata manutenzione (2) (Vedi *Strade*).

Mancata illuminazione di opere.

Se un imprenditore di lavori comunali ha lasciato sulla pubblica via degli ammassi di sabbia o di materiali senza usare la precauzione di illuminarli durante la notte, e accada da ciò un accidente a qualche persona, la vittima può chiedere il risarcimento tanto all'*imprenditore*, quanto al *Comune*, salvo a questo ultimo il regresso verso il primo che si sia obbligato ad illuminare a sue spese i lavori e sopportare i danni risultanti dalle contravvenzioni di polizia (3) (Vedi pure *Appalti*).

---

(1) Cass. Palermo, 16 giugno 1904, *Temi Sicil.*, II, 218.

(2) Cass. Roma, Sezioni unite, 20 febbraio 1905, *Cass. unica civ.*, pag. 62.

(3) Cons. di Stato francese, 1º febbraio 1895, *Trib. Giur. di Napoli*, 1895, 49. .

Caduta di materiali.

Nel caso di costruzioni municipali, se a motivo della mancanza degli opportuni ripari ai ponti di servizio avvenga la caduta di materiali con infortunio a persone che ne rimangono colpite, incombe responsabilità non solo all' imprenditore, ma anche al *Comune*, se benchè abbia appaltata l'opera tuttavia questa sia eseguita sotto la direzione e sorveglianza di ingegneri od incaricati del Comune non solo per gli interessi materiali ed economici del Comune stesso, ma anche per la incolumità dei cittadini (1). La responsabilità è solidaria tra l'imprenditore, l'ingegnere direttore ed il Comune; nè l'ingegnere nè il Comune hanno poi in tal caso alcuna azione di rilievo verso l'imprenditore, imperocchè qui ciascuno risponde di una *colpa propria*, cioè l'imprenditore per non aver messo i ripari; l'ingegnere per aver lasciato che i lavori cominciassero e proseguissero senza i necessarii ripari per evitare infortunii; cosicchè è chiaro che non può esservi azione di rilievo tra di loro. Il Comune poi risponde non del fatto proprio, ma del fatto e colpa del suo ingegnere, come il committente risponde del fatto del commesso. Potrà invece il Comune rivolgersi per essere *rilevato*, verso l' ingegnere direttore perchè è per colpa di quest'ultimo che il Comune fu messo nella condizione di pagare e quindi se è giusto che committente e commesso rispondano solidariamente verso il terzo danneggiato è giusto altresì che il commesso risarcisca il committente di ciò che questi per esclusiva colpa del commesso ha dovuto pagare (art. 1153 n. 3, Cod. civ.). Se si negasse al committente il rilievo, sarebbe in balìa del danneggiato il liberare a suo arbitrio il commesso a tutto danno del committente, rivolgendo la sua azione esclusivamente contro di questo.

---

(1) Cass. Torino, 13 novembre 1895, *Giur. Tor.*, 777.

Danni morali.

Il Comune non può mai essere ricercato per risarcimento di danni morali da un impiegato a torto licenziato, per diffamazioni ed ingiurie contro di esso inserte nel verbale della Giunta contenente la deliberazione di licenziamento; licenziamento poi revocato in sèguito a declaratoria della Giunta provinciale amministrativa. — Per questi danni morali, cioè per le ingiurie che accompagnarono il licenziamento, l'impiegato diffamato non potrebbe rivolgersi che contro i singoli assessori in proprio (1).

Venne però al riguardo giudicato che non solo non è ammessibile l'azione in responsabilità contro un Comune a causa di supposte ingiurie o diffamazioni contro un impiegato, contenute fra i motivi espressi nella deliberazione del licenziamento suo; ma l'azione stessa non sarebbe neppure ammessibile contro i *singoli consiglieri* concorsi alla deliberazione, *se non è provato il dolo da parte loro* (2).

Venne però osservato riguardo a tale decisione che per la responsabilità civile basta il fatto illecito e dannoso, basta anche la sola colpa e imprudenza; ed è evidente qui che gli amministratori agirono con poca avvedutezza e commisero cosa non lecita, e quindi dovrebbe il Comune risponderne.

Nondimeno la Giurisprudenza è *costante* nella tesi sopraccennata di *irresponsabilità*.

Ordini del Sindaco " jure imperii „ — Danni.

Di regola gli atti *jure imperii*, come si disse più sopra, non dànno luogo a risarcimento: ma vi sono eccezioni. E così fu giudicato che il *Comune è tenuto al risar-*

---

(1) App. Torino, 15 luglio 1904, *Giur. Tor.*, 1029.
(2) App. Torino, 4 settembre 1895, *Giur. Tor.*, 757.

cimento dei danni derivati ai privati *dagli atti di impero* ordinati dal suo *Sindaco* e a rifondere i danni derivati ai terrazzani che più non poterono far defluire le acque per una chiavica per averne il Sindaco ordinata la chiusura per evitare il pericolo di una innondazione. E questi danni esso deve risarcire non secondo il vantaggio da esso Comune risentito per l'atto di impero, ma secondo la entità loro effettiva (1). E per vero il Comune risentì da tale atto un vantaggio che consiste nell'avere evitato il pericolo di sottostare a spese per riparazioni e restauri per guasti eventuali, che, ove quell'atto non fosse avvenuto, lo straripare delle acque avrebbe potuto produrre.

(Vedi pure *Sindaci*).

Illuminazione pubblica.

Il Comune non è mai tenuto ai danni verso l'appaltatore della illuminazione a *gaz* pubblica e privata con privativa e monopolio per non avere tentato di impedire l'impianto locale da parte di altra Ditta di illuminazione *elettrica*, o per avere comunque favorito l'impianto stesso in isfregio al monopolio suddetto (art. 6 regol. 25 ottobre 1895 sulle condutture elettriche, articolo 1226 Cod. civ.) (2). Questa teoria più recente è basata sul principio che per le leggi e regolamenti sulle condutture elettriche, il consenso per l'impianto delle medesime per le vie e piazze pubbliche è di esclusiva competenza, secondo i casi, del Prefetto, oppure del Ministero di Agricoltura, Industria e Commercio (art. 6 regolamento citato): cosicchè non avendo il Comune ingerenza di sorta in tali concessioni, il Comune stesso è liberato da ogni obbligo di rispondere verso le Società del gaz per i violati monopolii, perchè chi violerebbe

---

(1) Cass. Firenze, 13 novembre 1902, *Giur. Tor.*, 1903, 185.
(2) Cass. Torino, 29 novembre 1901, *Giur. Tor.*, 1902, 61.

tali contratti preesistenti sarebbe il Prefetto o il Ministero, ma essi non furono parte contraente nel contratto di concessione dell'illuminazione a gaz e quindi non rispondono dell'esecuzione di contratto in cui non presero parte. È il caso di dire per i Comuni: " *Culpa caret qui scit, sed prohibere non potest* „ (Legge 50, *Dig.*, *De evict.*). La giurisprudenza più antica ed anche della stessa Cassazione di Torino era invece nel senso di ritenere la responsabilità dei Comuni verso gli appaltatori dei servizi pubblici e privati di illuminazione a gaz (1).

Questa giurisprudenza riteneva che la legge 7 giugno 1894 non ha applicazione in quei Comuni che per contratti anteriori ad essa hanno già fatto concessioni per l'illuminazione pubblica e privata estendendole anche ad ogni futuro nuovo sistema di illuminazione, e quindi, fatte tali concessioni, non potrebbe più il Comune permettere ad altri l'introduzione della illuminazione a luce elettrica anche soltanto ad uso dei privati (2). La nuova tesi sostenuta dalla Suprema Corte ha mutato indirizzo alla questione, come si è avvertito in principio di questa rubrica.

Altri giudicati così ragionano. È vero che il concedere l'impianto per l'illuminazione elettrica è cosa che affatto non riguarda il Comune, per quanto questa illuminazione sia concessa in casa sua; la cosa riguarda il Prefetto od il Ministero, secondo che l'impianto interessi una sola provincia, o diverse; ma questo decreto di concessione *si intende subordinato alla possibilità di tradurlo in opera*, nel luogo in cui è richiesto, tanto è vero che la domanda deve, a termini dell'art. 5 della legge, giustificare di potere *disporre delle condotte elettriche*. Ora se altri tiene il campo con una concessione precedente di *monopolio*, fattagli dal Comune, questa concessione

---

(1) Vedi sentenze 7 agosto 1895, *Giur. Tor.*, 783; 8 giugno 1899, idem, 936, ed altre molte.

(2) Cass. Torino, 8 giugno 1899, *Giur. Tor.*, 936 e note relative.

deve riconoscersi per valida, e quindi il decreto di concessione che pure si fosse ottenuto rimane lettera morta e il Comune non deve permettere che la nuova illuminazione venga introdotta ledendo il monopolio (1). Ma, si osserva, l'art. 5 non è condizione per potersi o meno eseguire il decreto di concessione già emanato, ma è invece condizione preventiva per poter ottenere o meno la emanazione del decreto medesimo. Cosicchè sembrerebbe più logico l'invocare gli art. 8 del regol. e 5 e 6 della legge nel senso cioè che contro le concessioni per illuminazione elettrica siano ammesse le *opposizioni* degli interessati, le quali opposizioni debbono discutersi in via amministrativa davanti la IV Sezione del Consiglio di Stato, impugnando cioè avanti di essa e colle riserve di legge il decreto di concessione. Così si evita il conflitto tra le due Autorità amministrativa e giudiziaria (2). Fu pure giudicato che all'impresa appaltatrice della illuminazione a gaz, danneggiata da una concessione concorrente per la luce elettrica, non è dovuto indennizzo dal Comune per il ribasso operato nei prezzi prima che la concessione per l'elettricità fosse fatta, in previsione della possibile concorrenza, nè per le spese incorse allo scopo di stabilire impianti di gaz in privati edifici, dove poi si rinunciò a questo metodo di illuminazione.

È invece dovuto un risarcimento equivalente al minor consumo di gaz effettivamente verificatosi per causa della concorrenza e per l'eventuale aumento di consumo che presumibilmente sarebbe derivato dallo sviluppo naturale dell'operosità della popolazione (3).

---

(1) *Giur. Tor.* 1902, pag. 163 in nota; Sentenza Appello Torino, 27 dicembre 1901, *ivi*.

(2) Nota citata *Giur. Tor.*, 1902, pag. 164.

(3) App. Torino, 25 gennaio 1895, *Legge*, II, 196. Circa queste questioni può consultarsi il *Commento alle leggi sull'elettricità* dell'avv. Cesare Baldi (Torino, Fratelli Bocca, 1907) e l'opera di U. Pipia, *l'Elettricità nel Diritto* (Milano, U. Hoepli).

Opere d'igiene.

L'atto amministrativo che ingiunga la *copertura di un fosso* per misura di pubblica igiene, non dà luogo ad alcuna ragione di indennità a favore del proprietario del fosso obbligato ad eseguire l'ordine, e sulla relativa azione da lui proposta è incompetente l'Autorità giudiziaria (1). È per vero certo ormai in giurisprudenza che i provvedimenti amministrativi emessi *jure imperii*, come per ragioni di sicurezza e di sanità pubblica, sono sottratti al sindacato dei Tribunali e non dànno diritto ad indennità ai privati che ne sono colpiti e ne risentono pregiudizio (2). I provvedimenti amministrativi diretti esclusivamente a rendere innocua la proprietà privata od a prevenire un pericolo per la salute pubblica, non importano mai indennità al privato che ne soffra una diminuzione patrimoniale; ed in ispecie l'ordinanza del Ministero dell'*Interno* che a difesa di un Comune minacciato da infezione colerica, ordina la distruzione degli stracci, non importa indennità al proprietario degli stracci distrutti (3).

Amministrazione postale.

Riscossione di Titoli.

Prima della pubblicazione del regolamento postale 10 febbraio 1901, la responsabilità dell'Amministrazione delle Poste per il servizio della riscossione non poteva estendersi al di là della *riscossione* e della *consegna* del denaro, e conseguentemente, dato il caso del protesto di una *cambiale* che un ufficiale postale avesse fatto levare

---

(1) Cass. Roma, Sezioni unite, 13 settembre 1894, *Giur. Torinese.* anno 1895, 102.

(2) App. Roma, 11 novembre 1889, *Giur. Tor.*, XXVII, 80.

(3) Cass. Roma, 27 marzo 1894, *Corte Suprema*, XIX, § 124.

contro il trattario che rifiutò di pagare, perchè mancante della quitanza del mittente, l'Amministrazione Postale non poteva essere tenuta a rispondere dei danni per illegale protesto (1), imperocchè l'art. 193 del regol. del 1890 non faceva all'Amministrazione altro obbligo che quello di esigere il denaro e consegnarlo al mittente. Dopo la pubblicazione invece del regolamento 10 febbraio 1901 (art. 196) venne dato agli uffici postali l'incarico del *protesto* in caso di mancato pagamento, cosicchè non può dubitarsi ora che se venga elevato da un *ufficio postale indebitamente* il protesto di una cambiale, l'Amministrazione Postale risponde dei danni derivati (2); ed il protesto si ritiene indebito se venga elevato malgrado che l'obbligato si dichiari disposto a pagare purchè gli sia presentata quitanzata la cambiale. Col regolamento del 1901 venne pure introdotta una modificazione, per cui nel caso contemplato, è stabilito che quando manchi sugli effetti la quitanza dei creditori, la stessa può, su domanda dei debitori, venire apposta *dagli stessi titolari dell'ufficio postale* (art. 202 capoverso primo, regolamento 1° febbraio 1901 n. 12).

Corrispondenze.

L'Amministrazione delle Poste non risponde mai della mancata consegna di una lettera semplicemente *affrancata*, ma non raccomandata.

Anche in caso di continuata fraudolenta sottrazione di corrispondenza per opera di impiegato postale condannato in sede penale per tale reato, il danneggiato non ha azione per risarcimento di danni contro l'Amministrazione (3).

---

(1) Cass. Roma, Sezioni unite, 9 febbraio 1905, *Legge*, 847.
(2) Cass. Roma, 20 maggio 1903, *Legge*, 1374.
(3) Cass. Napoli, 10 luglio 1895, *Legge*, II, 813.

Assicurate — Dispersione per forza maggiore.

L'Amministrazione Postale non è responsabile dei valori assicurati nel caso di dispersione per forza maggiore, salvo che la dispersione sia avvenuta per sua negligenza (1).

Reclamo.

Se il destinatario di un piego assicurato **lo ritira senza reclamo** e ne rilascia ricevuta incondizionata, l'Amministrazione delle Poste ne rimane sciolta da ogni responsabilità per la indi verificata mancanza di parte del valore dichiarato ed assicurato (2).

Disguidi o ritardi di consegna.

L'Amministrazione delle Poste, sebbene gerisca una privativa dello Stato per il trasporto delle corrispondenze, è *responsabile* dei ritardi o disguidi *non derivanti da forza maggiore*, e dà luogo a risarcimento di danni il fatto del ritardo nel recapito anche di semplici giornali quotidiani. Essi infatti portano talora notizie che possono d'urgenza interessare il lettore (es. i rialzi e ribassi di borsa e simili) (3).

Recapito di cartoline ingiuriose.

L'Amministrazione dello Stato nell'attendere alle mansioni inerenti al servizio postale, compie un atto di funzione *amministrativa*, e non di natura *politica*, e perciò *essa non è responsabile* dei danni risentiti dai destinatarii per avere eseguito ai medesimi il regolare recapito

---

(1) Cass. Roma, 4 luglio 1877, *Giur. Tor.*, XV, 160.

(2) Cass. Torino, 24 aprile 1878, *Giur. Tor.*, XV, 488.

(3) Concil. di Castiglione Messer Marino, 23 dicembre 1904, *Giud. Conc.*, pag. 84.

di cartoline postali *pornografiche* od *ingiuriose*. Risponderebbe invece dei danni derivati ai destinatarii medesimi, per il fatto che il *portalettere*, con violazione del segreto epistolare, abbia propalato il contenuto delle cartoline suddette prima di eseguirne il recapito (1).

Pagamento vaglia.

Il Ministero delle Poste ha l'obbligo di rifondere il danno derivato dall'irregolare pagamento che di un vaglia abbia fatto il titolare di un ufficio postale. L'azione per il risarcimento di tale danno non è soggetta alla prescrizione triennale contemplata nell'art. 62 del testo unico 24 dicembre 1899, n. 501, sul servizio postale (2).

L'Amministrazione postale non assume la responsabilità per la consegna dei *vaglia telegrafici*, che devono essere recapitati come i telegrammi ordinarii; e nemmeno assume responsabilità per il pagamento di un **vaglia** *girato* colla firma per quietanza del girante falsa, ma colla firma *vera* del giratario. È valida la girata in bianco di un vaglia postale (3).

Indennità in genere.

In generale per i danni recati nell'esercizio del servizio postale, la legge stessa postale determina quale sia l'indennità dovuta al mittente nel caso di smarrimento di• lettere raccomandate, o di pacchi postali; onde è a ritenersi che tale determinazione fissa contenga non solo una *valutazione* del risarcimento, ma anche una limitazione di responsabilità.

All'infuori dei casi di smarrimenti e di quegli altri previsti dalle leggi e regolamenti postali, gli altri atti

---

(1) App. Milano, 28 dicembre 1901, *Foro It.*, I, 249.
(2) Trib. Roma, 9 dicembre 1903. *Palazzo Giust.*. 125.
(3) App. Cagliari, 5 settembre 1901, *Legge*, II, 771.

illeciti che si possono commettere in materia postale danno luogo ad un'azione penale costituendo *reato*, cosicchè ne nasce come necessaria conseguenza, a mente dell'art. 1 del Codice di procedura penale e 39 del Codice penale, anche l'azione *civile* per risarcimento dei danni. Tra questi fatti accenniamo:

1° *Violazione* di corrispondenza (art. 159 Cod. pen.) (apertura, impossessamento di lettere, pieghi o telegrammi chiusi diretti ad altri);

2° *Soppressione* di corrispondenza (art. 160 Cod. pen.);

3° *Pubblicazione abusiva* di corrispondenza (art. 161 Cod. pen.);

4° *Abusi* degli addetti al servizio postale o telegrafico (art. 162 Cod. pen.).

Amministrazione pubblica in genere.

Atti jure imperii e jure gestionis.

Tutti gli enti pubblici debbono rispondere avanti i Tribunali ordinarî degli atti lesivi degli altrui diritti, senza che possano distinguersi *atti compiuti jure imperii* ed *atti compiuti jure gestionis* (1), e l'atto di *impero*, comunque estrinsecatosi, *che sia però illegale e lesivo di un diritto civile*, non toglie al titolare del diritto la facoltà di adire l'Autorità giudiziaria per il conseguente rifacimento del danno (2).

Concorsi ad impieghi.

Colui che avendo preso parte ad un concorso indetto da un municipio per il posto di segretario viene *prescelto*, ma non *accetta* l'impiego, non è tenuto verso il Comune al rimborso delle spese ed al risarcimento dei

---

(1) App. Roma, 17 dicembre 1904, *Palazzo Giust.*, 72.
(2) Trib. Roma, 17 luglio 1905, *Palazzo Giust.*, 430.

danni derivanti dal suo rifiuto, sebbene tale obbligo sia incluso nelle condizioni di concorso, *se non si provi che tale patto era a sua conoscenza, e fu accettato*; e non basta a far presumere la conoscenza, il fatto che l'obbligo era dichiarato nell'avviso di concorso affisso all'Albo Pretorio del Municipio che aveva indetto il Concorso medesimo (1).

Responsabilità dello Stato.

Lo *Stato* non assume responsabilità pel fatto colposo dei suoi funzionarî, *se non nei casi espressamente determinati dalla legge* (2) (Vedi *Stato*).

Appaltatori e Subappaltatori (Vedi **Ferrovie**, § 2, ed **Appalti**).

Sfruttamento d'invenzione.

È di competenza dell'Autorità giudiziaria l'azione di un privato contro il *Ministero della Marina* per avere sfruttato una sua invenzione senza corrispettivo, ed avergli impedito di chiedere ed ottenere il brevetto, per il che si può chiedere risarcimento dei danni (3).

Solidarietà fra amministratori.

Sebbene tutti gli amministratori di un *ente morale* siano tenuti solidariamente verso di questo pei danni derivati da mala amministrazione, ciò non toglie che nei rapporti tra di loro il risarcimento sia posto a carico esclusivo di uno di essi, in ispecie del solo presidente, se sua esclusiva fu la colpa, e gli altri siano imputabili soltanto di aver avuto cieca confidenza in lui. In questo caso il presidente

---

(1) App. Perugia, 21 luglio 1904, *Corte di Ancona*, I, 440.
(2) Cass. Roma, Sezioni unite, 9 febbraio 1905, *Legge*, 847
(3) App. Napoli, 11 maggio 1904, *Legge*, II, 2032.

che abbia dovuto risarcire l'ente amministrato non ha ragione di rimborso contro gli altri amministratori (1). Vedi pure *Danni in genere.*

Bonifica dell'Agro Romano — Danni (Vedi Stato) — Irresponsabilità.

Innondazioni.

Con numerose decisioni la Suprema Corte ha dichiarato la irresponsabilità della pubblica Amministrazione per i danni derivati dalle innondazioni, salvo che si provi essere tali danni la *conseguenza diretta ed esclusiva* dei lavori idraulici e di bonifica eseguiti dallo Stato, in modo da mutare lo *stato quo ante* dei corsi d'acqua e dei terreni adiacenti (2).

Vedi pure i titoli *Innondazioni, Acque, Lavori pubblici.*

Norme generali sulla responsabilità delle Amministrazioni.

Le leggi non provvedono alle questioni che nascono pei danni cagionati dalle pubbliche Amministrazioni, e la legge unica che insufficientemente se ne occupa è quella sulle spropriazioni per pubblica utilità.

In merito ai danni derivanti da atti amministrativi, vi sono tre fonti principali dai quali i danni possono derivare e cioè:

a) Calmieri o valore stabilito dai Comuni per regolare i prezzi dei generi di vettovaglie di prima necessità; e si ritiene che i calmieri non dànno mai diritto ad indennità verso gli esercenti che ne restino lesi se non

---

(1) Cass. Torino, 18 novembre 1884, *Giur. Tor.*, XXI, 885.

(2) Cass. Roma, 17 agosto 1893, *Legge*, II, 297; *Legge*, 1894, I, 264 402; *Legge*, 1896, II, 616; *Legge*, 1898, I, 685, ove sono riportate analoghe sentenze.

violano qualche contratto che già vincoli il Comune, ovvero non pecchino per inosservanza di regolamento (1).

b) Le opere su acque pubbliche fatte eseguire dalle competenti Autorità amministrative, le quali opere possono essere causa di danno che la pubblica Amministrazione è tenuta a risarcire.

c) Gli *atti permissivi*, che secondano le domande dei privati, non possono mai produrre responsabilità a carico dell'Amministrazione, e se nell'esercizio di quanto il privato ha ottenuto di poter fare dall'Amministrazione si ledesse qualche diritto, o si danneggiasse un terzo, ne sarà risponsabile il privato personalmente.

d) Si ritiene invece risponsabile l'Amministrazione per atti imperativi che violano *patti contrattuali* cui l'Amministrazione era sottoposta, nonchè per i danni che derivino da opere male eseguite, o da indebite omissioni di ripari o ristauri.

Così pure debbono risarcirsi i danni recati dall'Amministrazione ai privati per misure urgenti prese in caso di innondazione, onde salvare paesi e città dalla invasione delle acque (2).

Mutamenti nel suolo pubblico.

Si discute se i proprietarii fronteggianti il *suolo pubblico* abbiano diritto ad indennità per i cambiamenti di livello o per altre mutazioni che li privino dei vantaggi di cui prima godevano le loro proprietà. Il Giorgi opina affermativamente (3), salvo il caso in cui le novità siano tali da ritenerle previste e tollerabili. Di questo argomento viene fatta più ampia trattazione nei titoli: *Strade* e *Lavori Pubblici*.

----

(1) Giorgi, *Obblig.*, vol. V, § 173.
(2) Giorgi, op. cit., vol. V, § 183.
(3) Giorgi, op. cit., vol. V, § 186.

Animali in generale.

(Vedi pure i titoli **Api** — **Cavalli** — **Cani** — **Gatti** — **Galli**).

La responsabilità pel danno recato da animali è espressamente preveduta e regolata dall'articolo 1154 del Codice civile, di cui sarà dato ampio commento trattando più innanzi dei singoli casi.

. La responsabilità del proprietario o di chi si serve dell'animale si estende ad ogni specie di danno che questi arrechi; vale a dire tanto secondo la sua natura mansueta o feroce, quanto contro la sua natura, e ad ogni specie di animali.

Il proprietario ne risponde anche verso i domestici e commessi suoi, salvo che non fossero stati prevenuti del pericolo e da quello premuniti (1).

Anche risponde per i danni che le bestie si arrecano fra di loro, purchè possa accertarsi quale fu quella che per la prima ha assalito e percosso.

Il fondamento della risponsabilità pel fatto degli animali sta in un principio di ragione e di necessità sociale per cui ognuno è tenuto a risarcire i danni cagionati dagli animali che avrebbe dovuto vigilare e custodire. È una responsabilità fondata anch'essa sulla presunzione di colpa, e non già sulla proprietà nè sui *commoda et incommoda* che ne derivano secondo che si sostiene da talune dottrine. Se il proprietario affida l'animale ad un domestico, o commesso, la responsabilità ricade sopra tutti e due. La responsabilità del proprietario cessa quando un'altra persona si serva *per proprio conto* dell'animale.

Gli *albergatori* sono responsabili e così pure gli *stallieri* verso coloro che mettono animali nelle loro stalle, del danno cagionato a questi da altri animali.

---

(1) Giorgi, *Teorie delle obbligazioni*, vol. V, § 395.

La responsabilità incombe anche ai proprietarii di conigliere, colombaie, fagianerie, armenti, depositi di stalloni, mandre di bovine, serragli di belve feroci, ecc., ecc.

La presunzione di colpa creata dalla legge a carico del proprietario o dell'utente dell'animale non è *juris et de jure*, ma *juris tantum*, cioè ammette la prova in contrario, ossia può provare che il fatto avvenne o per *colpa* dello stesso danneggiato, o per *caso fortuito*, o per *forza maggiore* (1).

Il proprietario di un animale non è tenuto a rispondere dei danni dall'animale stesso arrecati, se tali danni non siano imputabili a sua colpa; imperocchè gli art. 1152, 1153, 1154 Cod. civ. vanno coordinati all'art. 1151, il quale articolo esige la *colpa* come requisito essenziale perchè possa sussistere l'obbligo di risarcimento di danno, e per *colpa civile* si intende anche una semplice negligenza, od imprudenza propria o dei dipendenti (2).

Prove da darsi dal danneggiato.

Il danneggiato di fronte al proprietario dell'animale od all'utente, non ha altre prove da dare fuorchè l'*appartenenza* dell'animale al medesimo a titolo di *proprietà*, di *uso*, o di *godimento*; l'*esistenza* del fatto che recò danno, e l'*entità* del danno recato (3).

L'art. 1154 Cod. civ. contempla tanto gli animali domestici quanto le *ferae bestiae*.

Colono.

Il proprietario non risponde dei danni cagionati dagli animali da lui consegnati al *colono* ed inservienti alla coltura del fondo (4) (Vedi *Muli*, § 1).

---

(1) App. Milano, 21 luglio 1904, *Giur. Tor.*, 1130.
(2) App. Torino, 15 febbraio 1901, *Giur. Tor.*, 549.
(3) Citata sentenza App. Milano.
(4) App. Firenze, 19 marzo 1904, *Foro It.*, I, 874.

Del danno cagionato dal colono che conduce o guida un cavallo facile ad adombrarsi, non risponde il proprietario del podere tenuto a colonia, quantunque sia anche proprietario dell'animale che viene per consuetudine alimentato e custodito nel podere medesimo (1).

Proprietario ed utente di animale.

L'art. 1154 Cod. civ. stabilisce in modo *alternativo* due responsabilità, quella del proprietario dell'animale, e quella di colui che se ne serve, le quali entrambe sorgono quando o l'uno o l'altro sia venuto meno all'obbligo di custodire l'animale in modo che non rechi danno ad altri.

È poi evidente che perchè sia possibile l'applicazione netta di questo art. 1154 nella seconda delle sue ipotesi si richiede che chi si serve dell'animale, senza esserne il proprietario, *non abbia alcun rapporto di dipendenza* col proprietario dell'animale, perchè in tal caso costui potrebbe sempre essere chiamato a rispondere del fatto del suo dipendente in base all'articolo 1153 Cod. civ. (2).

La responsabilità di colui che si serve dell'animale *esclude* la responsabilità del proprielario, a meno che si tratti di animali affetti da vizi (Vedi sopra § 3). E venne ritenuto di conseguenza che l'albergatore il quale fa servizio di scuderia per i suoi avventori, va considerato come persona che si *serve dei cavalli* dei medesimi, agli effetti della responsabilità pei danni da essi arrecati, e tale sua responsabilità sussiste anche di fronte ai terzi ed agli stessi suoi dipendenti e personale di scuderia (3).

La responsabilità poi stabilita dall'art. 1154 Cod. civ. deve escludersi ogni qualvolta il danno recato dall'ani-

---

(1) Trib. Arezzo, 8 febbraio 1904, *Giurispr. Toscana*, 239.

(2) Cass. Torino, 16 maggio 1898, *Giur. Tor.*, 841; Ricci, *Dir. civ.*, vol. VI, 101.

(3) Corte di Poitiers, 7 dicembre 1903, *Mon. Trib.*, 739.

male sia conseguenza di *caso fortuito,* oppure sia *colpa* di colui che lo sofferse. Non sarebbe però esclusa se risultasse che anche il proprietario fu in colpa (Vedi *Compensazione delle colpe*), come, ad esempio, nel caso di chi percorrendo in carrozza uno stradale, senza tenere le redini in mano, adombratosi il cavallo repentinamente, non sia in grado di trattenerlo appunto per non tenere le redini, cosicchè il cavallo investa altra persona e faccia precipitare lo stesso proprietario (1).

E così pure non si ammette responsabilità per danni da parte del proprietario di un animale, che, fermatosi per necessità dello stato di un viottolo in cui eserciti il passaggio per diritto di servitù abbia pestata l'erba laterale (2). Vedi pure i titoli: *Carri, Lesioni personali* e *Omicidio.*

Danno di più animali.

Se più animali in branco appartenenti a diversi proprietarî producono insieme un danno, tutti i proprietarii ne sono responsabili in solido, a meno che alcuno provi essere i suoi animali particolarmente rimasti estranei al fatto dannoso.

Se poi il danno prodotto da animali fu occasionato dalla inettitudine a vigilarli o guidarli della persona a cui i proprietarii li avevano affidati, costoro rispondono anche per il titolo di colpa preveduto nell'art. 1153 Codice civile che può essere cumulato col titolo del successivo art. 1154 (3).

È civilmente risponsabile il padre per le lesioni prodotte da un animale dato a governare al figlio minorenne ed inesperto. E la sua responsabilità civile pro-

---

(1) App. Milano, 15 aprile 1903, *Mon. Trib.*, 272.

(2) Conciliatore di Vicchio nel Mugello, 26 luglio 1905, *Guida Conc.*, 710.

(3) App. Aquila, 14 aprile 1905, *Giur. It.*, I, 2, 468.

mana in tal caso dalle relazioni tra committente e commesso, e non da quelle tra padre e figlio (1).

Morte procurata.

Colui che per difendere la sua proprietà da continui danni che pativa, sparge sul suolo degli aghi, non risponde di danni per la morte di una vacca altrui che ne avesse ingoiato alcuno, se la vacca fu introdotta abusivamente a pascolare nel fondo (2).

La responsabilità del proprietario di un animale per danni da esso cagionati viene meno se il fatto avvenne per colpa del danneggiato il quale abbia irritato o provocato l'animale (3).

Se un animale danneggia una cosa che non è in quel momento in custodia del proprietario della cosa stessa, ma fu data a comodato ad un terzo, quest'ultimo (comodatario) ha azione diretta contro il proprietario ed il custode dell'animale stesso, ed indipendentemente dal comodante per ottenere il risarcimento (4).

Tori.

Non vi è responsabilità per danni per parte del padrone, se un *toro* abbia assalito chi entra o passa senza averne diritto per un luogo ove passano o stanno tori; anzi se l'assalito uccidesse il toro per difendersi, sarebbe esso responsabile di danni per tale uccisione (5).

Animali pericolosi.

Costituisce colpa il conservare un animale che tutte le precauzioni usate non sono sufficienti ad impedire di

---

(1) Cass. Roma, 29 aprile 1903, *Riv. Pen.*, LVIII, 211.
(2) Trib. della Santa Consulta, 11 gennaio 1870, *Giur. Tor.*, VII, pag. 252.
(3) Cass. Torino, 14 gennaio 1869, *id.*, VI, 147.
(4) Cass. Torino, 29 dicembre 1874, *id.*, XII, 99.
(5) LAROMBIÈRE, *Obbligat.*, art. 1385, n. 13.

riuscire nocivo, e non sarebbe scusabile il proprietario quand'anche provasse di aver fatto tutto il possibile per impedire il danno.

Animali al pascolo.

Se un animale abbia recato danno mentre trovavasi al pascolo *senza sorveglianza*, secondo l'uso della località, si ritenne nonostante il concorso di tale circostanza dell'uso del luogo, che sia responsabile il proprietario specialmente se l'animale era vizioso ; ma se gli animali sono, di comune consenso di diversi proprietarii, insieme abbandonati di giorno al pascolo, e di notte senza sorveglianza e si rechino danno tra di loro, non c'è più responsabilità perchè si ritiene avere quei proprietari implicitamente rinunciato al diritto di indennità per gli accidenti che a loro danno potessero derivare (1).

Chi è proprietario od ha l'uso od è incaricato della vigilanza anche solo di alcuni capi di bestiame componenti una mandra, è responsabile dei danni cagionati da *tutta la mandra* indistintamente, e la responsabilità è *solidaria* fra tutti i sopra nominati.

Se poi più animali appartenenti a diversi padroni hanno concorso ad un fatto dannoso, e questo è indivisibile nei suoi elementi (2), ogni proprietario di ciascuno dei detti animali è tenuto in solido verso il danneggiato.

Così pure se una *giovenca* di una mandra ferisce il custode di un'altra mandra che pascoli nello stesso prato, il proprietario dell'animale feritore è responsabile del danno quand'anche vi fosse l'intelligenza che i due mandriani dovessero sorvegliare reciprocamente i rispettivi greggi, ed il fatto sia avvenuto mentre l'altro mandriano si era assentato per ricondurre al pascolo una giovenca allontanatasi (3).

---

(1) Sent. 2 luglio 1851, Cass. Francese, SIREY DE VILL., 1851, 1, 447.
(2) LAROMBIÈRE, art. 1385, n. 10.
(3) Cass. Torino, 14 gennaio 1869, *Giur. Tor.*, 149.

Selvaggina.

Quanto ai danni cagionati dalla selvaggina non fanno luogo ad azione, perchè si ha il diritto di ammazzarla sul proprio suolo. Se si trattasse di *conigli* allevati e custoditi in luogo apposito, e che da questo passassero sui fondi limitrofi, la responsabilità pei danni cade su chi li conserva (1). Per i danni cagionati dai *Piccioni* vedi Merlin, *Rép.*, voc. *Colombier*, secondo cui il proprietario che non si cura di impedire che i suoi piccioni vadano sul fondo del vicino, si espone al pericolo di vedersi uccidere i piccioni stessi. Vedi *Caccia*.

Nel dettare l'art. 1154 Cod. civ. (danni prodotti da animali) il legislatore ebbe di mira il *fatto* soltanto in modo *oggettivo*, senza riguardo alla *volontarietà* di chi vi ha dato luogo (2).

Le fiere e gli animali selvaggi non domabili, oggetto di futura occupazione, ma non ancora occupati, quali sono gli animali da *caccia* o da *pesca* (art. 711 Cod. civ.), non sono in proprietà di alcuno, ed i danni che arrecano non formano materia di azione; imperocchè per dichiarare se il danno recato da un animale sia rifattibile, devesi indagare se abbia un proprietario o alcuno che ne sia quanto meno il *possessore di fatto*. Si è disputato se il proprietario di una *riserva* o *bandite di caccia* sia responsabile di danno per aver lasciato aumentare a dismisura la selvaggina, in pregiudizio dei fondi vicini ed anche dello stesso fondo affittato col vincolo della caccia (Vedi pure *Locazione di fondi rustici*). In tal caso, secondo il Borsari (3), che richiama l'opinione di autori francesi, si potrà far carico al proprietario per tale aumento di selvaggina nociva ai vicini, ed esperire l'azione per ob-

---

(1) Merlin, *Rép. voc. Gibier*, n. 8; Zachariae, vol. III, pag. 218, § 448, nota 1ª.

(2) Cass. Torino, 3 marzo 1882, *Mon. Pret.*, 197.

(3) Commentario al Cod. civ. Sentenza App. Torino, 28 agosto 1895, *Giur. Tor.*, 727.

bligarlo a limitare la quantità, ma non già in base al·
l'art. 1154 Cod. civ.

Animali abbandonati.

Il proprietario di un animale abbandonato, responsabile del suo abbandono, deve rimborsare le spese di *custodia* a chi le ha fatte (ed anche di mantenimento) e
per esso al Comune che ha ordinato il ritiro e la custodia dell'animale abbandonato (1) (V. pure più avanti
ulteriori commenti). Vedi più avanti le responsabilità
penali.

Responsabilità pel danno recato da animali se-condo il Diritto Romano.

Si distingueva il danno recato dall'animale per *mala
custodia* di colui che lo tiene (che può essere il proprietario, od un terzo che se ne serve attualmente) dal danno
recato dall'animale mentre è condotto e guidato dal cocchiere o custode (es. trainando un veicolo). Nel caso di
mala custodia spettava l'azione *de pauperie* (art. 1154
Cod. civ.) " *Pauperies est damnum sine iniuria facientis datum; nec enim potest animal iniuria fecisse quod sensu
caret* „. Esempi sono i " *si equus calcitrosus calce percusserit;
aut si bos cornu petere solitus, petierit; aut mulae propter
nimiam ferociam* „. Trattandosi invece di danno recato da
veicolo in moto tratto da animali, se il danno non fosse
casuale e fortuito, si avrebbe la responsabilità non già
dell'art. 1154 Cod. civ., ma quella per *danno* di cui agli
art. 1151 e 1153 stesso Codice per responsabilità personale del disattento od inesperto guidatore e di chi per
lui deve rispondere. Non si tratterebbe più di *pauperies*,
ma di *damnum*. E nella stessa legge Romana sta scritto
in proposito : " *quod si propter loci iniquitatem, aut propter*

---

(1) Cass. Torino, 17 aprile 1895, *Giur. Tor.*, 628.

culpam mulionis, aut si plus justo onerata quadrupes in aliquem onus everterit, haec actio cessabit, damnique iniuriae agetur „. L'importanza pratica di questa differenza è manifesta, poichè nel caso dell'art. 1154, che par si discosta dalla legge *si quadrupes,* si ha una responsabilità più estesa che non nei casi generali degli articoli 1151 e 1153 Cod. civ.; in quello non è mestieri *provare alcuna colpa* nel proprietario dell'animale od in colui che se ne serve, essendo essa presunta dalla legge; in questi, invece, la colpa devesi provare da colui che propone l'azione di danno,

Nel Diritto Romano, oltre l'azione *nossale* (1), eravi anche l'*actio de pastu pecoris,* pure di natura *nossale,* e l'azione data dall'*Editto edilizio,* sulle quali può consultarsi: *Pauli Receptarum Sententiarum,* Lib. 1, Tit. 15; L. 1, § 1, C. III, 35; Legg. ult. *de Leg. Aquilia,* C. XI, 60 Leg. 2 *de pascuis publicis et privatis;* C. XI, 66, L. 1 *de fundis et saltibus rei dominicae;* infine *Digesto,* L. XXI, Tit. 1.

Secondo la legge romana, l'azione *de pauperie* era data pel danno recato dal quadrupede mansueto o mansuefatto, e sotto la dizione di quadrupede si intendeva ogni sorta di animali anche non quadrupedi, escluso però il danno recato dalle *fiere;* poichè *in bestiis autem propter naturalem feritatem haec actio locum non habet* (2).

Il nostro Codice invece non fa distinzione di sorta, ed il *proprietario o chi se ne serve* risponde sempre del danno recato dagli animali alle sue dipendenze, anche se l'animale è *fuggito* o *smarrito* (art. 1154 Cod. civ.).

I principii del Diritto Romano, con qualche modifica-

---

(1) L'azione *nossale* deriva da *noxia,* che è il maleficio, danno, rapina, furto, ingiuria; ed era detto *noxa* lo stesso corpo che recò danno, e si riferiva propriamente l'azione *nossale* al danno recato dal *servo;* ed era lecito al padrone il liberarsi dalle responsabilità col dare al danneggiato lo stesso *corpo* del delinquente (*Dig. Leg.,* 1, *de noxalibus actionibus,* lib. IX, tit. IV).

(2) *Digesto,* l. 1, § 10. *Si quad. paup. fec.*

zione, passarono poi nelle leggi barbariche, e così nell'*Editto di Rotari* (1), Capitoli 309, 323, 324, 328; nelle leggi dei *Burgundii*; sui quali argomenti potrà lo studioso consultare, oltre il Padelletti *(Fontes juris italici medii aevi)*, anche il Nani *(Studii di Diritto Longobardo, Torino, 1877)*, ed infine Montesquieu *(L'Esprit des Lois, Lib. XXVIII, Cap. 1)*.

Concetti generali di responsabilità nel Diritto moderno.

Gli animali si distinguono in animali *mansueti* (o domestici), *mansuefatti* e *selvaggi*.

Mansueti sono quelli che nascono e crescono sotto la cura dell'uomo per di lui utile o diletto (2), e così i buoi, i cavalli, gli asini, le pecore, le capre, i maiali, i cani, i gatti, il pollame da cortile.

Gli animali *mansuefatti* sono quelli nati fuori del materiale dominio dell'uomo, ma da essi ridotti a suo servizio, e così i *piccioni*, i *conigli*, le *api*, ed anche i *pesci* che si tengano in una peschiera.

Animali *selvatici* sono quelli liberi nella campagna, indipendenti dall'uomo, e sono di due specie: *miti e feroci*. Il mezzo con cui l'uomo si impossessa degli animali selvaggi è la *caccia* e *la pesca* (Vedi il titolo *Caccia e Pesca*).

Del danno recato da animali *selvatici* non risponde mai il proprietario del fondo in cui si trovano. E così se in un bosco di proprietà privata vi sia un nido di *volpi* che danneggiano i pollai vicini, non sarà responsabile di tali danni il proprietario del bosco; e così se vi si annidassero dei *lupi*, degli *avoltoi* e simili.

Se però gli animali *selvaggi* vengono catturati e passano in dominio dell'uomo, questi risponderà dei danni

---

(1) Padelletti, *Fontes juris italici medii aevi.*
(2) Studio del dottor Muzio Majnoni nella *Legge*, 1895, pag. 678 e 706, che qui si riassume.

da essi recati per mancata custodia (es.: se il *leone* rompe le sbarre della gabbia; l'*orso* infrange la catena e fugge; in questi casi si esaminerà se vi sia *colpa*, cioè se le sbarre fossero solide, se la catena fosse sufficiente a tenere l'orso legato, ecc., ecc.), e la responsabilità prende base negli articoli 1151 e 1152 del Codice civile.

Passando ora a parlare degli animali *mansuefatti*, è a ritenersi, quanto ai conigli, che se essi sono in istato libero, i danni da essi recati non sono risarcibili da alcuno; se invece sono tenuti in *conigliere* (le *garennes* francesi), il proprietario delle conigliere risponderà dei danni che i conigli fuggiti abbiano recato, essendo egli colpevole di mancata od insufficiente custodia; le stesse norme si applicano ai *colombi*.

Quanto alle *api*, vedi il titolo *Api*.

Per gli animali *domestici* infine, per i danni recati da questi sta sempre la responsabilità, perchè hanno un *padrone*, il quale risponde, come sopra si disse, anche se l'animale sia fuggito. Ed il padrone risponde non solo del danno recato dall'animale, ma anche di quello recato da quelli figliati dalla femmina, e così, ad es., dei danni recati dal *cucciolo* generato dalla sua cagna.

Sorge dubbio nel caso di *abbandono volontario*. Già su questo punto era divisa la dottrina tra i *Proculejani* ed i *Sabiniani*.

Proculo dichiarava *non desinere eam rem domini esse, nisi ab alio possessa fuerit* (1). Pertanto, secondo Proculo, la proprietà non uscendo dall'antico proprietario se non entrando in un altro, il padrone dell'animale deve sempre rispondere finchè un terzo non se ne impossessi.

Invece, secondo i Sabiniani, la proprietà cessava *ipso facto* coll'abbandono dell'animale indipendentemente dal possesso che altri ne abbia per tale abbandono appreso, e cessava quindi pure *ipso facto* la responsabilità per l'abbandonante.

---

(1) L. 2, § 1, D., *De adquirendo rerum dominio.*

Il nostro Codice ha seguìto l'opinione di Proculo. E così, ad esempio: Tizio volendo sbarazzarsi di un suo cane e mal reggendogli di ucciderlo o farlo uccidere, lo abbandona in luogo lontano dalla sua abitazione, dal quale non possa che difficilmente ritornarvi; il cane abbandonato diventa stizzoso e morde. La proprietà di quel cane è per Tizio sempre continuativa e dovrà rispondere di quel danno, salvo che altri se ne fosse impossessato (1).

Riassumendo, la responsabità per l'animale mansueto è ampia e non ha limiti. se non col cessare della proprietà o dell'uso dell'animale. La responsabilità del mansuefatto cade, quando scorso il termine di legge per il loro ricupero (es. le api), la responsabilità stessa passa in chi pei fatti successivi ha appreso l'animale. Pei selvatici infine cessa, quando abbiano *riacquistata* la naturale libertà.

Responsabilità del danno recato da animali riguardo alle persone cui gli animali appartengono.

Se l'animale appartiene ad un *solo proprietario*, non vi ha alcun dubbio che egli solo, o la persona che se ne serve, deve rispondere. Se un animale è *comune* a più individui, i singoli comproprietarii rispondono dei danni dall'animale causati, indivisibilmente (art. 1202 del Codice civile), e ciò tanto se la comunione è originata da'convenzione espressa o tacita, quanto se è la conseguenza di una eredità raccolta vuoi come coerede. Nel caso di *comunione di pascolo* questa non va confusa colla *comunione degli animali*, e la comunione di pascolo non muta i rapporti di proprietà sugli animali pascolanti, e quindi la responsabilità del danno recato dagli animali incombe, anche in caso di comunione di pascolo, al rispettivo proprietario. Si fa eccezione pel caso in cui i *Comuni* siano soliti ad affidare

---

(1) Merlin, *Répertoire de Jurispr.*, voce *Animaux*, pag. 416.

la custodia del bestiame ad appositi *guardiani* o *pastori*; i quali custodiscono così il bestiame altrui, ma non se ne servono. In questo caso chi dovrà rispondere del danno recato dagli animali stessi? Non il *proprietario*, perchè il custode non è suo dipendente e non è da lui scelto (vedi *Committenti* e *Commessi*); non il *Comune*, perchè non è nè proprietario degli animali, e neppure se ne serve, ma bensì risponderà esclusivamente il *custode*, come ritenne la nostra giurisprudenza (1). E così nel Diritto Francese si ritiene che nel caso di danno dato da animali nei seminati, se sono sotto custodia di un pastore, ne sia questi responsabile.

Animali appartenenti a Società commerciali.

Se il danno sia recato da animali appartenenti ad una *Società commerciale* (come, ad es., il danno recato da un cavallo inserviente ad una società di trasporti), la responsabilità sarebbe regolata dal Codice di commercio, e quindi *solidaria* a termini dell'art. 40 del Codice stesso.

Animali a mezzadria o colonia o Società.

Siccome nella mezzadria e colonia gli animali sono forniti dal colono o mezzadro per la coltivazione del fondo, così la responsabilità spetta al *colono* (2). Così pure nella *Soccida*, siccome il proprietario si è colla soccida privato del godimento dell'animale, così il proprietario locatore non può ritenersi responsabile dei danni recati dagli animali dati a *soccida*. Nella *Soccida impropria* (art. 1696 Cod. civ.), in cui il soccio approfitta solo del *latte*, del *concime* dato dalle vacche, la proprietà si conserva sempre al locatore, il quale deve perciò rispondere dei danni. Se

---

(1) Cass. Palermo, 10 febbraio 1877, *Giur. Tor.*, XVI, 886; Cassazione Napoli, 8 marzo 1879, *Foro Italiano*, IV, 1, 577.

(2) Cass. Torino, 28 febbraio 1877, *Annali di Giur.*

il *soccio* approfittasse anche del *lavoro*, allora si *servirebbe dell'animale* necessariamente, e la responsabilità sarebbe a suo carico.

Rispondono poi in parti uguali proprietario e soccio nella *Soccida a metà* (art. 1684 Cod. civ.), essendovi qui una vera *comproprietà* del bestiame.

Animali affidati a domestici o dipendenti o commessi.

Domestico è colui che è addetto al servizio di una persona o di una famiglia per determinate prestazioni di opera. E così il cocchiere che col cavallo travolge una persona, vincola la responsabilità del padrone, come pure il mandriano col gregge da lui condotto al pascolo.

Commesso ha un carattere più commerciale, ed è colui al quale sono affidate speciali e determinate incombenze ; sia in un caso che nell'altro debbono rispondere i rispettivi mandanti, sempre salvo il caso di fatto avvenuto per *fortuito* o per *forza maggiore*, o per *fatto proprio del danneggiato* (1).

Animali affidati a militari.

Secondo i principii generali di diritto, lo Stato è responsabile dei danni cagionati dai cavalli dell'esercito, se risulta della colpa dei soldati a cui i cavalli vennero affidati (2). Il Giorgi in proposito osserva: " La sorveglianza dello Stato può essere efficacemente esercitata per mezzo della subordinazione gerarchica dei militari, i quali, se non possono qualificarsi come commessi finchè si considerano come *cittadini armati* a difesa della patria, acqui-

---

(1) Sarebbe caso fortuito ad esempio il fatto che un *tafano* improvvisamente attacca il cavallo in parte delicata del corpo e lo fa imbizzarrire e dare a corsa sfrenata, recando danno.

(2) Vedi pure su tale questione il Giorgi, *Obbligazioni*, vol. V, n. 390), e Chironi, *Colpa extracontrattuale*, vol. II, n. 367.

stano indubbiamente quella qualità quando ricevono in custodia dei cavalli od altri animali addetti all'esercito.

Animali caricati su navi.

Il capitano della nave, che si sia incaricato di trasportare animali, risponde dei danni recati dai medesimi durante il viaggio.

Danni risarcibili in dipendenza di vendita di animali.

Siccome il venditore è obbligato a garantire la cosa venduta dai difetti o vizî occulti (art. 1498 Cod. civ.), così se il venditore conosceva i vizî della cosa venduta, è tenuto, *oltre alla restituzione del prezzo ricevuto, al risarcimento dei danni* verso il compratore (art. 1502 Cod. civ.).

Cotesti danni però, accessorii dell'azione redibitoria, non possono più ripetersi decorso il termine utile per l'esercizio di quest'ultima; la quale deve proporsi col termine di 40 giorni dalla consegna salvo che da usi particolari siano stabiliti maggiori o minori termini. L'azione redibitoria nelle vendite di animali non ha luogo che per i vizi determinati dalla legge o da usi locali (art. 1505 Cod. civ.).

L'art. 1504 Cod. civ. stabilisce che se la cosa venduta era *difettosa*, ed è perita in conseguenza dei suoi difetti, il perimento sta a carico del *venditore*, il quale è tenuto verso il compratore alla restituzione del prezzo ed alle altre indennità portate dagli art. 1498 al 1503 Cod. civ. (art. 1504 Cod. civ.). È però a carico del *compratore* il perimento derivato da *caso fortuito*; e sarebbe anche a carico del compratore la morte dell'animale, se il compratore abbia omesso di denunciarne la preesistente malattia al venditore e non abbia chiamato un sanitario per la opportuna cura (1).

____

(1) Cass. Roma, 21 novembre 1883, *Legge*, 1884, I, 224.

Nel caso di vendita di animali è sempre applicabile la speciale disposizione dell'art. 1505, ultimo capo, anzichè quella dell'art. 1504, che è generale; e così gli usi locali sono da applicarsi sempre a preferenza della legge; e non è lecito distinguere una malattia che renda inservibile od inabile l'animale all'uso cui è destinato, dalla malattia che sia causa della sua morte, giacchè, verificandosi il caso di morte per vizi *occulti*, quest'azione *speciale* (redibitoria) esclude l'azione generale *ex empto* (1).

Distruzione di animali infetti.

Allorchè in base alle leggi sanitarie viene ordinata la distruzione di un animale *infetto*, non ispetta al proprietario alcun indennizzo, poichè si tratta di un provvedimento *jure imperii* che esclude ogni ragion giuridica di indennizzo e quindi ogni azione giudiziaria.

Risponsabilità penali relative agli animali.

Può sorgere pure responsabilità *civile* di danni da fatti che costituiscono reato, e così nei casi seguenti:

1° Per avere introdotto animali nel fondo altrui senza diritto, od abusivamente per farveli pascolare (art. 426 Cod. pen.);

2° Per avere senza *necessità* ucciso o reso altrimenti inservibili animali che appartengano ad altri (art. 429 Cod. pen.), o resi anche semplicemente deteriorati.

Va esente da pena colui che commette il fatto sopra *volatili* sorpresi nei fondi da lui posseduti e nel momento in cui gli recano danno.

Rispondono poi *contravvenzionalmente:*

1° Coloro che lasciano liberi o non custodiscono colle dovute cautele bestie *feroci*, o animali pericolosi; o in

---

(1) Cass. Napoli, 9 dicembre 1887; Cass. Firenze, 19 febbraio 1885 *Legge*, 1888, I, 336; *Legge*, 1885, II, 655.

càso di *idrofobia* non dànno immediato avviso all'autorità (art. 480 Cod. pen.);

2° Coloro che lasciano senza custodia o abbandonati a sè stessi in luoghi aperti, animali da tiro o da corsa sciolti od attaccati; ovvero li guidano senza *sufficiente capacità*, o li affidano a persone *inesperte*; ovvero per il modo di attaccarli o guidarli, o coll'aizzarli o spaventarli, espongono a pericolo l'altrui sicurezza (art. 481 Cod. pen.);

3° Coloro che *spingono* animali o *veicoli* nelle vie o passeggi pubblici o aperti al pubblico in modo *pericoloso* per la sicurezza delle persone o delle cose (art. 482 Cod. pen.);

4° Coloro che *incrudeliscono* verso animali, o senza necessità li *maltrattano*, o li costringono a fatiche manifestamente *eccessive* (art. 491 Cod. pen.);

5° Coloro che, anche per solo fine scientifico o didattico, ma fuori dei luoghi destinati all'insegnamento, sottopongono animali ad esperimenti tali da destare ribrezzo (art. 491 Cod. pen.).

Api.

La legge, allo scopo di stabilire le responsabilità del proprietario di animali pei danni da essi cagionati, non distingue fra animali *mansueti* e animali *selvatici*. Quindi il proprietario di *api sciamanti* fuori degli alveari sui fondi dei vicini, ha l'obbligo di risarcire i danni da esse prodotti sino al decorso dei due giorni prefissigli pel loro inseguimento dall'art. 713 del Codice civile (art. 1154 Cod. civ.). Dopo trascorsi i due giorni si intende che le abbandona, se non le riprende, e non appartenendo più a lui, non è più responsabile (1). Inoltre la colpa in tal

---

(1) Cass. Roma, 31 dicembre 1903, *Giur. Tor.*, 1904, 538 : *Foro It.*, vol. I, 410.

caso consiste nel non aver preso le precauzioni per evitare il fatto. — Vedi anche *Animali in generale*.

Le api sono per loro natura animali selvatici, e nessuno risponde dei loro danni finchè non sono apprese dall'uomo, e sciamano liberamente nelle selve, ed anche se formassero i loro favi in una spaccatura di un nostro albero senza essere da noi apprese ; le api, *quae in arbore nostra consederint, antequam a nobis alveo concludantur, non magis nostrae esse intelliguntur, quam volucres, quae in nostra arbore nidum fecerint* (1).

Condotte le api nei nostri alveari, diventano sotto la nostra responsabilità, e quando la colonia si accresce, e bisogna che una parte emigri, allora l'uomo raccoglie le emigranti in altre arnie, e, se fuggono, le rintraccia e le fa ritornare, per cui l'art. 713 stabilisce il termine per inseguirle. Durante questo termine per rintracciarle, egli è indubbiamente ritenuto proprietario, e risponde del danno da esse cagionato ; se non le insegue, dopo due giorni ne perde la proprietà. Si dubita pel caso in cui abbia incominciato l'inseguimento nei due giorni, *senza riuscire* a prenderle.

Il Borsari sostiene che se quei due giorni riuscirono frustranei, egli ha perduta la proprietà e non può impedire che un terzo se ne impossessi.

È prevalente però l'opinione del Ricci (2), il quale sostiene che se nei due giorni il proprietario incominciò l'inseguimento, abbia diritto di proseguirlo fino a che riesca a prenderle.

Nei casi in cui il proprietario risponde dei danni recati dalle proprie api, l'azione di danno ha base non già nell'art. 1154 Cod. civ., ma negli articoli 1151 e 1152 stesso Codice.

I danni recati dalle api consistono o in lesioni recate a persone o ad animali, o nel far *cadere* i *fiori* delle

---

(1) Gaio, L. 5, § 2, D., *De adquirendo rerum dominio*.
(2) Ricci, *Dir. civ.*, vol. V, n. 296.

piante su cui vanno ad attaccarsi. Fu ritenuta la responsabilità del padrone pei danni cagionati in queste circostanze: Un tale Berand (1) era intento a raccogliere le api nel suo giardino vicino ad un pubblico stradale. Certo Legrand, con un suo figlio tredicenne, passa in quel mentre sopra un veicolo tirato da un cavallo. Le api investono e punzecchiano l'animale che, imbizzarrito, prende la fuga capovolgendo il veicolo, ed il giovinetto vi perde la vita. Si sosteneva che nessuna responsabilità incombeva al proprietario delle api, perchè *natura apium fera est*, ed era quindi come se invece delle api fosse sbucato un lupo che avesse aggredito il cavallo e prodotte le stesse conseguenze. Ma si dimenticava che il lupo non apparteneva ad alcuno, mentre le api erano di proprietà del Berand; e se si fosse trattato di un animale feroce sfuggito da un serraglio, sarebbe stato pur tenuto a rispondere del danno recato in tal modo il proprietario del serraglio da cui per insufficiente custodia fosse fuggito.

Altro caso di responsabilità fu questo in cui le api di un terzo, aggredito un cavallo al pascolo, lo resero infuriato in modo che, correndo all'impazzata, cadde in un fiume e annegò. Il proprietario delle api dovette risarcire dei danni il proprietario del cavallo (2).

Appalti.

Responsabilità di appaltatori e subappaltatori o cottimisti.

Generalità.

In genere l'amministrazione appaltante non è responsabile del fatto illecito ed arbitrario commesso dall'ap-

---

(1) *Revue pratique*, XXVII, 417, *De la responsabilité civile en matière de dommages causés par les abeilles.*
(2) GIORGI, *Teoria delle obbligazioni*, vol. V, 3ª ediz., pag. 547.

paltatore nel suo interesse (1). Ma tale principio non è applicabile quando nel capitolato d'appalto l'Amministrazione si è obbligata a sorvegliare e dirigere, anche nell'interesse dei privati, l'opera dell'appaltatore in quegli atti medesimi che per mancata sorveglianza sono accaduti e sono riusciti dannosi ai terzi.

Se poi nel capitolato d'appalto si è inserta la clausola per cui l'appaltatore si addossa ogni responsabilità per possibili danni, non impedisce, verificandosi tali danni al terzo danneggiato per negligenza e colpa dei dipendenti dall'appaltatore suddetto, di rivolgersi pel risarcimento direttamente ed esclusivamente contro l'appaltante così esonerato (2). Infatti basta considerare il disposto degli articoli 1153 e 1644 del Codice civile per persuadersi che l'appaltante; per effetto del contratto di appalto, non può diventare un *estraneo* di *fronte al terzo* in ciò che possa compiersi dall'assuntore dell'opera, da colui che ha ottenuto l'appalto; imperocchè l'appalto, in buona sostanza, non è che una specie di *commissione*, per cui il committente non può reputarsi mai di fronte ai terzi come disinteressato nel fatto colposo compiuto dal *commesso* a costoro pregiudizio; e la *clausola* che si fosse inserta di addossare al solo appaltatore le responsabilità di ogni fatto produttivo di danni, *ha effetto solo nelle relazioni tra appaltante ed appaltatore* per vincolo contrattuale, cioè il primo, se ricercato per danni, avrà diritto di farsi rimborsare dall'appaltatore, ma intanto il terzo, ha diritto di pretendere il risarcimento *direttamente* dall'appaltante, imperocchè il terzo deve muovere da un principio di ordine generale, che cioè l'opera è di interesse del proprietario ed appartiene a colui che la fa eseguire. il quale deve perciò rispondere della negligenza e colpa in genere occasionata dalla persona che

---

(1) Cass. Torino, 29 agosto e 3 luglio 1894, *Giur. Tor.*, pag. 714 e 772.

(2) Cass. Roma, 16 aprile 1901, *Giur. Tor.*, 815.

esso proprietario ha creduto di presciegliere per far eseguire l'opera stessa. Quindi la prevalente opinione è che il contratto di appalto non fa esulare la responsabilità del committente (1) e *l'appaltatore si considera come un commesso dell'appaltante* (Vedi pure *Amministrazione comunale*, art. 1153 Cod. civ.).

Fu però ritenuta dalla Giurisprudenza anche un'altra opinione, cioè che l'appalto per la costruzione d'un'opera non costituisce un mandato od una commissione, ma una *locazione d'opera*, per cui l'Amministrazione appaltante non è responsabile dei danni cagionati ai terzi dall'appaltatore (2), oppure dagli operai del medesimo. Potrebbe però ascriversi a colpa o negligenza all'appaltante l'aver affidato l'opera a persona *notoriamente incapace*, il che renderebbe l'appaltante in tal caso responsabile.

Fu pure giudicato che non può considerarsi *commesso* un subappaltatore rimpetto all'appaltatore, il quale per effetto del subappalto non ha più la direzione dell'opera, e se spiega una vigilanza, ciò fa solo nel proprio interesse per la buona esecuzione del lavoro (3).

L'appaltatore che nella esecuzione di un'opera cagiona arbitrariamente danni ai terzi, come nel caso in cui l'appaltatore di una strada si permette di scaricare massi e detriti in un fondo privato, ne risponde in proprio e non può riversare la sua responsabilità sull'Amministrazione appaltante (4).

Il cottimista non risponde del disastro o danno che colpì gli operai da lui dipendenti nell'esecuzione dei lavori per i quali li assunse, se è esclusa in lui ogni colpa,

---

(1) App. Catanzaro 18 giugno 1896, *Temi Calabr.*, 465 e 18 giugno 1897; *Mon. Trib.*, 928.

(2) Cass. Napoli, 15 luglio 1899, *Foro Nap.*, 341; App. Firenze, 19 marzo 1898, *Annali*, 172; Cass. Torino 5 aprile 1895, *Giur. Tor.*, pag. 315.

(3) Cass. Roma, 2 dicembre 1896, *Mon. Trib.*, 1898, 415.

(4) Cass. Torino, 3 luglio 1894, *Giur. Tor.*, 772.

e consta invece che l'infortunio è tutto addebitabile all'operaio che ne fu colpito, il quale, sebbene avvertito del pericolo, e malgrado l'invito di allontanarsi, e l'ordine di sospendere il lavoro, volle tuttavia rimanere e temerariamente affrontare il pericolo rimanendone vittima (1).

È indiscutibile la responsabilità degli imprenditori e cottimisti per i danni toccati ai loro operai; ma sta sempre saldo il principio che non vi è responsabilità senza colpa o negligenza, e così il padrone non risponde del danno se è esclusa la sua negligenza o colpa o se il danno dipende da colpa dell'operaio o di altra persona (2) (Vedi pure *Artefici, Ponti di lavoro*).

Responsabilità in generale.

L'appaltatore *à forfait* di un'opera pubblica (es.: costruzione di un tronco ferroviario) è un locatore d'opera, il quale assume a suo rischio e pericolo l'esecuzione e resta il *solo* responsabile verso i terzi, anche quando abbia avuto la facoltà di espropriare i terreni necessarî all'opera.

Quindi lo *Stato* è irresponsabile dei danni qualora l'appaltatore abbia dovuto, per l'esecuzione dell'opera, fare costruzioni nell'alveo di un torrente, tali da causare deviazione al corso delle acque e quindi innondazione delle proprietà vicine. Però, se il progetto dei lavori fosse stato ordinato o ratificato dallo Stato appaltante, allora questo sarebbe unico responsabile (3).

Armi.

Da tutti i delitti contro la persona commessi con armi (vedi art. 155 Cod. pen.) nasce, oltre che l'azione penale, anche quella civile pel risarcimento del danno.

---

(1) App. Torino, 1° marzo 1889, *Giur. Tor.*, 298.

(2) App. Torino, 9 dicembre 1887, *Giur. Tor.*, XXV, 99.

(3) Cass. Napoli, 19 giugno 1899, *Legge*, 1900, I, 12. Al riguardo può consultarsi un profondo studio del Gabba nella *Giurispr. It.*, 1890, parte II, colonna 738.

Esplosione fortuita in un pubblico esercizio.

È imprudenza quella di chi, maneggiando una rivoltella od altra arma in un pubblico esercizio (caffè, trattoria, albergo), è causa che l'arma esploda e ferisca un altro avventore, e ne risponde dei danni; però non può esser tenuto a rispondere come civilmente responsabile l'oste od albergatore nel cui esercizio il fatto avvenne (1).

Domestico.

Il padrone, che facendo imprudentemente trasportare da un suo domestico un'arma da fuoco non solo carica, ma preparata allo sparo, cagiona occasionalmente la morte di un'altra persona, è responsabile civilmente del danno con tale fatto cagionato (2).

Ferimento per opera di minore.

È responsabile civilmente il padre che, anche allo scopo di attendere ai lavori campestri, lascia solo in casa il figlio minore, il quale, impossessandosi di un fucile carico lasciato incustodito dal padre, e con quello trastullandosi, uccide una persona (3) (Vedi pure *Minorenni*).

Così pure risponde il padre o chiunque altro abbia lasciato una pistola carica in un cassetto aperto ed un minore se ne impossessi e spari contro altro fanciullo ferendolo (4).

Veicoli — Esplosione di arma.

Risponde sia civilmente per i danni, che personalmente per colpa, chi volontariamente pone un'*arma carica* in

---

(1) App. Genova, 14 aprile 1905, *Temi Gen.*, 307.
(2) Cass. Torino, 30 ottobre 1878, *Giur. Tor.*, vol. XVI, 85.
(3) Cass. Torino, 27 agosto 1895, *Giur. Tor.*, 637.
(4) Cass. Roma, 20 luglio 1891, *Legge*, 1892, I, 26.

un veicolo, la quale abbia prodotto la morte di una persona per l'*esplosione* dell'arma stessa causata dalle scosse del veicolo o dalla *caduta* della medesima (1).

Responsabilità penale.

Alcuni fatti relativi alle armi, anche se non dànno luogo ad azione e responsabilità civile per non essersi verificato *danno* di sorta, tuttavia sono repressi penalmente pel pericolo che possono produrre, e così:

1° Il *portare* armi senza licenza (art. 464 Cod. pen.);

2° La *mancanza* di *cautela* colle armi da fuoco, come ad es.: il consegnare o lasciar portare una di tali armi a persona minore di 14 anni, o a chiunque sia mancante di discernimento; il non adoperare la dovuta cautela nella custodia di tali armi per impedire che una delle persone sopra mentovate venga ad impossessarsene; ed infine il *portare* un *fucile carico* in luogo ove sia adunanza o concorso di gente (e così in un compartimento di ferrovia, od omnibus o tramvia) (art. 466 Cod. pen.);

3° Lo *sparare* armi da fuoco in luogo pubblico senza licenza (art. 467 Cod. pen.), e così pure lo sparo di mortaretti, ecc. (art. 24 legge P. S.).

Artefici ed Operai.

La responsabilità per danni riguardo agli artefici ed operai. ha moltissime forme, e così possono essere responsabili gli artigiani di colpe nell'eseguire i lavori loro affidati per ragion di lavoro; pel modo di esecuzione del lavoro stesso, ecc., ecc.

Possono essere responsabili pel fatto dei loro apprendizzi minorenni collocati presso di loro per imparare il mestiere (Vedi *Minorenni*).

---

(1) Cass. Roma, 15 marzo 1900, *Legge*, I, 817.

E può sorgere infine responsabilità per danni nel loro padrone o principale o impresario dei lavori per infortunî occorsi agli artefici per ragion del lavoro stesso.

Legatore di libri — Smarrimento di stampe.

Il legatore di libri è responsabile della perdita delle stampe a lui date in consegna per legare, se nella custodia delle stesse non impiegò la diligenza di un buon padre di famiglia (1) (art. 1627, n. 1, 1636 Cod. civ.).

Scheggie.

È responsabile di danni l'industriale che non ha riparato con reti metalliche o di canapa l'operaio contro il pericolo di proiezioni di scheggie pıovenienti dalle rotture di navette (2): essendo evidente che in tal caso era prevedibile il fatto dannoso, e nel non aver provveduto ad evitarlo consiste la colpa (V. pure *Costruzioni, Macchine*).

Colpa nell'operaio.

L'industriale che fa uso di macchine per la fabbricazione di mobili, ha obbligo di assicurare anche i segatori che lavorano, lontano dalle macchine stesse nel cortile, alla segatura degli assi e legnami necessari: ed il concorso della colpa e negligenza dell'operaio nel determinare il sinistro prodotto da causa violenta in occasione del lavoro, non toglie all'operaio stesso il diritto all'indennizzo e non esonera l'industriale dalla responsabilità per omessa assicurazione (3) (V. pure *Minorenni*).

---

(1) Cass. Roma, 11 giugno 1904, *Mon. Trib.*, 45.
(2) Cass. Torino, 22 maggio 1903, *Legge*, 62.
(3) App. Casale, 5 novembre 1903, *Giur. Tor.*, 22.

Danni per colpa nella conservazione della cosa.

L'artefice, per l'art. 1636 Cod. civ., risponde della *propria colpa* nella conservazione della cosa consegnatagli per il suo lavoro; ma però più non risponde se la cosa sia perita per *caso fortuito* o per *forza maggiore*. È incensurabile in Cassazione il giudizio del magistrato di merito con cui si decide se un fatto riveste o no i caratteri di caso fortuito o di forza maggiore. La liquidazione poi in cifra positiva dei danni, dei quali si domanda il risarcimento, è pur rimessa al criterio insindacabile del giudice del merito (1).

Responsabilità dell'industriale.

L'industriale che adibisce a lavori eventualmente pericolosi dei fanciulli, deve esercitare su di essi una speciale sorveglianza per sopperire alla naturale loro irriflessione e temerarietà (art. 1152 Cod. civ.). Quindi l'industriale che incarica un fanciullo di ripulire delle *macchine ferme*, deve sorvegliare che, staccandosi dal suo lavoro, non si trastulli con vicine puleggie in movimento, producendosi danno (2).

L'industriale che come civilmente responsabile dell'infortunio dell'operaio è tenuto ad indennizzarlo totalmente non è tenuto a corrispondergli per di più quella minore indennità che l'operaio stesso avrebbe avuto qualora esso industriale l'avesse come di dovere assicurato contro gli infortunii sul lavoro (art. 21 legge 17 marzo 1898).

Rapporti fra la legge sugli infortunii sul lavoro e la responsabilità civile.

L'indennità per colpa è indipendente dall'indennizzo di assicurazione; pagato questo si ha diritto anche a

---

(1) Cass. Torino, 1° luglio 1902; Cass. Torino, 8 agosto 1900, *Giur. Tor.*, 1137.

(2) App. Torino, 22 marzo 1902, *Giur. Tor.*, 554.

quello, in quanto, ben inteso, possa essere maggiore. Diversamente l'indennizzo non sarebbe più una restituzione *in integro* ed *in pristino*, ma sarebbe una speculazione ed un guadagno e ciò non è permesso.

Fu giudicato infatti che la legge sugli infortunii sul lavoro non riguarda e non pregiudica la maggiore responsabilità gravante sull'industriale per *dolo o colpa* verso l'operaio che fu vittima di un infortunio (1). E fu ritenuto altresì che il fatto *accettato* dagli operai che in caso di infortunio non sia l'industriale tenuto che a rimettere a loro la somma pagatagli dall'assicuratore presso cui a sua cura saranno gli operai medesimi assicurati, non esonera l'industriale suddetto in caso di sinistro imputabile a sua colpa, dall'obbligo di corrispondere quei maggiori indennizzi, che, oltre quelli pagati dall'assicuratore, si presentino dovuti (2).

Altre sentenze ritennero che perchè si possa esercitare l'azione per responsabilità civile nei casi contemplati dai primi due comma dell'art. 22 della legge 27 marzo 1898 sugli infortunii sul lavoro, richiedesi che l'industriale sia assoggettato a *condanna penale* pel fatto pel quale l'infortunio è derivato, ovvero che la sentenza penale abbia stabilito che l'infortunio sia avvenuto per fatto imputabile a chi dal proprietario fu proposto alla direzione e sorveglianza del lavoro (3) (V. *Infortunii sul lavoro*).

L'industriale che abbia provvisto all'assicurazione dei suoi operai, non può, *se l'infortunio fu puramente fortuito*, essere chiamato a rispondere per pagamento di indennità oltre a quella che deve pagarsi dalla Società assicuratrice (4).

Vedi **Ferrovie**, specialmente per gli infortunii toccati a *manovali* od *agenti ferroviarii*.

---

(1) Cass. Torino, 6 dicembre 1901, *Giur. Tor.*, 1902, 133.
(2) App. Torino, 9 febbraio 1901, *id.*, 1901, 369.
(3) App. Genova, 6 luglio 1900, *Temi Gen.*, 426. .
(4) Trib. Casale, 19 febbraio 1901, *Giur. Tor.*, 372.

Il proprietario od esercente di un opificio non è responsabile di ogni infortunio che incoglie l'operaio, ma a tale uopo è necessario che l'infortunio sia occorso *sul lavoro o per quel lavoro* pel quale egli era stato assunto quale operaio.

Rimane quindi esclusa la responsabilità del padrone per l'infortunio toccato all'operaio nell'essersi volontariamente, ed all'insaputa del padrone, accinto ad altra e diversa operazione alla quale non era destinato, che anzi gli era vietata, e della quale conosceva il pericolo (1).

Ed è anche necessario, perchè si ritenga il padrone responsabile, che sia concorso anche un fatto illecito del padrone, un'azione cioè od omissione implicante trasgressione di un vero suo dovere; cosicchè non può dirsi che l'infortunio sia accaduto sul lavoro od a causa del lavoro, se, essendo una macchina inattiva, e dovendo per disposizione del padrone rimanere fuori d'uso, perchè guasta, l'operaio prese tuttavia per imprudenza a trastullarsi in essa, sì che fu messa per fatto suo volontario in moto, ed egli ne rimase impigliato ed ucciso. In questo caso non è responsabile il padrone per avere omesso di applicare gli apparecchi in uso per evitare disastri nelle macchine in movimento per il lavoro (2).

Si può disputare interminabilmente sull'estensione della risponsabilità dei padroni per gli infortunii che colpiscono i loro operai nel lavoro od a causa di lavoro, risponsabilità dipendente dall'obbligazione legale del padrone di dirigere e sorvegliare i lavori, ma sarà sempre vero che se l'operaio è fuori del lavoro e non opera a causa del lavoro, non vi sarà responsabilità, perchè se si vuole che l'obbligazione discenda dalla convenzione, questa, come non può riguardare che l'opera da prestarsi pel lavoro e il salario a corrispondersi, così non può ge-

---

(1) Cass. Torino, 7 giugno 1893, *Giur. Tor.*, 1090.
(2) Cass. Torino, 25 aprile 1895, *Giur. Tor.*, 364.

nerare l'obbligazione di sorvegliare l'operaio fuori del lavoro nè di premunirlo dai pericoli e danni che fuori del lavoro potrebbero incoglierlo. Ed il simile è a dirsi se l'obbligazione si vuole derivare direttamente dalla legge, perchè questa ha per iscopo la protezione dell'operaio in quanto operaio, ossia in quanto attende al lavoro (1).

Per riconoscere la responsabilità nel padrone occorre sempre che tra il fatto dell'infortunio e gli ordini da quello dati, ossia il lavoro da lui imposto, vi sia relazione di causa ad effetto, e così non è responsabile il padrone se l'operaio, eseguendo il lavoro, ponesse piede in fallo, e scivolando, ne riportasse una frattura se ciò non fu conseguenza necessaria del lavoro stesso, ma puramente accidentale (2).

Ponti di lavoro.

Colui che si obbliga verso il proprietario di un edifizio a fornirgli un ponte mobile per la decorazione esterna dell'edifizio stesso, da eseguirsi da un imprenditore, ed a provvedere all'armatura, collocamento e riparazioni del ponte stesso, è responsabile direttamente verso gli operai dell'imprenditore della decorazione, colpiti da disastro per la rovina del ponte in conseguenza della mala sua costruzione e delle trascurate opere di assicurazione (3).

L'imprenditore di una costruzione è responsabile del danno derivato per sua negligenza agli operai da lui impiegati, se, per mancanza dei ripari consueti, un operaio sia precipitato da un *ponte di servizio*, ancorchè a questo infortunio abbia dato occasione un atto di spensieratezza dell'operaio medesimo. In questo caso, trattandosi di garzone muratore d'anni 16, rimasto ucciso per

---

(1) Vedi pure Chironi, *Colpa extra-contrattuale*, I, 72.
(2) App. Torino, 5 giugno 1896, *Giur. Tor.*, 640.
(3) App. Torino, 23 dicembre 1890, *Giur. Tor.*, 1891, 147.

caduta dal ponte mancante dei consueti ripari, col concorso della di lui sbadataggine, fu liquidata alla famiglia una indennità di lire *due mila* (1).

Nel diritto italiano vigente il padrone non ha l'obbligo contrattuale di prevedere anche l'imprudenza del-l'operaio e prevedere le misure di precauzioni atte a sottrarlo agli effetti della medesima (2).

In caso di sinistro spetta al padrone, per esimersi da responsabilità, il dimostrare che il fatto avvenne o per forza maggiore, o per caso fortuito, o per colpa dell'operaio (3).

L'indennità per morte dell'operaio si estende ai figli ed alla vedova ed anche al figlio già *concepito* al momento dell'infortunio (4).

Venne giudicato inoltre che risponde dei danni ed anche di omicidio colposo il sorvegliante che sollecitando soverchiamente un lavoro che abbia invece bisogno di calma, sia causa della morte di un operaio (5).

Per contro non si ritenne risponsabile un contadino che abbatta in una selva alpestre un albero, il quale contro ogni previsione, ruzzoli lungo la china investendo ed uccidendo una persona (6).

Così pure fu deciso in giurisprudenza che non sia risponsabile il padrone od intraprenditore che abbia espressamente avvertito l'operaio addetto ad un lavoro edilizio, del pericolo sovrastante, e lo abbia diffidato ad evitarlo, e ciò non ostante l'operaio abbia voluto affrontare il pericolo. Fatto quell'avvertimento, non si ha altro obbligo di impedire con altri mezzi che si affronti il pericolo, e se l'operaio volle nondimeno affrontarlo,

---

(1) App. Torino, 3 settembre 1886, *Giur. Tor.*, 658.
(2) App. Milano, 2 giugno 1896, *Legge*, II, 593.
(3) App. Roma, 10 giugno 1896, *Legge*, 1897, I, 51.
(4) App. Genova, 3 agosto 1895, *Legge*, II, 514.
(5) Cass. Roma, 12 maggio 1896, *Legge*, II, 241.
(6) App. Milano, 9 febbraio 1897, *Legge*, I, 568.

il padrone non deve essere risponsabile delle conseguenze (1).

Danni derivanti dalla locazione d'opera — Abbandono arbitrario del lavoro.

L'operaio che senza giusto motivo e senza preavviso abbandona il suo lavoro, abusa del diritto di risolvere il contratto di durata indeterminata, e deve essere condannato al risarcimento dei danni verso il suo principale, se l'abbandono del lavoro abbia a questo arrecato pregiudizio (2).

Lavoro e sua esecuzione — Danni.

Ben può il principale chiedere all'operaio il risarcimento dei danni arrecati alla merce da lui confezionata, ma quando detto pagamento si mette come condizione per la continuazione del lavoro, e non si prova invece la realtà dei danni, si ha un vero e proprio licenziamento che dà all'operaio diritto di avere la mercede per il periodo di preavviso di uso (3).

Della semplice non riuscita del lavoro (es. di una fusione) non possono essere tenuti a rispondere gli operai che vi attesero quando essi si siano limitati ad eseguire gli ordini del principale sotto la immediata di lui direzione: ma se a tale risultato abbia contribuito la trascuranza o la omissione di opportune cautele da parte di uno degli operai, questi deve essere tenuto a rispondere (4).

Il personale dei *restaurants* deve rimborsare al proprietario le *cristallerie* rotte durante il servizio e quindi

---

(1) App. Bologna, 17 febbraio 1892, *Giur. Tor.*, 196.
(2) Trib. Luneville, 13 aprile 1905, *Contr. lav.*, 868.
(3) Probi-Viri Firenze, 19 marzo 1905, *Contr. lav.*, 142.
(4) Probi-Viri Verona, 4 luglio 1904, *Mon. Trib.*, 17.

giustamente il padrone applica la ritenuta per tale titolo sul salario dei camerieri.

Però se il cameriere fu assunto in servizio a salario mensile oltre i proventi delle mancie, e queste risultarono di molto inferiori alla somma prevista, può la Giurìa compensare tale scarsità di mancie col condono delle rotture, pur essendo le mancie stesse un provento del tutto incerto e dipendente dall'abilità del personale senza che possa crescere risponsabilità del padrone per la scemata generosità dei clienti (1).

Licenziamento.

Non è consentito all'industriale di licenziare senza il preavviso d'uso (nè di imporre l'allontanamento dal lavoro fino a che non risulta provata l'innocenza) pel solo fatto che dall'Autorità di Pubblica Sicurezza sono state assunte presso la Ditta informazioni su di lui perchè supposto colpevole di un reato (rissa) commesso durante la sua assenza dal lavoro, sia pure arbitraria. L'industriale ha in tal caso dovere di soddisfare l'importo della mercede corrispondente al periodo del preavviso, se intende che l'operaio lasci il suo stabilimento (2).

Ore straordinarie di lavoro.

Fu deciso che se un fattorino è assunto in servizio colla paga di L. 10 mensili e coll'obbligo di 10 ore di lavoro al giorno, se ha fatto ore *straordinarie di lavoro*, ha diritto di essere pagato anche per quelle ancorchè nulla sia stato stipulato, ed egli non ne abbia mai fatto domanda in occasione della paga settimanale (3).

Il salario è sempre dovuto a chi presta l'opera propria

---

(1) Probi-Viri Milano, 11 agosto 1901, *Contr. lav.*, 82.
(2) Probi-Viri Milano, 24 febbraio 1904, *Contr. lav.*, 82.
(3) Probi-Viri Milano, 11 luglio 1904, *Giud. Conc.*, 109.

anche se non pattuito, nel qual caso, ove sorga contestazione sulla misura, verrà questa stabilita dal magistrato sentite le prove sulla prestazione d'opera, sua natura e sua durata (1).

Cattiva esecuzione del lavoro.

L'operaio, che male eseguendo il suo lavoro per *negligenza* od *imperizia*, cagiona un danno all'industriale, è tenuto a risarcirlo. L'ammontare del danno deve per altro essere apprezzato temperando con equità le esigenze degli interessi in conflitto (2).

I contro-mastri *(contre-maître)* e gli operai sono risponsabili della cattiva esecuzione dei lavori loro affidati, a meno che questa cattiva esecuzione non sia il risultato di un fatto che essi non hanno potuto impedire, o della cattiva qualità della materia da lavorare (3).

Non è legittima l'applicazione di una multa all'operaio per difetto di lavorazione se l'industriale non abbia fatto constatare formalmente che la cattiva esecuzione dipese unicamente dalla colpa dell'operaio; per converso può sempre infliggersi all'operaio una multa pari al salario corrispondente alle giornate di assenza nel caso di assenze ingiustificate e senza legittimo impedimento o autorizzazione (4); ed è giustificato il licenziamento per ripetute assenze arbitrarie dal lavoro, nel qual caso l'operaio non può pretendere indennità per il mancato preavviso, specialmente poi se abbia accettato il licenziamento senza chiedere gli otto giorni (5).

Le imperfezioni del lavoro eseguito dall'operaio non costituiscono titolo sufficiente al di lui licenziamento senza preavviso (6).

---

(1) Trib. Pordenone, 24 ottobre 1905, *Riv. Univ.*, I, 687.
(2) Probi-Viri Milano, 23 agosto 1905, *Mon. Trib.*, 756.
(3) Probi-Viri Tolone, 17 marzo 1905, *Contr. lav.*, 868.
(4) Probi-Viri Milano, 15 settembre 1904, *Contr. lav.*, 71.
(5) Probi-Viri Torino, 1° luglio 1904, *Contr. lav.*, 107.
(6) Probi-Viri Milano, 23 agosto 1905, *Mon. Trib.*, 756.

Però nel *periodo di prova* il principale può sempre licenziare l'operaio senza bisogno del preavviso medesimo (1).

Benservito.

Il certificato dei servizi prestati *(benservito)* non è che la pura e semplice attestazione della durata e della natura della prestazione d'opera fatta dall'operaio al principale ; conseguentemente *è responsabile di danni* il principale che rifiuta di rilasciare detto certificato per la semplice ragione che dichiari non potersi ritenere soddisfatto dell'opera prestatagli (2).

È pure responsabile l'industriale dello smarrimento dei certificati di servizio depositati dall'operaio nelle sue mani all'atto dell'assunzione in servizio (3).

Nel caso di rifiuto di rilascio di benservito, l'operaio può intentare causa contro l'industriale chiedendo che venga obbligato a rilasciare il certificato od in difetto a pagargli una somma (es. L. 50) quale indennità di danni (4).

Licenziamento immediato.

Furono ritenuti motivi giusti per licenziamento immediato senza preavviso nè indennità, il rifiuto ad obbedire agli ordini del superiore e le ingiurie verso il medesimo ed ogni altro atto di insubordinazione; così pure il fatto di trascendere per futili motivi a vie di fatto verso un compagno di lavoro minorenne (5).

Non è invece mancanza tanto grave da legittimare il

---

(1) Probi-Viri Milano, 13 maggio 1905, *Mon. Trib.*, 695.
(2) Probi-Viri Milano, 13 maggio 1905, *Mon. Trib.*, 459.
(3) Probi-Viri Milano, 27 gennaio 1904, *Giud. Conc.*, 30.
(4) Probi-Viri Milano, 2 novembre 1904, *Giud. Conc.*, 285.
(5) Probi-Viri Milano, 28 gennaio 1905 e 12 luglio 1905, *Contr. lav.*, 147 e 598,

licenziamento immediato di un operaio, il rifiuto di lavorare in giorno festivo (1), e neppure lo giustificherebbero il fatto di presentarsi tardi in cantiere, o l'aver fatto una lite contro un cliente della Ditta, che perciò lo ha perduto.

Chiusura per lutto.

È consuetudine (almeno sulla piazza di Milano) che l'industriale cui sia morto un prossimo parente, ha diritto di tenere chiusa l'officina nel giorno del funerale, senza diritto negli operai di pretendere la mercede di quella giornata di lavoro mancato (2).

Mancanza di materiale.

Gli operai costretti a sospendere il lavoro in sèguito a mancanza del materiale cagionata da temporanea astensione dal lavoro di operai di altro riparto, hanno diritto di esigere ugualmente il loro salario normale, salvo alla Ditta la rivalsa verso gli altri operai astenutisi dal lavoro, se risulti che tale astensione fu illegale ed ingiustificata (3).

Disposizioni del Codice civile circa gli artefici e loro responsabilità.

Quando il committente di un lavoro si limita a designare lo scopo a cui intende destinare l'oggetto della cui fabbricazione si è dato incarico, l'artefice è responsabile della riuscita e del funzionamento dell'opera o della macchina. Non così quando gli furono assegnate le di-

---

(1) Probi-Viri Milano, 1° dicembre 1904, *Giud. Conc.*, 832.
(2) Probi-Viri Milano, 21 giugno 1903, *Mon. Trib.*, 576.
(3) Probi-Viri Fabriano, 20 settembre 1906, *Giud. Conc.*, 765.

mensioni e le forme, nel qual caso basta che egli vi si sia strettamente attenuto (1).

Circa il deperimento della cosa da lavorarsi provvedono gli art. 1635 e segg. Cod. civ.

Risponsabilità penali.

I *fabbri, chiavaiuoli* ed altri artefici, rispondono *penalmente* sia per l'indebita consegna di *grimaldelli,* che per indebita apertura con grimaldelli di serrature di qualsiasi specie (art. 496-497 Cod. pen.).

Assicurazione contro i danni.

(Vedi pure **Incendi**).

Ad ovviare al danno che può derivare da certi fatti e specialmente per il caso di incendio, di distruzione di raccolti per grandine od altre meteore, per i rischi della navigazione, sorsero apposite Società di assicurazione mediante il pagamento di un dato premio corrispondente e proporzionale al valore assicurato. A queste si aggiunsero le assicurazioni sulla **Vita**.

L'assicurazione è quindi un contratto con cui l'assicuratore si obbliga, mediante un premio, a risarcire le perdite e i danni che possono derivare all'assicurato da determinati casi *fortuiti* o di forza maggiore, ovvero a pagare una somma di danaro secondo la durata o gli eventi della vita di una o più persone (art. 417 Codice commercio).

La legge si occupa di tali contratti per evitare le *frodi* e regolare i rapporti tra assicuratore ed assicurato, sebbene questi siano sempre regolati dalle pattuizioni del contratto, che *deve* sempre stipularsi per iscritto (arti-

---

(1) App. Casale, 4 giugno 1886, *Giur. Casalese,* 232.

colo 420 Cod. comm.), e chiamasi *Polizza di assicurazione.*

Esagerazione del danno.

La esagerazione del danno non basta ad indurre la decadenza dell' assicurato dal diritto all'indennità del sinistro, ma è necessario ancora che l'esagerazione sia stata dolosa, cioè che scientemente si sia esagerato il danno allo scopo di avere una indennità maggiore del danno realmente sofferto. Questo dolo non si presume, ma la prova deve darsene dall'assicuratore che l'afferma per sostenere la decadenza dell'assicurato (1).

Raggiri di agenti di assicurazione.

Una Compagnia di assicurazioni risponde civilmente delle frodi e delle truffe praticate dai suoi agenti per carpire *adesioni* e *consensi a contratti di assicurazione* rovinosi per gli assicurati: e la responsabilità del committente non cessa per ciò che egli non abbia potuto impedire il fatto dannoso e illecito del suo commesso, e non avesse conoscenza della disonestà di questo. Nella colpa aquiliana la responsabilità comprende tanto i danni diretti quanto gli indiretti, purchè tra essi ed il fatto delittuoso siavi il nesso logico di causa ad effetto (2).

Ritardo ad approvare le polizze.

Una Compagnia di assicurazione, per ciò solo che abbia ritardato la definitiva approvazione di polizze stipulate dai suoi agenti, *non è responsabile* del danno verso l'assicurato che non può fruire dell'assicurazione per un rischio avvenuto dopo firmata la polizza, e prima della

---

(1) App. Torino, 28 ottobre 1893, *Giur. Tor.*, 1894, 74.
(2) App. Torino, 27 febbraio 1895, *Giur. Tor.*, 855.

ritardata approvazione (1). Imperocchè non vi è responsabilità per colpa contrattuale ed extracontrattuale se non siavi la violazione dell'altrui diritto, ed una *omissione* non induce responsabilità di danno se non quando si ometta di fare ciò che si era in *obbligo* di fare. Ora, se non vi era obbligo di approvare la polizza entro un dato termine prefisso, nessuna responsabilità pel ritardo può derivarne, come nessuna responsabilità avrebbe avuto la Società se non avesse creduto di approvare la polizza stessa, come ne era in diritto. Nel giudicare però di queste questioni bisogna valutare esattamente tutte le circostanze, e così sarebbe la Società tenuta ai danni se risultasse che il ritardo fosse grande ed ingiustificato, ed intanto si fosse tenuto a bada l'assicurato mettendolo nella *impossibilità, anche soltanto morale,* di provvedere altrimenti ai suoi interessi.

In ogni altro caso non risponderebbe.

Estinzione di incendio.

Colui, che, senza averne l'obbligo, ha somministrato d'ordine del Municipio, l'acqua necessaria per l'estinzione di un incendio, ha azione pei danni e per le spese contro la *Compagnia assicuratrice delle merci* salvate, nei limiti però del vantaggio che dall'estinzione dell'incendio sia a lei derivato (2). Il caso che diede luogo alla decisione riferita rifletteva una Società di acque potabili che aveva somministrato acqua al Municipio (e per esso ai suoi agenti) per l'estinzione dell'incendio. La Società delle acque non era obbligata a fornire *gratuitamente* le acque, e neppure obbligata alla *estinzione degli incendii;* e quindi aveva una prima azione diretta contro il Comune (nella specie di Genova), il quale aveva requisito l'acqua coll'ordine dato: nè valeva al Municipio il dire che egli

---

(1) Cass. Torino, 25 ottobre 1893, *Giur. Tor.*, 768.
(2) Cass. Torino, 28 dicembre 1892, *Giur. Tor.*, 1893, 69.

aveva dato quell'ordine per misura di pubblica sicurezza poichè a questa esigenza egli doveva provvedere a proprie spese e non colla confisca della proprietà privata.

Oltre tale azione la Società aveva sia l'azione riflessa di cui all'articolo 1234 Cod. civ., sia quella *de in rem verso*, la seconda delle quali è fondata sull'arricchimento che altrimenti i proprietarii delle cose assicurate avrebbero fatto a danno della Società delle acque potabili. Ed in questo caso per arricchimento non si intende solo un guadagno positivo od emergente, ma anche l'allontanamento di un danno che altrimenti sarebbe avvenuto senza il fatto di colui che col suo danaro o cosa propria, sia pure dietro richiesta, lo ha evitato ed è allora in tal caso l'arricchimento rappresentato dal *quatenus propriae pecuniae pepercit; nam hoc ipso, quo non est pauperior factus, locupletior est* (Leg. 47, § 1, *de solut. et lib.*) (1). È manifesto poi che il proprietario delle merci salvate, obbligato al pagamento delle spese del salvamento, ha diritto a rimborso dall'assicuratore se nella assicurazione è compreso quel rischio che fu evitato. Ed invero, pagando quelle spese l'assicurato ha fatto l'utile dell'assicuratore, il quale, se il rischio non si fosse evitato, avrebbe dovuto pagare un'indennità forse maggiore dell'assicurazione. Per questo appunto la legge impone all'assicurato di dare ogni opera per evitare o diminuire i danni, col diritto però di essere rimborsato delle spese dall'assicuratore, e quantunque lo scopo siasi ottenuto e a condizione soltanto che le spese non siano fatte inconsideratamente (2).

L'assicurato che, servendosi di una macchina, abbia omesso di usare gli ordigni di sicurezza di cui quella macchina era pur fornita, è colpevole di *negligenza grave* che, a tenore della polizza, esclude ogni diritto a inden-

---

(1) Vedi pure Giorgi, *Obblig.*, V, 9.
(2) Cass. Torino, 31 dicembre 1890, *Giur. Tor.*, 1891, 235.

nità per l'infortunio occorso in sèguito a quel mancato uso (1).

L'assicuratore non risponde dei danni di incendio prodotto da colpa grave delle persone del cui fatto l'assicurato è responsabile; ed il contratto di assicurazione può esonerare da responsabilità l'assicuratore anche in caso di incendio prodotto da colpa *leggiera* dell'assicurato o dei suoi dipendenti (2).

Assicurazioni marittime.

È da ritenersi che in materia di assicurazioni marittime, si deroga alle norme generali ed ordinarie della colpa aquiliana, colla disposizione dell'art. 618 del Cod. di comm. (3).

Nelle *assicurazioni marittime* l'assicuratore però risponde solo degli *accidenti di mare*, non di quelle avarie che siano imputabili al capitano, come per es. per l'inquinamento di merci assicurate, pel contatto con materie oleose (4).

Anche alle assicurazioni marittime si applicano le norme delle assicurazioni in genere stabilite nel titolo XIV del libro primo del Codice di commercio, salvo quelle che siano incompatibili colle norme proprie delle assicurazioni marittime (art. 604 Cod. comm.).

Sono a carico dell'assicuratore le perdite ed i danni che accadono alle cose assicurate per cagione di tempesta, naufragio, investimento, urto, cambiamenti forzati di via, di viaggio e di nave; per cagione di getto, esplosione, fuoco, pirateria, saccheggio, ed in generale per tutti gli altri *accidenti di mare*. L'assicuratore non è responsabile delle perdite e dei danni derivanti da solo vizio inerente alla cosa assicurata (art. 615 Cod. comm.).

---

(1) App. Venezia, 11 maggio 1904, *La Temi*, 464.
(2) App. Milano, 3 maggio 1904, *Mon. Trib.*, 834.
(3) App. Palermo, 27 marzo 1903, *Foro Sicil.*, I, 253.
(4) App. Genova, 4 aprile 1905, *Temi Gen.*, 296.

I *rischi di guerra* sono a carico dell'assicuratore se non vi è convenzione espressa. In questo ultimo caso risponde dei danni e perdite accaduti alle cose assicurate per ostilità, rappresaglie, arresti, prede ed altri fatti ed accidenti di guerra (art. 616 Cod. comm.).

I sinistri dei quali deve rispondere l'assicuratore non sono soltanto quelli *cagionati dal mare*, ma anche quelli che *occorrono in mare*, purchè dipendenti da caso fortuito o forza maggiore, e non dipendenti dal contratto. La parola *esplosione* comprende tutti i danni dipendenti da guasti alle macchine (1).

La *sommersione* di una nave prodotta da una via di acqua improvvisamente manifestatasi *(falla)* costituisce un accidente di mare. La relativa prova incombe all'assicurato (2). La parola *naufragio* usata dalla legge indica qualunque sinistro di mare che renda la nave inetta a navigare (3).

Regole generali delle assicurazioni terrestri.

L'assicurazione per una somma eccedente il valore delle cose assicurate non produce effetto riguardo all'assicurato se vi fu *dolo* o frode da parte sua, e l'assicuratore di buona fede ha diritto al premio. Se non vi fu dolo o frode da parte dell'assicurato, l'assicurazione è valida solo fino a concorrenza del valore delle cose assicurate e l'assicurato non è tenuto a pagare il premio per la somma eccedente, ma deve soltanto un'indennità uguale alla metà del premio e non maggiore del mezzo per cento sulla somma assicurata (art. 428 Cod. comm.).

Sono a carico dell'assicuratore le perdite ed i danni che accadono alle cose assicurate per cagione dei casi fortuiti o di forza maggiore dei quali ha assunto i rischi.

---

(1) App. Genova, 15 settembre 1883, *Ann.*, 1884, III, 40.
(2) Cass. Firenze, 15 maggio 1884, *Temi Ven.*, 454.
(3) Cass. Firenze, 15 maggio 1884, *Annali*, 1, 283.

L'assicuratore non risponde delle perdite e dei danni derivanti da solo *vizio* inerente alla cosa assicurata e non denunciato, nè da quelli cagionati da *fatto o colpa dell'assicurato* o dai suoi *agenti* committenti o commissionarii.

Egli non risponde dei *rischi di guerra* e dei danni derivanti da *sollevazioni popolari* se non vi è convenzione contraria (art. 434 Cod. comm.).

L'assicurato entro *tre giorni* dal sinistro o dacchè ne ebbe conoscenza, deve darne *notizia* all'assicuratore; e deve inoltre fare tutto quanto sta in lui per evitare o diminuire i danni, e le spese all'uopo da lui fatte sono a carico dell'assicuratore quantunque lo scopo non siasi ottenuto e il loro **ammontare aggiunto a** quello del danno ecceda la somma assicurata; salvo che si dimostri che le dette spese in tutto od in parte siano state fatte inconsideratamente (art. 436 Cod. comm.).

La spesa per acqua occorsa per l'estinzione di un incendio, è a carico dell'assicuratore (1).

L'assicurazione per i danni cagionati dal *fulmine* isolato, escluso l'*uragano*, non comprende i danni delle trombe terrestri dette *cicloni*, che sono fenomeni meteorici complessi (2).

Varie specie di assicurazioni contro i danni.

L'assicurazione contro i danni del *fuoco* comprende tutti i danni cagionati dall'incendio prodotto da qualsiasi causa, esclusa quella dipendente da colpa grave imputabile personalmente all'assicurato, ed esclusi i casi indicati nell'art. 434 di cui si è detto più sopra (vizio della cosa assicurata, ecc. ecc.).

Comprende però i danni derivanti da *vizio* proprio dell'edifizio assicurato ancorchè non denunciato, se non

---

(1) Cass. Torino, 28 dicembre 1892, *Legge*, 1893, I, 268.
(2) App. Catania, 18 settembre 1889, *Cons. Comm.*, 1890, 141.

si provi che l'assicurato ne avesse conoscenza al momento del contratto (art. 441 Cod. comm.).

Sono parificati ai *danni di incendio*:

1° I danni derivati alle cose assicurate dall'incendio avvenuto in altro prossimo edificio, o dai mezzi impiegati per arrestare o per estinguere l'incendio;

2° Le perdite e i danni avvenuti per qualunque causa durante il trasporto delle cose assicurate eseguito allo scopo di sottrarle ai danni dell'incendio;

3° I danni derivati dalla *demolizione* dell'edificio assicurato eseguita a scopo di impedire o di arrestare l'incendio;

4° I danni prodotti dall'azione del *fulmine*, dalle *esplosioni* od altri simili accidenti ancorchè non ne sia derivato incendio (art. 442 Cod. comm.).

Il rischio dell'assicuratore contro i danni dell'incendio comincia dal mezzodì del giorno successivo alla data della polizza, salva convenzione contraria (art. 443 Cod. comm.).

Nell'assicurazione dei *prodotti del suolo*, il risarcimento si determina secondo il valore che i prodotti avrebbero avuto al tempo della loro maturità, o al tempo in cui si raccolgono, se il sinistro non fosse avvenuto (art. 446 Cod. comm.).

Possono pure assicurarsi le cose di trasporto (art. 447 Cod. comm.).

È ritenuto caso di colpa grave dell'assicurato l'aver lasciato la *stufa* accesa in prossimità di materie infiammabili, quando già in precedenza siasi presso di lui verificato un incendio per una causa simile (1).

Fieno.

Assicuratosi contro l'incendio una quantità di fieno in cumuli, colla condizione che ciascuno di questi debba

---

(1) App. Torino, 13 ottobre 1891, *Giur. Tor.*, 1892, 62.

avere una determinata distanza dall' altro, l'assicurato non ha diritto al risarcimento in caso di incendio, qualore risulti che un cumulo, sia pure più piccolo degli altri, distasse da questi di una distanza minore di quella pattuita (1).

Nei contratti di assicurazione, per quanto concerne la determinazione dei rischi assunti dalla Compagnia, si debbono osservare i principii generali di diritto per cui nell'interpretazione si deve indagare l'intenzione dei contraenti (2).

Associazione libraria.

È un contratto e come tale può nella sua esecuzione dar luogo a risarcimento di danni.

Il contratto di associazione libraria è una compravendita a prestazioni successive, e quindi richiede per condizione imprescendibile della sua validità, l'accordo sulla cosa e sul prezzo.. Quanto al *termine*, la mancanza di accordi riguardo all'epoca in cui l'opera debba essere esaurita, non importa nullità di contratto. Fu giudicato che non sono inadempienze che•possano importare la risoluzione del contratto per colpa dell'editore, e tanto meno dar luogo a risarcimento di danni:

1º Un ragionevole aumento nel numero dei volumi dell'opera in confronto a quello stabilito nell'originario programma;

2º Le scorrezioni tipografiche non eccessive;

3º Qualche ritardo nella pubblicazione dei fascicoli (3).

Questo contratto può concludersi verbalmente, o colla sottoscrizione di schede, e può provarsi con tutti i mezzi di prova della legge commerciale.

---

(1) App. Milano, 14 giugno 1905, *Mon. Trib.*, 690.
(2) App. Bologna, 21 gennaio 1905, *La Temi*, 148.
(3) Trib. Milano, 22 gennaio 1905, *Filang.*, 225.

Il ritardo nella pubblicazione pattuita, derivato da cause estranee non imputabili all'editore, non può dar luogo a responsabilità per *danni*; ed in ogni caso il risarcimento sarebbe limitato ai danni prevedibili al momento del contratto (1).

Automobili e Motociclette.

Occorre distinguere la risponsabilità civile da quella penale. Per la prima risponde tanto il proprietario che lo *chauffeur* o colui che conduce l'automobile; per la inosservanza invece delle prescrizioni stabilite per la circolazione degli automobili si ritiene che debba rispondere il solo conduttore (2).

Mancanza di patente.

L'essere un automobilista sprovvisto di regolare autorizzazione riguarda i suoi rapporti coll'amministrazione pubblica, non quelli coi privati, cosicchè se egli mentre corre a velocità moderata (15 km. all'ora) ripetendo gli avvisi ed attenendosi alle altre norme regolamentari, viene rovesciato da un biroccino dal quale viene investito, non ha diritto di pretendere danni dal conduttore del biroccino, se non prova che il cavallo del biroccino, improvvisamente impennatosi, fossé ombroso o focoso in modo da richiedere speciali precauzioni (3). E per vero se il cavallo era ombroso o focoso, è a considerarsi come un caso disgraziato quello dell'improvviso impennarsi del cavallo per il frastuono dell'automobile o per il suono della tromba; se invece si prova che il cavallo era ombroso o solito a spaventarsi degli automobili, allora il

---

(1) Trib. Palermo, 16 dicembre 1905, *Legge*, 566.
(2) Cass. Roma, 28 gennaio 1905, *Giur. Pen.*, 169.
(3) App. Torino, 23 gennaio 1905, *Legge*, 1083.

proprietario del cavallo era evidentemente in colpa nel non essere sceso per tempo dal biroccino a trattenere il cavallo ed impedire che questo si lanciasse addosso all'automobile stesso.

Affltto di automobile — Disastro.

Il proprietario di un *auto-garage* che fornisce automobile e conduttore verso determinato compenso, è responsabile dei danni derivanti al viaggiatore da un accidente dovuto all'incuria od imperizia del conduttore (es. urto contro un ostacolo e caduta in un torrente) (art. 1153, 1631, 1644 del Codice civile) (1). Infatti in questi casi si tratta non di colpa aquiliana, ma di colpa *contrattuale*, e non viene meno tale colpa pel fatto che lo *chauffeur* avesse ceduto il manubrio ad un terzo, inesperto ed incapace, perchè era egli che aveva l'incarico di guidare la vettura esclusivamente, ed a quest'obbligo egli venne meno abbandonando il manubrio ad un terzo che fece capitombolare l'automobile, e perciò alla colpa dello *chauffeur* è da attribuirsi la causa prima del sinistro e della di lui colpa nell'esecuzione dell'incarico affidatogli deve necessariamente rispondere la ditta committente pel disposto dell'art. 1153 Cod. civ.

Venne giudicato altresì che il conduttore dell'automobile non rende responsabile il proprietario, se da questo non aveva avuto che un incarico provvisorio già condotto a termine quando l'infortunio avvenne (2).

Investimento di pedoni.

Il pedone che attraversa la parte carozzabile di una strada deve prestare esso tanta attenzione per evitare le

---

(1) App. Milano, 31 ottobre 1906, *Giur. Tor.*, 1442.
(2) App. Torino, 25 ottobre 1905, *Giur. Tor.*, 1906, pag. 245.

vetture più di quella che debbono prestare i conduttori per evitare i pedoni, tanto più che è infinitamente più ·facile per un pedone che per un conducente il valutare e schivare gli ostacoli (1).

Il proprietario di un automobile non è tenuto a ri· spondere del fatto e colpa del suo *chauffeur* se egli, perchè assente, non poteva impedire colla sua diligenza il fatto che diede luogo alla contravvenzione (2).

Uscita da portoni.

Il conduttore di un automobile, o vettura qualsiasi, che esce da una porta sulla pubblica via, deve previa· mente assicurarsi che questa via sia libera, ed in mancanza è responsabile dei danni (3).

Cavalli paurosi.

Il proprietario di un cavallo che ha causato un grave infortunio, non può invocare come caso di forza maggiore il rumore risultante dal passaggio di treni o dal segnale di trams o di vetture o di automobili, nell'interno della città o suoi sobborghi, dovendo il vetturale usare in dette località cavalli all'uopo addestrati (4); e fu in proposito giudicato anche che tutti i cavalli, che circolano per le vie di Parigi, debbono essere abituati agli automobili (5).

---

(1) App. di Bruxelles, dicembre 1902, *Rivista mensile del Touring-Club Italiano*, 1903,, pag. 229.

(2) Pretore urbano Bologna, 16 gennaio 1904, *Riv. T.-C. It.*, 1904, pag. 98.

(3) Trib. di Commercio di Marsiglia, 7 settembre 1897, *Rivista del Touring-Club Italiano*, 1902, pag. 206.

(4) App. Parigi, 29 gennaio 1890, *Riv. T. C. I.* 1902, pag. 206.

(5) Giurisprudenza costante del Tribunale della Senna, *Rivista T. C. I.*, 1903, pag. 229.

Vetturali.

Non è responsabile del sopravvenuto infortunio ad un cavallo che si spaventi al passaggio di un automobile l'automobilista che procedeva a *velocità normale, teneva la sua destra, non urtara* il cavallo e non commetteva alcuna negligenza per cagionare un infortunio. È invece il proprietario del cavallo che deve sapere se il cavallo abbia paura degli automobili, ed ha il dovere, quando scorge un veicolo di tal genere, di scendere dalla vettura e tenere il suo cavallo per la briglia (1).

Se un automobile è danneggiato da una vettura può il proprietario dell'automobile pretendere l'indennizzo dell'intero valore, e non solo della riparazione, se l'automobile riparato più non presenta la sicurezza o solidità che aveva prima (2).

Motociclette.

Non è risponsabile penalmente, ma solo civilmente il motociclista che per non essersi fermato all'adombrarsi di un mulo attaccato ad un carro, sia stato la causa indiretta della morte del carrettiere (3). Il tribunale però giudicherà se vi sia anche colpa da parte del carrettiere che elida od anche escluda quella del motociclista.

Se un cavallo si spaventa di un automobile *fermo*, in nessun caso può esistere colpa a carico dell'automobilista, e nessuna responsabilità gli si può addossare, non essendovi nè imprudenza nè colpa nel lasciar fermo il veicolo in luogo pubblico, ma essendo un proprio diritto (4).

L'automobilista non è tenuto a risaroire il danno de-

---

(1) Trib. civ. di **Nancy**, 21 dicembre 1898, *Riv. T. C. I.*, 1902. pag. 206.

(2) App. Parigi, 5 marzo 1902, *Riv. T. C. I.*, 1902, pag. 821.

(3) Trib. Teramo, 7 settembre 1904, *Riv. T. C. I.*, pag. 287.

(4) *Riv. T. C. I.*, 1905, pag. 98.

rivato ad un carrettiere quando è provato che causa dell'investimento fu la negligenza od imperizia del carrettiere, e che l'automobilista non procedeva ad eccessiva velocità od avesse omessi i segnali (1).

Secondo il regolamento l'automobilista non è obbligato che a *rallentare* all'incontro di cavalli che accennino ad imbizzarrirsi, ed ottemperando a tale prescrizione, non risponderà di danni se il cavallo nel passare l'automobile abbia infranto le stanghe della carrozza (2).

La responsabilità degli *chauffeurs* non ha a suo carico alcuna negligenza o colpa se incrociando con carrozze, tenne la sua diritta, diede in tempo utile l'avviso, rallentò la sua corsa appena vide che il cavallo accennava ad impennarsi (3).

Il Dott. Georg Eger, in un suo studio sulla responsabilità degli automobilisti (4), osserva che la questione della risponsabilità pei danni cagionati dagli automobilisti è oggi di massima importanza per la diffusione che va assumendo questo mezzo di trasporto meccanico, il quale presenta dei pericoli gravi ed eccezionali a causa della sua maggiore velocità in confronto alle vetture a trazione animale e per non essere guidato da rotaie come le tramvie, il che rende più facili gli investimenti.

Il dott. Eger (5) rileva che le regole ordinarie dell'odierno diritto civile in materia di risarcimento di danni sono insufficienti per ciò che riflette i danni recati dagli automobilisti, poichè dette norme partono dal principio e presupposto della *colpa* nell'agente o nei suoi commessi, la cui prova è a carico del danneggiato, e riesce sempre malagevole e difficile, e spesso impossibile, data la grande rapidità con cui corrono queste vet-

---

(1) Trib. Bologna, 3 agosto 1903, *Riv. T. C. I.*, 1904, pag. 63.

(2) *Riv. T. C. I.*, 1903, pag. 426.

(3) App. Tolosa, *Riv. T. C. I.*, 1903, pag. 71.

(4) *Deutsche Juristen-Zeitung*, 1904, colonna 192.

(5) Studio predetto riassunto nella *Legge*, 1904, pag. 618.

ture, la facilità che per conseguenza hanno di allontanarsi dal luogo della disgrazia senza farsi riconoscere essendo spesso il numero regolamentare coperto di polvere, e senza lasciare traccia di sè.

Detto scrittore vorrebbe perciò che con disposizioni speciali di legge si invertisse l'onere della prova, cioè si mettesse una presunzione di colpa a carico dell'automobilista, da escludersi dallo stesso provando che il fatto avvenne o per *caso fortuito*, o per *forza maggiore*, o per *colpa dello stesso danneggiato*; ossia estenderebbe agli automobilisti la responsabilità stabilita per le ferrovie colle quali vi sono dei punti di analogia; anzi si può dire che gli automobili, percorrendo liberamente le strade ordinarie senza essere guidati dalle rotaie, senza restrizioni di orarii e senza una speciale vigilanza stradale, presentano pericoli più gravi delle ferrovie.

E così basterebbe al danneggiato provare puramente e semplicemente il fatto del danneggiamento senza bisogno di fornire alcuna prova di colpa dell'automobilista o suoi agenti, restando, come sopra si disse, a carico di costui la prova della forza maggiore o della colpa dello stesso danneggiato per escludere la risponsabilità. Ciò però *de jure condendo*.

Cavallo che si impenna.

Non è risponsabile il proprietario di un animale che si imbizzarrisce, se questo fatto avvenne perchè aizzato o spaventato *dal fatto del terzo* che poi ebbe a risentirne danno: e così non è risponsabile di danni il proprietario di un cavallo, il quale imbizzarritosi pel sopraggiungere di un automobile, si pone a sferzare calci, mettendosi attraverso la strada in modo da obbligare l'automobile, per evitarlo, ad andare a fracassarsi contro i paracarri (1).

---

(1) Trib. Ivrea, 16 dicembre 1906, *Giur. Tor.*, 1907, 128.

Lesioni indirette.

L'automobilista non è risponsabile *penalmente* di lesioni colpose causate ad un contadino da un vitello spaventato al passaggio di un automobile, anche se lo *chauffeur*, che teneva una velocità regolamentare, non si sia fermato o non abbia rallentata la corsa passando davanti al vitello. Però può sussistere *colpa civile* (1).

Azione penale e Azione civile. Rapporti.

Generalità.

L'essersi escluso in sede penale la risponsabilità penale per un dato fatto, non toglie che si possa agire poi in sede civile per risarcimento di danni contro l'autore del fatto qualificandolo non più per *delitto*, ma per *quasi delitto* (art. 6 Cod. proc. pen.) (2), potendovi ben esistere una *colpa civile* (vedi *Colpa*) e non quella penale.

È soltanto la declaratoria che *non esiste la materiale oggettività del fatto*, e non semplicemente quella di non luogo a procedere per *inesistenza di reato*, che impedisce alla parte lesa di intentare l'azione civile di danni (3), e quindi fu deciso che la nutrice, stata infetta di sifilide dal bambino affidatole, può proporre azione civile di danno contro i genitori, non ostante che siasi dichiarato con ordinanza del giudice istruttore l'insussistenza del reato di lesioni colpose (V. pure *Giornali*, *Denuncia* e *Riputazione*).

La *sentenza penale* che accerta il fatto commesso da un dipendente, è *opponibile* entro questi limiti al *padrone civilmente responsabile* non presente nel processo (art. 6 Cod. proc. pen.) (4).

---

(1) Trib. Siena, 28 novembre 1906, *Riv. T. C. I.*, 1907, pag. 26.
(2) Cass. Roma, 16 febbraio 1905, *Giur. Tor.*, 237.
(3) Cass. Torino, 5 maggio 1903, *Giur. Tor.*, 1006.
(4) App. Milano, 28 aprile 1902, *Giur. Tor.*, 658.

Fu altresì giudicato che la sentenza penale, che in *contraddittorio* del committente citato come civilmente risponsabile, assolve il commesso ritenendo che causa del sinistro sia stata, non il fatto a questo imputato, ma la colpa e negligenza del committente suddetto, non forma cosa giudicata in favore del danneggiato, che faccia ritenere per obbligato senz'altro in proprio il detto committente a risarcirgli i danni in successivo giudizio civile (1).

Ordinanze di non luogo del Giudice Istruttore.

Le ordinanze del giudice istruttore non impediscono mai alla parte lesa, anche non costituitasi parte civile, di fare valere l'azione civile pei danni sofferti (art. 6 Cod. proc. pen.) (2); e la declaratoria di non farsi luogo a procedimento, sia pure *per inesistenza di reato*, non impedisce mai alla parte lesa di intentare l'azione civile pei danni, in sede civile; e per vero la *esclusione del reato* non implica la *esclusione del fatto*, e ben può sussistere una *colpa civile* laddove non esiste una *colpa penale.*

Fu pure ritenuto che l'ordinanza del giudice istruttore, confermata in appello da sentenza della sezione di accusa, la quale in contraddittorio della parte civile abbia dichiarato non luogo a procedimento per non rivestire il fatto addebitato gli estremi di un reato, impedisce, nonostante anche qualunque riserva fatta dal magistrato penale, la proposizione dell'azione per risarcimento di danni in sede civile, proveniente dallo stesso fatto per cui è stato escluso ogni carattere di reità (3).

Se invece l'ordinanza del giudice istruttore e la sentenza della sezione d'accusa fossero emanate senza il

---

(1) Cass. Torino, 18 giugno 1900, *Giur. Tor.*, 868.
(2) Cass. Torino, 15 aprile 1902, *Giur. Tor.*, 732.
(3) Cass. Torino, 10 marzo 1900, *Giur. Tor.*, 407.

previo contraddittorio della parte civile, la dichiarazione, in esse contenuta, che nei fatti denunciati non si trovano gli estremi di reato, non osterebbe che pei fatti medesimi si proponga azione civile (1).

Vi sono infine sentenze che giudicarono invece che l'ordinanza di non luogo a procedere per inesistenza di reato, non impugnata nei modi e termini di legge, acquista autorità di cosa giudicata, che si oppone all'azione civile per risarcimento di · danni (2). È però prevalente la prima opinione.

La parte civile costituitasi nel giudizio penale, ha diritto di invocare le risultanze dei verbali di dibattimento come titoli di prova nel successivo giudizio civile di risarcimento di danni (3) (art. 1312 Cod. civ.).

Il giudice civile però può tener quel conto che crede dei documenti acquisiti ad un processo penale vertito sugli stessi fatti (4).

In sede civile si possono pure invocare, come elementi di prova, le risultanze di istruttoria penale *svoltasi in confronto di terzi* (5).

Qualunque sia la dichiarazione emessa dal danneggiato nel processo penale, egli può sempre insorgere in via civile contro il responsabile (6).

Istituito il giudizio civile per risarcimento di danni derivanti da reato, le prove ed i mezzi istruttori per accertare il diritto ai danni debbono essere fatti colle forme e norme dettate dal Codice di procedura civile e non sono sufficienti le sole prove raccolte nel giudizio penale (7).

---

(1) Cass. Torino, 20 ottobre 1899, *Giur. Tor.*, 1485.
(2) Cass. Roma, 8 novembre 1898, *Foro It.*, 1899, 13.
(3 Cass. Torino, 7 luglio 1902, *Giur. Tor.*, 1225.
(4) Cass. Roma, 5 luglio 1895, *Legge*, II, 434.
(5) Cass. Torino, 20 agosto 1902, *Giur. Tor.*, 1401.
(6) Cass. Firenze, 23 marzo 1899, *Legge*, II, 43.
(7) Cass. Palermo, 2 maggio 1899, *Legge*, II, 200.

Arresto personale.

L'arresto personale per debiti fu abolito colla legge 6 dicembre 1877, ma rimane in vigore per la esecuzione delle sentenze penali per le restituzioni e risarcimenti di danni e riparazioni derivanti da reati; e per l'esecuzione delle sentenze civili che abbiano per oggetto il risarcimento dei danni derivati pure da *reato punibile*.

L'arresto personale però non può mai essere inflitto se la restituzione o la riparazione non raggiunga la somma di L. 500 senza tenere conto degli interessi di ritardo (1). Sono sempre esenti dall'arresto i minori, le donne e coloro che hanno compiuto gli anni 65 nel giorno della condanna. L'arresto va inflitto colla stessa sentenza che pronuncia la condanna. Non può eccedere *un anno* per i delitti che corrispondono ai *crimini* della vecchia legge; sei mesi per gli altri delitti, e tre mesi per le contravvenzioni.

In materia di condanne *penali* l'arresto *deve* pronunciarsi dal giudice se la parte civile ne faccia instanza; negli altri casi è *facoltativo* l'accordarlo (2).

Caratteri generali dell'azione civile e risponsabilità civile.

La risponsabilità civile è l'obbligo di risarcire il danno recato altrui per fatto illecito positivo o negativo. Può essere *diretta* se si risponde del fatto proprio, *indiretta*, se del fatto di altri da noi dipendente. Dalla risponsabilità civile nasce l'*azione civile* per risarcimento del danno, la quale può esercitarsi sia dalla vittima diretta del fatto, sia da chi ne risenta danno indirettamente (3).

Quando i danneggiati sono più di uno, non havvi tra

---

(1) Giorgi, *Obbligazioni*, II, § 163.
(2) Giorgi, II, § 176 e seguenti.
(3) Giorgi, *Obblig.*, vol. V, § 188.

di loro solidarietà, ma ognuno può esperimentare l'azione per il danno risentito senza che l'uno escluda l'altro.

L'azione di risarcimento di danno è *cedibile* e *trasmissibile* secondo le norme comuni di diritto.

Essa si sperimenta contro tutti gli autori principali, coautori, complici del fatto illecito, i quali se sono responsabili *direttamente*, sono tutti tenuti in solido.

L'azione di risarcimento ha per base in via civile gli art. 1151 e segg. Cod. civ., ed in via penale l'art. 3 del Cod. proc. pen.

L'azione di risarcimento di danni può essere proposta anche contro gli *eredi* del *danneggiante* o dei *danneggianti*, ma in proporzione della loro quota ereditaria e non solidariamente.

Prescrizione.

La prescrizione dell'azione *civile* di danni, quando il fatto costituisce reato, è regolata dagli art. 102 e 103 del Cod. pen.

L'azione di *rivendicazione* o restituzione di oggetti furtivi è *biennale*, se proposta contro un terzo possessore; *trentennaria*, se proposta contro l'autore del furto. Scelta la via *civile*, il danneggiato non può ritornare indietro e adire quella penale: *electa una via non datur recursus ad alteram.*

Azione per danni in genere.

Delitto.

Quando il fatto, da cui deriva danno, costituisce *delitto* ed è perseguitato in via penale, l'azione civile che ne deriva all'effetto del risarcimento dei danni non è mai commerciale, di qualunque natura fossero gli originarii rapporti tra le parti (1). (Vedi pure *Maniaci*).

---

(1) App. Torino, 26 gennaio 1908, *Giur. Tor.*, 295.

L'azione contro il civilmente responsabile è ammissibile anche se non fu promossa nel giudizio penale (1).

Commercianti.

L'azione per risarcimento del danno derivato da fatto illecito compiuto da un commerciante nell'*esercizio* del commercio ed in connessione a questo è di natura commerciale, soggetta quindi alla prescrizione stabilita dal Codice di commercio (2). Vi sono però anche sentenze che ritengono che l'azione per danni derivati dal fumo di una officina gaz, sia civile e si prescriva in trenta anni (3).

Bagni.

Morte di un avventore — Danni.

Il proprietario di uno stabilimento di bagni nel quale muoia un pensionante ha diritto, non per colpa aquiliana, ma *ex contractu*, al risarcimento dei danni contro gli eredi del defunto per l'allontanamento della clientela per causa del luttuoso avvenimento (del quale fatto però deve dare prova specifica e rigorosa) (4).

Annegamento di un bagnante — Mancanza di barca.

Se il proprietario di uno stabilimento marittimo di bagni, concede in affitto ad un terzo lo stabilimento stesso, e per mancanza di barca o di altri mezzi di sal-vataggio, annega un bagnante, certo il conduttore ri-

---

(1) App. Bologna, 11 aprile 1904, *La Temi*, 554.
(2) App. Milano, 1° febbraio 1905, *Giur. Tor.*, 532.
(3) Cass. Torino, 8 febbraio 1902, *Giur. Tor.*, 357.
(4) Trib. di Genova, 26 novembre 1908, *Giud. Conc.*, 43.

sponde non solo in via penale di omicidio colposo, ma
anche di danni in via civile, ma non può dichiararsi
responsabile civile anche il proprietario locatore, imperocchè il locatore non risponde civilmente del fatto del
conduttore, non potendosi i rapporti di locazione confondere con quelli di *gestione* (1) (V. pure *Proprietari di
Case*, § 2).

Furto.

La responsabilità degli albergatori per la custodia
degli oggetti portati entro i loro stabilimenti dai viandanti che vi alloggiano, obbliga anche i proprietari di
stabilimenti di bagni per gli oggetti preziosi che gli avventori portano indosso e che devono depositare mentre
prendono il bagno (2) (art. 1866 Cod. civ.).

Se quindi, giusta gli avvisi affissi nei locali dello Stabilimento, il bagnante ha depositato presso il banco il
portafoglio contro rilascio dell'analogo scontrino, il proprietario dello stabilimento è responsabile tuttavia se
per difetto di vigilanza alle cabine uno sconosciuto tolse
dagli abiti ivi lasciati dal bagnante, lo scontrino medesimo, e colla sua esibizione si fece rimettere il portafoglio. Ed in caso di sottrazione, il proprietario dello
stabilimento è responsabile altresì degli oggetti preziosi
che lo stesso bagnante evidentemente non poteva depositare al banco prima di recarsi alla cabina (esempio dei
bottoni d'oro della camicia); ma non di quelli di cui
trascurò il deposito quantunque fosse perfettamente possibile (esempio la spilla d'oro con pietre applicata alla
cravatta).

Tra gli estranei che frequentano l'albergo o stabilimento pel fatto dei quali risponde il proprietario dello
stabilimento medesimo, vi sono anche gli avventori e

---

(1) Cass. Roma, 11 gennaio 1904, *Legge*, 884.
(2) App. Genova, 10 febbraio 1901, *Giur. Tor.*, 460.

viaggiatori che ivi si trovano (art. 1867 Cod. civ.). Vi sono però altre sentenze che ritengono che non sia obbligato l'albergatore pel furto commesso ai danni di un viandante, se ne è autore un altro viandante (1). (Vedi *Albergatori. Furto*).

Banche.

(Vedi pure Committenti e Commessi).

Effetti in scadenza — Danni.

La Banca, anche di emissione, cui siansi rimessi i fondi per un effetto in scadenza, pagabile presso essa Banca, se non intende accettare l'incarico, è obbligata a darne immediata comunicazione all'interessato (art. 351 Cod. comm.); *in difetto è responsabile dei danni*, tanto più se al notaio che protesta l'effetto ha il cassiere dichiarato di non pagare per mancanza di fondi (2).

Sconto doloso di effetti.

Se il commesso del giratario di un effetto, abitualmente incaricato dal giratario stesso, di portare effetti allo sconto presso una Banca, dolosamente sconta un effetto falsificando la firma del giratario stesso suo mandante abituale, non è tenuta la Banca a risarcire il danno, se non nel caso in cui la falsifica della firma fosse a colpo d'occhio da essa Banca accertabile (art. 1152 Cod. civ.) (3).

E per vero è adatto al caso il passo del Voet (Ad *Pandect.*, L. VI. I, n. 125): " *Facilitati suae dominus imputare debeat quod tam maligno, ejus fidem nudum habebat*

---

(1) App. Casale, 30 novembre 1897, *Giur. Tor.*, 1531.
(2) Cass. Torino, 20 febbraio 1903, *Giur. Tor.*, 550.
(3) App. Milano, 5 maggio 1903, *Giur. Tor.*, 824.

exploratum, rerum suarum usum, curam, custodiam aut detentionem commiserit; nec ignarus esse debuerit conditionis ejus cum quo contraheret, neque pro damno reputare debeat, cui sua credulitate ac temeritate prius ipse causam dedit, si forte ab illis, quibus mobilem commiserat indemnitatem consequi non possit „.

È stato pure ritenuto che il preponente risponde dei titoli cambiari stati girati dal suo institore colla firma falsificata dallo stesso institore (1). E per vero la responsabilità dei padroni e preponenti è voluta dalla legge per due sostanziali ragioni: primo, per renderli più cauti e guardinghi nella scelta e nell'affidamento delle incombenze; secondo, perchè essi risentono utile e vantaggio da quel servizio che ha prodotto danno ai terzi; quindi è giusto che il danno stesso ridondi a loro carico, se da quel servizio è derivato (2); ed a nulla giova al committente ed al padrone il dimostrare che sarebbe loro riuscito impossibile prevenire il danno (3).

E sempre per le stesse ragioni, se il danno viene arrecato dal dipendente e commesso in occasione delle incombenze affidategli, non gioverebbe al padrone il dar prova che *ab origine* egli fece una buona scelta, e che inopinatamente il servo *bonos mores mutavit in malos.* In diritto romano la presunzione di colpa era *juris tantum*; nella nostra legge invece, al pari che nella francese, la presunzione di colpa *in eligendo,* deriva assoluta ed inoppugnabile dal fatto obbiettivo del danno cagionato dal dipendente (4).

Il CHIRONI però osserva che è irrazionale questa presunzione indiscutibile di mala scelta, anche quando questa

---

(1) Cass. Torino, 30 aprile 1891, *Giur. Tor.*, 405.
(2) LAURENT, *Principes*, XX, n. 570; CHIRONI, *Colpa extra-contrattuale*, n. 164; POTHIER, *Obligations*, n. 121.
(3) Cass. Torino, 7 luglio 1881, *Giur. Tor.*, 567.
(4) GIORGI, *Obblig.*, V, n. 329; LAURENT e CHIRONI, op. e loc. cit., n. 388, 389, 164.

può essere invece stata accurata e diligente; ma viene però alle stesse conseguenze giuridiche, in quanto che, come base della responsabilità del committente egli pone la rappresentanza che il commesso ne avrebbe per finzione di legge quanto ai danni arrecati ai terzi; rappresentanza che pone il committente a luogo e vece del commesso per ogni danno che costui arreca, quasi che da esso fosse direttamente e personalmente arrecato. Naturalmente tale rappresentanza non si ha che entro l'orbita delle incombenze affidate. Si torna quindi al già detto; bisogna cioè che il commesso abbia danneggiato i terzi *ejus gratia cui praepositus fuerat* (1).

Nel caso sopra accennato di girata di titoli con firma falsificata dall'institore, la azione derivante dalla responsabilità del preponente, è distinta ed indipendente dall'azione cambiaria di regresso e può esercitarsi malgrado la decadenza di questa (2).

Per converso poi il committente non risponde mai del danno recato dal commesso fuori delle incombenze alle quali lo ha destinato: e non può il giudice, senza violare la legge, pronunciare la responsabilità del committente, se prima non esamina se il fatto del commesso entri o no nelle sue incombenze (3).

Responsabilità di amministratori di Banche.

La colpa e la negligenza degli amministratori di una banca possono indursi da presunzioni che possono ricavarsi anche dagli atti del giudizio penale istruito contro il Direttore ed il Cassiere della banca stessa per malversazioni.

---

(1) Per vari esempi di casi in cui si era o meno nell'orbita delle affidate incombenze, consulta Laurent, *Principes*, XX, n. 582 e seguenti.

(2) Cass. Torino, 30 aprile 1894, *Giur. Tor.*, 405.

(3) Cass. Torino, 7 luglio 1881, *Giur. Tor.*, 567.

Per quanto sia vero che il disastro di una banca sia avvenuto e derivato direttamente da malversazioni del Direttore e sottrazioni artifiziosamente ed abilmente celate, constando però che gli amministratori hanno omesso la più comune diligenza e vigilanza e violati gli obblighi loro imposti dagli statuti della Banca, debbono questi essere dichiarati tenuti al risarcimento dei danni derivati ai creditori ed agli azionisti (art. 1224, 1745, 1745 Cod. civ.).

La *gratuità del mandato degli amministratori* non li esime dalla risponsabilità per la colpa; e il maggiore o minor rigore con cui si abbia ad applicare la risponsabilità quando il mandato è gratuito è rimesso all'apprezzamento dei giudici del merito incensurabile in Cassazione.

La responsabilità però degli amministratori va regolata *in ragione del tempo* della rispettiva loro *gestione*, e non può pronunziarsi *collettiva* e senza riguardo al tempo, se non quando i fatti addebitati a più successivi amministratori siano fra loro connessi in modo da costituire un *unico fatto complesso* sì che non si possa sceverare la risponsabilità degli uni da quella degli altri.

Quindi, fuori di questo caso, deve ammettersi la prova dedotta da un amministratore per stabilire che quando egli lasciò il mandato, non erano ancora avvenute sottrazioni.

E tale difesa sarebbe opponibile non solo da quell'amministratore, agli altri amministratori successivi nel regolare tra di loro le conseguenze della risponsabilità, ma ben anco nei rapporti coi creditori ed azionisti che reclamano il risarcimento del danno, ed allo scopo di escludere l'elemento della risponsabilità ossia il *danno* nel tempo della gestione di esso amministratore.

A far cessare la qualità di amministratore e presidente colla conseguente risponsabilità, non basta una lettera scritta al Direttore della Banca od al Vice-Presidente, nè l'annunzio datone nel Bollettino della Provincia, ma è necessario che la rinuncia sia stata partecipata all'*Assemblea Generale degli Azionisti*, sola competente a darne atto ed a provvedere alla surrogazione (1).

Ispezioni indebite Governative (Vedi **Stato**, casi in cui risponde di danni).

Baliatico.

(Vedi pure **Opere pie**).

Sifilide — **Brefotrofio.**

Un Ospizio per l'infanzia abbandonata risponde dei danni verso la nutrice a cui per imprudenza o per negligenza del sanitario, sia stato consegnato un bambino sifilitico che le abbia comunicata la sifilide (2). Infatti trattasi di colpa grave del sanitario addetto all'Ospizio, e perciò essendo questi un *commesso* dell'Ospizio medesimo, ne deriva a questo l'onere della responsabilità e ben si può' esperire l'*actio institoria* del diritto romano.

Fu però anche giudicato che l'Amministrazione del brefotrofio non sia tenuta pel fatto dei proprii sanitarii, che affidando ad una nutrice un bambino sifilitico, ne cagionarono l'infezione. Ciò tanto più nel caso in cui la nutrice abbia trascurata la sollecita denunzia dei primi sintomi della infezione, e la visita quindicinale prescritta dai regolamenti dell'istituto (3).

Genitori — **Sifilide.**

I genitori che affidano a nutrice il loro bambino sifilitico sono responsabili dei danni se questa ne resta infetta (art. 1151, 1218 Cod. civ.). Tocca ai genitori esclu-

---

(1) Cass. Torino, 20 dicembre 1884, *Giur. Tor*, 1885, 205.
(2) App. Genova, 21 novembre 1896, *Legge,* 1897, I, 413.
(3) App. Torino, 21 aprile 1908, *Giur. Tor.,* 797.

dere la propria colpa e negligenza nel non avere provvisto a prevenire l'inconveniente (1). (Giurisprudenza prevalente).

La nutrice stata infetta di sifilide dal bambino affidatole, può proporre azione civile di danno contro i genitori non ostante che siasi dichiarato con ordinanza del giudice istruttore l'insussistenza del reato di lesioni colpose (2). (Vedi *Azione penale* e *Azione civile*).

Biciclette.

Elementi della colpa in caso di investimento.

Coloro che circolano sulle vie pubbliche sono tenuti a conoscere e ad osservare le prescrizioni regolamentari dettate dall'autorità, e l'inosservanza di tali prescrizioni basta a costituire la *colpa*, cosicchè se reca danni nel frattempo alle altre persone che circolano per la via pubblica, è in obbligo di risarcirli (3).

L'utente di una bicicletta è responsabile dei danni cagionati coll'urto violento ad altri per il fatto di avere egli :

a) spinto la propria bicicletta ad una velocità superiore a quella ammessa dai regolamenti;

b) impressa questa maggiore velocità in un risvolto della via, o dove vi fosse molta gente, o la via fosse stretta;

c) omesso di dare l'allarme col campanello;

d) omesso (se di sera) di munire la bicicletta di opportuno fanale (4).

E così risponde dei danni per omicidio colposo il ciclista che con una macchina senza freno percorra una

---

(1) App. Torino 21 dicembre 1897, *Giur. Tor.*, 1898, 558.
(2) Cass. Torino, 5 maggio 1908, *Giur. Tor.*, 1006.
(3) Trib. Federale Svizzero, 7 maggio 1904, *Mon. Trib.*, Milano, pag. 194.
(4) Sentenza citata.

strada in discesa a grande velocità, ed investendo un passante lo getta a terra cagionandogli per la caduta la frattura dell'occipite e la morte (1).

Fu ritenuto anche che risponde civilmente il padre del ciclista minorenne pei danni che il medesimo ha cagionato servendosi della bicicletta (2). (Vedi pure *Minorenni*).

Chi usa di un velocipede in una via popolosa, non solo deve procedere con modica velocità ed avvisare il pubblico colla suoneria, ma ciò non basterebbe ad esimerlo da risponsabilità in caso di investimento, poichè gli incombe di fare quanto è possibile per evitare i passanti, ed ove d'uopo deve scendere dalla bicicletta (3).

Furto di bicicletta in un albergo (Vedi Albergatori).

Getto di bastoni fra le ruote.

Il fatto di lanciare un bastone nelle ruote di una bicicletta, oltre al dar luogo all'azione civile per risarcimento dei danni, è punito quale *danno* volontario in via penale (4) (art. 424 Cod. pen.).

Investimento di persone.

Se l'effetto lesivo sia derivato da imprudenza o negligenza od anche solo da inosservanza di regolamento (es. mancanza del campanello, o campanello che non funziona), rende responsabile il suo autore (5).

Un ciclista non può essere dichiarato responsabile del

---

(1) Cass. Roma, 8 gennaio 1900, *Giur. Pen.*, 186.
(2) Trib. Biella, 10 febbraio 1900, *Giur. Pen.*, 127.
(3) App. Firenze, 18 giugno 1894, *Riv. Pen.*, 279.
(4) Trib. di Corneille France, 4 giugno 1897, *Rivista Touring-Club Italiano*, 1.
(5) Cass. Roma, 17 febbraio 1901, *Rivista T.-C. It.*, 1902, pag. 168.

danno causato ad un pedone che egli abbia atterrato colla sua macchina, se non è in colpa; e non esiste colpa se risulti che egli procedeva a velocità moderata, dava i segnali, e aveva preso tutte le precauzioni per evitare di urtare i passanti. Non sono in tal caso applicabili neppure le norme del Codice civile che regolano i danni dati colle *cose* proprie o dai proprii animali (1).

E così pure non vi ha colpa se al segnale dato per far scansare la persona che cammini quasi in mezzo alla via, questa, anzichè riparare dalla parte opposta, si porti sotto la bicicletta; purchè risulti che il ciclista avesse rallentato e non andasse a forte velocità.

Cane ciclofobo.

Onde poter uccidere un cane che aggredisca la bicicletta, bisogna provare di essersi trovato in istato di *legittima difesa*, e non basta addurre il *timore di un pericolo* per giustificare tale atto, il quale risultando ingiustificato, sottopone il ciclista al risarcimento dei danni (2).

Vetturali e ciclisti.

È responsabile dell'infortunio avvenuto ad un ciclista il vetturale che non prende la sua diritta all'avvicinarsi del ciclista stesso e non gli lascia un passaggio sufficiente (3).

Ciclista sordo.

L'essersi provato che un ciclista fosse sordo, attenua di molto la risponsabilità di chi lo abbia con altro veicolo investito (4).

---

(1) Cass. Francese, 12 luglio 1899, *Legge*, 1900, I, 23.
(2) App. Limoges, *Riv. T. C. I.*, 1903, 228.
(3) Trib. di Yvetat, 5 agosto 1896 e 28 maggio 1897; Trib. di Melun, 26 marzo 1897; *Gazette du Palais*, 21 aprile 1897; *Riv. T. C. I.*, 1902, pag. 281.
(4) Trib. della Senna, *Riv. T. C. I.*, 1902, pag. 321.

Motociclette (Vedi sotto il titolo **Automobili**).

Morsicature.

Il ciclista ha diritto di essere indennizzato dal proprietario di un cane di tutti i danni risentiti per essere stato *morsicato* dal cane stesso (spese di malattia, ecc.), ed anche il risarcimento dei guasti che siano in tale frangente derivati alla macchina (1).

Investimento di cani.

Se avvenga l'investimento ed uccisione colposa di un cane per parte di un ciclista, il proprietario del cane ha diritto ad indennità *(ivi)*.

Furto.

Chi fu derubato della bicicletta e venga in sèguito a conoscere chi ne è il possessore, ha diritto di ricuperarla dal terzo che l'abbia anche acquistata dal ladro. Se però il terzo possessore sia un commerciante di biciclette, si dovrà a lui rimborsare il prezzo pagato da esso a chi gliela vendette (art. 708 e 709 Cod. civ.); salvo poi a rivalersi verso l'autore del furto.

Noleggio.

Il guasto riscontrato in una bicicletta noleggiata ed avvenuto non per negligenza, imperizia o trascuratezza del conducente, ma per difetto della macchina, non dà luogo a diritto nel noleggiante di pretendere risarcimento (2).

---

(1) *Riv. T. C. I.*, 1904, pag. 208.
(2) Salvo il caso di vizio nella bicicletta, in ogni altro chi prende la bicicletta a nolo deve rispondere dei guasti, poichè è tenuto a restituirla nello stato in cui gli fu consegnata (*Riv. T. C. I.*, 1905, pag. 217).

Cavallo ombroso.

Il conduttore di un cavallo ombroso è responsabile dell'infortunio causato dal suo cavallo ad un ciclista se è provato che questi non potesse percorrere la sua destra perchè impraticabile (1).

Trasporto ferroviario.

Si ha diritto a risarcimento di danni per i guasti verificati ad una bicicletta durante il trasporto ferroviario, purchè si faccia constare a mente delle norme relative prima di ritirarla (Vedi *Ferrovie*).

Cattiva costruzione — Danni.

Il costruttore di biciclette od il commerciante che ha venduta una di queste macchine, è responsabile dei danni per le ferite che l'acquirente si è prodotto cadendo dalla macchina, e debbono quindi condannarsi al relativo risarcimento, se si dimostri che l'accidente proviene dalla rottura del tubo di direzione per la eccessiva debolezza o cattiva sua costruzione (2).

Danneggiamento.

Se il ciclista, vedendo che un cavallo si adombra, non rallentò la corsa o non discese dal velocipede, può essere responsabile dei danni causati dal cavallo stesso (3).

Biglietti di Banca o di Stato e Monete.

Biglietti falsi.

Non compete azione per risarcimento di danni derivanti da ritenuta falsità di un biglietto di Stato o di

---

(1) App. Poitiers, 26 marzo 1897, *Riv. T. C. I.*, 1908, pag. 425.
(2) Cass. Francese, 30 gennaio 1895, *Riv. T. C. I.*, 1908, pag. 71.
(3) *Rivista T. C. I.*, 1907, pag. 26.

Banca, se questi fu consegnato da un Ufficio postale ad un terzo, il quale ricevutolo in pagamento di una certa somma, lo trattenne per qualche tempo e poscia lo rimise ad un terzo; e non è ammissibile il giuramento decisorio diretto a porre in essere l'avvenuta consegna del biglietto ritenuto falso, ostandovi l'art. 1364 del Codice civile, e neppure sarebbero dovuti danni se risultasse dagli atti il fatto che si vuol provare, essendo evidente che non c'è *colpa* alcuna, imperocchè chi ricevette il biglietto dall'Ufficio postale non solo nello spenderlo era in buona fede, ma era *certo* e sicuro *soggettivamente* che il biglietto fosse buono, appunto per averlo avuto da ufficio che si presume conosca i biglietti e in ogni caso non distribuisca che biglietti riconosciuti per buoni (1).

Biglietti di furtiva provenienza.

I biglietti di Stato o di Banca, essendo equiparati a *moneta*, non sono suscettibili di rivendicazione contro coloro che li hanno ricevuti per qualunque titolo non conoscendo il vizio della causa del possesso (es. di furtiva provenienza) (art. 57 Cod. comm.) (2).

Ordinariamente la responsabilità per spendita di biglietti o monete false deriva da fatto delittuoso, e quindi la responsabilità civile ha base nel reato stesso (Vedi articoli 256 e segg. Cod. pen.).

E così non solo chi fabbrica monete false, od altera le monete genuine, ma anche chi senza concerto con colui che eseguì o concorse ad eseguire la contraffazione, *spende* o mette altrimenti in circolazione monete contraffatte od alterate anche se le abbia ricevute in *buona fede.*

Risponde poi contravvenzionalmente chi avendo ricevute come genuine monete per un valore complessivo

---

(1) Pretura di Rocca S. Casciano, 27 luglio 1904, *Rivista Giur. Toscana*, 723.

(2) Cass. Firenze, 10 maggio 1900, *Legge*, II, 259.

oltre le lire *dieci*, le riconosca per false od alterate e non le consegni entro tre giorni all'autorità indicandone la provenienza (art. 440 Cod. civ.), e chi rifiuti di ricevere per il loro valore monete aventi corso legale nello Stato (art. 441 Cod. pen.).

Si può però rifiutare nei pagamenti un biglietto che sia eccessivamente usato o sucido in modo che non sia facile il riconoscerne le impronte, ma non si può rifiutare un biglietto che non abbia tali difetti e sia semplicemente *giuntato* (1).

Caccia e Pesca.

Gli animali *selvatici*, non appartenendo ad alcuno, non possono obbligare alcuno per i danni da essi cagionati, ma certamente quando l'animale selvatico cade nella proprietà dell'uomo, allora se reca danno, la responsabilità si assume dal proprietario o da chi se ne serve; ma si discute se si debba rispondere dei danni recati in quest'intervallo in cui si compiono dall'uomo gli atti necessari perchè l'animale dal suo stato *selvaggio* passi in sua proprietà, cioè durante il tempo in cui gli si dà la *caccia*, comprendendosi in questa dizione generica anche la *pesca*.

Parlando della *caccia*, debbono distinguersi i danni recati per fatto *proprio del cacciatore*; quelli recati ai *fondi* da lui o da quelli che lo accompagnano; quelli recati dai suoi *cani*. I danni delle prime due specie debbono risarcirsi a mente degli articoli 1154 del Codice civile.

Dove sorge ragione di discussione è circa i danni che siano cagionati dall'*animale selvatico* inseguito nella caccia (es. la belva fuggendo rechi danno ai raccolti d'un campo, o assalga e ferisca una persona).

Qui devesi fare però una distinzione. Se trattasi di caccia ad una bestia *feroce*, non vi ha luogo a nessun

---

(1) Cass. Roma, 12 ottobre 1895, *Giur. Pen.*, 8.

risarcimento di danno, perchè la caccia alle belve è non solo permessa, ma tutelata (1); imperocchè in questo caso si tratta di un interesse generale e nessuna rifusione di danni si può pretendere da colui che già si arrischia alla presa, se rechi danno in occasione della caccia. Ma fuori di questo caso, se l'animale inseguito, anche se ferito, sfugge, non si avrà diritto a risarcimento dei danni recati dall'animale; ma se invece viene preso, allora si avrà la responsabilità di cui all'art. 1154 Cod. civ. (2), e ciò è conforme alle consuetudini venatorie, secondo le quali il feritore di un animale abbia già acquistato sullo stesso un *diritto* che mantiene finchè lo insegue e si trovi nella possibilità di raggiungerlo; diritto che si completa e diventa poi effettivo col fatto materiale della presa; massima però contraria agl'insegnamenti del Diritto Romano, secondo cui la *sola occupazione* valeva ad attribuire la proprietà (3). In pratica è da ritenersi quindi che il possesso dell'animale, ogniqualvolta dalla qualità delle ferite o dalle contingenze del luogo sia ridotto in tale stato da essergli impossibile di sfuggire, gli appartiene, e se gli appartiene, deve rispondere dei danni.

Ma se l'animale sfugge, allora cessa di appartenere al cacciatore. *Cum tuam evaserit custodiam et in libertatem sese receperit, tuum esse desinit.*

E la libertà s'intende dall'animale riacquistata quando si è sottratto in modo che non sia presumibile il poterlo ricuperare : *Naturalen libertatem recipere intelligitur, cum vel oculos tuos effugerit, vel ita sit in conspectu tuo, ut difficilis sit eius persecutio* (4).

---

(1) Vedi *Enciclopedia giuridica italiana*, voce Caccia, n. 228.

(2) Studio del dott. Muzio Majnoni nella *Legge*, 1895, pag. 679, dal quale è riassunta la teoria relativa a questo titolo.

(3) *Istit.*, Lib. II, tit. I, § 13; L. 5, § 1 *de adquirendo rerum dominio*; *Dig.*, L. XLI, tit. 1.

(4) *Istit.*, Lib. II, tit. I, § 12.

Il padrone, o colui che dell'animale si serve, cessano, col fatto della fuga, da ogni responsabilità pel fatto recato dall'animale selvaggio.

Una volta preso l'animale vivo o morto, comincia la responsabilità.

E così se il *leone* preso vivo e messo in gabbia è fuggito rompendo le sbarre della gabbia, se l'*orso* ha spezzata la catena ed è evaso, si dovrà vedere se vi fu colpa nella custodia; se le sbarre della gabbia erano solide e bene assicurate, se la catena era sufficiente e risponderà il proprietario non in base all'art. 1153, ma all'art. 1151 del Cod. civ.

Tra gli esempi di danni recati da animali durante la caccia, il Sourdat (1) riporta il seguente. In una riserva di caccia, i signori, cacciando un cervo, lo spingono verso una casa, ed il cervo, precipitandosi nell'aia, cade circondato da dieci cani presso la figlia dodicenne del proprietario della casa, la quale, per lo spavento, è assalita da una malattia nervosa gravissima. I Tribunali condannarono a risarcire i danni per tale fatto e malattia conseguente.

Fa appena d'uopo d'accennare poi che se il cacciatore reca danni diretti col fatto suo (es. scambia una persona per un capo di selvaggina e spara ferendo), risponde sempre civilmente se concorre imprudenza o colpa, ed anche penalmente se del caso.

Risponde pure il cacciatore dei danni civili (oltre eventualmente la responsabilità penale) se esercita la caccia su animali che non sono oggetto di caccia. Così i *colombi*, anche quando siano allevati per il tiro, sono da considerarsi come animali mansuefatti e non possono formare perciò oggetto di caccia. L'estraneo ad una società di tiro al piccione, che stando fuori del recinto ove si esercita il tiro stesso uccide i colombi sfuggiti

---

(1) *Traité général de la responsabilité*, Paris, 1876, vol. II, n. 1451 e 1452.

ai colpi dei soci tiratori, risponde perciò dei danni, ed anche di furto, se aveva per iscopo di asportare i colombi uccisi (1).

Pesca.

Il concessionario di una *tonnara* ha diritto a risarcimento di danno per atti che turbino la pesca del tonno (es. inquinamento delle acque), quando tali atti si compiono al di fuori di uno spazio che si estende a cinque chilometri *sopra vento* e ad uno *sotto vento* della tonnara (2).

Infatti queste distanze sono fissate espressamente dagli articoli 2 della legge 1° marzo 1877 sulla pesca e ora 18 e 20 del Regol. 13 novembre 1882, ai quali si deve ricorrere per espressa disposizione dell'art. 712 del Codice civile.

Così pure non hanno diritto i concessionari delle tonnare di impedire la pesca dei tonni col *tono* e con altri ordigni simili, fuori del periodo proprio del passo e del corso regolare in cui la pesca suole essere abbondante (3).

E per vero, secondo i principii dell'antico diritto, i lidi del mare non erano proprietà di chicchessia, ma costituivano cose comuni a tutti per diritto naturale, al pari dell'aria e dell'acqua corrente: " *aer, aqua profluens et mare, et per hoc litora maris naturali jure communia sunt* „.

I fiumi ed i porti erano cose pubbliche: " *flumina autem omnia et portus publica sunt, ideoque* JUS PISCANDI *omnibus commune est in portu fluminibusque* „ (*Istit., de rerum divisione*).

Nelle posteriori legislazioni ai tempi feudali e nel medio evo, si ritenne che la parte di mare vicina al litorale e

(1) Pretura Urbana di Milano, 5 febbraio 1889, *Giur. Pen.*, 190.
(2) Cass. Roma, 6 aprile 1899, *Legge*, I, 726.
(3) App. Catania, 16 aprile 1888, *Legge*, II, 56.

la facoltà di poter pescare con speciali ordigni e specialmente per armarsi tonnare, fossero di regia regalìa, la quale spesso era esercitata dai baroni, sia per concessioni avute, sia per usurpazione.

Secondo il diritto attuale, il lido del mare, seni, porti, spiaggie, fiumi e torrenti fanno parte del Demanio pubblico. Il mare, fino ad una certa distanza dal litorale, è ritenuto per mare territoriale, cioè mare dello Stato; e sebbene sia considerata in generale la facoltà di pescare di diritto comune, tuttavia l'esercizio della pesca è regolato dalle leggi speciali (1).

Inquinamento di acque (Vedi **Acque**, Industrie e loro esercizio).

Responsabilità penali.

A parte la responsabilità civile di cui sopra si è trattato, vi sono pure responsabilità *penali* nei casi seguenti:

1° Pel *cacciare* in fondi altrui qualora il proprietario ne abbia fatto divieto nei modi di legge e vi siano segnali che rendano palese tale inibizione (art. 428 Codice penale);

2° Pel disporre nei campi, nei boschi od in altri luoghi aperti *tagliole, schioppi* od altri *strumenti pericolosi* alle persone (art. 30 legge di P. S.).

L'art. 712 Cod. civ. stabilisce che non è lecito di introdursi nel fondo altrui per l'esercizio della caccia contro il divieto del proprietario, e la giurisprudenza ha ritenuto che è pure efficace un divieto anche solo verbale anche pei fondi aperti (2).

---

(1) Dicesi *tono* un ordigno speciale col quale si pescano tonni, alalunghe, palamiti ed altri pesci di grosso volume.

(2) Cass. Napoli, 28 marzo 1885, *Legge*, II, 769.

·Cambiali.

(Vedi pure **Banche — Amministrazione postale**).

Protesto.

Il protesto indebito di una cambiale che si aveva obbligo di ritirare alla scadenza rinnovando la partita ai
firmatari della stessa e la successiva sua pubblicazione
sui giornali nell'elenco dei protesti depositato in tribunale, sono fatti colposi che obbligano al risarcimento dei
danni.

La prova concreta di danno effettivo è solo richiesta
alla procedibilità dell'azione di risarcimento quando si
tratta di fatto oggettivamente innocuo, che solo per circostanze speciali ha recato danno, ma non quando il fatto
si presenta invece colposo in sè stesso e racchiudente la
potenzialità del danno, la cui giustificazione concreta può
quindi rimandarsi in sede separata (1); imperocchè in
genere si ritiene che basti al momento della condanna
generica di danni, la semplice *possibilità* loro, salvo a
farne l'accertamento concreto o liquidazione nel momento
della condanna in somma specifica (2).

La Corte di Milano ritenne però anche che il possessore della cambiale, pel solo fatto di averla erroneamente
consegnata alla posta un mese prima della scadenza per
la riscossione, e in difetto, pel protesto, non è tenuto ai
danni pel protesto che ne sia seguìto (3).

Analogamente fu ritenuto che l'editore di un Bollettino di protesti cambiarî non è tenuto ai danni per errore nella indicazione delle persone protestate, se dimostri
che tali errori si trovavano nell'elenco ufficiale (4).

---

(1) App. Milano, 8 marzo 1898, *Giur. Tor.*, 530.
(2) Cass. Torino, 20 febbraio 1896, *Giur. Tor.*, 344.
(3) App. Milano, 18 novembre 1895, *Mon. Trib.*, 1896, 288.
(4) App. Milano. 3 maggio 1892, *Mon. Trib.*, 509.

Fu ritenuta però la responsabilità pei danni morali a carico di una Banca che, provvista dei debiti fondi, si rifiuta di pagare un assegno su di lei spiccato, e lo lascia cadere in protesto (1). Però il fatto isolato del protesto senza ulteriori atti esecutivi e senza pubblicazioni non riveste di per sè il carattere di fatto dannoso, quantunque elevato a torto per equivoco o imprudenza (2).

La perdita del credito commerciale in conseguenza di un protesto cambiario non è un danno morale, ma un vero danno materiale. La perdita del credito commerciale è pertanto un danno, se non previsto, almeno *prevedibile*, e quindi *risarcibile* (articoli 1228, 1229 Cod. civ.) (3). E per vero, escluso il dolo, sono danni risarcibili solo quelli che si sono preveduti o si sono potuti prevedere. Basta una sola di queste condizioni per indurre la responsabilità del danno. Se questo era prevedibile, bisognava prevederlo, e si presume anzi che si sia preveduto e voluto, ed il dire di non averlo preveduto non può quindi essere una buona difesa (4).

Azione cambiaria.

A senso dell'art. 317 Cod. comm., il possessore di una cambiale deve dare avviso al suo girante del mancato pagamento entro due giorni dal protesto, e non adempiendo all'obbligo suddetto, risponde del risarcimento dei danni. La liquidazione di questi danni però deve farsi in sede ordinaria per non intralciare o ritardare l'azione cambiaria (5).

---

(1) App. Genova, 9 aprile 1892, *Temi gen.*, 342.
(2) App. Genova, 27 gennaio 1890, *Temi gen.*, 227.
(3) App. Torino, 8 giugno 1895, *Giur. Tor.*, 520.
(4) Nota alla citata sentenza.
(5) App. Venezia, 27 ottobre 1887, *Legge*, 1888, I, 277.

Responsabilità civile connessa a responsabilità penale.

Molti fatti relativi alle cambiali costituiscono reati, dai quali nasce, unitamente all'azione penale, anche quella civile per risarcimento.

Le cambiali sono equiparate agli atti pubblici (art. 284 Cod. pen.) per l'applicabilità delle disposizioni degli articoli 775 e segg. del Codice penale ; e così sarà dovuto risarcimento civile oltre le sanzioni penali nei casi seguenti :

1° *Falsificazione di firma* (art. 275 Cod. pen.);

2° *Uso* di cambiale falsa (art. 281 Cod. pen.);

3° *Soppressione* di cambiale (art. 283 Cod. pen.).

Camere ammobigliate.

(Vedi pure **Locazione di case**).

Inquilino etico.

Il locatore di un appartamento ammobigliato non ha ragione di indennizzo perchè l'inquilino che l'occupò due mesi e vi morì, fosse etico all'ultimo stadio, se non dimostra che al contratto d'affitto esso fu indotto con raggiri dolosi (art. 1583, n. 1, e 1584 Cod. civ.) (1). E nemmeno può lagnarsi di abuso della cosa locata per ciò che il tisico andasse espettorando senza riguardi in tutti gli ambienti dell'appartamento affittato. E per vero, in tal caso, era facile al locatore il conoscere lo stato di salute dell'inquilino.

Venne anche giudicato che, in mancanza di diverse disposizioni, deve riconoscersi valida e in vigore di legge la consuetudine che obbliga l'inquilino a rifondere al locatore i danni sofferti dalla casa e dai mobili appigio-

---

(1) App. Torino, 18 ottobre 1904, *Giur. Tor.*, anno 1905, 28.

nati per causa di malattia contagiosa sviluppatasi nella famiglia di esso inquilino (1). (Vedi anche *Malattie in-fettive*).

Si ritenne però altresì che qualora vi fosse in qualche località la consuetudine che morendo in un appartamento locato un inquilino per tisi od altra malattia infettiva, fosse dovuta al locatore un'indennità in ragione dell'entità ed importanza del locale affittato, tale consuetudine, in forza della disposizione dell'art. 48 delle disposizioni transitorie per l'attuazione del Codice civile, non sarebbe più obbligatoria (2). Infatti colla pubblicazione del Codice civile cessarono di aver forza di legge tutti gli usi e le consuetudini locali, e soltanto furono conservate quelle che il Codice espressamente contemplava o richiamava.

Però il fatto di rimborso delle spese nel caso in esame può formare oggetto di una clausola del contratto di locazione, e può avere piena efficacia, se stabilito espressamente.

Il Chironi (3) estende anche agli *affittacamere* ammobigliate tutte le responsabilità degli albergatori circa la custodia degli effetti degli avventori.

Cani.

(Vedi pure **Veneficio involontario, § 2**).

Morsicatura.

Il proprietario di un animale non è responsabile dei danni da questo arrecati se tali danni non sono imputabili a sua colpa (art. 1154 Cod. civ.). (Vedi pure *Animali in genere*). Quindi il *proprietario* del cane che ha morsicato una bambina, *non deve rispondere* dei danni se

---

(1) Cass. Roma, 26 gennaio 1892, *Foro It.*, 185.
(2) Cass. Torino, 19 febbraio 1885, *Giur. Tor.*, 254.
(3) Chironi, *Colpa contrattuale*.

il cane trovavasi in *luogo chiuso* od annesso alla casa di
esso proprietario, e la bambina, entrata nel luogo ove
stava il cane, per mancanza di sorveglianza da parte dei
suoi genitori, è stata dal cane morsicata in sèguito ad
arrecategli molestie (1). E per vero ben potevano il proprietario del cane ed i suoi famigliari tenerlo senza mu-
seruola in quel luogo, e se neppure può dirsi che vi
fosse colpa nella bambina pel fatto di molestare il cane,
a causa della sua infantile incoscienza e spensieratezza,
deve invece riconoscersi colpa in chi doveva custodire la
bambina e nei suoi genitori che, colla loro trascuranza,
lasciandola vagare da sola, furono causa che la bambina
entrasse in quel locale.

Fu ritenuto essere in colpa invece, e risponsabile oltre
che civilmente anche in via penale, il proprietario di
un cane mordace, che lasciato vagante in una aperta
fattoria, produca delle lesioni personali ad onta che il
proprietario affermi di aver ignorata l'indole malefica
dell'animale, se risulti che esso ebbe in precedenza a mor-
sicare altre persone (2). (Vedi pure *Biciclette*).

Cane idrofobo — Fuga.

La fuga da casa del cane *idrofobo* e la conseguente
successiva impossibilità del proprietario di esso, di impedire che arrechi danno a terzi, non vale forza maggiore
che esoneri esso proprietario dalla responsabilità del risarcimento (3). E per vero la fuga non sarebbe avvenuta
se il padrone lo avesse custodito colla opportuna diligenza.

Colpa del danneggiato.

Fu giudicato che una persona, ammessa graziosamente
a visitare o fare passeggiate in un parco di una villa di

---

(1) App. Milano, 15 febbraio 1901, *Giur. Tor.*, 549.
(2) Corte Suprema Ungherese di Buda Pesth, 28 gennaio 1890,
Giur. Pen., 1891, pag. 898.
(3) Cass. Torino, 8 agosto 1900, *Giur. Tor.*, 1187.

un privato, non possa agire contro il medesimo pei danni
in conseguenza della morsicatura ricevuta da un cane di
guardia, se risulti :

   a) che il permesso era limitato al parco soltanto ;

   b) che la persona si spinse fuori del parco avvicinan-
dosi alla villa e sue adiacenze immediate nella parte
interna della tenuta ;

   c) che essa oltrepassò il casino del custode senza
chiedere alcun permesso di procedere più oltre e neppure
istruzioni ;

   d) che il cane era tenuto legato con una catena di
un metro e mezzo con anello scorrente in un'asta oriz-
zontale abbastanza lunga ;

   e) che il cane, prima di addentare, abbaiò replica-
tamente (1).

   Così pure non è in colpa chi tenga in un andito d'accesso alla propria abitazione un cane, il quale morda
una bambina ivi introdottasi per essere stata lasciata
aperta la porta (2).

Cane sotto altrui custodia.

   Il proprietario di un cane che lo ha lasciato in custodia di un suo dipendente, risponde del danno dato
dal cane ad un terzo, se il cane sia stato aizzato dallo
stesso dipendente (3); e per vero il proprietario dell'animale è responsabile del danno, se non esclude da sè la
responsabilità di colpa *in vigilando* ; la colpa del padrone
per difetto di vigilanza è presunta, e non è esclusa dalla
colpa del servo o dipendente, del cui fatto anzi deve il
padrone rispondere (4).

   Fu altresì giudicato che il danno recato da un cane

---

(1) Corte di Parigi, 8 luglio 1903, *Mon. Trib.*, 118.
(2) Vedi sentenza citata 15 febbraio 1901, App. Milano.
(3) Cass. Torino, 16 maggio 1898, *Giur. Tor.*, 842.
(4) Cass. Firenze, 9 maggio 1895, *Temi Ven.*, XX, 356.

deve essere risarcito *solidariamente* dal proprietario di esso e da colui che lo aveva in custodia nella circostanza in cui il fatto lamentato accadde (1).

Risponde poi sempre in proprio il custode che non abbia usata la voluta diligenza e sia stato così cagione che il cane morsicasse (2).

Però fu anche giudicato che se un cane aizzato dal figlio del padrone morsica un terzo, il padre non è responsabile del danno, perchè non ha potuto impedire quel fatto del figlio, essendo per regola ritenuto che la responsabilità del padre pel fatto del figlio debba cessare se egli non lo ha potuto impedire (3).

Il proprietario di un cane non risponde del danno verso colui che ne fu morsicato, se risulta che stando il cane nella casa e tranquillamente coricato nel cortile, una turba di monelli si introdusse nel cortile, e volendo divertirsi col cane, lo fecero alzare, e stante la sua riluttanza a ciò fare, presero a malmenarlo, tanto che uno di essi sia rimasto morsicato (4).

Il proprietario di un cane che ha morsicato un bambino si ammette a provare che il cane era d'indole mite e buona, e che morsicò soltanto perchè era stato inavvertentemente *pestato sulla coda* da quel bambino (art. 1154 Cod. civ.) (5).

Il proprietario di un cane, azionato per danni, deve essere ammesso a provare che il cane era di indole mite e buona, e che morsicò soltanto perchè inavvertentemente pestato sulla coda (6).

Però, come più sopra si è detto, il proprietario di un

---

(1) Cass. Torino, 29 dicembre 1874, *Giur. Tor.*, XII, 99.
(2) Cass. Roma, 21 ottobre 1896, *Giur. Pen.*, 81.
(3) App. Torino, 16 maggio 1881, *id.*, XVIII, 549.
(4) App. Torino, citata sentenza.
(5) Cass. Torino, 31 dicembre 1898, *Giur. Tor.*, 1899, 220.
(6) App. Casale, 1° marzo 1898, confermata dalla precedente, *Giur. Tor.*, 1899, pag. 591.

cane *idrofobo* è contabile dei danni indipendentemente dalla prova specifica della sua colpa o negligenza (1).

E così sarebbe risponsabile di danni per lesioni colpose pel semplice fatto di lasciare liberamente vagare il cane idrofobo, che così addenti una persona (2); e così pure se per mala custodia il cane morsicando una persona le comunicò l'idrofobia che fu causa della morte del morsicato (3).

Ma cessa la responsabilità quando si provi che il danno derivò per *caso fortuito*, o per colpa del *leso*, o di un *terzo* che abbia eccitato l'animale (4).

Altre sentenze però ritennero più rigorosamente che il proprietario del cane risponde *sempre* dei danni, sia esso o non in colpa, escluso il solo caso in cui il danno sia provenuto da colpa dello stesso danneggiato (5).

In Diritto Romano le azioni *noxali de pauperie et de pastu* avevano per fondamento la utilità, il diletto che il proprietario dell'animale ne ritraeva e che logicamente doveva sottoporlo alle responsabilità e pesi correlativi. Diffatti tali azioni erano *reali*: la responsabità del proprietario era subordinata al *continuato possesso* dell'animale da parte sua; abbandonando il quale, ogni responsabilità sua cessava: *animal noxae dare, id est corpus dare quod nocuit*, come diceva il VICAT.

Il BRUNEMANN, nel commentare le *Istituzioni* (*Just. si quadrup. paup.*, § 1 — *Dig.*, Leg. 2, *si quadrup.*), scriveva: *Si in via publica a soluto vel ligato cane laesus quid sit, datur haec actio et concurrit cum actione aedilitia: ut quod non sum consecutus illa, possim consequi per aedilitiam.*

Se poi vi era colpa nel proprietario, questa radicava un'altra azione diversa *in factum*, quella cioè *ex lege*

---

(1) App. Genova, 14 aprile 1894, *Temi Gen.*, 286.
(2) Cass. Roma, 12 maggio 1896, *Giur. Pen.*, 304.
(3) Cass. Roma, 25 novembre 1895, *Giur. Pen.*, 53.
(4) Cass. Roma, 1° agosto 1894, *Foro It.*, 1189.
(5) Pretura di Bozzolo, 28 gennaio 1889, *Mon. dei pretori*, 320.

Aquilia, in base alla quale stava a suo carico il rifacimento del danno cagionato (Leg. 39, *Dig.*, *Ad legem Aquil.*; Leg. 5, 6, Cod. *Ad leg. Aquil.*). Da tutto questo complesso legislativo derivava che quando il proprietario non avéva colpa e quando neppure, per così dire, aveva colpa l'animale, non vi era responsabilità sotto veruno aspetto.

Nel diritto moderno i concetti sono alquanto diversi. L'azione è sempre *personale* e basata sopra una presunzione di colpa *in vigilando*, ed è perciò che il proprietario è sempre ammesso a scagionarsi di questa presunzione e ad offrire la prova del contrario, come appunto ritiene la sentenza che si è commentata (1).

Uccisione di cane che danneggi pollame.

È tenuto ai danni il proprietario che nel fondo proprio uccide il cane altrui venutovi ad attaccarvi il pollame, se, per giudizio di apprezzamento incensurabile in cassazione, l'uccisione del cane per la tutela del pollame non era necessaria (2). Si comprende che sia lecito l'uccidere il cane altrui se ciò sia necessario per difendere le cose proprie da quello attaccate. Ma si comprende del pari che vi sarebbe eccesso se il cane potesse essere facilmente allontanato e messo in fuga, evitando così il danno senza venire all'estremo mezzo dell'uccisione di esso. Questo è ragionevole ed intuitivo.

Ben è vero che talvolta può essere difficile misurare giustamente nell'atto stesso dell'attacco il pericolo che si corre dalle cose proprie e misurare quindi giustamente i mezzi di difesa. Ma quando risulti che si commise un vero *eccesso*, e si era recato un danno, è dovuta la ripa-

---

(1) Note alla sentenza citata, *Giur. Tor.*, 1899, 594; Giorgi, *Obbligazioni*, V, 387 e seg.; Laurent, XX, n. 626; Chironi, *Colpa extra-contrattuale*, II, n. 358 e seg.; Zachariae, II, § 448 nelle note.

(2) Cass. Torino, 31 dicembre 1898, *Giur. tor.*, 1899, 153.

razione, essendo eliminata la scriminante della necessità di difesa della cosa propria (1).

Nel *Digesto* la trattazione dei danni recati da animali è sotto il titolo: *Si quadrupes pauperiem fecisse dicatur.*

I danni recati dall'animale erano distinti in due specie:

1ª *Specie.* — Quelli derivanti da fatti *inerenti alla sua natura,* come per esempio se l'animale entrò a pascolare nel campo altrui o spintovi o direttovi, o spontaneamente. Se spintovi o direttovi, competeva al danneggiato l'azione della legge Aquilia; nel secondo caso quella *de pastu* (Leg. 1, § 4 ff. *Si quadrup. pauper. fecisse dicatur;* Leg. ult. Cod. *de leg. Aquil.;* Leg. 14, § ult. ff. *de praes. verb.*).

2ª *Specie.* — Quei danni che derivavano dall'avere l'animale agito contro la propria natura (Leg. 1, § 4, ff. *Princip. justit., Si quadrup. pauper.*). Anche in questa seconda specie si distingueva il caso in cui i danni erano stati recati dall'animale per essere stato irritato dal danneggiato, ed allora non era dato a questo azione per i danni (PAUL, *Recept. sent.,* lib. 1, tit. 15 in fine; *Argum.,* Leg. 2, § 1, ff. *Si quadr. paup.;* Leg. 203 ff. *de reg. jur.*). Se l'animale era stato irritato da un terzo, l'azione pei danni doveva dirigersi contro questi e non contro il padrone o custode del medesimo (Leg. 1, §§ 4, 5, 6, 7 ff. *Si quadruped.*): se per contro l'animale recava danno senza essere stato da alcuno irritato, era ammessa l'azione *de pauperie* diretta od utile: *diretta* se si trattava di animale per sua natura ed indole *domestico* e solito al gregge; *utile* se si trattava di animale *selvaggio,* ma domesticato, o *fiera* non domesticata, ma avente padrone (Leg. 1, § 10; Leg. 4 ff. *Princip. justit., Si quadr.*).

In Francia è unanime l'opinione per cui non devesi

---

(1) LAROMBIÈRE, *Théor. des obl.,* art. 1385, n. 18; ZACHARIAE, III, pag. 203, § 448, n. 1 e 2; TOULLIER, XI, 297, 816; MARCADÉ, articolo 1385; SOURDAT, *Responsab.,* II, 1428 e 1429; DALLOZ, 1868, 2, 72; 1873, 1, 337.

far distinzione fra danni recati dall'animale domestico o selvaggio, seguendo o non la sua natura (1). L'obbligo al risarcimento del danno causato dall'animale cessa tuttavia nel proprietario od in chi usa l'animale stesso, quando essi provino il caso fortuito o la forza maggiore, senza che sia intervenuto il fatto o la negligenza loro. Alla forza maggiore si è equiparato il fatto del terzo quando al proprietario od al possessore non fu possibile evitare le conseguenze dannose: in questo caso il solo terzo è responsabile, come nel caso che avesse irritato l'animale, e tanto più se chi ciò fece è lo stesso offeso (2).

Non potrà però dirsi che si sia provocato od irritato l'animale da colui che si limita ad accarezzarlo dolcemente ; però questo fatto va apprezzato secondo le circostanze, poichè talvolta può essere imprudenza il solo accostarsi ad un animale, o l'accarezzarlo (3).

Se il danno poi fosse stato recato non ad una persona, ma ad un altro animale, anche in questo caso si tenne conto della circostanza in cui l'animale offeso fosse stato il provocatore per diniegare ogni diritto di indennità al proprietario di questo (ULPIANO, Leg. 1, § 11; Leg. 9, § 1).

Non sarebbe però ritenuta provocazione il solo fatto dell'animale che si avvicina ad un altro per *odorarlo* (D'ALFIENUS, Leg. 5 ff.; Leg. 9, t. 1).

È pure circostanza che dispensa dalla responsabilità quella per cui un toro abbia assalito chi entra o passa per un luogo dove passano o stanno tori, senza averne diritto ; ed anzi, ove l'assalito uccidesse il toro per difendersi, sarebbe esso responsabile (4).

Se un cane fosse pericoloso non solo, ma già, malgrado le cautele, fu altre volte causa di danno, costituisce colpa

---

(1) Vedi nota precedente sugli autori francesi.
(2) LAROMBIÈRE, TOULLIER. ZACHARIAE, op. cit.
(3) DOMAT, *Lois civ.*, lib. II e tit. 8, sez. 2ª, n. 7.
(4) LAROMBIÈRE, TOULLIER. *id.*, *id*.

il fatto del proprietario che lo voglia conservare, e non sarebbe scusabile il proprietario stesso quand'anche provasse di aver fatto tutto il possibile per impedire il danno.

Cessa ogni responsabilità nel proprietario per il danno recato da un cane se non consta che egli abbia mancato di invigilarlo e custodirlo, apparendo provato invece che l'animale si trovò fuori del luogo di custodia per fatto di un figlio del proprietario, salvo a discutere in tal caso se possa esservi responsabilità *indiretta* (Vedi **Minorenni**) (1).

Cani e biciclette (Vedi il titolo **Biciclette**).

Responsabilità penale (Vedi **Animali in generale**).

Carrozze e Carri ed altri veicoli.
(Vedi pure **Automobili** — **Biciclette**).

Carrettieri.

Frequenti sono i casi di risponsabilità civile dei carrettieri.

Risponde di omicidio colposo (e quindi anche dei danni civili) il carrettiere che sul proprio carro, trainato da due giovenche, una delle quali indomita, faccia salire un ragazzo a guidare, o per lo meno, salitovi spontaneamente non lo faccia discendere, per guisa che, rovesciatosi il carro, incontri la morte (2).

Risponde di danni e di omicidio colposo il carrettiere che in un punto difficile della strada, malgrado le avvertenze di una persona accolta sul carro. non discende per condurre a mano gli animali, nè si scompone dalla sua posizione, per guisa che il veicolo vada ad urtare

---

(1) Trib. Genova, 31 gennaio 1852, *Gazz. Trib. gen.*, 158.
(2) Cass. Penale; 4 marzo 1904, *Riv. Pen.*, Supplem. XII, 304.

in un paracarro e quella persona venga sbalzata e rimanga schiacciata dalla ruota. Nè vien meno la sua responsabilità pel fatto che anch'egli per l'urto abbia riportato una lesione (1).

È pure responsabile di omicidio colposo il carrettiere, che non obbedendo alle intimazioni di fermarsi fattagli dal conducente di altro veicolo avanzantesi dal lato opposto, non eviti l'urto da cui ebbe a derivarne la morte. E civilmente risponde il padrone che gli diede a condurre il carro, mentre non era che un semplice facchino, senza accertarsi dell'esperienza, previdenza e capacità di lui a condurre un carro (2).

Risponde di omicidio colposo colui, che conducendo un carro carico di tavole sporgenti oltre la testa dei cavalli, se ne stia sdraiato sul legname noncurante di avvisare ai possibili sinistri nell'attraversare un abitato, e sia causa per tale manifesta sua negligenza della morte di un bambino investito dalle zampe dei cavalli. Si potrà valutare però se siavi stata colpa nella custodia del bambino (3).

Vetturini pubblici della città di Roma.

Secondo gli usi di Roma, il contratto che intercede tra il proprietario di vetture pubbliche ed il vetturino, è un mero contratto di *locazione di cose*, cosicchè il fatto del vetturino non è fatto del proprietario, il quale non è perciò tenuto a rispondere, non essendo applicabile l'art. 1153 del Codice civile (4).

Investimento seguìto da morte.

La responsabilità del proprietario di un veicolo guidato da un suo dipendente, per investimento seguìto da

<hr>

(1) Cass. Penale, 4 novembre 1903, *Riv. Pen.*, LIX, 202.
(2) Cass. Penale, 7 gennaio 1903, *Riv. Pen.*, LVII, 309.
(3) Cass. Roma, 4 dicembre 1903, *Riv. Pen.* LVII, 312.
(4) Trib. Roma. 25 aprile 1904, *Pal. Giust.*, 283.

morte, è portata dall'art. 1153 e non dall'art. 1154 Cod. civ. (1). Infatti ogniqualvolta il danno è recato dall'animale mentre è affidato ad un dipendente, non può applicarsi che il citato art. 1153 Codice civile, se il fatto avvenne per colpa del dipendente.

Nel Diritto Romano, quella del danno cagionato da un animale era la prima delle azioni *noxali*. Ma tale azione cessava, se sottentrava la colpa dell'individuo, nel qual caso si agiva in base all'azione utile per la legge Aquilia contro di questo. Così se, ad esempio, il cane che aveva morsicato, era stato sciolto per colpa di qualcuno (L. 2, § 1; Paolo, Lib. 22, ad Ed., e L. 1, § 5). Così pure se il mulo od il bue recò danno perchè aizzato o stimolato dal pungolo. In questi casi il fatto dell'uomo diventa la causa prima ed assorbente dell'evento dannoso, ed è ad esso che prima di tutto ha da aversi riguardo nel fissare la responsabilità relativa (2).

In caso di detto investimento seguìto da morte sono dovuti i danni materiali valutati colle norme e criterî della legge di registro, o con quell'altro criterio che credesse il magistrato di adottare, essendo obbligatorio questo sistema (Vedi *Liquidazione dei danni*, § 9) (3). E sono poi dovuti altresì i danni *morali* per le sofferenze patite dalla moglie e figli della vittima.

Ammessa e riconosciuta la colpa del cocchiere per la lesione commessa guidando la carrozza della sua padrona, questa è indubbiamente responsabile, poichè i padroni ed i committenti, a differenza dei genitori, tutori, artigiani e precettori, che possono dare la prova di non aver potuto impedire il fatto, rispondono invece sempre del danno commesso dalla persona da essi scelta a certe

---

(1) App. Torino, 6 aprile 1897, *Giur. Tor.*, 792.
(2) Sentenza citata App. Torino, nelle note.
(3) Cass. Torino, 3 marzo 1893, *Giur. Tor.*, 213; Gabba, Studio nel *Foro It.*, 1896, I, 685.

incombenze. Nella parola *domestico* dell'art. 1153 Cod. civ. è compreso anche il cocchiere (1).

Abbandono di veicoli.

Il fatto di aver lasciato stazionare per più ore un carro sopra una pubblica piazza, privo dei cavalli, e senza ingombrare la circolazione, anzi in luogo dove per consuetudine si lasciano sostare carri per intere giornate, non è un fatto illecito, e se quindi alcuni *ragazzi*, trastullandosi intorno al carro, abbassandone o alzandone il timone, sono causa che uno di essi riporti danno alla persona (es. una frattura), il proprietario del carro non può esserne tenuto responsabile (2). E non vi è responsabilità per danno solo perchè non lo si è impedito avendosene il potere, quando però non si aveva obbligo legale di prevenirlo. Nel caso in esame spettava piuttosto ai genitori dei ragazzi il vigilarli.

Così pure venne giudicato che non sia responsabile il proprietario di un veicolo, che, trattolo fuori dalla rimessa lo abbia assicurato stringendo il freno e ponendo sassi sotto le ruote, se alcuni ragazzi, liberando la carrozza dai freni, la condussero in luogo in discesa, in modo che la carrozza, scendendo a precipizio, schiacciò un bambino (3).

Risponsabilità dell'imprenditore.

L'assuntore di un servizio (es. trasporto spurghi di pozzi neri) resta risponsabile dei danni arrecati a terzi dai proprii dipendenti, ed i genitori hanno diritto al risarcimento dei danni *morali* (se non materiali) per essere stato un loro bimbo di due anni schiacciato da un carro

---

(1) Cass. Roma, 21 gennaio 1902, *Giust. Pen.*, 544.
(2) App. Torino, 14 dicembre 1881, *Giur. Tor.*, vol. XIX, 149.
(3) Cass. Roma, 28 maggio 1903, *Giur. Pen.*, 294.

nonostante che abbiano avuto il torto di lasciarlo abbandonato sulla soglia della porta di casa verso la pubblica via. In questo caso però si deve far luogo a riduzione dell'indennità per parziale compensazione delle colpe (Vedi il titolo *Compensazione delle colpe,* ed anche *Committenti e Commessi*) (1).

È responsabile il padrone della sbadataggine del conducente di una sua carrozzella che abbia investito un carretto spingendolo addosso ad un passante, rimasto, per l'urto, ferito ad una mano, con permanente debilitazione, la quale gli impedisca di attendere come prima alle occupazioni del suo mestiere (2). In tal caso venne assegnata al danneggiato una pensione annua vitalizia in base ai danni *morali* dello spavento e dolore sofferti, ed a quelli materiali della inabilitazione al lavoro.

La colpa dei genitori di aver abbandonato il lóro bambino per la strada non si compensa colla colpa maggiore del carrettiere che stando sdraiato sul carro, ed abbandonate anche le redini del cavallo, investe e ferisce il bambino (3) (Vedi pure *Colpa extracontrattuale* nel sottotitolo *Più colpe concorrenti*).

Tramvie a cavalli e veicoli.

L'art. 1154 Cod. civ. e la legge romana *Si quadrupes pauperiem fecisse dicatur,* affermanti la responsabilità del proprietario di un animale per il danno da questo recato, non sono applicabili al caso di danni recati da una tramvia in moto, tirata da cavalli sotto la guida d'un cocchiere (4). E per vero l'art. 1154 contempla i danni recati dall'animale direttamente per mala custodia di colui che lo tiene, che può essere o il proprietario od altri che se ne serve

---

(1) App. Milano, 23 aprile 1902, *Giur. Tor.*, 657.
(2) App. Torino, 20 gennaio 1900, *Giur. Tor.*, 298.
(3) App. Torino, 13 luglio 1891, *Giur. Tor.*, 785.
(4) Cass. Torino, 1º dicembre 1887, *Giur. Tor.*, 1888, 11.

(es. *morsi*, *calci*, *ecc.*, *ecc.*); ma se si tratta di danno recato da *veicolo in moto* tratto da animali, ed il danno non fosse casuale, si rientra nei casi generali di risponsabilità personale di cui agli articoli 1151, 1152 e 1153 a carico del disattento od inesperto guidatore o di chi deve per lui rispondere: non si tratta qui più di *pauperies*, ma di *damnum*. La legge romana dà varii esempi, sia dell'azione per *pauperiem* che dell'azione per *damnum*. " *Pauperies est damnum sine iniuria facientis datum; nec enim potest animal iniuria fecisse, quod sensu caret* „. Esempi di tal genere sono: " *Si equus calcitrosus calce percusserit; aut si bos cornu petere solitus, petierit; aut mulae propter nimiam ferociam* „.

Nel caso invece di cavallo trainante un veicolo e condotto da un cocchiere, la legge romana stabiliva: " *Quod si propter loci iniquitatem aut propter culpam mulionis, aut si plus justo onerata quadrupes in aliquem onus everterit, haec actio* (cioè l'azione *de pauperie*) *cessabit*, DAMNIQUE INIURIAE *agetur* „.

L'importanza pratica di questa differenza è manifesta, poichè nel caso dell'art. 1154, che pur tanto si discosta dal sistema della legge *Si quadrupes*, si ha una responsabilità più estesa che non nei casi generali degli articoli 1151 e 1153; in quello non è d'uopo di provare alcuna colpa nel proprietario dell'animale od in colui che se ne serve, essendo essa presunta nella legge; in questi invece la colpa devesi provare da colui che propone l'azione di danno.

Carico di merci male eseguito.

È penale, e non soltanto civile, la responsabilità di colui che, avendo affidato il trasporto di grano a mezzo di un carro al proprio figliuolo undicenne, senza assicurare i sacchi di grano con funi, sia a ritenersi causa diretta delle lesioni, che alcuni di quei sacchi cadendo sulla persona di un altro giovinetto, che era seduto sopra di essi, abbiano a quest'ultimo prodotto (1).

Responsabilità penale (Vedi il titolo **Animali** in generale, in fine).

Cause e liti civili.

Espressioni oltraggiose.

La parte offesa da espressioni oltraggiose degli atti di causa e che ne ha ottenuta dal giudice la cancellazione ha diritto di avere, oltre la riparazione pecuniaria degli articoli 38 e 398 del Codice penale, anche il risarcimento dei danni in base agli articoli 1151 e segg. del Codice civile, da liquidarsi dallo stesso magistrato che giudicò il merito (art. 63 Cod. proc. civ.) (2). Tali danni sono risarcibili anche se non vi siano estremi per procedere penalmente per le ingiurie contenute negli scritti o nelle arringhe (3).

Se poi il giudice avanti il quale vennero prodotte le scritture materialmente ingiuriose, non ne abbia ordinata la soppressione o cancellazione nella continenza dello stesso giudizio nel quale avvenne la produzione, la giurisdizione su tal punto si ritiene come esaurita, e la parte non ha più mezzo di dolersene avanti a nessuna autorità (4).

Liti temerarie.

Il danno di lite temeraria è danno di fatto colposo, illecito, extracontrattuale (5).

---

(1) Cass. Roma, 14 dicembre 1896, *Legge*, 1897, II, 785.
(2) Cass. Torino, 18 gennaio 1902, *Giur. Tor.*, 303.
(3) App. Torino, 6 maggio 1898, *Legge*, II, 564.
(4) App. Firenze, 17 dicembre 1878, *Giur. It.*, XXXI, I, 2, 330.
(5) Cass. Torino, 29 gennaio 1889, *Legge*, I, 566.

Litigante temerario è soltanto colui che per spirito vessatorio trae altri in giudizio (1).

Il pronunziare in ordine ai danni dipendenti da una lite ingiusta e temeraria spetta esclusivamente al giudice, il quale dà sentenza sul merito della causa stessa; e quando il detto giudice non ne ordini il rifacimento colla sua sentenza, vi ha preclusione di via a proporre ulteriormente la domanda (2).

La responsabilità del soccombente per danni recati all'altra parte con lite temeraria, è regolata dall'art. 370 Cod. proc. civ., senza che sia uopo ricorrere agli articoli 1151 e 1152 Cod. civ. (3).

La temerità della lite a senso del detto art. 370 Cod. proc. pen., e la condanna ai danni debbono essere *motivate* e non soltanto affermate (4).

La temerarietà della lite consiste nella piena coscienza del proprio torto al momento della sua proposizione, tale da equipararsi al dolo od alla colpa lata. Invece l'opinione di esercitare un proprio diritto, esclude la temerità della lite, ed in questa ipotesi non sono dovuti danni, bastando la condanna nelle spese a punire la soccombenza (5).

A differenza della condanna nelle spese del giudizio, la condanna ai danni esige la dimostrazione che la lite fosse temeraria. Le spese stragiudiziali dovute a titolo di danno hanno base nel disposto degli articoli 1151 e 1152 del Codice civile (6).

Eccessi nella difesa giudiziale.

I provvedimenti repressivi ammessi dalla legge contro gli eccessi della difesa giudiziale sono di tre specie:

---

(1) App. Roma, 18 marzo 1890, *Legge*, I, 523.
(2) Cass. Torino, 8 febbraio 1887, *Legge*, II, 624.
(3) Cass. Roma, 11 marzo 1887, *id.*, I, 541.
(4) Cass. Firenze, 25 giugno 1894, *id.*, 1895, I, 17.
(5) App. Perugia, 17 settembre 1888, *Legge*, 1889, I, 741.
(6) Cass. Roma, 1º dicembre 1887, *Legge*, 1888, I, 145.

cancellazione dello scritto offensivo, punizioni disciplinari e risarcimento dei danni; ma poichè gli atti processuali hanno una durata effimera ed il loro effetto e notorietà cessa col chiudersi della controversia, e perchè anche dopo un certo tempo e senza perfetta conoscenza di tutte le circostanze del litigio riuscirebbe di grandissima difficoltà apprezzare esattamente se le espressioni, in apparenza oltraggiose, siano o non meritevoli delle sanzioni suddette, il MORTARA opina che le questioni sulle offese verbali o scritte non possano più essere suscitate dopo che la lite sia definitivamente decisa sul merito, in altro apposito giudizio (1).

Mancata restituzione di documenti.

La parte è responsabile della mancata restituzione di documenti comunicati al suo procuratore dall'avversario. La domanda di restituzione dei documenti comunicati può farsi con semplice comparsa, e non è soggetta alla prescrizione quinquennale. I *danni* per la non avvenuta restituzione o perdita dei documenti sono dovuti anche quando la parte contraria abbia trascurato per lungo tempo di agire per la restituzione (2).

Cavalli.

(Vedi pure **Carrozze** e **Carri automobili**).

Cavalli in scuderie di albergo.

L'albergatore, al quale venne da un avventore che alloggia nell'albergo stesso consegnato un cavallo in custodia, risponde del danno dato al medesimo dal cavallo di un altro avventore, pure consegnatogli, ove non provi

---

(1) Nota nella *Giur. Tor.*, 1906, pag. 292.
(2) App. Genova, 10 dicembre 1899, *Legge*, 1900, II, 57.

che il danno avvenne *per caso fortuito o per forza maggiore*, oppure *per colpa grave del proprietario del cavallo
danneggiato*. L'albergatore non ha diritto, nel caso esaminato, di essere rilevato dal proprietario del cavallo
che fu causa del danno (1).

Così pure se un cavallo, affidato, sia pure momentanea-
mente, ad un albergatore, reca danno, ne risponde *soltanto*
l'albergatore, salvo che si tratti di vizio occulto dell'animale non statogli denunziato (2). E per vero, se il proprietario non è più al possesso dell'animale, non vi è più
presunzione di colpa a suo carico (3).

Risponsabilità del padrone.

Non è responsabile il padrone se il cocchiere fu colpito
da un calcio del cavallo affidato alle sue cure (4) (Vedi
pure *Carrozze*).

Si avrebbe invece la risponsabilità del padrone o di
chi si serve del cavallo nel caso in cui si sia abbandonata la vettura ad un ragazzo inesperto a guidare cavalli, in modo che ne sia derivata una lesione al ragazzo
stesso in sèguito a sinistro, essendo evidente la imprudenza in tale fatto (5).

E così pure risponde di danni colui che affidò ad un
giovane di poca età un cavallo vivace, il quale vinse la
mano al giovane cavalcante e lo gettò a terra cagionandogli gravi lesioni (6).

Chi conduce in un pubblico passeggio uno stallone
tenuto per la cavezza, è risponsabile se l'animale con

---

(1) Pretura di Casale Monferrato, 24 gennaio 1905, *Mon. Trib.*,
pag. 258.
(2) Cass. Torino, 19 luglio 1904, *Giur. Tor.*, 1248.
(3) App. Milano, 21 luglio 1904, *Giur. Tor.*, 1180.
(4) Cass. Torino, 16 maggio 1898, *Giur. Tor.*, 841; Ricci, *Diritto
civ.*, n. 101.
(5) Cass. Torino, 27 febbraio 1889, *Giur. Pen.*, 136.
(6) Cass. Torino, 5 giugno 1889, *Giur. Pen.*, 409.

un calcio offende uno dei passanti, e la risponsabilità
sussiste anche se l'animale stesso ciò abbia fatto perchè
molestato, essendo prevedibile anche tale fatto (1).

Cavalli da nolo.

Chi prende a nolo un cavallo da un affitta-cavalli risponde dei danni risentiti dall'animale, a meno che provi
che nessuna colpa gli è addebitabile (art. 1588 Codice civile) (2). E per vero il conduttore è obbligato a restituire
la cosa locata nello stato in cui l'ha ricevuta, e tale
principio sta anche nel caso di locazione di cose mobili
o semoventi. Non è mai a carico del locatore (anche se
sia attore) la prova della colpa o negligenza del conduttore, ma deve il conduttore provare che il danno deriva
da causa a lui non imputabile: altrimenti il conduttore
stesso è tenuto a rispondere (3). Qui trattasi di colpa
contrattuale; chè se si trattasse di danni derivanti da
quasi-delitto, deve il danneggiato dare esso la prova della
colpa, e non è più applicabile l'art. 1225 del Codice civile. Non sarebbe il danneggiato tenuto a dare la prova
della colpa (trattandosi di colpa extracontrattuale) se la
colpa è *in re ipsa*, come nel caso in cui si tratti di fatti
illeciti in sè, o vietati dalla legge.

Corsa sfrenata.

Il porre a corsa sfrenata i cavalli per opera di chi li
guidava, se dal fatto deriva danno a terzi, costituisce
di per sè tale circostanza che il guidatore si presume
senz'altro imputabile moralmente, e l'attore che chieda
indennità non è obbligato a provare la colpa (4).

---

(1) Cass. Roma, 3 ottobre 1891, *Gazz. Proc.*, XXIV, 539.
(2) App. Torino, 25 gennaio 1902, *Giur. Tor.*, 308.
(3) Cass. Torino, 1° marzo 1884, *Giur. Tor.*, 209.
(4) Cass. Torino, 7 marzo 1877, *Giur. Tor.*, 544.

La Corte di Gand ritenne (1) che se un cavallo attaccato ad un calesse ed abbandonato a sè stesso sulla via pubblica mentre corre, cagiona la caduta di chi si è creduto in dovere di arrestarlo, questo intervento spontaneo, sebbene prestato con poca destrezza e prudenza, non dispensa il proprietario del cavallo dalle responsabilità per il pregiudizio recato.

Così pure fu deciso che il proprietario di un cavallo risponde del fatto del suo cavallo che ferì ed uccise alcuno, sebbene non siavi colpa personale da parte sua, e l'animale abbia solo obbedito al suo istinto senza esservi indotto da fatto alcuno. Nè la fuga, nè la ferocia dell'animale non si ritennero per ragioni di scusa per il proprietario; e neppure gioverebbe l'addurre la propria imperizia, debolezza, impotenza o le difficoltà del passaggio (Leg. 1, § 4, ff.; Leg. 9, t. 1).

È poi pacifico che il proprietario di un cavallo risponde anche se il cavallo dato in custodia al suo domestico o dipendente, siagli sfuggito, o dato alla corsa. Non risponderà solo nel caso in cui il fatto non sia imputabile nè a lui nè al cocchiere (Vedi pure *Carrozze* e *Carri* nel sottotitolo: *Tramvie a cavalli*).

È infine risponsabile d'omicidio in via penale e di danni in via civile chi per gareggiare con altra vettura lancia il proprio cavallo a gran corsa in via frequentata, sia pure gridando ad alta voce, e nella corsa investa una persona (2).

Cavalli ed automobili (Vedi **Automobili**).

Cimiteri.

Danni morali.

Il Comune, che dovendo sbarazzare un'area nel suo Cimitero per consegnarla ad un privato che ne ha fatto

---

(1) Sentenza 23 maggio 1853; *Pasicrisie*, 1854, pag. 51.
(2) Cass. 25 luglio 1891, *Foro Pen.*, I, 2, n. 16.

acquisto per costruzione di una Cappella mortuaria, fa esumare senza veruna autorizzazione due cadaveri ivi sepolti da meno di un decennio e ne fa raccogliere i resti in un'unica cassa, che poi depone in altra parte del Cimitero, è tenuto verso la famiglia al risarcimento dei danni morali (articoli 78, 81, 83 del Regol. di polizia mortuaria 25 luglio 1892, n. 448) (1).

La salma di un defunto è considerata cosa sacra e non può essere oggetto di proprietà, ma è fonte di diritto (sino a che almeno, secondo le leggi, possa essere conservata nel luogo in cui è sepolta) di vegliare alla conservazione sua e rendere alla memoria del defunto quei tributi di affetto e di culto cui ciascuno, secondo le proprie convinzioni, si creda tenuto.

Danni materiali.

Per i danneggiamenti recati nei Cimiteri, sorge azione civile non solo, ma anche azione penale contro chi mutila o deturpa *monumenti, statue, dipinti, lapidi, iscrizioni o sepolcri* (art. 153 Cod. pen.).

Colpa Contrattuale.

(Vedi pure **Notai — Matrimonio**).

Norme generali sulla colpa contrattuale.

Dicesi *colpa* ogni volontaria omissione di diligenza per cui il debitore non prevede le conseguenze del suo fatto positivo o negativo, violando l'obbligazione senza avvedersene (2).

Per regola generale il debitore non può mai prestare nel contratto diligenza minore che negli affari proprii,

---

(1) Trib. Alessandria, 26 febbraio 1901, *Giur. Tor.*, 786.
(2) Giorgi, *Teoria delle obbligazioni*, vol. II, 2 18.

e può, per fatto esplicito, essere tenuto a diligenza maggiore, ovvero a minore della ordinaria.

Il **depositario** è responsabile della sola diligenza in concreto, tranne i quattro casi indicati nell'articolo 1844 Cod. civ. e nel caso di *deposito* giudiziale (Vedi *Deposito*).

Il **donante** di cose mobili con riserva di usufrutto, non risponde delle deteriorazioni colpose.

Il **possessore di buona fede** non risponde mai del fatto proprio commesso senza dolo.

L'**erede beneficiato** è responsabile solo delle *colpe gravi.*

Il **comodatario** è obbligato a **maggior diligenza** di quella ordinaria di un buon padre di famiglia, giacchè deve sempre preferire il sacrifizio della cosa sua a quello della cosa comodata.

Il **commerciante** deve essere più diligente nel suo commercio di chi non vi sia dedito.

Il **conduttore** è responsabile dell'incendio se non prova il fortuito, o il vizio di costruzione o la forza irresistibile, o la comunicazione da case vicine (Vedi *Locazione di case*).

I **commissionari di trasporti**, vetturini, osti, albergatori non possono liberarsi dalle assunte obbligazioni se non provando il fortuito.

Talora, nel concorso di colpa da parte del creditore e da parte del debitore, può farsi compensazione (Vedi *Compensazione delle colpe*). La compensazione può avvenire sia tra colpe *contrattuali* che tra colpe *extracontrattuali.*

Dall'inadempimento delle obbligazioni per colpa nasce l'obbligo al risarcimento dei danni.

In mancanza di patto speciale, i *danni* per ritardato adempimento di obbligazione avente per oggetto una somma di denaro, consistono nel pagamento degli *interessi legali* in ogni ipotesi, ed anche in quella in cui il ritardo **provenga** da colpa o dolo del debitore (art. 1231

Cod. civ.) (1). Però si intende nel caso di *danni comuni*, che se il creditore avesse pure risentito altri danni per il ritardo (cioè i cosidetti danni *proprii ipsi damnificato*) e se riesce a darne la prova, avrà diritto anche al risarcimento di questi danni (2).

Danni morali.

Secondo la prevalente giurisprudenza, non sono mai dovuti danni morali per inadempimento di contratto (3) (art. 1228 Cod. civ.). (Vedi pure il titolo *Danni morali*).

Danni a fondi rustici affittati (Vedi Locazione di fondi rustici).

Inadempimento.

La materiale infrazione di un obbligo contrattuale non basta a rendere responsabile dei danni se si dimostra che per altra via i danni furono eliminati od attenuati (così, ad esempio, l'infrazione dell'obbligo del conduttore di consumare sul fondo tutti gli impagli da questo prodotti e tenervi un *minimum* di bovine, non basta a renderlo contabile di danni, se egli dimostra che con altri impagli introdotti dal di fuori e con sovrabbondante dotazione di equini sopperì alle deficienze di bovine, ed attenuò così il danno (4) (art. 1615 Cod. civ.).

Trattandosi di inadempimento *contrattuale*, non è esatto il dire che il risarcimento abbia la sua ragione nella colpa dell'inadempiente, ma piuttosto è una conseguenza dell'inadempimento stesso, il quale è un fatto *illecito*, poichè è l'infrazione della fede contrattuale e contrario

---

(1) Cass. Torino, 14 luglio 1906.
(2) GIORGI, *Obbligazioni*, vol. II, n. 124, 3ª ediz.
(3) Cass. Torino, 10 luglio 1906, *Giur. Tor.*, 1281.
(4) Cass. Torino, 26 aprile 1905, *Giur. Tor.*, 985.

alla legge, la quale comanda l'osservanza dei patti convenuti (articoli 1123-1218 Cod. civ.), epperò non è a carico del creditore la prova di una colpa qualsiasi, bensì starà a carico del debitore inadempiente l'escluderla colla prova del caso fortuito, o della forza maggiore, o dell'esistenza di una causa estranea a cui sono imputabili (art. 1225 e 1226 Cod. civ.) (1). La colpa contrattuale è presunta nell'inadempiente.

Nella colpa extracontrattuale invece, o aquiliana, nessuna presunzione può ammettersi, laonde la prova di essa sarà a carico di chi l'afferma e la pone a fondamento della sua azione. Ma anche qui se il fatto dannoso sia per sè illegittimo e contrario alla legge, la colpa è *in re ipsa* e non occorrerà più prova specifica (2).

Disposizioni generali di legge sull'inadempimento delle obbligazioni.

Chi ha contratto un'obbligazione è tenuto ad adempierla esattamente, ed in mancanza, al *risarcimento dei danni* (art. 1218 Cod. civ.). Ma non vi è nel creditore diritto ad indennità per inadempimento di obbligazioni o convenzioni dichiarate nulle od inesistenti (3); e così, ad esempio, dichiarata nulla la vendita per mancanza di uno dei suoi estremi essenziali, non trovano luogo le eccezioni del dolo e della evizione, e tanto meno la domanda di indennità per inadempienza del contratto.

Se l'obbligazione consiste nel non fare, il debitore che vi contravviene è tenuto ai danni pel solo fatto della contravvenzione (art. 1221 Cod. civ.).

Il creditore può domandare che sia distrutto ciò che si è fatto in contravvenzione all'obbligazione di non fare,

---

(1) Cass. Torino, 19 marzo 1896, *Giur. Tor.*, 280.
(2) Cass. Torino, 25 febbraio 1891, *Giur. Tor.*, 475, 289 e 599.
(3) Cass. Roma, 22 novembre 1885, *Legge*, 1886, I, 475.

e può essere autorizzato a distruggerlo a spese del debitore, oltre il *risarcimento dei danni* (art. 1222 Cod. civ.).

Il debitore sarà condannato al risarcimento dei *danni* tanto per l'*inadempimento* dell'obbligazione quanto per il *ritardo*, ove non provi che il ritardo è derivato da causa estranea a lui non imputabile, ancorchè non sia per parte sua intervenuta mala fede (art. 1225 Cod. civ.). Il debitore però non è tenuto a verun risarcimento quando, in conseguenza di una forza maggiore o di un caso fortuito, fu impedito di *dare* o di *fare* ciò a cui si era obbligato, od ha fatto ciò che gli era vietato (art. 1226 Cod. civ.). (Vedi il titolo *Forza maggiore*).

I danni sono dovuti al creditore per la perdita sofferta e pel guadagno di cui fu privato, salve le eccezioni stabilite dalla legge (art. 1227 Cod. civ.).

I danni si compendiano in due elementi, cioè nella *perdita* sofferta e nel *lucro* mancato, *id est quantum mihi abest, quantumque lucrari potui* (L. 13, *Dig.*, 46-8) e comprendono anche quelli posteriori alla pronunciata risoluzione del contratto (1).

Nei contratti bilaterali, nel caso in cui una delle parti non soddisfaccia alle sue obbligazioni, il contratto non è sciolto di diritto, ma la parte verso cui non fu eseguita l'obbligazione ha la scelta o di costringere l'altra all'adempimento del contratto, quando ciò sia possibile, o di domandarne la risoluzione, oltre il *risarcimento dei danni* in ambedue i casi (art. 1165 Cod. civ.).

Il debitore non è tenuto se non ai danni che sono stati preveduti, o che si sono potuti prevedere al tempo del contratto, quando l'inadempimento dell'obbligazione non derivi da suo dolo (art. 1228 Cod. civ.).

Questa limitazione di danni si applica solo all'inadempimento di obbligazioni contrattuali, mentre invece la risponsabilità per fatto illecito (art. 1151 Cod. civ.,

---

(1) Cass. Firenze, 11 dicembre 1887, *Legge*, 1888, I, 475.

Colpa extracontrattuale) comprende anche i danni indiretti (1).

Quantunque l'inadempimento dell'obbligazione derivi da *dolo* del debitore, i danni relativi alla perdita sofferta dal creditore ed al guadagno di cui fu il medesimo privato, non debbono estendersi se non a ciò che è una conseguenza immediata e diretta dell'inadempimento dell'obbligazione (art. 1229 Cod. civ.).

Quando la convenzione stabilisce che colui il quale mancherà di eseguirla debba pagare una determinata somma a titolo di danni, non si può attribuire all'altra parte una somma maggiore o minore.

Lo stesso ha luogo se l'accertamento dei danni è fatto sotto forma di clausola penale, o mediante *caparra* data al tempo del conchiuso contratto (art. 1230 Cod. pen.). Dicesi *caparra* ciò che si dà anticipatamente nella conclusione di un contratto, e che (salvo risulti una contraria volontà dei contraenti), si considera come una cautela per il risarcimento dei danni in caso di inadempimento (art. 1217 Cod. civ.).

Talora la caparra però è intesa come semplice *acconto di prezzo*.

In mancanza di patto speciale, nelle obbligazioni che hanno per oggetto una *somma di denaro*, i danni derivanti dal ritardo nell'eseguirla consistono sempre nel pagamento degli interessi legali, salve le regole particolari al commercio, alla fideiussione ed alla società (articolo 1231 Cod. civ.). Questi danni sono dovuti dal giorno della mora, senza che il creditore sia tenuto a giustificare alcuna perdita (art. 1231 Cod. civ.).

Tali interessi non sono dovuti sul fondamento della *colpa* o della *negligenza* da parte del debitore, ma per analogia alla regola per cui anche il *possessore di buona fede* condannato a restituire un oggetto, si deve consi-

---

(1) Cass. Torino, 29 gennaio 1889, *Giur. Tor.*, 116.

derare in mala fede dal giorno dell'intimata domanda giudiziale (1). In generale, quando l'esistenza del danno è stabilita, gl'interessi son dovuti dalla mora: ma quando l'esistenza del danno non è ancora stabilita, ed appuuto per stabilirla si ordinano dei mezzi di prova, allora vige la regola *in liquidandis non fit mora* e gli interessi non decorrerebbero che dalla presentazione della prova, quando anche la domanda degli interessi fosse stata fatta in precedenza (2).

Colpa extracontrattuale o Aquiliana.

Essa ha per base un fatto illecito o liberamente voluto *(delitto)* o non voluto, ma tale che si poteva evitare, adoperando la necessaria *diligenza*, che violasse il diritto altrui e cagionasse danno *(quasi-delitto)*.

(Vedi pure **Minorenni**).

Che s'intenda per diligenza.

La diligenza del buon padre di famiglia va intesa in relazione alla natura della obbligazione da adempiere, cosicchè, se questa richiede cognizioni speciali e tecniche, il loro difetto nella esecuzione fa incorrere nella colpa (es. un professore di chimica che nel fare un esperimento in gabinetto in presenza degli allievi, sia, per sua imperizia, causa di uno scoppio che rechi danno ad uno degli allievi stessi) (3).

In tema di responsabilità *extracontrattuale* deve, dopo stabilito il fatto da cui vuolsi far scaturire la colpa, giudicarsi se altro uomo di ordinaria prudenza avrebbe agito nello stesso modo (4).

---

(1) Cass. Firenze, 19 febbraio 1885, L. I, 621.
(2) Cass. Torino, 29 dicembre 1888. *Giur. Tor.*, 1889, 93.
(3) Cass. Roma, 13 febbraio 1904, *Cass. Unica civ.*, 60.
(4) Cass. Roma, 26 aprile 1904, *Corte Suprema*, II, 167.

Colpa.

Per l'applicabilità dell'art. 1151 Cod. civ. occorre imputabilità di *colpa*, la quale non può consistere nella omissione di straordinarie ed impensate cautele, ma solo ricorre, giusta gli insegnamenti della legge Aquilia, *se si è mancato alla riflessione che era da aspettarsi da un uomo ordinario* (1).

Quasi-delitti di commercianti — Natura dell'azione.

L'obbligo del commerciante di rispondere del quasi-delitto del dipendente nell'esercizio del suo commercio, ha *carattere commerciale* (art. 4 Cod. comm., art. 1153 Cod. civ). Tesi questa controversa (2), ritenendosi da altri giudicati che il fatto illecito costituisca sempre un'azione di carattere *civile* (Vedi in proposito *Disastri ferroviari*, § 2; *Industrie*, § 1).

Colpa levissima.

Per la responsabilità *aquiliana* basta la colpa leggerissima; ed il danno recato per fatto colposo deve essere risarcito per intero senza riguardo alla maggiore o minore entità della colpa.

Nella colpa extracontrattuale deve il danneggiato dare la prova dell'esistenza della colpa, salvo che si tratti di uno di quei casi in cui la colpa è *in re ipsa*, come quando si tratti di fatto *illecito* in sè o vietato dalla legge (3). Vi è responsabilità anche pel *caso fortuito* se fu preceduto od accompagnato da colpa: *neminem fortuitus excusat, si culpa praecessit casum.*

---

(1) Pretore Montevarchi, 17 maggio 1904, *Giur. tosc.*, 379.
(2) Cass. Torino, 28 gennaio 1905, *Giur. Tor.*, 284.
(3) Cass. Torino. 12 aprile 1883, *Giur. Tor.*, 610.

Vi sono però delle sentenze che ritennero che l'autore materiale del danno si presume imputabile moralmente sino a prova contraria (1).

Non è da valutarsi per colpa qualunque leggera inavvertenza, e la omissione di una qualche cautela straordinaria od inusitata; la legge vuole che il cittadino sia diligente, ma non esige una antiveggenza tanto scrupolosa e raffinata da pretenderlo sempre e per ogni rapporto infallibile (2).

La prova della colpa può raccogliersi dal complesso dei fatti, e mediante il loro apprezzamento, e non soltanto con atti legalmente riconosciuti od istrumenti (3). È giudizio di fatto incensurabile in Cassazione quello con cui venga stabilita l'esistenza della colpa o esclusa (4).

Più colpe concorrenti.

Le colpe di due o più persone, qualora abbiano prodotto un evento dannoso, anzichè escludersi si cumulano, anche nel caso in cui una colpa abbia dato luogo all'altra (5). E così ad es. nell'ipotesi in cui alcuno abbia noleggiato una vettura di notte, e il cocchiere per l'oscurità, sbagliando nello svoltare, faccia precipitare il calesse in un canale, per essere in quel punto sprovvista la strada di parapetto, risponde sia il cocchiere che il di lui padrone (vedi *Committenti* e *Commessi*), sia la Provincia proprietaria della strada, sia lo Stato (Finanze) proprietario del canale. E per vero, sia pure che la disgrazia sia accaduta per la negligenza del cocchiere, certo è che se in quello svolto la strada fosse stata munita di parapetto, il cavallo non poteva oltrepassarlo, o sarebbe stato fermato urtandovi, cosicchè la colpa del cocchiere fu pre-

---

(1) Cass. Torino, 7 marzo 1877, *Giur. Tor.*, 514.
(2) Cass. Palermo, 18 luglio 1865, *Giur. Tor.*, III, 124.
(3) Cass. Torino, 13 aprile 1878, *id.*, XV, 477.
(4) Cass. Torino, 3 dicembre 1878, *id.*, XVI, 171.
(5) Trib. Vercelli, 30 gennaio 1897, *Giur. Tor.*, 508.

ceduta dalla colpa di chi doveva munire la strada di parapetto, se in quel punto fosse evidente la necessità del riparo.

Per la risponsabilità civile *non si richiede la facile prevedibilità* del danno cagionato, e basta un grado qualunque di colpa anche leggerissima (1). Infatti per la risponsabilità civile del danno, basta che questo sia imputabile a colui che ne fu il libero autore, ed a lui possa attribuirsi come sua causa ; epperò devesi guardare se egli abbia agito con dolo o colpa più o meno grave; *anche una colpa leggerissima* è sufficiente ogni qualvolta risulti che senza di essa il danno non sarebbe avvenuto (2).

Può essere *colpa* anche l'imperizia nell'esercizio delle arti, o professioni.

Commessi e Rappresentanti di commercio.

(Vedi pure **Banche — Committenti e Commessi — Mandatari.**

Revoca.

Il *rappresentante* di commercio intempestivamente revocato, ha azione per ottenere il pagamento delle *provvigioni* e *risarcimento di danni*, e deve proporre la sua azione avanti il Foro del luogo in cui la rappresentanza doveva esplicarsi (3). In genere, infatti, nelle controversie tra commesso e committente, è competente a decidere l'Autorità giudiziaria del luogo in cui il commesso ha il domicilio, ed in cui doveva eseguirsi la commissione (4).

Ha pure azione per risarcimento di danni anche il com-

(1) Cass. Torino, 12 dicembre 1894, *Giur. Tor.*, 1895, 40.
(2) Cass. Firenze, 10 marzo 1892, *Giur. Tor.*, XXIX, 408.
(3) App. Milano, 24 dicembre 1902, *Giur. Tor.*, 1908, 265.
(4) App. Palermo, 8 marzo 1897. *Foro It.*, 729.

mittente per violazione della concordata *esclusività* della rappresentanza sulla piazza di residenza del rappresentante, ed anche in tal caso la competenza è la medesima più sopra accennata (1), ed anche pel caso in cui il rappresentante chieda solo il pagamento delle pattuite provvigioni, è competente il Foro del luogo di residenza del rappresentante stesso (art. 91 capov., Cod. proc. civ.) (2).

Se però il **rappresentante di commercio risieda bensì in luogo diverso da quello del mandante, ma debba esercitare la rappresentanza in luogo diverso da quello della** residenza di esso rappresentante e da quello di residenza del mandante, deve proporre la sua azione secondo le norme comuni di competenza (3).

I commessi di negozio sedentarii o viaggiatori, nella prestazione della loro opera sono tenuti ad usare la maggiore diligenza che avrebbero nelle cose proprie. Viola l'obbligo suo il commesso viaggiatore che disobbedisce al precetto fattogli dal suo principale di spedirgli quotidianamente nella sera in ora di posta la relazione del suo operato (4).

Licenziamento — Danni.

Il commesso viaggiatore non può considerarsi come un vero e proprio mandatario, e' non ha diritto in caso di *licenziamento senza giusta causa*, al risarcimento di danni secondo l'art. 366 del Codice di commercio (5). Questa massima è però contraddetta da altre opinioni che ritengono bensì che il commesso viaggiatore sia un locatore d'opera, ma può trattare affari ed obbligare i terzi ed il suo principale per l'affare trattato, per cui sorge anche un rapporto di mandato, sia pure ristretto ai limiti

---

(1) Cass. Torino, 2 marzo 1900, *Giur. Tor.*, 503.
(2) Cass. Palermo, 24 maggio 1898, *Foro Sic.*, 439.
(3) App. Milano, 14 maggio 1902, *Mon.*, 849.
(4) App. Venezia, 17 agosto 1895, *Legge*, II, 738.
(5) Cass. Torino, 7 febbraio 1900, *Legge*, I, 404.

dell'incarico (art. 378 Cod. comm., e quindi siccome la legge esclude l'applicabilità ai commessi viaggiatori soltanto del disposto dell'art. 371 Cod. comm. relativo alla sottoscrizione per procura, con è a ritenersi che sia applicabile l'art. 366 che non è escluso dal citato articolo 378 Cod. comm. (1).

Impiegato di commercio **che usufruisce di indirizzi di clienti** (Vedi **Concorrenza sleale**).

Committenti e Commessi in generale.

(Vedi pure i titoli **Appalti — Banche — Opere Pie**).

Generalità.

La responsabilità del committente per il fatto del suo commesso è una delle forme di responsabilità indiretta.

Essa richiede tre condizioni:

1° La *qualità* di domestico o commesso nell'autore del danneggiamento;

2° La *scelta* libera che il padrone o il committente abbia fatto di quella persona;

3° Che il danneggiamento illecito sia consumato nell'*esercizio* delle incombenze affidate al domestico o commesso.

Non incorre in responsabilità chi affida incombenza ad un pubblico ufficiale dipendente dai suoi superiori.

Chi ricorre all'opera di un artefice o di un esercente che stia ai servigi di un imprenditore conosciuto, non incorre in responsabilità, quando il contratto sia fatto coll'annuenza dell'imprenditore, od almeno sia a notizia del medesimo; e non incontra responsabilità chi invia

____

(1) Nota di Ercole Vidari alla citata sentenza.

un suo commesso a lavorare in casa altrui sotto gli ordini diretti del proprietario (1).

Il determinare se concorrano quelle condizioni di dipendenza che servono di base alla responsabilità, è questione in gran parte *di fatto*.

La *libera scelta* del padrone o committente è necessaria perchè la presunzione di colpa è appunto fondata sul presupposto della cattiva scelta.

Il fatto illecito del domestico o del commesso deve essere stato reso possibile dalle incombenze ricevute; ma non importa che le incombenze stesse fossero materia illecita; non basta d'altra parte la sola coincidenza di tempo tra il fatto illecito e le incombenze : ci vuole il nesso logico di causalità, ed il rintracciare questo nesso è pure un'indagine nella quale il magistrato deve prendere per guida l'esame del fatto e i giudicati della Giurisprudenza.

La responsabilità del padrone e del committente si estende anche ai fatti delle persone dipendenti e scelte dai domestici o dai commessi; e così pure essi rispondono dei danni che i commessi o domestici, nell'esercizio delle incombenze loro affidate, arrechino a terzi o si arrechino tra di loro. Però non risponderebbero dei danni che i domestici o commessi si arrecassero *da sè medesimi*, se non sia provata la colpa del padrone o del committente : ma a questo riguardo la odierna legislazione civile ha provveduto colle leggi sugli *Infortunii sul lavoro* (Vedi *Infortunii sul lavoro*).

I padroni e committenti possono liberarsi dalla responsabilità provando di non aver potuto impedire il fatto che recò danno al terzo, o provando il fortuito o la forza maggiore, ovvero la colpa del danneggiato. Spetta loro il regresso verso l'autore del fatto dannoso, se l'autore sia imputabile di colpa.

---

(1) Giorgi, *Teoria delle obbligazioni*, vol. V, § 326 e segg.

Anche lo Stato può avere responsabilità civile quale committente per i fatti illeciti dei suoi impiegati e funzionarii, e così pure le pubbliche Amministrazioni. Ma di ciò si tratterà nei titoli *Stato* e *Amministrazione pubblica.*

Banche.

Perchè sorga la responsabilità del committente per il malefatto del proprio commesso, basta che il malefatto stesso si rannodi in qualsiasi modo all'obbietto delle funzioni a lui affidate; quindi il *correntista di una Banca* è responsabile verso la medesima delle somme che il proprio commesso abbia potuto ritirare e convertire in proprio favore abusando della disponibilità di un libretto di *assegni bancarii* (1).

Guardiano privato.

Il proprietario è responsabile pel fatto del *guardiano* da lui preposto alla custodia dei fondi, il quale *eccedendo* nell'adempimento delle sue incombenze, abbia delittuosamente ferito persone introdottesi nei fondi stessi. Tale responsabilità essendo fondata sulla presunzione legale della *mala electio,* non può essere vinta da prova contraria, ed è quindi inammissibile la prova testimoniale tendente a dimostrare che la scelta era caduta su persona proba ed incapace a delinquere (2).

Colono.

Il *colono* non può considerarsi come un commesso del proprietario agli effetti dell'art. 1153 Cod. civ.; quindi

---

(1) Cass. Napoli, 28 maggio 1904, *Mon. Trib.*, 562.
(2) App. Trani, 15 marzo 1904, *Foro Puglie*, 173.

il proprietario non è chiamato a rispondere dei danni
arrecati dal colono ad un terzo, e così non è tenuto pel
fatto che un bambino affidato da terzi al colono per *ba-
liatico* sia caduto in una fogna costruita per suo conto
dallo stesso colono, e vi abbia trovato la morte (1).

Ferrovie.

È principio generale che il mandante è responsabile
del fatto del mandatario, allora soltanto che quest'ultimo
agisca entro i limiti del mandato (2), e quindi il vettore
è responsabile per il fatto dei suoi dipendenti, in quanto
questi agiscano nei limiti delle loro funzioni, giacchè
allora soltanto può dirsi che il fatto loro si identifica con
quello del vettore (3). Ora tra le funzioni degl'impiegati
delle ferrovie non vi ha quella di redigere le note o richieste di spedizione, di provvedere degli opportuni documenti doganali le spedizioni stesse, di dare consigli
od istruzioni sulla scelta delle tariffe e simili. Sono incombenze coteste che spettano neppure al vettore. Se
pertanto un privato (mittente) si rivolge ad un impiegato
per avere simili notizie, ciò fa a tutto *suo rischio*, e l'Amministrazione ferroviaria non è tenuta a rispondere delle
erronee informazioni fornite dai suoi agenti al pubblico
ed *in generale di ogni fatto di costoro, quando non agiscono
nei limiti delle loro attribuzioni* (4).

Circa la teoria sulla responsabilità del committente
per fatti del commesso, vedi il titolo *Banche*, § 2, ove
è diffusamente trattata.

---

(1) App. Milano, 24 maggio 1904, *Foro It.*, I, 1187, *Giur. Tor.*,
pag. 1389.
(2) CHIRONI, *Colpa contrattuale*, 2ª ediz., n. 188.
(3) VIVANTE, *Dir. comm.*, vol. IV, 1ª ediz., n. 2032; BRUSCHETTINI,
Contratto di trasp.. pag. 341, 281, nota 5; MARCHESINI, *Contratto di
trasp.*, vol. II, n. 86, 187 a 266.
(4) Cass. Torino, 21 maggio 1904, *Giur. Tor.*, 3567.

Responsabilità del committente in genere.

La responsabilità del padrone, committente o preponente per il fatto del servo, commesso o preposto, non è limitata al danno da questi cagionato nell'esercizio dei servigi loro comandati, a termini dell'art. 1153 Cod. civ., ma si estende al danno prodotto in quei servigi che, sebbene non comandati da loro, sono però stati da essi voluti, permessi e lasciati compiere, e sono d'altronde conformi e consoni alla natura dei servigi dovuti e prestabiliti (1). Però, per regola generale, non può pronunciarsi la responsabilità del padrone per il fatto del domestico, se non constando che il fatto fu commesso da questo nell'esercizio delle sue incombenze di domestico (2). Questa condizione può dedursi dalla natura stessa del fatto consumato. Il committente non risponde del danno recato dal commesso fuori delle incombenze alle quali lo ha destinato (3), e perciò deve il giudice esaminare anzitutto se il fatto del commesso rientri o no nelle sue attribuzioni ed incombenze. L'azione di danno contro il committente pel fatto del commesso, è indipendente da quella che per lo stesso fatto compete contro il commesso medesimo, e quindi, per il suo esercizio, non è tenuto l'attore a chiamare in causa anche il commesso, salvo al convenuto il diritto di chiamarvelo egli stesso, se lo crede di suo interesse (4).

Vedi pure *Armi, Costruzioni.*

Massari.

Il proprietario non può ritenersi responsabile del danno che il massaro abbia cagionato a terzi nell'esercizio della masseria (5). Diverso è il caso del *fattore di campagna,*

(1) Cass. Torino, 5 maggio 1883, *Giur. Tor.*, vol. XX, 680.
(2) Cass. Torino, 2 luglio 1883, *id.*, XX, 917.
(3) Cass. Torino, 7 luglio 1881, *id.*, XVIII, 567.
(4) Cass. Torino, 25 settembre 1883, *id.*, XX, 1107.
(5) Cass. Torino, 28 febbraio 1877, *id.*, XIV, 480.

ed è pacifico che il padrone risponde civilmente pel fatto del fattore che nell'*esecuzione dei lavori campestri* reca danno altrui (1).

Incarico momentaneo.

Colui che fu incaricato di recare alla posta una lettera contenente valori, non è responsabile dello smarrimento di essa per non averla assicurata, se dal mandante non viene provato che una tale cautela gli veniva imposta in termini tali da restare esclusa ogni incertezza (2).

Imprese di trasporti.

L'assuntore d'un servizio di trasporti di spurghi pozzi neri, risponde dei danni recati dai proprii dipendenti ed investimenti di persone commessi coi carri condotti dai dipendenti medesimi (3).

Prove.

I padroni ed i committenti chiamati a rispondere del danno cagionato da colpa dei loro dipendenti, non possono ammettersi a provare di non aver potuto impedire il fatto da cui il danno è derivato (4). Tesi certa ed incontrovertibile.

La responsabilità dei padroni e dei committenti pei danni cagionati dai loro dipendenti o commessi ha la sua ragion d'essere quando i danni furono cagionati *nell'esercizio delle incombenze* alle quali essi sono destinati, e l'accertare in fatto se il loro operato rientrasse nella sfera delle loro attribuzioni od incombenze è giudizio ed

---

(1) Cass. Torino, 7 aprile 1875, *Giur. Tor.*, vol. XII, 417.
(2) App. Torino, 7 maggio 1864, *id.*, I, 238.
(3) App. Milano, 23 aprile 1902, *Giur. Tor.*, 657.
(4) Cass. Torino, 14 giugno 1901, *Giur. Tor.*, 1101.

apprezzamento incensurabile in Cassazione (1). Non risponde quindi il padrone se un suo operaio nel suo opificio, addetto ad un altro servizio o lavoro, abbia invece fabbricato delle bombe o razzi per feste pirotecniche, cagionando un'esplosione che recò danni a terzi.

I padroni ed i committenti non sono mai ammessi a provare di non avere potuto impedire il fatto dei loro domestici o commessi, di cui sono responsabili a termini dell'art. 1153 Cod. civ. Tale responsabilità sussiste anche se il committente sia scevro da colpa nella scelta dell'operaio e questi abbia cagionato il danno con colpa lievissima. A termini dell'art. 1153 del Cod. civile, sono commessi tutti coloro che anche senza essere addetti stabilmente al servizio, eseguiscono per conto altrui un'incombenza qualunque sotto la dipendenza e sorveglianza, se non di fatto, almeno giuridica del committente (2).

Il committente risponde del fatto illecito del commesso quando concorrano i seguenti estremi :

1° Che il committente sia *libero* nella scelta del commesso ;

2° Che questi *dipenda* direttamente da lui, e sia nella sua sorveglianza giuridica o di fatto ;

3° Che il fatto illecito sia dal commesso eseguito nell'*esercizio delle incombenze* affidategli dal committente (3).

Guardie private.

Le guardie campestri preposte da privati alla custodia delle loro terre sono comprese tra le persone (servi e commessi) di cui all'art. 1153 Cod. civile : e conseguentemente il proprietario di un fondo è responsabile del

---

(1) Cass. Roma, 18 giugno 1891, *Corte Suprema*, XVI, 2, 181 ; Cassazione Torino, 19 luglio 1897, *Giur. Tor.*, 1216.

(2) App. Venezia, 2 giugno 1893, *Legge*, II, 774.

(3) Cass. Firenze, 4 giugno 1894, *Legge*, II, 707.

danno arrecato ad altri dalla sua guardia privata nell'esercizio delle sue funzioni (1), ed anche ne risponde se la guardia sia fra quelle approvate dal Prefetto a mente della legge di P. S.

Guardie daziarie.

Anche le guardie daziarie alle dipendenze d'un Comune possono ritenersi quali *commessi*, ma il Comune non risponde se non possa ad esso addebitarsi una cattiva scelta, e le guardie siano affidate alla vigilanza diretta di *graduati* ed *ufficiali* appositi (2).

La presunzione di colpa dei **genitori, artigiani, precettori, tutori,** ai sensi dell'art. 1153 Codice civile, si fonda sulla *vigilanza* che rispettivamente debbono usare sui minori, apprendisti, scolari e pupilli, e può quindi ad essi concedersi la prova che non avevano potuto impedire il fatto di cui essi dovrebbero rispondere (3); invece la presunzione di colpa dei **padroni** o **committenti** si poggia sulla *volontaria scelta* che essi hanno fatto di persone negligenti, imperite od inadatte all'incarico od ufficio loro affidato : cosicchè se il commesso di negozio nell'esercizio dei suoi disimpegni e in occasione dei medesimi per imperizia, imprudenza od inettitudine arreca danno, è il committente che ne è in colpa per aver destinato a quella incombenza un individuo non adatto. La colpa del committente in tal caso è presunta, e tal presunzione è *juris et de jure*, da non dar luogo cioè ad una prova contraria. Il committente sarà soltanto ammesso a provare o che il fatto non sia imputabile al suo preposto, o che fu consumato fuori delle incombenze a lui affidate, ma non potrà mai sfuggire alla responsabilità

---

(1) App. Perugia, 12 giugno 1893, *Legge*, II, 231.; Cass. Napoli, 13 aprile 1887, *Legge*, II, 550.

(2) App. Venezia, 27 ottobre 1887, *Legge*, 1887, I, 124.

(3) Cass. Roma, 4 gennaio 1896, *Legge*, I, 270.

civile quando il commesso da lui scelto compie il fatto illecito nell'esercizio delle sue incombenze.

Domestico — Acquisto a credito.

Risponde il padrone verso il negoziante se il suo domestico incaricato dal padrone stesso di fare una compera *a contanti* presso il negoziante, si appropriò il denaro all'uopo consegnatogli e comperò invece a credito (1).

Mandato gratuito.

La responsabilità del mandatario per colpa lievissima sussiste anche nel caso in cui il mandato sia *gratuito*, essendo troppo chiara la legge per lasciar dubbi al riguardo (art. 1746 Cod. civ.) (2).

Responsabilità dei committenti per infortunii sul lavoro (Vedi Infortunii sul lavoro).

Compensazione delle colpe.

Generalità.

In materia di risponsabilità civile è ammessa la compensazione delle colpe solo quando la imputabilità del fatto illecito sia divisa col danneggiato con *perfetta* uguaglianza di colpa (3). (Vedi pure *Veneficio involontario — Cani*).

E così il dire ' *lei mi ha imbrogliato* „ ad un negoziante che ci ha venduto una merce deteriorata o guasta o di qualità più vile della pattuita, non dà diritto a ri-

---

(1) Cass. Napoli, 11 ottobre, 1904, *Legge*, 135.
(2) Cass. Firenze, 10 maggio 1900, *Legge*, II, 299.
(3) App. Ancona, 10 agosto 1905, *Corte Ancona*, II, 69.

sarcimento di danno, perchè vi è *compensazione* delle colpe (1).

Però i danni dipendenti da violazione di contratto debbono essere risarciti dal debitore anche se il creditore col fatto proprio avesse potuto evitarli o diminuirli (art. 1227 Cod. civ.) (2).

Cumulo di colpa contrattuale ed extracontrattuale.

Non è ammissibile il cumulo delle due azioni per colpa contrattuale e per colpa extracontrattuale, sul fondamento dello stesso fatto, che ripete la sua origine da un contratto (3). I criterî legali della colpa contrattuale e di quella extracontrattuale sono infatti ben differenti, e la legge ne regola diversamente le conseguenze (4).

Non sempre la colpa del danneggiato, come rilevasi dal § 1, chiarisce completamente quella del danneggiante, ed in tal caso potrà valere a far diminuire e moderare la liquidazione dei danni (5).

Nel caso di reciproco inadempimento dei patti contrattuali la compensazione delle colpe non va regolata con le norme per la compensazione dei debiti, e quindi può il giudice del merito negare senz'altro ad entrambi i contraenti l'azione dei danni (6).

Colpa del danneggiato.

La colpa del danneggiato (nella specie per essersi avventurato in un oscuro corridoio di un piroscafo nel quale

---

(1) App. Torino, 22 maggio 1905, *Cass. unica penale*, 1065.
(2) App. Firenze, 7 maggio 1908, *Mon. Trib.*, pag. 956.
(3) App. Palermo, 8 maggio 1905, *Circolo giur.*, II, 284.
(4) App. Palermo, 81 luglio 1905, *Circolo giur.*, II, 386.
(5) Cass. Torino, 5 ottobre 1905, *Giur. Tor.*
(6) Cass. Firenze, 1° agosto 1904, *Legge*, 184.

era stato lasciato aperto un boccaporto), può soltanto giovare ad attenuare l'indennizzo; non ad eliminare senz'altro la colpa dell'autore del fatto dannoso e la conseguente responsabilità sua (1).

Vi sono sentenze che ritennero che non possa reclamare risarcimento di danno colui che in qualche modo gli ha dato causa con la propria colpa (2); e se la colpa è comune a chi recò il danno ed a chi lo soffrì, manca quest'ultimo di ragione al suo risarcimento (3) e così non vi ha diritto ad indennità a favore del danneggiato che sia compartecipe della colpa da cui il danno è derivato (4).

Ed infine fu a tale riguardo giudicato che anche nella colpa civile extracontrattuale deve concorrere un nesso di causalità diretta ed immediata tra il fatto illecito ed il danno, donde deriva che il fatto colposo non può originare diritto ad indennità se funziona come semplice concausa del danno, del quale è invece causa prossima il fatto illecito dello stesso danneggiato (5).

Alla compensazione delle colpe non si fa luogo poi che allorquando tra l'una colpa e l'altra passi un nesso logico e quasi necessario come da causa ad effetto; non quando la colpa del leso altro non avrebbe fatto che costituire occasione del verificarsi del danno per tutta colpa del danneggiante (6), come ad es. nel caso di chi si appoggi ad una macchina ferma in un opificio, la quale non abbia riparo (macchina tipografica), e riporti danno nella persona per essersi la macchina messa in moto improvvisamente senza preavviso. Si nega in tal caso la compensazione delle colpe reciproche, anche par-

---

(1) Giurisprudenza costante, Cass. Torino, 8 agosto 1906, *Giur. Tor.*, 1890.

(2) App. Firenze, 20 giugno 1865, *Giur. Tor.*, 444.

(3) App. Torino, 19 ottobre 1870, *Giur. Tor.*, 62.

(4) App. Torino, 16 giugno 1871, *Giur. Tor.*, 566.

(5) App. Venezia, 18 giugno 1903, *La Temi*, pag. 502.

(6) App. Milano, 11 ottobre 1898, *Giur. Tor.*, 1588.

ziale, imperocchè la compensazione delle colpe solamente
è ammissibile quando agente e paziente concorrono entrambi nella consumazione del fatto che ha dato luogo alla responsabilità (1). E la Corte di appello di Roma escluse ogni risponsabilità quando pur non essendo scevro di ogni colpa il danneggiante, sia stata causa precipua dell'evento dannoso la colpa del danneggiato (2).

Nel caso in cui due fanciulli lasciati entrambi incustoditi dai rispettivi genitori, trastullandosi si rechino danno (es. uno ferisce l'altro in un occhio) si fa luogo alla compensazione *parziale* delle colpe od anche totale coll'esonero completo da ogni responsabilità del genitore del fanciullo feritore (3). (Vedi anche il titolo *Minorenni*).

La colpa dei genitori di aver abbandonato il loro bambino per la strada non si compensa colla colpa maggiore del carrettiere che, stando sul carro sdraiato, ed abbandonate anche le guide del cavallo, investe e ferisce il bambino (4). Vedi anche il titolo *Colpa extracontrattuale.*

La colpa maggiore non si compensa colla minore: questa può soltanto influire sulla misura del risarcimento.

La colpa del mittente di avere errato nello scrivere nella lettera di spedizione il nome del destinatario, non esclude la colpa del vettore e non lo libera dalla responsabilità per aver omesso di denunciargli la irreperibilità del destinatario designato e la giacenza della merce in stazione, e per avere rimesso la merce ad altra persona (art. 400 Cod. comm. — 1218 Cod. civile). Si possono ammettere però prove a stabilire le cause di questa omissione e inadempienza del vettore e ad escludere la sua responsabilità (5).

---

(1) App. Bologna, 8 febbraio 1895, *Mon. giur. bolognese*, 132.
(2) App. Roma, 24 luglio 1897, *Foro It.*, 1299.
(3) App. Torino, 2 aprile 1884, *Giur. Tor.*, 564.
(4) App. Torino, 18 luglio 1891, *Giur. Tor.*, 735.
(5) Cass. Torino, 1º aprile 1891, *Giur. Tor.*, 523.

Concorrenza sleale.

(Vedi pure **Plagio** — **Diritti di autore** — Giornali).

Generalità (1).

In materia di **concorrenza sleale** non vi sono specifiche disposizioni legislative salvo quelle sui marchi di fabbrica, privative industriali e diritti di autore, cosicchè in generale per la risoluzione delle controversie si ricorre ai principii generali del *dolo* e della *colpa* di cui agli articoli 1151 e segg. Codice civile.

Concorrenza sleale o *illecita* è un conflitto sôrto fra due commercianti nell'esercizio della loro industria con fatti, che pur senza violare precise disposizioni di legge, possono essere tuttavia di pregiudizio al legittimo interesse materiale o morale di uno di detti commercianti.

La concorrenza sleale si può fare in varî modi:

1° *Alla persona*, cioè usando il nome e cognome di altro negoziante, che può essere anche il proprio, ma in modo da recar confusione, o ricorrendo ad un *prestanome*;

2° *Al Prodotto ed allo Stabilimento*, in varî modi, cioè:

a) concorrenza alla *qualità*, la quale è di due specie: *confronto nominativo*, e *denigrazione*.

Le vanterie sono lecite bensì, purchè non contengano alcun *confronto nominativo*, il quale è vietato anche se

---

(1) In tema di concorrenza sleale vedi pure Vivante, *Trattato di Diritto commerciale*, I, 190 e segg. — Pipia, *Diritto industriale*, n. 209. — Bosio, *Trattato dei marchi di fabbrica*, § 579. — Walbroek, *Cours de droit industriel*. — Moreau, *De la concurrence illicite*. Bruxelles 1904. — Di Franco, *Trattato della concorrenza sleale*. Torino 1906. — Ugo Bozzini, *La concorrenza illecita nei traffici*. Milano 1904. — Henri Allart, *Traité de la concurrence déloyale*. Paris 1892.

diretto ad annunziare l'identità di due prodotti (1). In qualche caso speciale fu ammesso il confronto nomina·tivo sotto forma di critica.

b) concorrenza al *prezzo.*

Ricorso in Cassazione.

È apprezzamento di fatto non censurabile in Cassazione quello con cui siano ritenuti, o meno gli estremi della concorrenza sleale (art. 1151 Cod. civ.) (2).

Rassomiglianza dei prodotti ed etichette.

Non può parlarsi di concorrenza *sleale* per quanta rassomiglianza siavi tra i varî prodotti, se non si dimostra che praticamente siano derivati confusione e scambio. La concorrenza sleale è esclusa dal fatto che nel centro delle due *etichette*, per quanto consimili, campeggi il nome del rispettivo fabbricante, il che è sufficiente ad evitare la confusione.

Non costituisce concorrenza sleale l'enunciativa di qualità e di condizioni del prodotto, non vere. Però l'industriale non potrebbe pubblicare che la propria produzione è uguale a quella di un dato competitore, ed anzi preferibile per bontà e prezzo (3).

Estremi dell'azione per concorrenza sleale.

Non essendovi in Italia una legge speciale che contempli la concorrenza sleale, la relativa azione non può assumere per fondamento altro che l'art. 1151 Cod. civ., che per la sua applicazione richiede il concorso di una *colpa* e l'esistenza di un *danno* conseguenziale.

---

(1) Bosio, *Trattato dei marchi e distintivi di fabbrica,* ediz. 1904. pag. 585.
(2) Cass. Torino, 28 dicembre 1903, *Giur. Tor.,* 1904, 211.
(3) App. Roma, 16 maggio, 1903, *Giur. Tor.,* 724.

Il *danno* può consistere anche nella sola *esistenza de pericolo* senza necessità che esso siasi di fatto già verificato (1).

E quindi è ammessibile azione di danni, fondata a concorrenza sleale, anche se il convenuto, preteso concorrente, eserciti un'industria affatto diversa da quella dell'attore (2).

Fu ritenuto anche che il commerciante o l'industriale non rispondono dei fatti di concorrenza sleale posti in essere dai loro clienti che tentino di spacciare il prodotto loro fornito, come prodotto di altro fabbricante omonimo (3).

Affinità soverchia di titolo.

Si ha concorrenza sleale, e conseguente obbligo di risarcimento di danno nel fatto di essersi posti in vendita dei pacchi di cioccolato sotto il titolo di *cioccolato delle Carovane*, per fare concorrenza ad altri pacchi di altra fabbrica conosciuti sotto il titolo di *cioccolato delle Piramidi* e non vale ad escludere la concorrenza sleale la surriferita diversità di titolo, nè il leggersi impresso sul secondo cioccolato il nome della Ditta concorrente, a differenza di quello dell'altro fabbricante, se le dimensioni dei due pacchi corrispondono tra di loro e se anche sui secondi si trovano disegnati su identico fondo dorato dei cammelli, delle sfingi, e sopra tutto, delle *piramidi*, rivolte evidentemente ad ingenerare negli acquisitori equivoco e confusione (4).

Vennero pure ritenute le regole seguenti: cioè per accertare nell'operato di un commerciante un atto di concorrenza sleale, sufficiente a renderlo risponsabile dei

---

(1) AMAR, *Proprietà industriale*, n. 291.
(2) Cass. Torino, 22 marzo 1901, rel. Taglietti.
(3) App. Parigi, 24 gennaio 1896. Pataille, *Annales*, pag. 276.
(4) App. Torino, 24 ottobre 1901, *Giur. Tor.*, 1901, 1429.

danni derivati e derivabili, il giudice non deve muovere
dal fine che avrebbe colui cui si imputa la concorrenza,
ma dai mezzi adoperati (1): e più che alle *differenze* bisogna badare *ai punti di contatto*, perchè sono questi che
generano la confusione, ed anche bisogna tener conto
delle persone alle quali i disegni sono diretti, dovendo
essere più rigorosi nel trovare la causa di confusione
quando i prodotti o gli stabilimenti devono essere riconosciuti da persone istruite ed intelligenti, anzichè da
persone del volgo (2).

Marchio non depositato — Azione penale e azione civile.

Anche se il marchio di fabbrica non venne legalmente
depositato, è vietato ai terzi l'appropriarselo e l'imitarlo
a scopo di illecita concorrenza, sotto pena del risarcimento del danno in base alla legge comune (3).

Certo l'osservanza delle prescrizioni delle leggi speciali sui brevetti di privativa e sui marchi di fabbrica
pone il commerciante nella condizione più vantaggiosa
d'una più efficace repressione, e di un più completo risarcimento. Ma all'infuori della legge speciale, non può
dimenticarsi la legge generale, che stabilisce che ogni
fatto dell'uomo *doloso o colposo*, rende contabile dei
danni chi ne è l'autore; e fatto *doloso* per eccellenza è
la concorrenza sleale, che deriva dall'uso malizioso del
marchio o distintivo altrui allo scopo di creare confusione dei proprî cogli altrui prodotti, e procurarsi vantaggio a danno altrui, il che ottiene anche indipendentemente dall'essere o no il marchio depositato (4).

---

(1) App. Bologna. 24 maggio 1897, *Mon. giur.*, 201.
(2) AMAR, opera citata, n. 298.
(3) Cass. Torino, 27 gennaio 1902, *Giur. Tor.*, 884 e App. Torino,
27 febbraio 1908, *Giur. Tor.*, 359.
(4) Cass. Roma, 7 dicembre 1896, *Giur. It.*, 1897, I, 1, 52.

E così pure indipendentemente dalle formalità disposte dalla legge 30 agosto 1868 sui marchi di fabbrica, non è lecito appropriarsi od imitare maliziosamente una marca di commercio usata da altri, e sarebbe *nullo* l'attestato di privativa di un marchio che è la fraudolenta imitazione del marchio già da altri usato, sebbene quest'ultimo non sia munito di privativa (1).

L'omesso deposito del marchio di fabbrica, se impedisce di procedere in base alla legge 30 agosto 1868, non vieta di pronunciare condanna in sede penale pel reato di cui all'art. 296 del Codice penale (2).

Divieto di concorrenza in base a contratto.

Venne giudicato che è valido il patto di *non interessarsi in alcun modo direttamente od indirettamente in altre aziende del genere di quella ad altri ceduta, per non creare al medesimo una dannosa concorrenza*; e tale patto obbliga il cedente ad astenersi da qualsiasi operazione personale ancorchè *occasionale* od *isolata*, che valga comunque a far concorrenza all'azienda ceduta (3).

Altri giudicati però ritennero che il patto di divieto di concorrenza senza limitazione di tempo e di spazio sia inefficace (4) (art. 1122 e 1160 Codice civile), poichè tale divieto è soverchiamente vincolativo della libertà individuale ed industriale.

Non è invece contrario alla legge il patto col quale il possessore di una privativa industriale, nel cedere ad altri l'esercizio della privativa per una determinata località, si interdice di venire a far concorrenza al cessionario in quella località con altre concessioni simili; ed il patto col quale il possessore di una privativa, col ven-

---

(1) Cass. Torino, 8 febbraio 1894, *Giur. Tor.*, 1894, 328.
(2) Cass. Roma, 16 marzo 1900, *Giust. penale*, 510.
(3) Cass. Roma, 22 novembre 1904, *Giur. Tor.*, 1905, 119.
(4) App. Brescia, 3 maggio 1904, *Giur. Tor.*, 1904, 1448.

dere ad altri i suoi prodotti, gli vieta di farne *spedizione* in una *determinata località* (1). Viola questo patto il compratore che, rivendendo i prodotti, non impone uguale vincolo al nuovo compratore.

Le stesse norme si applicano nel caso di vendita dei *prodotti* di una industria brevettata.

Richiesta di prodotti per riproduzione.

Non è ritenuta concorrenza *sleale* la richiesta fatta ad un fabbricante di dati prodotti, allo scopo dichiarato di riprodurli per proprio conto, se tali prodotti non sono coperti da alcun brevetto di privativa (2), poichè in tal caso il primo fabbricante è in facoltà di non vendere i prodotti stessi, e se aderisce a venderli, sapendo lo scopo, non ha diritto a danni.

Indagine intenzionale.

Trattandosi di danni per concorrenza sleale non può prescindersi dalla ricerca dell'elemento soggettivo e intenzionale dell'agente, comecchè la concorrenza sleale, essenzialmente consista nei raggiri usati per sorprendere l'altrui buona fede sulla proprietà di un prodotto commerciale allo scopo di trarne lucro per sè (3). La concorrenza sleale richiede la *malafede* diretta a pregiudicare un commerciante nell'esercizio del suo commercio (4).

Possibilità di confusione.

Allo scopo di stabilire se vi sia possibilità di confusione od equivoco, non devesi aver riguardo al grado di attenzione di un osservatore vigile, sufficientemente attento ai proprî interessi, ma a quello che dovrebbe or-

---

(1) Cass. Torino, 8 aprile 1895, *Giur. Tor.*, 541.
(2) App. Torino, 13 febbraio 1905, *Giur. Tor.*, 412.
(3) Cass. Roma, 10 novembre 1905, *Cass. unica civ.*, 420.
(4) Cass. Firenze, 3 agosto 1905, *Legge*, pag. 1891.

dinariamente tenersi da qualsiasi acquirente o consumatore: perchè ricorra tale possibilità di confusione occorre riscontrare una certa *rassomiglianza estrinseca* fra le due cose tra cui si vuole affermare la possibile confusione, per cui esse abbiano a presentarsi in modo tale, da poter esercitare una stessa impressione sui sensi, e non ricorre tale possibilità quando nonostante la conformità od omonimia delle ditte, siano state però adottate dalla ditta più recente *elementi specifici* diretti a differenziarla dalla più antica (1).

E così fu giudicato che il conflitto fra omonimi nell'industria e nel commercio, si risolve imponendo al secondo venuto, se il suo nome sia tale da ingenerare confusione con quello dell'omonimo già stabilito, *di fare al nome stesso le aggiunte* necessarie per distinguerlo dall'altro, senza giungere all'estremo di vietargli l'uso del suo nome (2).

Insegna commerciale.

Anche la *insegna* commerciale può essere suscettibile di proprietà esclusiva, o pel **nuovo nome**, o per la designazione *fantastica*, o perchè **non abbia rapporto colla** cosa posta in vendita, o per la sua speciosità; in tale ipotesi, il fatto di un commerciante il quale adotti l'insegna da un altro commerciante in precedenza adottata, costituisce concorrenza sleale ed illecita (3).

Facciata di negozio.

Non costituisce concorrenza sleale la *imitazione della facciata* esteriore di un negozio (4).

---

(1) Trib. Santa Maria di Capua Vetere, 5 agosto 1904, *Mon. Trib.* pag. 214.
(2) App. di Amiens, 2 agosto 1878.
(3) App. Genova, 17 febbraio 1905, *Temi Gen.*, 109.
(4) Sentenza citata.

Farmacisti (Vedi **Farmacie**, § 4).

Forma di bottiglie.

Anche l'usurpazione di una forma speciale di *bottiglia* adottata precedentemente da altro commerciante, può costituire atto di sleale concorrenza (1).

La concorrenza sleale è una figura di colpa extracontrattuale e suppone quindi gli estremi tutti dettati dall'art. 1151 Cod. civile, ed è quindi costituita da due elementi:

a) uno scopo fraudolento;

b) un mezzo o un complesso di mezzi preordinati ed idonei a raggiungerlo (2).

La concorrenza sleale può nascere anche per un fatto semplicemente *colposo* e non *doloso*.

L'idoneità dei mezzi che la dottrina e la giurisprudenza talora confondono colle *forme* della concorrenza sleale, deve misurarsi alla stregua della natura e qualità dei prodotti concorrenti, della specie e qualità della clientela e dei luoghi ove il commercio si esercita, dell'ordinario ed usuale grado di attenzione dei compratori e clienti negli acquisti.

L'uso dell'omonimia a scopo di frode e di concorrenza sleale diventa un mezzo illegittimo ed è d'uopo che sia ordinato in modo che gli omonimi (*ditte* o *prodotti*) appariscano distinti al cospetto del pubblico. Nello smercio di prodotti comuni, destinati alla gran massa del pubblico e che non richiedono usualmente pei loro acquisti indagini e ricerche, basta che l'omonimia sia costituita da una denominazione *principale*, come quella che precipuamente attira e induce i compratori; e le differenze accessorie riescono trascurabili ed inavvertite; e così fu deciso che per lo smercio del *Fernet Branca*, ciò che

---

(1) Cass. Roma, 12 dicembre 1904, *Palazzo di Giustizia*, 52.
(2) Trib. Venezia, 14 aprile 1904, *Legge*, 461.

ferma l'attenzione dei compratori è il nome *Fernet Fratelli Branca*, e su tale principio venne ritenuta la sleale concorrenza (1).

Indicazione di nome altrui.

L'indicazione del nome di un prodotto altrui per dichiarare *simile* o *superiore* ad esso la propria merce, costituisce concorrenza illecita. Il richiamo del nome altrui è lecito solo quando sia fatto allo scopo di far risaltare i pregi della propria merce; è illecito invece, e costituisce concorrenza sleale, quando sia diretto al fine di volgere a proprio vantaggio il credito altrui (2). Venne pure deciso che l'uso del nome altrui, se ha luogo per accreditare la propria merce, è sempre illecito se avviene *senza il consenso del titolare*, ancorchè resti escluso ogni equivoco circa la provenienza del prodotto; ed è illecito il fatto del commerciante che indica il proprio prodotto come preparato *sul tipo* del prodotto identico e noto di altro commerciante (3).

Nomi di località — Acque artificiali minerali.

È lecito il denominare con una località il proprio prodotto di privativa, sempre quando tale denominazione corrisponde all'ufficio del prodotto, e non si privino i terrazzani dal diritto di giovarsene a loro volta per altre loro proprietà o prodotti (art. 1 legge 30 agosto 1868 sui marchi). I nomi delle acque minerali naturali non sono di per sè necessarî alla denominazione delle corrispondenti acque artificiali. (Es. *acqua di Nocera*). Ed infatti la libertà giuridica presuppone un campo aperto ad ogni attività, nel quale ognuno, più pronto, più destro,

---

(1) App. Napoli, 27 novembre 1905, *Gazz. Proc.*, XXXIV, 90.
(2) App. Macerata, 27 luglio 1905, *Foro It.*, I, 1242.
(3) App. Perugia, 8 aprile 1905, *Giur. It.*, I, 2, 580.

o più avventurato, possa lottare lealmente, finchè non
sia riuscito a prendere possesso in modo non illegittimo,
e come corollario di tale libertà, quando egli sia dive-
nuto padrone esclusivo del bene conquistato, non è lecito
a chicchessia lo spossessarlo in tutto od in parte, salvo
che altri provi la costui rinunzia, ovvero la preponde-
ranza di qualche opposto diritto di ordine più eminente.

Ed il principio *prior in tempore, potior in jure,* è in-
contrastabilmente riconosciuto dalla dottrina e giurisprudenza quale criterio fondamentale in materia di concorrenza industriale. La ragione giuridica della difesa privata
del nome si desume direttamente dal diritto di proprietà
sulla cosa denominata; nè occorre perdersi a ricercare
se la così detta *proprietà intellettuale* sia una proprietà
vera e propria, o qualche cosa di giuridicamente assi-
milabile; se il nome del prodotto sia per sè stesso una
res incorporalis avente una entità economica e giuridica,
astrattamente dalla cosa a cui è applicato, poichè su
tali questioni rispondono gli stessi articoli 436 e 438 del
Codice civile.

Titolo di Ittiolio.

È contraffazione di marchio di fabbrica depositato sotto
il titolo di *Ichthyol* per un prodotto farmaceutico disin-
fettante l'adottare la denominazione di *Ittiolio* per un
altro prodotto congenere (art. 1 e 5 della legge pei
marchi di fabbrica 30 agosto 1868) (1).

Marchi di fabbrica.

Il marchio di fabbrica può consistere anche semplicemente in una parola fantastica (es. *Lysol*) per imperso-
nare esclusivamente un determinato prodotto; ed a stabilire la violazione del diritto esclusivo di marchio di

---

(1) App. Casale, 8 luglio 1903, *Giur. Tor.*, 1143.

fabbrica basta il *fatto materiale dell'uso* dello stesso marchio per parte di un altro fabbricante, senza necessità di accertarne la *mala fede* (Giurisprudenza costante)(1). La frode in questa materia è *in re ipsa*.

Non è ammessibile azione di danni per concorrenza sleale, se il convenuto, preteso concorrente, eserciti una industria affatto diversa da quella dell'attore (2). Vi potranno essere danni, ma certo deriveranno da altra causa, essendo assurdo ed inconcepibile che i prodotti dell'attore siano dolosamente screditati da prodotti altrui che non esistono.

Identità di cognomi in ditte diverse.

La ragione sociale che sia formata col cognome dei componenti la ditta, non può mai costituire illegittima usurpazione di altra ragion sociale formata collo stesso cognome, per quanto possa colla stessa confondersi (articolo 88, n. 2, Cod. comm. — art. 1151 Cod. civ.) (3).

Fu giudicato a questo riguardo che scioltasi una società commerciale, la ragione sociale cade nel nulla, e nessuno degli ex soci può impossessarsene senza commettere una usurpazione (4).

Venne giudicato altresì che il nome commerciale usato da un commerciante, non cessa di essere *patronimico* per questo che sia formato dal cognome e dalla sola iniziale del nome; che quel commerciante, il quale col nome così formato sia entrato a far parte di una Ditta, può continuare a farne uso anche quando, cessata questa Ditta, sia entrato a formare parte di un'altra, sebbene, per tal modo, la nuova Ditta si identifichi colla prima;

---

(1) Cass. Torino, 17 gennaio 1902, *Giur. Tor.*, 287; 5 luglio 1898, *Giur. Tor.*, 1260.

(2) Cass. Torino, 22 marzo 1901, *Giur. Tor.*, 761.

(3) Cass. Firenze, 4 marzo 1901, *Giur. Tor.*, 770.

(4) App. Genova, 11 dicembre 1894, *Temi Genovese*, 1895, pag. 50 e 1897, pag. 95.

e quindi il suo ex-socio non ha alcuna ragione di lagnarsi per questo fatto per titolo di concorrenza sleale (1).

Non può costituire usurpazione od illecita appropriazione dell'*insegna* o dell'*emblema* altrui l'avere aperto un esercizio di vendita di oggetti intestando l'esercizio stesso col cognome del vero proprietario che abbia cognome identico a quello di persona proprietaria di un altro esercizio di oggetti della medesima specie (2).

Data la identità del cognome in due famiglie, le quali siano assolutamente diverse ed abbiano perduto ogni vincolo di parentela civile, non ha una di esse azione per impedire all'altra di valersi di quel cognome (3).

Il nome di una persona costituisce infatti un *diritto individuale* (4) cioè una vera *proprietà*, che deve essere, per concorde opinione della dottrina e della giurisprudenza, protetta come ogni altra proprietà contro le usurpazioni, le quali non possono avere altro movente che quello di denigrare il nome altrui, o quello di trarne illegittimamente profitto. Si è anche riconosciuto i diritti degli agnati, e specialmente dei discendenti, di opporsi alle usurpazioni del nome patronimico della famiglia, che si fosse commesso da terzi non aventivi nessuna ragione (5).

La proprietà del nome non importa però il divieto di fare una qualsiasi menzione del nome o della ditta altrui, ma soltanto di appropriarselo e di farne uso in modo da rendere possibile la confusione e l'inganno od equivoco, e da cagionare un pregiudizio alla persona il cui nome si menziona (6).

Vi è usurpazione del nome altrui non solo quando un

---

(1) App. Genova, 23 aprile 1900, *Temi Gen.*, 273.
(2) Trib. Palermo, 19 marzo 1897, *Foro Sic.*, 274.
(3) App. Firenze, 28 luglio 1884, *Annali di Giurispr.*, 1895, 252.
(4) Cass. Firenze, 10 febbraio 1898, *Giur. Tor.*, 445.
(5) Dalloz, 1867, 2, 33; Lozzi, *Studio nella Giur. It.*, 1882, 436.
(6) Cass. Torino, 22 ottobre 1881, *Giur. Tor.*, XIX, 59.

istituto od una ditta assume l'identica denominazione di
altra ditta od istituto commerciale, ma anche quando vi
si porta qualche variazione od aggiunta che però sia
insufficiente ad evitare gli equivoci e la concorrenza
sleale (1).

Il nome commerciale o la denominazione di uno stabilimento può, come qualunque altra proprietà, essere
abbandonato da chi lo aveva assunto, ed allora diviene
res nullius, che qualsiasi altro industriale può appropriarsi applicandolo allo stabilimento proprio (2).

In ogni altro caso il nome, nel campo economico, rappresenta per sè stesso un valore ed è abuso vietato l'appropriarsi il nome altrui per coprire con esso i prodotti
proprî; e la violazione sussiste anche quando alla propria
denominazione se ne sostituisce un'altra sinonima, capace di recare a consimile denominazione altrui (3).

Il cartello scolpito in lastra marmorea soprapposto al
negozio, o a lato di esso, indicante il nome o la ditta
del commerciante, è pure una sua proprietà, e quindi,
trasferendo egli altrove il proprio esercizio, ha diritto
di esigere che sia coperto o levato a sue spese, e di
impedire che il successore negli stessi locali, esercente
della stessa industria, ne approfitti per fargli sleale concorrenza (4).

La protezione dei nomi non ha luogo soltanto pei nomi
di famiglia o casato, ma anche per le denominazioni
fantastiche o simboliche, le quali, quando da qualcuno
siano usate per designare il proprio stabilimento od i
proprî prodotti, non possono da altri usurparsi nè fraudolentemente imitarsi.

In questa materia devesi agire con prudenza; ed è
stato ritenuto anche che colui che iniziò un commercio

---

(1) App. Torino, 5 ottobre 1886, **731.**
(2) Cass. Torino, 14 dicembre 1886, **53.**
(3) Cass. Torino, 22 ottobre 1890, *id.*, **737.**
(4) App. Torino, 25 marzo 1893, *Giur. Tor.*, **XXX, 365.**

sotto il proprio nome corrispondente per omonimia a quello di un'altra ditta più antica esercente il medesimo genere di commercio, ha l'obbligo di accompagnare al nome stesso indicazioni che valgano ad evitare la facile confusione (2). Infatti da un lato è certo che ognuno ha diritto di usare il proprio cognome anche negli affari di commercio, e *qui jure suo utitur neminem ledit*; ma d'altra parte è vero altresì che sotto una apparenza di spontanea innocenza può celarsi una vera speculazione dolosa sull'omonimia ed allora sorge la illecita concorrenza che bisogna ad ogni costo reprimere in omaggio alla buona fede commerciale ed in base al noto *malitiis non est indulgendum.*

Insegne di alberghi.

Anche la *denominazione* data al proprio stabilimento industriale costituisce una proprietà che importa il diritto di impedire che uguale denominazione si adotti dai proprietarî di altri stabilimenti simili (1).

Questo diritto però cessa col cessare dell'esercizio dello stabilimento dandosi ai locali un'altra destinazione. E così è lecito, se venissero *chiusi* i locali di un albergo detto dell'*Angelo, con dare ai locali stessi altra destinazione*, l'aprire altro albergo per opera di un terzo, nella stessa città e colla denominazione pure dell'*Angelo*.

Calzoleria Viennese.

Il semplice titolo di calzoleria *viennese* non attribuisce alcun diritto di esclusività a chi per il primo l'abbia adottato nella propria insegna (2).

Titoli di giornali.

Il titolo di un giornale non può essere tutelato dalla legge sui marchi di fabbrica nè da quella sui diritti di

---

(1) App. Torino, 8 luglio 1894, *Giur. Tor.*, 1895, 47.
(2) App. Firenze, 9 maggio 1895, *Legge*, II, 345.

autore, ma dai principî generali del diritto sulla concorrenza sleale; e perchè vi sia concorrenza sleale occorre che vi sia la possibilità di confusione nell'aspetto esteriore dei due giornali, nulla influendo la diversità del colore politico. Non costituisce concorrenza sleale l'adottare e riprodurre un titolo generico di un giornale (es. *Tribuna*) accompagnato dall'indicazione del luogo della pubblicazione, quando questo luogo sia diverso e non vi sia confusione per il pubblico. E così ben può esistere un giornale dal titolo *Tribuna di Ginevra*, ed un altro dal titolo *Tribuna di Losanna*, pubblicati nei rispettivi luoghi (1). Vedi pure *Giornali*.

Fu invece ritenuto confondersi il titolo *La Nouvelle Presse* col titolo *Presse* (2), e così pure il titolo *Rapide Sport* col *Paris Sport* (3).

Orarii ferroviarii.

Perchè la compilazione di un *orario* ferroviario (od altro lavoro analogo) possa aspirare alla protezione della legge, occorre che esprima un carattere *personale* dell'autore e non ricorre tale carattere, se si tratta di una compilazione fatta con elementi tolti a prestito dal dominio pubblico, se non vengano tali elementi fusi secondo un determinato sistema (4).

Linee di navigazione.

Non è ammissibile un diritto di esercizio esclusivo di una data linea di navigazione nè di proprietà della denominazione di essa, cosicchè non può aversi concorrenza sleale (5).

---

(1) Trib. federale svizzero, 1º febbraio 1895, *Legge*, II, 771.
(2) Trib. della Senna, 26 gigno 1905, *Annales*, 1906, pag. 11.
(3) Corte di Parigi, 2 febbraio 1606, *ivi*, pag. 156.
(4) Trib. federale svizzero, 30 novembre 1894, *Legge*, 1895, II, 777.
(5) App. Lucca, 11 gennaio 1895, *Legge*, I, 409.

Denominazione Grand-Hôtel.

La sola denominazione *Grand-Hôtel*, non costituisce privativa e quindi se in una città siavi ad es. un *Grand-hôtel de Turin* ben può aprirsi da altri un secondo *Grand-hôtel*, però con altra qualifica, es. *Londres* (1).

Liquori.

Colui che vende liquori di propria o di altrui fabbricazione mettendolo in bottiglie con un marchio di una ditta rinomata che fabbrica l'identico liquore, inganna il compratore sulla origine e sulla qualità del prodotto, e risponde non solo di danno per concorrenza sleale, ma penalmente per frode in commercio a senso dell'art. 297 del Codice penale (2).

Trasformazione di esercizio.

Fu ritenuto che se in una città esiste un *Café-restaurant Suisse* ed un *Hôtel Suisse* di altro proprietario, se il caffè ristorante si trasforma in albergo, sia obbligato il di lui proprietario a sopprimere la parola *Suisse*, e sostituirla con altra, perchè altrimenti sarebbe facile la confusione tra l'uno e l'altro esercizio, determinando una concorrenza sleale (3).

Collocamento dell'insegna.

Anche il luogo in cui si colloca l'insegna può costituire concorrenza sleale, e così, ad esempio, se in uno stesso fabbricato i locali di una parte di esso siano occupati

---

(1) App. Torino, 22 giugno 1898, *Legge*, 1899, I, 414.
(2) App. Milano, 20 dicembre 1898, *Legge*, 1899, I, 167.
(3) Trib. federale svizzero, 24 settembre 1898, *Legge*, 1899, II, pag. 528.

da un conduttore che esercita una pensióne di famiglia
(es. *Pensione Kaiser*), e l'altra parte sia occupata da altro
conduttore che vi tiene **un albergo** (es. *Hôtel du Parc*),
non può il proprietario **dell'albergo** collocare la sua insegna nella parte esterna **della facciata** che corrisponde
ai locali affittati dalla pensione, anche se sia specificato
nell'insegna quali siano i **piani del** casamento in cui è
collocato l'albergo cui l'insegna si riferisce (1).

Società di macinazione.

L'assunzione del titolo " *Società di macinazione, pani-
ficazione ed affini,* non può costituire concorrenza sleale
ad altra società *di luogo diverso,* dal titolo *Società di
macinazione* (2); poichè in **tal caso non è possibile** la confusione (art. 5, legge 30 **agosto 1868 sui segni di fabbrica** e di commercio).

Viaggiatore di commercio.

È nullo il patto che **vieta la concorrenza** *in modo assoluto,* sia pure per l'oggetto soltanto e non per il tempo
(art. 1628 Cod. civ.) (3). Quindi è nullo il patto per cui
un viaggiatore di commercio si obbliga a non più viag-
giare nei generi del suo **commercio in nessuna parte**
del mondo per un biennio, onde non fare concorrenza
all'altro contraente.

Drogheria moderna.

Un appellativo generico non può costituire privilegio
di insegna. Quindi non può denunciarsi come concor-

---

(1) Trib. Roma. 4 dicembre 1905, *Giur. Tor.*, 1906, 29.
(2) App. Torino, 27 gennaio 1906, *Giur. Tor.*, 541.
(3) Cass. Torino, 25 aprile 1906, *Giur. Tor.*, 728.

renza sleale l'assunzione del titolo " *Drogheria moderna* „, perciò solo che l'attore tenga in città esso pure altra drogheria dallo stesso titolo (art. 1151-1152 Cod. civ.) (1). E per vero la ragione giuridica che forma base all'azione giudiziaria per concorrenza sleale, sta nella lesione del diritto individuale di chi pel primo assume una *speciale* insegna o titolo pel suo commercio, od inventò e diede una speciale denominazione ad un prodotto, così da distinguerlo in modo perspicuo da tutti gli altri consimili; ed oltre tale lesione di diritto (da cui deriva un danno effettivo, od anche solo potenziale), si richiede che l'assumersi da altri il titolo od insegna del negozio o titolo del prodotto renda possibile la *confusione* e l'*inganno*. Ora alla stregua di tali principî è palese che la parola *moderna* è un aggettivo qualificativo generico e non specifico, cosicchè non solo può aversi una drogheria moderna come nel caso che ci occupa, ma anche un'infinità di altre aziende in cui vi sia un carattere di *modernità*, cioè di pratiche o cose in uso ai nostri giorni e prima non conosciute e praticate. E così si dirà *Parrucchiere* o *Barbiere moderno* quello che, ad esempio, disinfetta i rasoi, detenga acque speciali per la cura dei capelli o della barba; si dirà *Panetteria moderna* quella in cui la lavorazione della pasta si faccia a macchina e non coi metodi più antichi; *Latteria moderna*, quella in cui vendasi latte sterilizzato, ecc., ecc. Il qualificativo *moderno* è quindi di uso comune, e non indica una *specialità* e tanto meno può derivare confusione tra due negozî dal titolo *Drogheria moderna* nella stessa città, quando sia diversa la foggia delle insegne; quando le medesime portino l'indicazione del nome del proprietario e quando infine siano situati i due negozî in vie diverse.

---

(1) Trib. di Alessandria, 1º giugno 1906, *Giur. Tor.*, 775, estensore Baldi.

Indirizzi dei clienti.

L'ex-impiegato di una azienda commerciale ha diritto di utilizzare nel proprio vantaggio gli indirizzi dei clienti dell'azienda stessa venuti a sua conoscenza nell'esercizio regolare delle proprie mansioni, semprechè non abbia stipulata al riguardo una clausola speciale di divieto. Conseguentemente non commette *concorrenza sleale* qualora, abbandonata l'azienda stessa, ed impiantatane una propria, simile a quella, si rivolga ai clienti della prima offrendo le sue mercanzie a prezzi più favorevoli (1).

La dottrina e la giurisprudenza sono unanimi nell'ammettere che un impiegato che abbandona una casa di commercio, possa mettere a profitto nel suo interesse personale tutte le cognizioni che vi ha acquistate, comprese quelle della clientela e dei mezzi di vendita o di *fabbricazione*. In Francia questo principio subì una restrizione per quanto riguarda i *segreti* di fabbricazione e di *commercio*, la cui utilizzazione e comunicazione ai terzi per parte di impiegati antichi di una ditta, è considerato come *delitto* e punito come tale.

Questo criterio fu abbandonato invece dalla legge germanica, la quale all'art. 9 ritiene illecita la divulgazione di segreti di commercio da parte degli impiegati ed apprendisti soltanto durante la locazione dei servigi. Dopo la cessazione del contratto l'utilizzazione e la divulgazione sono illecite solo quando l'impiegato abbia assunto l'obbligo di astenersene. Però sta sempre la regola generale che un commerciante od industriale ha incontestabilmente un diritto personale sui segreti relativi alla organizzazione interna del suo commercio o della sua industria, alla sua clientela o a certi mezzi di vendita o di fabbricazione, e chi contro sua volontà si impadronisce per vie sleali di un tale segreto per utilizzarlo a

---

(1) Trib. federale svizzero, 30 giugno 1899, *Mon. Trib.*, 1900, 34.

suo profitto, commette un atto contrario al diritto. (Vedi pure *Segreti* (rivelazioni di)).

Involucri.

Non costituisce concorrenza sleale il fatto di un *farmacista* che mette in vendita un preparato di composizione notoria e *non protetto da alcun diritto di esclusività*, in involucri somiglianti a quelli adottati per lo stesso preparato dal suo inventore. Ed a nulla giova che tale farmacista rivendesse prima quel preparato per conto dello stesso inventore (1).

Nome del predecessore.

L'acquirente di una azienda commerciale ha diritto, in mancanza di patti contrarî, di far uso del nome del suo predecessore, ma deve al medesimo aggiungere o premettere il proprio indicando, con una locuzione qualunque, il fatto del cambiamento di proprietà (es. colla parola *successore*) (2). Tale diritto compete pure al socio che paga all'altro socio uscente una somma a titolo di buona uscita ed avviamento e costituendo una nuova società con altri, continui la ditta nuova nei medesimi locali col medesimo commercio, rilevando dal socio uscente mobili, merci, libri, affitto, personale ed etichette (3).

Qualifica " merci provenienti da fallimento „.

Molte volte alcuni commercianti (specie girovaghi) sogliono adottare la qualifica per le loro merci, che *provengono da un fallimento*, e ciò allo scopo di far credere

---

(1) App. Bologna, 18 luglio 1904, *Mon. Trib.*, 294.
(2) Corte di Parigi, 3 gennaio 1901, *Mon. Trib.*, 97.
(3) Trib. Torino, 12 aprile 1905, *Legge*, 1512.

che si vendono a prezzo inferiore a quello usuale. E sebbene non sia vero che quelle merci provengano da un fallimento, la giurisprudenza è concorde nel ritenere che non costituisca illecita concorrenza agli altri negozianti del luogo, ed è a considerarsi come un mezzo di *réclame* qualsiasi. La Corte di Digione ritenne però che gli altri negozianti potrebbero chiedere ed ottenere la soppressione di tale *réclame* se provassero di aver risentito un danno effettivo (1).

Magnificazione di titolo.

Fu giudicato costituire concorrenza sleale il fatto di un albergatore, che al titolo del suo albergo faccia ad esempio seguire le parole " *Sola casa di primo ordine in questa città* „. E così fu inibito di adoperare la dicitura " *Grand Hôtel Volta sola casa di primo ordine in Como* „ (2).

Medaglia — Diplomi — Uso.

È lecito il mettere sulle etichette, fatture, cataloghi e sul frontispizio della vetrina del negozio o stabilimento, l'emblema delle medaglie od onorificenze cónseguite. E perciò è vietato ad altri l'usurpare e fare uso di medaglie conquistate da altri (3). È ritenuto illecito l'annunciare una *onorificenza* maggiore di quella effettivamente conseguita, o attribuirsi una onorificenza non avuta. In entrambi i casi colui che ottenne la onorificenza effettivamente, ha diritto di agire in giudizio per ottenere la repressione di quel falso annunzio.

- - - - - -

(1) Sentenza 21 giugno 1889, *Annales de la proprieté industrielle, artistique et littéraire*, Paris, 1891, pag. 301.
(2) Trib. Como, 27 luglio 1896, confermata in appello Milano, 16 febbraio 1897, *Rivista delle privative industriali*, 1897, pagina 11 e 149.
(3) App. Lucca, 6 giugno 1870, *Giur. pen.*, 1885, 148.

Procedura.

L'azione per concorrenza *sleale* è di natura commerciale e segue le norme di competenza fissate dall'articolo 870 Cod. comm. (1).

Concorsi ad impieghi.

Principii generali.

Il privato che si presenta ad un concorso indetto da una pubblica amministrazione non acquista il diritto a che il concorso medesimo abbia luogo, sotto pena in difetto dell'obbligo nella stessa amministrazione di risarcirlo dei danni: es. per non avere avuto sèguito il concorso pubblico per essersi proceduto all'assegno dei posti in base a presentazione privata di aspiranti già in servizio negli uffizi della stessa amministrazione (articolo 1218 Codice civile) (2).

Hanno invece azione giudiziaria i candidati ad impieghi *governativi* dopo superati gli esami stabiliti nel concorso per ottenere la nomina ai posti disponibili secondo le norme stabilite nel concorso stesso (3).

Però quest'azione viene meno se per una riforma organica dell'amministrazione, i posti pei quali fu aperto il concorso vengano soppressi e trasformati. (4).

I concorrenti a pubbliche amministrazioni non hanno *diritti quesiti* finchè non siano dichiarati vincitori in sèguito al regolare espletamento del concorso, per modo che non possono denunciare alcuna lesione di diritto in caso di *revoca del concorso bandito*, ma *non ancora ese-*

---

(1) App. Torino, 5 ottobre 1886, *Mon. Trib.*, 1887, 69.
(2) Trib. Alessandria, 11 marzo 1901, *Giur. Tor.*, 501.
(3) Cass. Roma, 30 gennaio 1901, 27 gennaio 1900, *Foro It.*, 1901, 344 e 1900, 261 ; 19 aprile 1898, *Giust. Amm.*, 41.
(4) Citata sentenza Cass. Roma, 30 gennaio 1901.

guito (1); e trattandosi in tal caso di semplice lesione di interesse, l'autorità competente a conoscere dei relativi ricorsi degli aspiranti, è quella amministrativa, non quella giudiziaria (art. 2 e 4, legge 20 maggio 1865, alleg. *E*).

Fu anche giudicato che non ha responsabilità per colpa aquiliana un *presidente* di pio istituto, il quale indice un concorso a posti di impiegati non compresi nell'organico dell'istituto stesso e senza avere provocato la superiore autorizzazione per le modifiche a detto organico, all'uopo necessarie, e neppure è responsabile, nonostante il formale incarico avutone dall'amministrazione, la *diffida* nell'avviso di concorso, che i posti non si sarebbero conferiti che in via di precario esperimento; ed il concorrente che, vinto il concorso, declina l'impiego ottenuto tosto conosciutane la illegalità e chiarita la precarietà della propria posizione, non ha diritto a risarcimento di danni nè contro l'istituto, nè contro il suo *presidente* in proprio (2). Poichè era facile al concorrente il venire in chiaro di tutte le circostanze suaccennate, e *qui culpa sua damnum sentit, non intelligitur damnum sentire.*

Fu però mossa qualche censura a questa massima, poichè pare soverchia la pretesa che un concorrente a posti offerti da un'amministrazione di un pio istituto rispettabilissimo, abbia ad indagare se la pianta organica vi corrisponda e si siano ottenute le autorizzazioni legali, non dovendosi supporre che si bandiscano concorsi per *distrazione* o con leggerezza.

La pubblica amministrazione, la quale, per la nomina di taluni impiegati bandisce apposito concorso fissandone tutte le condizioni, non può poi nominare persone estranee al seguìto concorso, senza incorrere in responsabilità verso coloro che vi avevano preso parte con esito favorevole (3).

---

(1) Cass. Roma, sezioni unite, 19 dicembre 1899, *Legge*, 1900, I, pag. 111.
(2) App. Torino 15 maggio 1897, *Giur. Tor.*, 1209.
(3) App. Catania, 12 settembre 1898, *Legge*, 1899, I, 275.

Infatti le norme regolamentari precostituite in ordine ai concorsi per impieghi, in *qualsivoglia ramo di amministrazione* dei diversi enti giuridici, sono obbligatorie anche per l'ente che le ha dettate, e generano rapporti perfettamente *contrattuali* fra esso e i privati, laonde tosto che da parte di questi ultimi si è adempiuto alle condizioni tutte che per regolamento furono dall'ente prescritte perchè conseguir si potessero i posti messi a concorso, sorge incontestabile pei concorrenti risultati vincitori nella gara, il *diritto* al promesso corrispettivo, cioè ad essere chiamati a coprire i posti da essi vinti. L'ente è bensì libero di dettare le condizioni e norme pel concorso che stimi opportune, ma dettate che egli le abbia, ed osservate che siano da parte dei privati, non possono non essere produttive di effetti giuridici, obbligatorii per l'ente stesso; altrimenti verrebbe sconvolta la legale uguaglianza e la massima *pacta servanda.*

Nuovo Concorso.

Non viola alcuna disposizione della legge del concorso nè di altra, nè lede alcun diritto quesito, la deliberazione colla quale un Consiglio Comunale, dopo di avere indetto il concorso ad un impiego (es. di catastraro), e dopo che per il ritiro di varie delle presentate domande, si trova di fronte ad un solo concorrente, invece di nominarlo o di respingerlo, stabilisce, a voti palesi, di bandire un nuovo concorso (1).

Consolati.

Appropriazioni.

Lo Stato non è responsabile delle appropriazioni indebite commesse da un *Console* sui depositi a lui affidati

---

(1) Cons. Stato, 30 marzo 1905, *Riv. Amm.*, 324.

per ragione del suo ufficio (1). Questa sentenza fu però riformata (2) ritenendosi che lo Stato sia responsabile della sottrazione di valori ereditarii depositati presso i Regi Consoli per essere rimessi agli eredi residenti in Italia. Questa seconda sentenza si fonda sul principio che il *Console* nel custodire i valori ereditarii dei nazionali, compie non già un atto di *impero*, ma un atto di *gestione* (art. 20 e 25 della legge Consolare e 106 del regolam.), cosicchè trattandosi di natura amministrativa e di depositi della stessa natura, **ne segue la risponsabilità del committente** (Vedi pure il titolo *Stato*).

Convitti-Istituti di educazione.

Lesioni tra scolari.

Scuole e scolari.

Il *Comune* è risponsabile **del danno subìto da un alunno** delle scuole comunali per **mancata sorveglianza degli inservienti comunali** (es. **per la perdita di un occhio in sèguito ad aggressione ingiusta di un compagno**) (3) se il fatto avvenne nella scuola o sue adiacenze. Il caso in esame però è occorso a Milano, dove vige un regolamento di norme disciplinari per le scuole elementari, col quale è stabilito all'art. 60 che " gli inservienti comunali debbono vegliare attentamente, massime durante l'ingresso, l'uscita od il riposo degli alunni, affinchè nel recinto della scuola e nelle sue adiacenze non avvengano disordini „. Ora nel fatto dannoso certo concorse la negligenza degli inservienti, e quindi anche quella del Comune da cui gli inservienti dipendono (art. 1151, 1152, 1153 Cod. civ.) (Vedi anche *Committenti* e *Commessi*).

---

(1) Trib. Roma, 4 maggio 1898, *Legge*, I, 706.
(2) App. Roma, 27 giugno 1899, *Legge*, 1899, II, 815.
(3) Cass. Torino, 31 dicembre 1902, *Legge*, anno 1903, pag. 1171.

Convitti.

L'amministrazione di un collegio convitto è responsabile del danno cagionato ad un alunno in un *esperimento di chimica* dall'*imperizia* di un professore stato nominato nonostante l'irregolarità dei titoli, sebbene la nomina sia stata approvata dal Consiglio Provinciale Scolastico (1).

Un convitto deve rispondere altresì dei fatti illeciti commessi dai suoi *istitutori* od impiegati nell'esercizio delle loro incombenze, sebbene sia lo Stato che a mezzo dei Prefetti provvede alla nomina degli istitutori nei convitti governativi (2).

Lesioni per opera del maestro — Fortuito.

È bensì vero che perchè vi sia la responsabilità aquiliana basta una colpa anche *lievissima*, ma una colpa occorre che vi sia, e non vi è più responsabilità se manchi qualsiasi negligenza od imprudenza. E così fu giudicato che non è responsabile di danni il *maestro di scuola*, il quale sdegnato contro uno scolaro per aver fatto male il suo còmpito, gli getta con violenza *il quaderno sul banco*, ed una penna ivi posta viene a saltare nell'occhio di altro scolaro cagionandogliene la perdita (3). E per vero non si può dire che esista negligenza nel fatto del non avere il maestro osservato prima che eravi una penna nel luogo dove battè poi il quaderno. Questo fatto è bensì un po' vivace, ma non può dirsi *illecito*, perchè fatto onde dare più forza alla sua riprensione, e sarebbe stato anche innocuo se non si fosse trovata la penna o questa non avesse saltato. Quindi questo secondo fatto della penna non era prevedibile neppure da un ottimo e diligente padre di

---

(1) Cass. Torino, 22 dicembre 1900, *Giur. Tor.*, 1901, 107.
(2) Cass. Napoli, 7 ottobre 1899, *Foro It.*, 1900, pag. 103.
(3) App. Torino, 17 marzo 1893, *Giur. Tor.*, 367.

famiglia, cosicchè deve ritenersi per un caso meramente *fortuito*, di cui nessuno è tenuto a rispondere.

Anche nella stessa *legge aquilia* è scritto che " *leris castigatio concessa est docenti* „ (Leg. 5. *ad legem aquil.*) e qui l'atto non era neppure diretto verso la *persona* dello scolaro, ma verso il banco e il quaderno.

Malattia per lesioni.

Il padre che ha collocato il figlio in un istituto di educazione, e ne lo ritira infermo per colpi ricevuti, ha diritto di chiedere conto del fatto all'istituto, nè questi può esimersi dal rispondere solo perchè, trattandosi di un giudizio per danni, il padre non abbia dimostrato nè colpa, nè imprudenza o negligenza dell'istituto (1). E per vero non vi ha delitto, nè quasi-delitto, nè responsabilità se non quando sia dimostrato un dolo, o negligenza o imprudenza o colpa nell'autore del fatto dannoso; ma questo sta bene quando trattisi di fatti *estranei a precedenti rapporti contrattuali*; in questo caso infatti il danneggiato agisce unicamente *ex delicto* o *quasi delicto*, e naturalmente è a suo carico la prova della colpa o negligenza dell'autore del fatto dannoso (2); ma quando il fatto dannoso è dipendente od inerente ad un contratto precedente, allora sorge una responsabilità e *colpa contrattuale*, ed inadempimento delle proprie obbligazioni, e così di conservare l'integrità personale del ragazzo affidato all'istituto, cosicchè quest'ultimo *si presume senz'altro in colpa*, salvo che giustifichi che il fatto avvenne per *caso fortuito* o per *forza maggiore* (art. 1225 Codice civile).

Infatti è massima fondamentale che non si sia tenuti a risarcire il danno derivato da un fatto *inevitabile* (forza maggiore) o caso *fortuito*, o dall'*esercizio di un diritto proprio* (3).

---

(1) App. Torino, 4 maggio 1885, *Giur. Tor.*, 484.
(2) *Ivi*, in nota.
(3) *Giur. Tor.*, 1885, pag. 9, in nota.

Precettori in genere.

L'art. 1153 Cod. Civ. tiene risponsabili i *precettori* e gli *artigiani* pei danni cagionati dai loro allievi e apprendisti nel tempo in cui sono sotto la loro vigilanza. A differenza di quanto riguarda la risponsabilità dei genitori, non è pei precettori ed artigiani necessaria la coabitazione cogli allievi ed apprendisti. Il precettore non è più risponsabile se invece di tenere l'allievo presso di sè si rechi nella casa paterna per istruirlo. Non è poi necessario il carattere di perpetuità nell'incarico del precettore, ma *occorre* (secondo il Giorgi) che il precettore od istitutore non sia incaricato soltanto dell'insegnamento dottrinale o tecnico, ma altresì della educazione. Il Chironi non distingue fra *istruzione* ed *educazione*. Sono esclusi nel senso dell'art. 1153 i *Professori* di *Ginnasio*, di *Liceo*, di *Università* e simili che facciano corsi di insegnamento in pubblici locali; e sono esclusi pure coloro che null'altro fanno che somministrare vitto od alloggio ai giovani che si recano fuori del paese paterno per causa di istruzione; e così non sono risponsabili i tenitori delle molte *pensioni* di studenti e scolari esistenti nelle città.

La risponsabilità non ha poi luogo per i genitori, tutori, precettori ed artigiani, ogni qualvolta provino di non aver potuto impedire il fatto di cui dovrebbero essere risponsabili.

Maltrattamenti — Abusi di mezzi di correzione.

Questi fatti costituiscono i reati previsti dagli articoli 390, 391 e 392 del Codice penale e nasce quindi da essi l'azione civile pel risarcimento del danno cagionato.

---

(1) Vedi il titolo *Minorenni.*

Contrabbando.

. (Vedi pure **Dogane**).

Nel reprimere il contrabbando lo Stato esercita la sua funzione politica, epperciò non è risponsabile del danno ingiusto in ciò recato dai suoi funzionarii.

La risponsabilità incombe invece ai funzionarii medesimi quando sia stabilita la loro colpa. A stabilire la loro colpa non basta l'ordinanza del giudice istruttore che dichiara la inesistenza del reato di contrabbando. Essa è anzi esclusa se il fatto materiale denunciato esiste quantunque non venga ritenuto per contravvenzione; e perciò in tal caso non vi ha risponsabilità degli agenti doganali per aver proceduto al sequestro di merci (1).

Uccisione di persona.

Lo Stato non è risponsabile dei danni cagionati da un agente doganale, il quale, essendo di servizio, abbia esploso il fucile e ferito gravemente una persona, senza che nulla giustificasse una così grave misura, e quando pure si ritenesse che la determinazione della Guardia doganale fu l'effetto di pura pusillanimità (2). Risponderà però personalmente l'agente in proprio.

Avarie a merci sequestrate (Vedi **Dogane**).

Corpi di reato.

Lo Stato non risponde del furto di gioielli depositati come corpo di reato negli uffici di istruzione penale in apposita cassaforte che i ladri nottetempo sforzarono con leve e grimaldelli, dopo aver altresì scassinate le porte

---

(1) Cass. Roma, 21 gennaio 1880, *Giur. Tor.*, 460.
(2) App. Milano, 19 novembre, 1895, *Legge*, 1896, I, 668.

dell'ufficio (art. 1843 e 1876 del Codice civile) (1). (Vedi pure *Depositi giudiziali*).

E per vero affinchè possa sussistere la risponsabilità diretta dello Stato per danni derivati da atti della sua amministrazione, occorre anzitutto che siano risponsabili i suoi funzionari, e nel caso in esame nessuna colpa vi sarebbe nel personale di cancelleria il quale aveva usata tutta la possibile diligenza tenendo chiusi gli oggetti nella cassa forte e chiudendo le porte dell'ufficio.

Deve quindi ritenersi questo come un caso di forza maggiore (2). (Vedi pure *Forza maggiore*).

Costruzioni.

(Vedi anche **Edifizi**).

Comproprietarii.

Il comproprietario di un muro divisorio che appoggia ad esso un ripieno di terra e ne provoca lo strapiombo, è responsabile dei danni verso l'altro comproprietario del muro (3).

Il proprietario di un immobile non ha azione per querelarsi di costruzioni fatte da terzi in prossimità del medesimo, se furono eseguite previa concessione del conduttore, e diminuiscono l'uso e godimento dell'immobile, ma non ledono il diritto di proprietà (4).

Costruzioni od opere nell'interesse di un Comune.
(Vedi **Amministrazione Comunale**).

Risponsabilità del costruttore.

Là risponsabilità per il decennio si estende all'imprenditore della costruzione di un vasto solaio, sistema bre-

---

(1) Cass. Torino, 20 agosto 1902, *Giur. Tor.*, 1401.
(2) App. Torino, 24 marzo 1888, *Giur. Tor.*, pag. 384.
(3) App. Genova, 26 maggio 1905, *Temi Gen.*, 660.
(4) App. Venezia, 19 luglio 1905, *Temi Ven.*, 847.

vettato, destinato a sostenere un pesante impianto di *macchine industriali in movimento* (art. 1639 Cod. civ.); e l'imprenditore risponde non solamente del difetto di costruzione, ma anche del vizio dei *sottostanti muri* ai quali il solaio si appoggia, *benchè alla loro costruzione sia esso imprenditore rimasto estraneo* (1). Infatti il citato art. 1639 dichiara l'imprenditore di opera notabile, responsabile, per il corso di un decennio, della rovina o del pericolo di rovina dell'opera sua, che si verifichi in dipendenza del vizio del *suolo*; la qual voce indica e comprende la costruzione *preesistente e sottostante alla nuova costruzione*, e quindi anche i *muri* su cui il solaio deve appoggiare; ed infatti colui che costruisce il solaio deve accertarsi se i muri hanno dimensioni e resistenza sufficienti a sostenere il peso: anzi è più facile accertare la sufficienza dei muri che non la natura precisa del suolo che forma il piano di posa dell'edificio.

Responsabilità dell'ingegnere.

L'ingegnere è risponsabile verso il proprietario per la colpa commessa nella direzione dei lavori di una impresa o costruzione; però l'azione di costui non può essere esercitata in via riconvenzionale quando non concorrano le ipotesi di cui all'articolo 100 n. 3 del Codice di Procedura civile (2).

Ponticello o Palancola — Rovina (Vedi Edifizi, § 2).

Costruzioni provvisorie.

Il fatto di un negoziante, che colle debite autorizzazioni, costruisca uno *steccato* sul pubblico marciapiede per fare lavori di abbellimento o decorazione della facciata

---

(1) App. Torino, 11 ottobre 1901, *Giur. Tor.*, 1492.
(2) App. Trani, 22 dicembre 1908, *Foro Puglie*, 49.

esterna del suo negozio, non dà diritto al negoziante vicino, che dipenda dallo stesso proprietario di casa, di rivolgersi al proprietario stesso per risarcimento di danno; imperocchè non sono risarcibili quei danni che provengono dalla necessità delle industrie e dei commerci, e che costituiscono solo *inconvenienti ordinari ineritabili* e dipendenti dai rapporti di vicinato (1). Ma se le esigenze delle industrie importano dei necessari sacrifizii, nell'interesse sociale, al diritto di proprietà, non debbono costituire una *vera e propria diminuzione del* PATRIMONIO *altrui* (2).

Natura dell'azione.

L'azione per danni cagionati da un impresario di fabbriche o costruzioni coll'esecuzione delle opere erette per suo conto, non è commerciale, ma civile (3).

Distanze illegali.

È in colpa chi fa costruzioni a distanza illegale dal muro del vicino, non curando le inibizioni che fossero state fatte giudiziariamente e quindi non può invocare nè essere ammesso a provare la sua buona fede per esimersi dal risarcimento del danno (4); infatti la colpa è *in re ipsa,* cioè nel fatto di essersi eseguita una nuova opera in contravvenzione alla legge.

Capi mastri.

Il capo mastro assuntore di lavori deve rispondere del danno recato per la caduta di un *ponte* pensile costrutto

---

(1) Pretore III Mandamento di Roma, 10 febbraio 1904, *Palazzo Giustizia,* 191.
(2) Trib. Firenze, 31 dicembre 1903, *Giur. Tosc.,* 46.
(3) App. Venezia, 3 dicembre 1903, *La Temi,* 101.
(4) Cass. Torino, 24 e 28 gennaio 1834, *Giur. Tor.,* vol. XXI, 115 e 245.

dagli operai da esso dipendenti e dietro suo ordine, per essersi trascurate le regole comuni nella costruzione. Nè osta che il capo mastro in giudizio penale sia stato assolto perchè al disastro non abbia concorso il suo fatto personale. Colui che prepone operai al lavoro di costruzioni, è responsabile dei danni cagionati dalla caduta di un ponte imprudentemente costrutto dai medesimi.

Termini per la responsabilità dei costruttori.

I termini di dieci, e di due anni per l'azione di responsabilità per il crollo di edifici verso l'architetto e l'imprenditore non sono d'ordine pubblico, e possono perciò liberamente dalle parti variarsi in contratto (art. 1639 Cod. civ.). Gli autori francesi però, eccetto il Duranton (1) sono in opposto avviso (Laurent, *Principes*, XXVI, N. 33; Troplong, II, 996; Duvergier, II, 315; Aubry et Rau, IV, § 374, pag. 529; Marcadé, art. 1792).

Il Laurent scrive quanto segue in proposito: " Vainement le propriétaire le déchargerait-il de la responsabilité que la loi lui impose; il ne s'agit pas d'intérêts pécuniaires, la vie de ceux qui habiteront l'édifice sera en danger: donc l'ordre public est en cause, ce qui est décisif „.

Rovina di palchi per pubblici spettacoli.

Il Comune che organizza uno spettacolo pubblico di *corse di cavalli* e vi provvede per mezzo di una commissione nominata dalla Giunta Municipale, assegnando premi, disponendo e sorvegliando la *costruzioni di palchi* per mezzo della Commissione stessa e dell'*Ufficio d'Arte del Comune*, è responsabile se per la cattiva costruzione di questi palchi ne avviene la caduta con danno o alle persone che vi erano sopra, o ai cavalli da corsa e loro

---

(1) Vol. XVII, 245, Ricci, *Dir. civ.*, VIII, n. 238.

conducenti. Lo *Stato* poi non è responsabile del fatto dei suoi funzionarii nell'esercizio del *jus imperii*, e così non è responsabile del danno derivato dalla rovina dei palchi di pubblico spettacolo, sebbene il vegliare alla loro solidità sia attributo della autorità di Pubblica Sicurezza (1) (Vedi il titolo *Edifizi*).

La negligenza dell'Autorità municipale nel dare i provvedimenti per le riparazioni, non esime la colpa del proprietario (2).

Non risponde penalmente chi abbia fatto coprire di vecchie tavole un fosso se altri passando su quelle tavole *al passaggio non destinate*, per la fragilità delle stesse vi cade e vi soccombe (3).

Risponde di omicidio colposo l'imprenditore di una escavazione che avendo omesso le necessarie cautele per evitare *frane*, sia causa che una di esse abbia sepolto ed asfissiato un operaio, nè vale a scusarlo il fatto che l'imprenditore essendo ammalato non avesse potuto recarsi a vigilare; infatti egli doveva in tal caso farsi surrogare da altro sorvegliante (4).

La mancata apposizione di segnale ad una *piccola buca* praticata ai lati della strada per piantarvi antenne può costituire contravvenzione, ma non rende responsabile di danno se un viandante vi mette il piede in fallo e si fa male, se questo avvenne per disattenzione del viandante, di pieno giorno, e se questi se non fosse stato disattento l'avrebbe evitata (5).

Il costruttore che si serve di materiali scadenti ed affida i lavori della collocazione di un balcone a persone inesperte senza la direzione di persone capaci, risponde del disastro avvenuto per la rovina del balcone stesso (6).

---

(1) Cass. Firenze, 27 giugno 1889, *Giur. Tor.*, 679.
(2) Cass., 5 maggio 1897, *Legge* II, 1897.
(3) Cass. Palermo, 26 luglio 1889, *Giur. Pen.*, 18.
(4) Cass. Roma, 1 luglio 1902, *Giur. Pen.*, 367.
(5) App. Milano, 21 giugno 1897, *Giur. Pen.*, 390.
(6) Cass. Torino, 16 giugno 1896, *Giur. Pen.*, 356.

Danni di guerra.

(Vedi anche **Militari**).

Generalità.

In tema di danno di guerra deve distinguersi il danno recato nell'impeto della conflagrazione bellica, dal danno che sia conseguenza di ordini pensati, voluti e desiderati fuori del rumore della lotta e nella preparazione della difesa o dell'offesa. Il primo non è munito di azione civile; il secondo invece costituisce un caso di espropriazione per pubblica utilità e produce azione esperibile in via giudiziale colle norme del diritto civile (1).

Parimenti non è munito di azione il danno di guerra che per quanto non arrecato nell'impeto della conflagrazione bellica, sia avvenuto sotto la pressione di un grave ed imminente pericolo, parificabile a forza maggiore.

I danni sopra arrecati sono chiamati pure danni *immediati* e danni *mediati*, e cioè sono immediati quelli istantanei, impreveduti e derivanti dalla necessità del combattimento; sono mediati quelli che assumono la forma di una *spropriazione per pubblica utilità* e che sono perciò risarcibili. Sono danni *mediati* quelli che dipendono dallo studio tecnico militare, come l'*apparecchiare* i mezzi per un assedio. Non dànno luogo a risarcimento neppure le cosidette *requisizioni militari* (2).

La citazione per risarcimento di danni di guerra contro l'amministrazione dello Stato, è rettamente notificata all'Intendente di Finanza come suo legittimo rappresentante nella sede dell'Autorità giudiziaria adita (art. 138 secondo alinea C. p. c.) (3).

Il sindaco, che in caso di guerra e di requisizioni in-

---

(1) App. Venezia, 12 giugno 1899, *Temi Ven.*, 391.

(2) Cass. Roma, 10 aprile 1893, *Legge*, I, 582 e 19 dicembre 1892, *Legge*, 1893, pag. 73.

(3) Cass. Torino, 11 maggio 1901, *Giur. Tor.*, 897.

giunte direttamente al Comune dall'Autorità militare, provvede al riguardo contraendo debiti, vincola il Comune indipendentemente dalla deliberazione o ratifica del Consiglio Comunale (1).

Le requisizioni fatte dalle truppe austriache anche per mezzo dei Municipii durante la guerra nei paesi stati annessi al regno d'Italia, sono *danni di guerra* pei quali non compete azione avanti i tribunali, ma avanti le apposite Commissioni state istituite (2).

Danni in generale.
(Vedi pure Liquidazione di danni — Azione di danni — Azione civile e Azione penale).

Dai fatti illeciti e colposi imputabili ad alcuno nasce la responsabilità ed il conseguente obbligo di risarcire il danno, il quale deve essere *certo*; ma può essere anche *futuro*, purchè non vi sia dubbio che si verificherà. Si esclude quindi il *danno* semplicemente *temuto* che non apre l'adito che a speciali provvedimenti (denuncia di opera nuova o danno temuto); ma non dà luogo ad un risarcimento.

Un danno avvenuto per doloso intendimento di chi lo soffre, non è ripetibile e vien meno ogni ragione ed azione tendente al suo risarcimento (3).

Non si può neppure chiedere risarcimento di danni per un evento pienamente conosciuto e preveduto dalle parti al momento di un contratto, e di cui si conoscevano tutte le giuridiche conseguenze (4).

Anche nell'esercizio di un diritto, se per negligenza od imprudenza si trasmodi, o si trascurino le norme alle

---

(1) Cass. Torino, 9 dicembre 1891, *Giur. Tor.*, 1892, 57.
(2) *Ivi*.
(3) Cass. di Stato, 1 maggio 1863, *Legge*, vol. III, 216.
(4) Cass. Firenze, 13 aprile 1874, *Legge* XIV, 157.

quali la legge volle subordinare il diritto stesso, può verificarsi la colpa che genera obbligo di risarcimento di danno (1).

La *buona fede* non è sufficiente ad escludere la responsabilità per danno recato, ma occorre dimostrare invece la assenza di colpa o di imprudenza (2).

La *buona fede* esclude il *dolo*, ma non la *colpa* (3).

Atti legali.

Allorquando gli atti commessi da taluno siano *legali*, sono incapaci sempre a generare azioni di danni, qualunque sia l'animo di chi li ha compiuti (4).

Atti illeciti — Esplodenti.

Il proprietario di un fondo che per difendersi dai danni che gli recano le volpi nel pollaio dispone degli ordigni esplodenti automatici, commette un atto *illecito*, tanto più se il proprietario non ignora che per quel fondo passino i viandanti per abbreviare il percorso della via pubblica (5), e quindi è tenuto ai danni (Vedi pure *Liquidazione dei danni*).

Cause volontarie e cause naturali.

Quando due cause, una naturale e l'altra volontaria hanno contribuito insieme a produrre un evento dannoso che non si sarebbe più verificato almeno in tutta la sua estensione per effetto della sola causa naturale, la concorrenza del fatto della natura non toglie mai il carattere della illiceità al fatto dell'uomo (6).

---

(1) Cass. Torino, 20 aprile 1886, *Legge* II, 477.
(2) Cass. Roma, 18 marzo 1882, *Legge* II, 368.
(3) Cass. Palermo, 23 giugno 1882, *Legge* 1883, I, 128.
(4) Cass. Roma, 13 giugno 1904, *Corte Suprema*, II, 457.
(5) Trib. federale svizzero, 27 maggio 1905, *Mon. Trib.*, 797.
(6) App. Venezia, 5 novembre 1904, *La Temi*, 178.

Vedove.

Il passaggio delle vedove a seconde nozze importa una diminuzione dell'indenizzo dovutole da terzi responsabili della morte del di lei precedente marito (1).

Enti morali.

Gli enti morali *non possono mai essere tenuti per colpa aquiliana* per la responsabilità dei loro amministratori derivante da fatti colposi ed anche delittuosi, *quando essa non rientra nei confini della colpa contrattuale*; e perciò nel caso di incendio di un monte di pietà dipendente, ad esempio dal Banco di Napoli o dell'Opera Pia di S. Paolo (Torino), od altro ente, se per l'incendio stesso vanno distrutti gli oggetti depositati in pegno, l'ente è tenuto a rispondere unicamente del valore degli oggetti medesimi che risulta dalla stima fattane al momento della pegnorazione, detratta la somma pagata, cogli interessi (2).

Non esercizio di un diritto.

Il non esercitare un diritto che ci spetta, non può mai elevarsi a fatto illecito ed essere generatore di danni extracontrattuali (3).

Danni indiretti.

I danni dei quali si può domandare il risarcimento a senso dell'art. 1151 Cod. civ. non sono soltanto quelli che derivano direttamente dal fatto aquiliano, ma anche quelli che ne derivano *indirettamente* (4); inoltre ogni

---

(1) Trib. federale svizzero, 27 maggio 1905, *Mon. Trib.*, 797.

(2) Cass. Napoli, 22 agosto 1905, *Foro It.*, 1217; *Giur. Ital.*, I, 1, pag. 1089.

(3) Trib. Taranto, 25 luglio 1905, *Foro delle Puglie*, 435.

(4) Cass. Torino, 31 dicembre 1908, *Giur. Tor.*, 351.

danno deve essere indennizzato, sia o non prevedibile, sia o non immediato e diretto, poichè la parte lesa deve essere *interamente* risarcita per il fatto dannoso (1).

Danni futuri.

I danni si devono risarcire soltanto quando sono *positivi* e *certi*; non quindi se ipotetici e futuri (2).

Interessi — Decorrenza.

Sulle somme dovute per risarcimento di danni per colpa aquiliana, sono dovuti gli interessi.

Gli interessi sulle indennità liquidate a titolo di danni per quasi-delitto sono dovuti non già dal giorno della domanda giudiziale o della sentenza di condanna, ma bensì dal giorno dell'*evento dannoso* (art. 1231 Cod. civ.) (3); imperocchè l'obbligazione di risarcire il danno recato *nasce nel giorno stesso in cui si commise il fatto dannoso*, e quindi da tal giorno deve decorrere l'interesse sulla somma che (se fosse già liquida) si dovrebbe pagare immediatamente dopo il fatto dannoso. Fu però anche giudicato che la decorrenza degli interessi debba decorrere dalla data della domanda giudiziale (massima seguìta in addietro dalla Corte di Cassazione di Palermo ed anche da quella stessa di Torino (Vedi Cass. Palermo, 23 giugno 1891 (4) e Cass. Torino, 31 dicembre 1889) (5).

Prova di danni generici.

Non può ammettersi mai l'attore a provare per testi *genericamente* i danni materiali dei quali domanda il

---

(1) Cass. Napoli, 7 maggio 1904, *Gazz. Proc.*, XXXII, 418. — Cass. Torino, 31 dicembre 1903, *Giur. Tor.*, 1904, 351.
(2) Cass. Torino, 7 maggio 1904, *Giur. Tor.*, 885.
(3) Cass. Torino, 20 dicembre 1900, *Giur. Tor.*, 88.
(4) *Circolo giuridico*, 1892, pag. 21, *Giur. It.*, 1891, 144.
(5) *Giur. Tor.*, 1890, 887.

risarcimento; imperocchè gli art. 229 e 230 del Codice di procedura civile stabiliscono che i fatti che si vogliono provare per testi, debbono essere *specificatamente* dedotti per 'articoli, e non basta una deduzione generica (1) (Vedi pure *Colpa extracontrattuale*).

La differenza tra i danni derivanti da colpa contrattuale e quelli derivanti da colpa extracontrattuale od aquiliana, sta in questo: che per farsi luogo a risarcimento di danni derivati per colpa aquiliana, il danneggiato deve provare che esiste per parte dell'autore del fatto una colpa, imprudenza, negligenza o dolo, in difetto del che non è tenuto a risarcimento; nei danni derivati da colpa contrattuale, si presume la colpa a carico dell'inadempiente al contratto, e deve egli provare che il fatto avvenne o per fortuito o per forza maggiore.

Non si è poi tenuti mai a risarcire i danni che siano derivati da un fatto *inevitabile, da forza maggiore*, da caso *fortuito* o dall'*esercizio* di un proprio diritto (2).

Nella determinazione dei danni che non derivano da fatti positivi, ma da omissioni (es. nel caso di inesecuzione di mandato), non si richiede una precisa ed aritmetica dimostrazione, ma spetta ai giudici di merito il fare quella congrua estimazione che credano conveniente (3).

Non devesi rigettare una domanda per danni sulla semplice presunzione che questi non siansi sofferti, massime quando il fatto che può averli cagionati non è contestato, e se il danneggiato non abbia *ancora* somministrato, o *non siasi accinto* a somministrare la prova, deve mandarsi a maturare la causa, cioè lasciargli aperta la via a suffragare la sua domanda (4).

Può pure condannarsi una parte *genericamente* al risarcimento di danni, sebbene in punto di fatto non risulti

---

(1) Cass. Roma, 16 febbraio 1905, *Giur. Tor.*, 287.
(2) *Giur. Tor.*, 1885, pag. 9 e 484 in nota.
(3) Cass. Torino, 12 settembre 1874, *Giur. Tor.*, XII, 100.
(4) App. Torino, 26 aprile 1884, *Giur. Tor.*, vol. I, 218.

ancora giustificato danno di sorta, e la parte condannata deve venire di poi assolta, se non verrà data la prova dei danni reclamati (1). La sentenza generica è quindi una semplice *declaratoria juris*, e quindi non è un vero *titolo esecutivo*, e per emettere la declaratoria *juris*, non occorre che sia data la prova della effettiva esistenza dei danni, ma basta la *possibilità loro* (2).

La pronuncia *juris* di una condanna al risarcimento dei danni in genere non pregiudica mai la discussione sul punto se i danni siano poi o no provati, allorchè la parte che li pretende si farà a proporre una somma specifica a tale titolo (3). La sentenza che condanna nei danni in *modo astratto e di massima*, non ha d'uopo di particolare motivazione su questo punto (4).

Constatato il fatto dal quale nasce la *possibilità* di danno, ed attribuente diritto a risarcimento, ciò è sufficiente perchè si accolga la domanda di danni almeno in via di *declaratoria juris*, sebbene non sia precisato il loro ammontare (5).

Trattandosi di obbligazione nata da *quasi contratto*, o da *quasi delitto*, l'attore ha sempre diritto ad una piena indennità quando fornisca la *prova del fatto* dante causa al danno, dell'*imputabilità* del fatto medesimo al convenuto, della *realtà* della perdita sofferta o del guadagno mancato (6).

Se taluno agisse ad un tempo *ex contractu* e *ex delicto* per uno stesso oggetto e contro più persone, debbono i convenuti essere condannati in solido (7).

La domanda giudiziale di indennità di *ogni danno,*

---

(1) App. Torino, 1° ottobre 1867, *Giur. Tor.*, vol. IV, 656.
(2) *Giur. Tor.*, vol. V, 494.
(3) Cass. Torino, 28 maggio 1863, *Giur. Tor.*, vol. V, 494.
(4) Sentenza citata Cass. Torino.
(5) App. Casale, 16 maggio 1871, *Giur. Tor.*, vol. VIII, 517.
(6) Cass. Torino, 14 febbraio 1868, *Giur. Tor.*, vol. V, 574.
(7) Cass. Torino, 14 settembre 1868, *ivi*, 589.

racchiude così quella del lucro cessante come quella del danno emergente, e costituisce in mora il debitore (1).

Non vi ha danno giuridico quando il profitto che si può trarre da un determinato oggetto dipende dalla volontà dei terzi (2).

Se una sentenza riconosce che un'opera (es. alzamento di livello di acqua) fu dannosa ad una delle parti, deve, sotto pena di nullità, provvedere non solo al ristabilimento delle cose nel pristino stato per antivenire futuri danni, ma eziandio ordinare il risarcimento di danni che sia richiesto (3).

L'azione di risarcimento di danno non compete se non per la *lesione di un diritto*; non per un semplice interesse.

Non qualsivoglia omissione che rechi danno ad altri genera l'obbligazione di risarcirlo, ma solo l'omissione di un fatto che si doveva eseguire da chi lo ha omesso, e nei rapporti col danneggiato (4).

Pecca per difetto di motivi la sentenza che non esamina se il danno allegato da una parte sia o non sia conseguenza diretta ed immediata del fatto dell'altra, e se non possa attribuirsi a negligenza della parte stessa che allega il danno (5).

Il danno dato suppone un'offesa alla proprietà altrui senza che l'autore di essa si proponga di esercitare un suo creduto diritto; in questo caso la responsabilità è tutta personale dell'autore del danno; quando invece il danno fu recato nell'intento di esercitare un preteso *diritto*, la responsabilità si estende a tutti gli interessati, e così il padrone risponde del danno recato dai suoi dipendenti (6).

---

(1) Cass. Torino, 14 febbraio 1868, *ivi.*
(2) App. Torino, 29 dicembre 1866, *Giur. Tor.*, vol. IV, 200.
(3) Cass. Torino, 19 marzo 1869, *Giur. Tor.*, vol. VI, 273.
(4) Cass. Torino, 14 dicembre 1883, *Giur. Tor.*, vol. XXI, 41.
(5) Cass. Torino, 21 gennaio 1881, *id.*, XVIII, 310.
(6) Cass. Torino, 5 dicembre 1882, *id.*, XX, 10.

Non è mai risarcibile il danno che non fu recato con colpa o con negligenza (1).

Non è neppure risarcibile il danno che si è risentito per fatto esclusivamente proprio e che, volendo, si sarebbe potuto evitare.

Trattandosi di un fatto *volontario illegittimo* e *dannoso*, la condanna al risarcimento dei danni è di diritto, senza che occorra anche stabilire che il fatto è colposo, massime poi se nessuna questione di colpa o di buona fede sia stata sollevata (2).

Ad escludere la responsabilità del danno non basta far accertare con perizia che questo *ha potuto* essere l'effetto di caso fortuito, ma bisogna provare che effettivamente lo fu (3).

Spese giudiziali.

Nei danni risarcibili possono comprendersi anche partite di spese giudiziali, che secondo la tariffa non sarebbero ripetibili contro la parte condannata semplicemente nelle spese (4).

Fortuito e colpa.

Ciò che in origine sia effetto di caso improvviso o di forza maggiore, può divenire sorgente di responsabilità civile se vi si aggiunga la improvidenza o la trascuratezza; come, ad esempio, se formatosi un crepaccio all'imboccatura di una chiavica, il proprietario di essa lo abbia trascurato di maniera che penetrandovi le acque, queste furono causa di danni lamentati dal proprietario vicino. E se il perito *non può accertare* in modo assoluto che le

---

(1) Cass. Torino, 26 aprile 1883, *id.*, XX, 684.
(2) Cass. Torino, 19 febbraio 1881, *id.*, XVIII, 825.
(3) Cass. Torino, 28 marzo 1885, *Giur. Tor.*, vol. XXII, 461.
(4) Cass. Torino, 31 dicembre 1889, *Legge*, II, 586.

acque provengano dal detto crepaccio, ma che ciò sia *assai probabile*, può il magistrato nella sua coscienza valutare come prova perfetta anche una semplice probabilità (1).

Danni futuri.

Anche i danni *futuri*, purchè *certi*, possono farsi constatare e liquidare in anticipazione (2). Quando però la constatazione e liquidazione di tali danni non possa basarsi che su calcoli meramente ipotetici e presunti, non soltanto sul più o sul meno della intensità degli effetti, ma sul più e sul meno eziandio della stessa causa dannosa, trattasi di danni eventuali ed incerti.

Il danno *certo* si distingue in *attuale* e *futuro* (3); si ha il primo quando esso siasi verificato al momento in cui è chiesta l'indennità; si ha il secondo invece quando, sebbene non esista tuttora, tuttavia la causa accertata nel giudizio sulla responsabilità, non possa a meno di produrlo; diversamente il danno sarebbe *incerto*, e non potrebbe essere oggetto di declaratoria e tanto meno di liquidazione.

Chi ha solo *interesse*, ma non *diritto* all'esecuzione di determinati lavori, non può pretendere indennizzo del danno sofferto per la inesecuzione dei medesimi.

Ipoteca.

L'essersi in base ad una condanna *generica* di risarcimento di danni, iscritta una ipoteca giudiziale per *cifra decupla* di quella in cui i danni vennero poi in separata sede liquidati, non è un atto colposo che ingeneri di

---

(1) App. Bologna, 12 maggio 1890, *Legge*, II, 312.
(2) Cass. Firenze, 20 gennaio 1890, *Legge*, I, 382.
(3) Chironi, *Colpa extra-contratt.*, vol. II, n. 407-408; Laurent, *Principes de droit civil*, vol. XX, n. 526; Giorgi, *Teoria delle obbl.* (2ª ediz.), vol. V, n. 160, pag. 228.

per sè stesso responsabilità derivanti dalla menomata disponibilità degli stabili ipotecati, se di essi danni non si fornisce la prova concreta (art. 1151, 1152 Cod. civ.) (1).

Ad una *nota di danni* non è applicabile il disposto dell'art. 283 del Codice di procedura civile per ritenerla giustificata per il solo fatto che non sia stata specificatamente contestata (2), imperocchè la detta disposizione ha carattere eccezionale.

Non ogni fatto che rechi danno ad altri importa l'obbligo del risarcimento, ma quello solo che sia *illecito*, e così un detentore precario e senza titolo non può lagnarsi e pretendere danni per ciò che un creditore del suo concedente, procedendo ad esecuzione forzata, abbia, occupando i locali espropriati dal detto creditore, fatto sgombrare i medesimi dai mobili di esso detentore stati ivi precariamente riposti (3).

Danni derivanti da fatti di diverse persone.

Trattandosi di danni derivati da *opere diverse* praticate da *diverse persone*, la risponsabilità di essi e la loro *riparazione* per l'avvenire *è a carico di tutti gli autori* delle opere *in ragione del loro effetto dannoso*; onde pecca di contraddizione la sentenza che mentre afferma questa risponsabilità proporzionale pei danni fra i vari autori di essi, ponga poi a carico di uno solo di loro tutte le opere di riparazione (4).

Scherzi — Danni.

È risponsabile di danno civilmente ed anche penalmente (secondo alcuni per *lesione colposa* e secondo altri per

---

(1) App. Torino, 31 agosto 1899, *Giur. Tor.*, 1471.
(2) Cass. Torino, 5 marzo 1897, *Giur. Tor.*, 583.
(3) Cass. Torino, 4 dicembre 1896, *Giur. Tor.*, 1897, 215.
(4) Cass. Torino, 12 marzo 1890, *Giur. Tor.*, 360.

vera lesione *volontaria* a senso dell'art. 372 Codice pen.)
colui che cagiona una lesione ad altri con un atto diretto
a fare uno *scherzo*, e non ad offendere (1). Es. il togliere
la sedia di sotto a chi sta per sedersi.

Lesioni indirette.

Colui che, sia pure nell'impeto di ira, insegue un terzo
coll'evidente intenzione di percuoterlo, sia pure soltanto
a pugni, risponde civilmente e penalmente (lesione preterintenzionale) della lesione cui va incontro l'inseguito
per trovare scampo (es. batte il capo contro un *muro*;
inciampa e cade rompendosi un braccio (2).

Interessi sui danni contrattuali.

Gli interessi sull'ammontare del risarcimento dei danni
per inadempimento contrattuale decorrono dalla citazione
e non dalla pronunzia della condanna (art. 1231 Cod. civ.) (3).
La giurisprudenza viene così rettamente temperando l'a-
buso del brocardico *in liquidandis non fit mora*. E così
si ritiene giustamente che quando il debito è scaduto, ed
il debitore è costituito in mora a farne il pagamento,
gli interessi siano dovuti nonostante che l'ammontare
preciso del debito sia ancora da liquidarsi (4). E qualora
si tratti di credito di misura incerta e la liquidazione sia
stata ritardata per *colpa* del debitore, gli interessi debbono decorrere dalla notifica della sentenza, e non dalla
domanda solamente (5).

---

(1) App. Torino, 9 dicembre 1898, *Legge*, 1899, I, 137.
(2) Cass. Roma, 28 giugno 1898, *Legge*, 1899, I, 65.
(3) Cass. Torino, 9 marzo 1906, *Giur. Tor.*, 510.
(4) Cass. Roma, 26 maggio 1903, *Giur. Tor.*, 1130.
(5) Cass. Torino, 16 dicembre 1904, *Giur. Tor.*, 1905, 685.

Alimenti.

La sola possibilità di ricevere gli alimenti dalla vittima di un infortunio, costituisce un *valore* la cui perdita deve essere risarcita (1).

Abbandono di professione.

È valido il patto con cui taluno si assume l'obbligo di risarcire i danni arrecati per aver indotto taluno ad abbandonare una data professione (es. il patto di chi abbia indotta una giovane ad abbandonare l'arte drammatica dalla quale essa avrebbe potuto ricavare sufficiente mezzo di onesta sussistenza, lusingandola che avrebbe provveduto esso al suo avvenire) (2).

Norme speciali del danno contrattuale.

Se l'inadempimento contrattuale derivi da dolo del debitore, si debbono comprendere tra i risarcibili tutti i danni che appariscono conseguenze dirette e immediate dell'inadempimento; se non derivi dal dolo, il debitore non è tenuto che ai danni preveduti o prevedibili al tempo del contratto.

Il danno deve essere risarcito in forma specifica e può il creditore conseguire la prestazione anche malgrado il debitore nei casi seguenti:

a) nelle obbligazioni di *dare* cose determinate individualmente le quali sussistono ancora, nè siano passate in proprietà di terzi;

b) nelle obbligazioni di dare cose determinate nella sola specie o quantità;

c) nelle obbligazioni di *fare* aventi per oggetto cose fungibili;

---

(1) App. Genova, 15 novembre 1895, *Legge*, 1896, I, 450.
(2) Cass. Firenze, 9 settembre 1891, *Legge*, 1892, I, 7.

d) nelle obbligazioni di *non fare,* nelle quali la contravvenzione consiste in un fatto permanente che si può distruggere.

Il creditore non è obbligato ad accontentarsi del risarmento in forma specifica, ma ha diritto a domandare il risarcimento in danaro: e per converso è obbligato ad accontentarsi del risarcimento in danaro quando il corpo dovuto è distrutto o passato in proprietà di terzi, oppure quando il fatto sia tutto personale del debitore (es. il fare un quadro), o quando la contravvenzione consista in un fatto transeunte già consumato (1).

Il debitore può sempre risarcire il danno in forma specifica, se sia in grado di farlo.

Danni morali.

Generalità.

È indubitato ed ammesso universalmente che sono risarcibili in *denaro* anche i *danni morali* per patemi d'animo, inquietudini, lesione nell'onore (2) (art. 1151 Cod. civ.). E per vero, specialmente quando i danni morali derivano da un reato (es. una diffamazione) debbono rivolgersi necessariamente in un rifacimento materiale. Già nel diritto romano eravi le *actio injuriarum aestimatoria,* e nella nostra legge dall'art. 38 del Codice penale è stabilito che il giudice nelle condanne per reati che offendano l'onore della persona o della famiglia, può il giudice, a domanda della parte offesa, assegnare alla stessa una determinata somma a titolo di riparazione. È vero che i dolori, i piaceri della vita, la salute, l'onore e la libertà non hanno prezzo, ma, dice il Giorgi, che se il danno morale non si può interamente compensare perchè non se ne trova prezzo adeguato, si compensi almeno

---

(1) Giorgi, *Obblig.,* vol. II, § 108.
(2) App. Torino, 7 luglio 1905, *Giur. Tor.,* 1150.

quella indenizzazione che è consentita dalla potenza umana.

Pubblicazioni su giornali.

L'inserzione in un giornale della notizia dell'arresto di una persona sotto l'imputazione di un reato, quando sia stata assunta presso l'Autorità di pubblica sicurezza, non importa responsabilità di danni se l'arrestato venga poi assolto (1). Infatti per aversi *colpa* occorre l'ommissione di quella diligenza che avrebbe potuto evitare il fatto: ora funzione del giornalismo è quella di portare a pubblica notizia gli attentati alla pubblica moralità e le infrazioni alla legge penale, ed assumendo le informazioni ad un ufficio di questura che si presume debba essere informato della realtà dei fatti, non può addebitarsi al pubblicista l'aver pubblicata la notizia come dalla detta fonte gli era stata riferita e che egli a ragione doveva ritenere attendibilissima (Vedi pure *Giornali*).

Licenziamento di impiegato.

Non sono mai dovuti danni *morali* in tema di danno per colpa contrattuale, ma solo nel caso di colpa extra-contrattuale (2) e così nel caso di licenziamento ingiusto ed anche ingiurioso di un impiegato si versa in tema di danno contrattuale, e per indennità possono liquidarsi le spese della lite che egli abbia sostenuto ivi comprese le irrepetibili e non liquidate, e quelle di viaggio per conferire col suo avvocato.

I danni morali sono risarcibili anche quando non abbiano cagionato conseguenze realmente dannose al patrimonio economico di colui che li ha subìti (3).

---

(1) App. Milano, 7 febbraio 1905, *Giur. Tor.*, 350.
(2) App. Venezia, 3 agosto 1905, *Mon. Trib.*, 936.
(3) Cass. Palermo, 17 dicembre 1903, *Circolo giur.*, II, 75.

Diffamazione.

I genitori hanno diritto di agire per i danni morali contro colui che sia stato condannato come diffamatore della loro figliuola per avere, comunicando con più persone, attribuito alla stessa, mentre era fidanzata, di avere procreato un figlio (1).

Il risarcimento dei danni morali va fatto consistere nella solenne riabilitazione del danneggiato, pronunciata dal giudice e tradotta simbolicamente in una somma di denaro (2).

Alcuni ritengono però che se si tratti bensì di una offesa morale, ma senza ripercussione sulla persona fisica (nella specie a causa di un pignoramento poscia annullato) non vi siano danni morali risarcibili pecuniariamente (3).

Colpa contrattuale. — Danni morali.

Secondo la prevalente giurisprudenza, per inadempimento contrattuale non può mai chiedersi risarcimento di *danni morali* (4) (art. 1228 Cod. civ.).

E così fu pure ritenuto che *nelle obbligazioni di fare* l'inadempimento che produca soltanto danni morali, non dà luogo a risarcimento (5).

Non sono giuridicamente valutabili i danni morali per lo stato di animo di chi ha cause civili puramente e semplicemente patrimoniali (6).

Anche nel caso di inadempimento doloso di un'obbligazione, il risarcimento non può estendersi ai danni meramente morali (7).

---

(1) Trib. Cagliari, 25 novembre 1908, *Mon. Trib.*, 517.
(2) Trib. Potenza, 20 maggio 1908, *Mon. Trib.*, 154.
(3) Cass. Napoli, 19 agosto 1908, *Mon. Trib.*, 24.
(4) Cass. Torino, 10 luglio 1908, *Giur. Tor.*, 1281-1301.
(5) App. Milano, 9 marzo 1891, *Foro It.*, 510.
(6) App. Bologna, 9 aprile 1897, *Mon. Giur.*, 277.
(7) App. Venezia, 19 giugno 1891, *Temi Ven.*, 551.

Invece nei danni diretti ed immediati di cui all'articolo 1229 del Codice civ., si comprendono anche i danni morali (1).

Fotografo — Nudità.

Il fotografo che riproduce nuda una ragazza minorenne senza il consenso dei genitori, esponendo la fotografia in pubblica mostra, è tenuto al risarcimento dei danni nonostante che la ragazza fosse usa a posare nuda in privato come modella, assenzienti i genitori. e davanti agli studenti di Accademie di Belle Arti, o di artisti (2).

Danni morali per morte di un bambino.

Nel caso di morte di un bambino (ad es. di anni due), cagionata dall'essere stato investito da un carro per negligenza di chi lo conduceva e della cui colpa sia tenuto responsabile civilmente il padrone del conducente, sono sempre dovuti, se non i danni *materiali* (in quanto che nessun guadagno od utilità poteva il bambino produrre per la famiglia) certamente i danni *morali*, che debbonsi liquidare a favore dei genitori.

Danni morali in genere.

I danni morali sono risarcibili non solo in caso di responsabilità per reato, ma anche in quello per semplice quasi delitto.

La sentenza penale che escludendo dal fatto il carattere di reato. gli riconosce però quello di quasi delitto, e condanna l'autore al risarcimento dei danni *civili* e da liquidarsi. non esclude il risarcimento dei danni morali

---

(1) App. Venezia, 25 maggio 1900, *Temi Ven.* 328 ; C. F. Gabba, *Del risarcimento dei danni morali*, nel *Foro It.*, 1896, pag. 685.

(2) App. Torino, 3 marzo 1903, *Giur. Tor.*, 489.

da estimarsi dal giudice civile insieme alla liquidazione dei danni materiali (1).

Minaccie di morte — Spavento.

Chi fu minacciato nella vita con un colpo di pistola esplosogli contro, e fortunatamente andato a vuoto, ha diritto di essere indennizzato dei danni *morali* per lo spavento sofferto. E per vero le sofferenze psichiche e gli intimi affanni sono sufficienti a costituire ragione di risarcimento morale che si risolve in via pecuniaria (2). Nel caso in esame fu liquidata la somma di lire *seicento*.

Licenziamento ingiusto di insegnante.

Poichè anche i danni morali, consistenti nel dolore e nel patema d'animo, sono risarcibili, è a ritenersi responsabile il Comune per i danni morali risentiti da una *direttrice* delle scuole comunali, licenziata per motivi ingiuriosi e falsi, ancorchè in sèguito il licenziamento sia stato annullato, e la maestra abbia ricuperato il posto (3).

Ingiurie.

Trattandosi di danni morali per reato di *ingiuria*, il giudice nella sua valutazione deve tener conto della natura e dell'entità dell'ingiuria, della qualità dell'ingiuriato e del luogo in cui furono pronunciate (4).

Danni morali per dolori sofferti e per deturpamento della persona (Vedi Tramvie).

---

(1) Cass. Torino, 31 dicembre 1889, *Legge*, II, 386.
(2) App. Torino, 12 febbraio 1901, *Giur. Tor.*, 439; Avv. Paolo Camassa, *I danni morali nella dottrina e nel diritto*, Ostuni, 1900, Tip. Ennio. ·
(3) App. Palermo, 1° aprile 1898, *Legge*, II, 705.
(4) Cass. Roma, 6 novembre 1897, *Legge*, I, 727.

Schiaffo — Pubblico ufficiale.

L'offesa fatta al rappresentante di un ente morale lede altresì il patrimonio morale della persona assunta a tale ufficio e dà diritto al risarcimento del danno morale. E così furono liquidate L. 1000 per danni morali ad un *sindaco* schiaffeggiato in occasione di una dimostrazione politica (1).

Dazio Consumo.

Agenti daziarii — Contravvenzioni — Raggiro.

L'appaltatore del dazio è civilmente risponsabile dei danni che un suo commesso, anche nominato dal Prefetto, arreca a privati facendoli cadere con raggiri ed inganni in contravvenzione al dazio di minuta vendita (art. 212 reg. gen. daziario 27 febbraio 1898, art. 1153 Cod. civ.) (2).

E per vero sebbene siasi ritenuto legittima la contravvenzione quando sia ad arte facilitata l'opera del contravventore, non può ravvisarsi più lecito il fatto quando l'agente troppo zelante e provocatore, mette esso stesso in opera frode e raggiri; e poichè la contravvenzione giova all'appaltatore, deve egli per converso rispondere del fatto illecito dei suoi agenti, e vigilare che non si commettano soprusi dai medesimi poco scrupolosi (Vedi pure *Committenti*).

E per vero la ditta appaltatrice del dazio che a mezzo dei suoi agenti eleva delle contravvenzioni, non compie atti di *impero*, ma di semplice gestione del proprio interesse, per le cui conseguenze dannose essa è tenuta a rispondere in caso di dolo o colpa dei proprii agenti (art. 206 regol. daziario 1898) (3); e quindi gli *agenti daziarii* dell'ap-

---

(1) App. Aquila, 17 ottobre 1899, *Legge*, 1900, 1, 591.
(2) App. Torino, 29 dicembre 1902, *Giur. Tor.*, 1903, 221.
(3) App. Casale, 1° dicembre 1901, *Giur. Tor.*, 1902, 94.

paltatore nelle loro funzioni compiono meri atti di gestione patrimoniale nell'interesse del loro committente appaltatore (1); però vi è pure qualche giudicato che ritenne che i detti agenti agiscano *jure imperii* (2), non esonerando però l'appaltatore dall'obbligo del risarcimento dei danni *ex quasi delicto*, quando l'errore degli agenti dipende da dolo o da negligenza dell'appaltatore medesimo; ed è dovuto risarcimento di danni se gli agenti usano gli artifizi dolosi non già per sorprendere il contribuente in flagrante contravvenzione, ma bensì a sospingerlo per malizioso equivoco ad una contravvenzione che lo stesso contribuente non avrebbe spontaneamente commessa; e col premeditato proposito di farlo cadere anche inconsciamente nelle contravvenzioni (3).

L'agente daziario che trascende ad atti arbitrarii incorre nella risponsabilità dei danni, e per lui risponde anche l'appaltatore alle cui istruzioni egli siasi informato (4). Infatti quando l'agente daziario esercita il mandato conferitogli dalla legge, va esente da responsabilità finchè si tiene nel terreno e nei limiti legali; ma se trascende ad atti arbitrarii, incorre nella responsabilità dei danni come ogni altro cittadino; e se il suo operato è conseguenza delle istruzioni avute dall'appaltatore, la responsabilità pei danni si riversa anche sull'appaltatore medesimo.

Fu altresì giudicato che se l'appaltatore non solo rimette il verbale alla giustizia punitiva, ma nel giudizio si costituisce parte civile e sostiene in prima e seconda istanza la reità dell'imputato, la quale invece rimane esclusa per fatti che potevano benissino essere a conoscenza dello stesso appaltatore, egli non usa della ponderazione necessaria, ed avendo agito con leggerezza, cade in quella colpa che obbliga al risarcimento di danni (5).

---

(1) Cass. Roma, 7 dicembre 1894, *Corte Suprema,* XIX, 374.
(2) Cass. Palermo, 26 novembre 1898, *Foro Sic.*, 1899, 101.
(3) Citata sentenza Appello Casale.
(4) Cass. Torino, 30 gennaio 1895, *Giur. Tor.*. 323.
(5) App. Trani, 6 febbraio 1903, *Rassegna Trib.*, 10.

Perchè l'imputato di contravvenzione daziaria, assoluto, possa pretendere la rivalsa dei danni occorre quindi sempre la prova del dolo o della colpa nel verbalizzante (1).

Non concorre l'estremo della colpa o dolo se il contravventore fu condannato in primo giudizio ed assoluto in appello per difetto di dolo; nè a comprovare la colpa sarebbe sufficiente il dimostrare che vi fossero rancori e risentimento tra gli agenti (o l'appaltatore) ed il contravventore (2).

Custodia delle merci sequestrate.

L'appaltatore risponde dei danni derivanti da cattiva custodia dei generi sequestrati dai suoi agenti in sèguito ad accertamento di una contravvenzione (3).

L'agente daziario deve astenersi dall'elevare la contravvenzione quando egli non abbia la certezza morale che il fatto sia avvenuto con intendimento doloso di frodare il dazio; e se senza tale certezza, egli eleva la contravvenzione, *è in colpa* e di tale colpa risponde civilmente l'appaltatore (4).

Debito pubblico.

Anche l'Amministrazione del debito pubblico, per quanto riflette le operazioni relative alla rendita pubblica, può incorrere in *colpa*, ed essere quindi soggetta a risarcimento di danno. Ma quanto alla competenza a giudicare di tale colpa va tenuto presente che secondo l'art. 30, n. 2, della legge 20 marzo 1865, n. 2248, alleg. E, spetta sempre esclusivamente al *Consiglio di Stato* il giudicare

---

(1) Trib. Cosenza, 2 maggio 1908, *Rassegna Trib.*, 15.
(2) App. Roma, 18 giugno 1908, *Rassegna Trib.*, 15.
(3) Cass. Roma, 21 dicembre 1908, *id.*, 58, *Dazio Cons.*, 22.
(4) Pretura Nizza Monferrato, 27 aprile 1904, *Rassegna Tribun.*, pag. 274.

delle controversie tra lo Stato ed i suoi creditori; e perciò fu deciso che l'autorità giudiziaria è incompetente a giudicare se l'Amministrazione del debito pubblico sia o no in colpa per l'eseguimento di operazioni in base a documenti falsi (1).

La legge impone all'amministrazione di eseguire senza altro (art. 24 legge 10 luglio 1861, n. 94) le operazioni che le si richiedono, quando i documenti presentati rivestano quelle date forme, e quindi se coteste *forme* sono perfettamente osservate l'amministrazione che abbia applicate esattamente le disposizioni della sua legge, non è pù responsabile di danni di sorta.

Sarebbe invece risponsabile di danni quando, malgrado che le fossero presentati i documenti prescritti a corredo di sua domanda di una data operazione sul debito pubblico, essa rifiutasse di procedervi. E nel caso di documenti *falsi*, è evidente che l'amministrazione non poteva conoscere *a priori* quella falsità, per cui se erano osservate tutte quelle forme esteriori prescritte, rettamente essa procedette all'operazione richiestale e non è più risponsabile di danni (2).

Delitti e quasi-delitti.

(Vedi **Fatti illeciti**).

Depositi e Depositarii.

(Vedi pure **Albergatori — Dogane**).

Furto.

La negligenza usata nel custodire le cose proprie, lasciandole rubare insieme colle cose altrui ricevute in

---

(1) Trib. Napoli, 9 maggio 1902, *Legge*, 455.
(2) *Delitti e quasi-delitti* (vedi *Fatti illeciti*).

deposito, *non dispensa* il depositario dalla responsabilità di danno verso il derubato (art. 1843 Cod. civ.) (1).

E per vero, risulta bensì dal testo di legge che l'articolo 1843 Cod. civ. richiede ugual trattamento del *negotium suum* e del *negotium alienum*; ma il legislatore ritiene che si debba usare anche nelle cose proprie la *diligenza* di un buon padre di famiglia, dovendo supporre *buono* il cittadino, e quindi non regge che se uno non è diligente nelle cose proprie, non si possa pretendere che sia diligente nelle cose altrui, cosicchè giustamente, l'essere stato negligente anche nel proprio interesse, non esime dalle conseguenze dannose della negligenza usata verso i terzi, e nulla decide per costoro il vedere che anche il depositario è loro collega nella sventura.

Non è imputabile al *custode* di cose pignorate il furto di una bestia sequestrata o pignorata, commesso di notte tempo in una stalla *lasciata aperta*, se la precauzione del chiudimento della medesima, è pei luoghi dell'avvenuto furto, una misura superflua ed inusitata anche dai buoni e diligenti padri di famiglia (2).

Il *furto con rottura* non induce di per sè solo una presunzione *juris et de jure* che nessuna colpa possa ascriversi al depositario della cosa rubata: esso costituisce un caso di forza maggiore che lo libera da ogni responsabilità, *quando sia esclusa in lui ogni negligenza* (3).

Si furto amittatur res, praesumitur culpa ejus cui custodia commissa. Probabo illo casu; non dicitur purgata culpa, et tunc tenetur probare culpam in eo cessasse (Dig., leg. 52, Pro Socio).

Furto di merci presso spedizioneri (Vedi Trasporti e Vettori).

(1) Cass. Torino, 11 settembre 1903, *Giur. Tor.*, 1475.
(2) Cass. Torino, 2 maggio 1866, *Giur. Tor.*, vol. III, 200.
(3) Cass. Torino, 9 gennaio 1867, *Giur. Tor.*, vol. IV, 52.

Teatri o Sale di spettacoli pubblici.

Quando il regolamento di una sala di spettacoli pubblici o balli pubblici, o teatri, impone agli spettatori di depositare gli ombrelli e bastoni, il deposito di questi oggetti costituisce un deposito necessario regolato dall'art. 1942 Cod. civ. e segg. L'intraprenditore della guardaroba è, in caso di *perdita*, responsabile del valore dell'oggetto depositato, per quanto elevato esso sia, se al momento della consegna e deposito, è stata fatta speciale raccomandazione alla persona incaricata di ritirare l'oggetto.

In difetto di tale raccomandazione speciale, l'intraprenditore della guardaroba non sarà tenuto a pagare che il valore ordinario di un oggetto della stessa natura (1).

Regole generali.

Il depositario non è tenuto a rispondere dei deterioramenti avvenuti senza sua colpa nelle cose depositate. Essi sono in tal caso a carico del deponente (art. 1849 Cod. civ.). E così pure il depositario non è responsabile in verun caso per gli accidenti prodotti da forza maggiore, eccetto che sia stato costituito in mora per la restituzione della cosa depositata (art. 1845 Cod. civ.).

Circa la *colpa* di cui risponde il depositario, essa è misurata col criterio della diligenza che il depositario deve usare nel custodire le cose proprie (art. 1843 Cod. civ.). Però la disposizione di cui sopra deve essere applicata con maggior rigore in questi casi:

1° Quando il depositario si è offerto a ricevere il deposito;

2° Quando ha stipulato una rimunerazione per la custodia del deposito;

3° Quando il deposito si è fatto unicamente per l'interesse del depositario;

---

(1) *Justice de Paix de Bordeaux*, 3 febbraio 1892, *Legge*, 1893, v. I, pag. 310.

4° Quando sia convenuto *espressamente* che il depositario sarà obbligato *per qualunque colpa* (art. 1844 Cod. civ.).

Il depositario, cui la cosa depositata si stata tolta per forza maggiore, e che ha ricevuto in luogo di quella una somma di denaro, o qualche altra cosa, deve restituire ciò che ha ricevuto (art. 1850 Cod. civ.).

Depositi giudiziarii.

Responsabilità dello Stato.

Lo Stato è responsabile dei depositi giudiziarii fatti per ordine di legge in una delle pubbliche casse ed a mani di funzionario autorizzato a riceverli; e quindi risponde della sottrazione, operata da un Cancelliere, di somma depositata per costituzione di parte civile, presso una Cassa Postale (art. 1153 e 1876 Cod. civ.; art. 7 legge 10 aprile 1892 sugli atti giudiziarii e servizi di Cancelleria) (1).

Lo Stato risponde anche dei depositi fatti per giudizii di subasta (2). Su questo punto però si fa una distinzione, cioè lo Stato risponde della perdita del deposito avvenuta per fatto *colposo e doloso* del cancelliere limitatamente alla parte del deposito che è relativa all'ammontare delle spese di incanto, della vendita e relativa trascrizione: non ne risponde per l'altra parte che consiste nel decimo del prezzo di incanto. La ragione di questa distinzione venne riposta in ciò che il deposito del decimo del prezzo di incanto è prescritto unicamente nell'interesse dei privati che vi concorrono, ed il Cancelliere lo riceve come

---

(1) Cass. Roma, 22 dicembre 1903, *Giur. Tor.*, 1904, 373; Gabba, Studio riportato nel *Foro It.*, 1888, pag. 474 e 1010, *Giurispr. costante e generale.*

(2) Cass. Palermo, 7 luglio 1887; Cass. Torino, 13 giugno 1888, *Giur. Tor.*, 1888, pag. 808-783-648.

funzionario giudiziario, e non come Contabile dello Stato. All'incontro il deposito delle spese di incanto, vendita e trascrizione è prescritto nell'interesse finanziario dello Stato per assicurargli il pagamento dei diritti e delle tasse dovute per detti atti (1). Deve ritenersi ancora una altra distinzione, che cioè lo Stato risponderà in tal caso del deposito, se il Cancelliere lo trafuga, o se il trafugamento è imputabile a negligenza, colpa, trascuratezza del funzionario; ma la responsabilità dello Stato viene meno quando non vi è colpa o quando la perdita si verificò ad onta che il depositario avesse usato nella custodia tutta la diligenza di un buon padre di famiglia (Es. se ladri ignoti rubarono con effrazione di notte nella Cancelleria).

Vi ha infine chi non ammette la distinzione fatta precedentemente tra decimo di prezzo e spese di incanto e vendita, affermando che sia l'uno che le altre sono depositi *necessarii* ed il Cancelliere riceve le somme sempre come funzionario dello Stato, per cui questo deve sempre rispondere in ogni caso quale committente.

Si ritiene generalmente però che allora soltanto può essere risponsabile l'Amministrazione pubblica pei depositi fatti presso un cancelliere giudiziario che se li sia dolosamente appropriati, quando tali depositi siano stati *obbligatorii*, e quindi non risponderà l'Amministrazione per i depositi fatti per solo comodo delle parti.

Nel caso di risponsabilità dell'Amministrazione, il privato che ha avuto danno, ha diritto di ottenere che gli sia risarcito il danno stesso mediante ritenute che l'Amministrazione faccia sullo stipendio del funzionario o dei di lui eredi; ciò però mediante contraddittorio dell'erede stesso (2).

---

(1) *Giur. Tor.*, 1883, pag. 648 nota.
(2) Trib. Cuneo, 23 aprile 1873, *Legge*, XIII, 151.

Depositi per incanti.

Lo *Stato* è risponsabile dei depositi eseguiti nelle Cancellerie dagli offerenti agli incanti (1).

Detenuti e Carceri.

Danni arrecati da evasi.

Lo *Stato* non risponde dei danni arrecati dai suoi *agenti* e rappresentanti nell'esercizio delle sue funzioni di *impero*, quali sono quelle della custodia dei *detenuti*: e quindi se un detenuto in una colonia penale agricola, eludendo la vigilanza dei guardiani, uscito dal penitenziario armato di rivoltella, la esplode verso gente che transiti per la via e ferisca una persona, è inammessibile l'azione da questa intentata contro l'amministrazione dello Stato per il risarcimento del danno patito (2); e per vero, se lo Stato nel provvedere alla custodia dei detenuti esercita un potere discrezionale insindacabile dalla Autorità giudiziaria, non può rispondere conseguentemente di danni nel caso suddetto, ancorchè lo Stato partecipi al prodotto del lavoro compiuto dai detenuti (3).

Suicidio di detenuto.

Non risponde il guardiano carcerario pel fatto di avere dimenticato, in contravvenzione ai regolamenti, una corda in una cella di un detenuto, il quale si sia servito della corda stessa per strangolarsi (4).

---

(1) Cass. Palermo, 2 marzo 1895, *Legge*, I, 766.
(2) App. Lucca, 20 agosto 1904, *Foro It.*, I, 57.
(3) Cass. Roma, Sezioni unite, 1° agosto 1905, *Cassa unica civile*, pag. 306.
(4) Cass. Roma, 10 febbraio 1904, *Foro Ital.*, II, 162.

Appaltatori dei viveri — Danni.

L'appaltatore della fornitura dei viveri delle carceri giudiziarie non può chiedere risarcimento di danni (nè risoluzione di contratto) se per effetto di una amnistia siasi prodotto uno sfollamento straordinario di detenuti dalle carceri (1).

Maltrattamenti a detenuti — Arresti arbitrarii.
(Vedi il titolo **Funzionari pubblici**).

Diritti d'autore.

(Vedi pure **Plagio** — **Concorrenza sleale** —
Teatri — **Giornali**).

Riduzione di spartito per piccola banda.

Commette contraffazione e risponde di danni il maestro direttore di una banda musicale, che, *senza alcuna autorizzazione*, riduce in partitura adattata alla abilità e numero degli individui e specie degli strumenti della sua banda, un'opera o parte di un'opera di altrui proprietà, e facendo le singole parti strumentali e dando l'opportuna istruzione ai bandisti, dia poi pubblica esecuzione, sebbene senza fine di *lucro*, di tale opera o parte di opera (2) (art. 32 legge sui diritti d'autore). La parola generica contraffazione indica sia il *ridurre* che il *riprodurre* od *adattare*.

Raccolte.

Una raccolta la quale non contiene che *estratti* di opere altrui, ma scelti, ordinati e riassunti in modo da

---

(1) Cass. Roma, 4 novembre 1903, *Giur. It.*, I, 1, 126.
(2) App. Trani, 16 maggio 1898, *Legge*, 1899, I, 239.

imprimere un'indole speciale ed importanza propria alla compilazione e da offrire singolare utilità ed agevolezza di ricerca e di consultazione, costituisce opera dell'ingegno (1); purchè però non si venga a fare una semplice riproduzione o contraffazione.

Riproduzione di articoli o telegrammi di giornali (Vedi **Giornali**).

Opere letterarie russe.

È libera in Italia la traduzione di opere letterarie pubblicate originariamente nel territorio dell'Impero Russo (2). Imperocchè non essendovi legge russa che tuteli gli autori italiani in quello Stato, devesi fare il trattamento di reciprocità ai Russi (Vedi la diffusa motivazione della sentenza la cui massima è qui riportata).

Cataloghi commerciali.

I cataloghi commerciali illustrati e le relative figure non possono ritenersi protetti a sensi della legge sui marchi di fabbrica, come segni distintivi di fabbrica o commercio. Non possono neppur essere ritenuti protetti a senso della legge sui diritti di autore, fuorchè nel caso in cui costituiscano opere vere e proprie dell'ingegno, e non semplice rappresentazione di comuni oggetti di commercio (3).

Cromolitografie.

Anche una semplice cromolitografia adottata ad uso di *calendari-reclames* o di *etichette commerciali* costituisce

---

(1) Cass. Roma, 5 aprile 1900, *Legge*, II, 26; Amar, *Diritti degli autori*, n. 16 e 17.
(2) Trib. Milano, 27 febbraio 1900, *Legge*, I, 772.
(3) App. Firenze, 6 dicembre 1904, *Mon. Trib.*, 335.

opera dell'ingegno tutelata dalla legge sui diritti di autore. Però, allorchè una ditta di incisioni artistiche a richiesta di una ditta commerciante trasforma un disegno sul quale gode il diritto di autore in guisa da caratterizzare e specificare l'industria della ditta commerciante e le fornisce un gran numero di copie di detto disegno modificato, si intende che abbia ceduto alla ditta commerciante anche il diritto alla *riproduzione* esclusiva del disegno modificato in deroga al disposto dell'art. 18 della legge 18 dicembre 1822, e non costituisce quindi contraffazione il fatto del litografo il quale, per ordine della suddetta ditta commerciante, fabbrica un certo numero di etichette ad uso industriale riproducendovi il disegno modificato (1).

Fotografie.

La legge sui diritti d'autore tutela la fotografia quando non sia la semplice riproduzione chimica e meccanica degli oggetti per mezzo della luce, ma allorchè l'opera personale del fotografo imprima ad esso un carattere di originalità e l'impronta della propria personalità; e vi è contraffazione anche quando l'opera tutelata dal diritto d'autore sia riprodotta come *parte* di una nuova composizione fotografica originale (2).

Anche una **cartolina illustrata** può formare opera dell'ingegno tutelata dalla legge (3).

Riproduzione di pezzi musicali per mezzo di strumenti musicali meccanici.

La questione se la riproduzione con strumenti musicali meccanici di arie e pezzi di musica tolti al dominio privato

---

(1) Cass. Torino, 21 novembre 1904, *Foro It.* 171.
(2) Cass. Roma, 20 maggio 1905, *Legge*, 1301.
(3) Cass. Roma, 8 novembre 1904, *Legge*, 57.

e la loro esecuzione in pubblico senza il consenso dell'autore costituissero o meno infrazioni dei diritti d'autore, fu discussa e dibattuta assai, e variamente risolta dalla giurisprudenza, quasi sempre però favorevolmente agli autori. Secondo la legge vigente, la riproduzione di composizioni musicali di dominio privato è interdetta, come per ogni altra riproduzione, per anni quaranta a partire dalla loro pubblicazione. Secondo l'art. 10 poi della legge stessa il diritto esclusivo di rappresentazione od esecuzione di un'opera addatta a pubblico spettacolo, di una azione coreografica e di *qualunque composizione musicale*, dura nell'autore o nei suoi aventi causa *80 anni*.

La Convenzione di Berna 9 settembre 1886 all'art. 3 stabilì : " *Il est entendu que la fabrication et la vente des instruments servant à reproduire mécaniquement des airs de musique empruntés au domaine privé ne sont pas considérées comme costituant le fait de contrefaçon musicale* „.

La Convenzione di Berna non vietava perciò la fabbrica e la vendita degli strumenti musicali meccanici allora conosciuti, cioè le *scatole di musica, gli organetti di Barberia*, ma non poteva contemplare gli attuali perfezionatissimi strumenti dai celebri organi di Gavioli che suonano sulle giostre a perfezione intiere sinfonie con effetto quasi pari a quello di una banda musicale, ai *grammofoni, fonografi*, pure meravigliosi riproduttori della voce e del suono; cosicchè è a ritenersi :

1º È consentita la fabbricazione, la vendita (e conseguentemente la riproduzione in senso strettissimo, e non anche in quello di esecuzione) degli organetti di Barberia, scatole di musica e simili, il cui apparecchio o mezzo riproduttore è parte integrale e non ricambiabile dello strumento (1);

---

(1) M. TURLETTI, *Appunti e commenti sui diritti di autore e le riproduzioni per mezzo di strumenti meccanici musicali*. Torino, Unione Tip.-Editrice, 1907, pag. 22.

2° È naturalmente anche consentita la fabbricazione e la vendita di altri speciali strumenti più perfezionati il cui mezzo riproduttore *è separato*, e *finchè è separato dallo strumento* (es. fonografi, grammofoni, ariston, pianole), e ciò perchè lo strumento da solo, senza il cartone perforato od il disco riproduttore dei suoni è un apparecchio inservibile e non può quindi ledere il diritto di alcuno;

3° Non è invece consentita la fabbricazione, la vendita dei mezzi riproduttori (cartoni, dischi, cilindri ecc.) destinati ad essere applicati agli strumenti, e suscettibili di essere ricambiati a volontà del possessore dello strumento;

4° Non è consentita la esecuzione pubblica a mezzo di qualunque strumento meccanico di qualunque natura e di qualunque grado di perfezione esso sia.

Fu giudicato esser dovuto risarcimento di *danni* per il fatto di noleggiare ad un suonatore ambulante un *organetto a cilindro* contenente un *pezzo* della *Bohême* di Puccini, senza aver soddisfatto ai diritti d'autore (1).

E così pure costituisce violazione del diritto di edizione vigente su opere musicali protette dalla legge sulla proprietà artistica e letteraria, la riproduzione delle opere medesime o parti di esse col sistema dei così detti *rulli perforati (Cecilian, Eolian, Pianola)* (2).

Quanto ai *grammofoni* fu ritenuto che la legge parla di *stampa od altro simile modo di pubblicazione* (art. 2) e di *riproduzione* fatte con *qualsiasi modo* (art. 32), per cui debbono comprendervisi di necessità anche i dischi dei grammofoni, che sono un potente mezzo di *pubblicazione* (3), la quale parola significa quel procedimento mediante il quale la concezione spirituale dell'artista è rivelata e portata a notizia degli altri.

E le *impressioni* eseguite sui dischi grammofonici sono certo uno di quei *modi qualsiasi* con cui il pensiero musi-

---

(1) Trib. Torino, 10 maggio 1901; TURLETTI, op. cit., pag. 25.
(2) Trib. Cremona, 7 febbraio 1906, op. cit., pag. 31.
(3) App. Firenze, 1° luglio 1905 (*Diritti d'autore*, 1905, pag. 38).

cale viene portato a cognizione altrui, e sebbene impercettibili ad occhio, sono tuttavia *segni artificiali* di riproduzione del suono, e chi adopera un grammofono, sostituisce un disco all'altro per avere l'esecuzione dei vari pezzi di musica, come chi siede al pianoforte svolge dinanzi a sè i fogli delle edizioni stampate per conseguire la medesima esecuzione; colla sola differenza che il pianoforte non porta con sè l'annotazione musicale.

Non si fa distinzione tra riproduzione di musica *istrumentale*, e di musica *vocale* (1).

Fu ritenuto infine che costituisce contraffazione la riproduzione di pezzi musicali a mezzo di dischi riproducenti le note (erofoni) o a mezzo di striscie o cartoni perforati indipendenti dallo strumento (2).

La Corte di Lione (3) ritenne che il caffettiere il quale installa presso di sè nella sua sala pubblica a disposizione degli avventori quello strumento musicale detto l'*Automatico*, è personalmente risponsabile di *esecuzione musicale abusiva* anche se non è proprietario dello strumento, e se questo sia fatto agire da una delle persone del pubblico, ed anche se egli non trae profitto del denaro versato per ciascuna audizione.

Costituisce pure violazione dei diritti d'autore la riproduzione su **fonografi** o **grammofoni**, messi in vendita, di opere letterarie senza canto od accompagnamento di musica (4); e così pure l'eseguire senza il prescritto permesso brani di opere musicali con organetti a striscie di cartoni o simili (5) o coi cosidetti *piani melodici*.

È illecita la esecuzione pubblica di lavori musicali fatta senza il permesso dell'autore, a mezzo di uno strumento fonografico (6).

---

(1) Trib. **Milano**, 27 luglio 1906; Turletti, op. cit., pag. 84.
(2) *Bollettino della Società degli Autori*, anno 1901, pag. 8.
(3) Sentenza 14 novembre 1900, *Annales de la propr. industr. artist.*, 1901, pag. 84.
(4) App. **Parigi**, 1° febbraio 1904; *Pasicrasie Belge*, 1904, IV, 45.
(5) Pretore Urbano Torino, 7 aprile 1903.
(6) Pretore di Chieri, 15 gennaio 1902, *Boll. Soc. Autori*, 1902, 57.

Disastri ferroviarii.

(Vedi pure Ferrovie e Liquidazione dei danni).

Giudizio penale e giudizio civile. — Prove.

L'esperimento dell'azione civile pel risarcimento del danno avvenuto per un disastro ferroviario non è sospesa nè impedita dalla querela proposta dal danneggiato contro la Società e contro i possibili autori. L'onere della prova che il disastro avvenne per *fortuito*, è a carico del vettore (1).

Nel caso di disastro ferroviario, se un viaggiatore od agente del vettore soffre danno, non è tenuto a provare la colpa del vettore, ma è questi tenuto a provare la propria irresponsabilità quando voglia sottrarsi all'obbligo del risarcimento (2).

Imprudenza della vittima.

L'Amministrazione ferroviaria non risponde della morte di un suo dipendente schiacciato da un treno durante una manovra, se risulta che la morte è dovuta unicamente alla imprudenza della vittima (3).

Azione contrattuale ed extra-contrattuale.

Il viaggiatore colpito da disastro ferroviario può, pel risarcimento dei danni, agire contro l'Amministrazione ferroviaria anche colle azioni *contrattuali di inadempimento*, alternativamente però, e non cumulativamente con quella aquiliana per quasi delitto (art. 1151 e 1218 Cod. civ.) (4). Altre sentenze ritengono che il viaggiatore

---

(1) Trib. Palermo, 1º giugno 1903, *Foro Sic.*, I, 480.
(2) App. Milano, 26 agosto 1902, *Legge*, 23.
(3) Cass. Firenze, 26 giugno 1902, *Legge*, 809.
(4) Cass. Torino, 20 luglio 1904, *Giur. Tor.*, 1121.

non possa agire che per colpa *extracontrattuale;* ultre infine per colpa *contrattuale* esclusivamente, secondo il diverso criterio che viene preso per base del decidere.

In dottrina segue l'opinione che si tratti di colpa *extracontrattuale* il VIDARI (1); affermano invece che si tratti di colpa *contrattuale*: CHIRONI (2), MARCHESINI (3), COGLIOLO (4), FRANCHI (5), VIVANTE (6).

Nel giudizio per risarcimento di danni promosso contro l'Amministrazione ferroviaria per colpa diretta della stessa, non occorre l'intervento degli agenti che occasionarono il disastro.

Deragliamento.

Il disastro ferroviario per deragliamento rende responsabili senz'altro le ferrovie pel risarcimento dei danni ai viaggiatori feriti, senza obbligo in costoro di provare che le ferrovie medesime abbiano avuto colpa, la quale si presume tanto più se risulti che il deragliamento avvenne a causa della cattiva manutenzione della linea (art 1151 e 1152 Cod. civ., 400 Cod. Comm.). Incombe quindi alle stesse ferrovie che vogliano escludere la propria colpa il provare che invece il disastro provenne da fortuito o forza maggiore (7).

Danni risarcibili.

Nel calcolo dei danni risarcibili non vanno compresi i danni *morali*, ma solo i *patrimoniali* (8). La giurispru-

---

(1) *Dir. Comm.*, IV, 8353.
(2) *Colpa contrattuale*, 550.
(3) *Il contratto di trasporto per strada ferrata*, I, 124.
(4) *La responsabilità delle Società ferroviarie*, pag. 53.
(5) *Manuale di Diritto Comm.*, 172.
(6) *Trattato di Diritto Comm.*, I, 59.
(7) App. Milano, 26 agosto 1902, *Giur. Tor.*, 1452 e App. Palermo 20 dicembre 1904, *Mon. Trib.*, 532.
(8) Cass. Roma, 28 gennaio 1905, *Legge*, 990.

dènza anteriore però in massima ritiene che l'azione
degli eredi di chi fu vittima di un sinistro ferroviario,
contro le ferrovie, debba comprendere sia i danni morali
.pel dolore sofferto, sia quelli materiali pel sostegno ed
aiuto di cui si trovano privati (1).

Interessi legali.

Sulle somme liquidate ad un viaggiatore per indennizzo
in sèguito a disastro ferroviaro, decorrono gli interessi
legali nella ragione commerciale (2).

L'azione per danni ha carattere civile.

L'azione del viaggiatore per risarcimento di danni in
sèguito a sinistro ferroviario basato su colpa degli agenti
di cui la Società (o lo Stato) è tenuta a rispondere, ha
natura essenzialmente *civile*, e quindi non può farsi rientrare nel contratto di trasporto allo scopo di farla ritenere di natura commerciale agli effetti della competenza
(art. 290 legge 20 marzo 1865 sui lav. pubbl., alleg. *F.*) (3).
E per vero, nè nel Codice civile, nè in quello di commercio
si trovano disposizioni riguardanti l'incolumità delle persone sulle ferrovie. L'art. 1629 e il 1634 del Cod. civ.
contemplano le perdite od avarie delle cose, ma non
parlano delle persone; il Codice di commercio tace completamente, e la relazione della legge sui lavori pubblici
riporta che le disposizioni relative alle indennità dovute
dalle ferrovie per le lesioni personali e le uccisioni, non
possono essere comprese nel Codice di commercio; cosicchè non rimane che applicare i principii generali degli
art. 1151 e 1153 Cod. civ. Inoltre si osserva che non può
contemplarsi la incolumità nel contratto, perchè l'Am-

---

(1) Cass. Torino, 9 dicembre 1901, *Giur. Tor.*, 1902, 88.
(2) App. Milano, 24 maggio 1904, *Mon. Trib.*, 995.
(3) Cass. Torino, 6 dicembre 1900, *Giur. Tor.*, 10.

ministrazione si obbliga ad eseguire il trasporto delle persone, ma non assume speciale obbligo di prestarlo *incolume*; e di più la integrità della vita e l'incolumità della persona non può essere oggetto di contratto in modo diretto (salva la forma speciale delle *assicurazioni sulla vita od accidenti*).

La Ferrovia non è a ritenersi assicuratrice del viaggiatore in modo da garentire assolutamente la di lui incolumità, ma è soltanto obbligata a trasportarlo con tutta quella sicurezza che è richiesta da una ordinaria cura e previdenza; e se risulti che il viaggiatore impiegando un'attenzione ordinaria avrebbe potuto evitare le conseguenze del fatto, l'Amministrazione ferroviaria non è più risponsabile del danno da lui patito; sempre che nel fatto non sia concorsa anche una *colpa* dell'Amministrazione o dei suoi agenti (1).

In base a tale principio si ritenne che non risponde di danni la Ferrovia se un viaggiatore nell'attraversare i binari inciampa e cade ferendosi, anche se la caduta dipende dall'essere in *pendìo* il passaggio attraverso le banchine di scalo; o se inciampa scendendo dalla vettura.

Vedova di ucciso passata a seconde nozze.

Il passaggio a seconde nozze della vedova di chi rimase ucciso in un disastro ferroviario, importa una diminuzione dell'indennizzo dovutole dai terzi responsabili della morte del di lei primo marito (2).

Assolutoria in giudizio penale.

Anche dopo l'assolutoria degli imputati in sede penale, al viaggiatore che ebbe a risentire danno da un disastro

---

(1) App. Venezia, 12 aprile 1889, *Giur. Gen.*, 853.
(2) Trib. Federale Svizzero, 27 maggio 1905, *Monit. Trib. Mil.*, pag. 797.

ferroviario, compete l'azione per risarcimento, e ciò anche
se egli era costituito parte civile nel giudizio penale (1).

Investimento in un passaggio a livello.

L'Amministrazione ferroviaria non risponde dell'investimento verificatosi in un passaggio a livello, se il cancello al momento dell'arrivo del treno era chiuso, sia pure non a chiave, e l'investito lo fece aprire da persona estranea all'Amministrazione (2).

E fu pure in proposito giudicato che non è l'Amministrazione ferroviaria responsabile civilmente della morte di una persona avvenuta a causa di investimento del treno in un passaggio a livello, concorrendo le seguenti circostanze:

a) detto passaggio a livello era difeso da una *catena* permanentemente fissa, e per quanto *senza guardiano;*

b) la vittima, e per la presenza della catena, e per la vista delle rotaie, e per sentirsi il rumore dei treni, doveva andar cauta nell'introdursi nella linea;

c) l'infortunio avvenne di pieno giorno, ed in tempo in cui la vittima facilmente poteva dalle anzidette circostanze essere richiamata a prudenza (art. 1151 del Codice civile) (3).

Colpa del danneggiato.

Constatata in un disastro ferroviario la colpa degli agenti dell'Amministrazione, non può questa colpa essere eliminata per la colpa pure riscontrata nella persona danneggiata di aver mancato di vegliare alla sua sicurezza personale; ciò potrebbe soltanto attenuare la responsabilità dell'Amministrazione ferroviaria (4).

---

(1) Cass. Roma, 20 luglio 1904, *Riv. Univ.*, I, 117.
(2) Cass. Roma, 3 novembre 1904, *Legge*, 1905, 122.
(3) App. Milano, 24 luglio 1903, *Mon. Trib.*, 954.
(4) Cass. Firenze, 1° giugno 1896, *Giur. Tor.*, 476.

E così fu ritenuta responsabile l'Amministrazione nel caso di viaggiatore che trovandosi sopra una piattaforma di un vagone, i cui cancelletti erano aperti, essendosi il treno fermato rapidamente, fu, per la forte scossa, lanciato fuori dal vagone, precipitando sotto le ruote e rimanendo colle gambe sfracellate. In tal caso la colpa degli agenti consiste nel non aver curato che i cancelletti fossero chiusi: però pel fatto dell'essersi trattenuto il viaggiatore sul terrazzino e senza tenersi, sebbene fosse aperto il cancelletto, viene ad esistere anche una colpa per parte sua che attenua la responsabilità dell'Amministrazione (Vedi il titolo *compensazione delle colpe*).

L'obbligo degli agenti ferroviarii addetti al treno di assicurarsi che gli sportelli siano chiusi non è ristretto ai soli sportelli prospicienti la stazione; quindi rispondono della morte o del ferimento di un viaggiatore caduto dal treno per non essere stato chiuso uno sportello, benchè questo fosse dal lato opposto della stazione (1).

La circostanza che un viaggiatore in ferrovia tenga un braccio alquanto sporgente fuori della vettura non costituisce una vera colpa che si possa compensare con quella degli agenti ferroviarii che non abbiano osservate le prescrizioni regolamentari per cui sia derivato danno al braccio del viaggiatore (2).

Risponde dei danni e di lesione colposa il guardafreno ferroviario che apre tardivamente lo sportello di un carrozzone e dopo aver dato il *pronti* per la partenza e già il treno è in moto, eccita un viaggiatore a discendere, e questo discendendo è da lui male sorretto, inciampa, cade e riporta grave lesione (esempio: frattura di una gamba) (3).

Risponde pure per lesione colposa l'assistente a lavori su una linea ferroviaria che, quantunque avvertito del

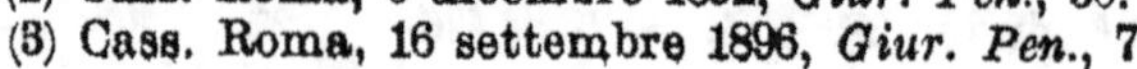

(1) Cass. Roma, 5 giugno 1888, *Legge* 1889, I, 644.
(2) Cass. Roma, 6 dicembre 1892, *Giur. Pen.*, 50.
(3) Cass. Roma, 16 settembre 1896, *Giur. Pen.*, 7

prossimo arrivo di un treno e del conseguente pericolo,
non consente agli operai di ritirarsi in tempo debito, per
cui sopraggiungendo il treno, uno di essi nel ritirarsi in
gran fretta sdrucciola con pericolo di restare investito,
ma pur non essendolo, venga per lo spavento colpito da
squilibrio di mente e malattia nervosa per parecchi
mesi (1).

Se avvenga un disastro per essersi alcuni buoi introdotti da un campo vicino, sulla linea, risponderà civilmente il guardiano dei buoi medesimi che risultasse
essersi addormentato e che li abbia lasciati liberamente
vagare; e risponderà pure il guardiano ferroviario che
non abbia fatto a tempo debito la visita della linea (2).

Assolutoria in sede penale.

Nelle cause per danni prodotti da scontri ferroviarii,
l'assolutoria del *capo-stazione* già pronunciata dalla Corte
d'Assise in base al verdetto dei giurati che ne escluse
la colpevolezza, non è di ostacolo all'esercizio dell'azione
civile contro l'Amministrazione ferroviaria (art. 6 Cod. proc.
pen.) (3). Imperocchè tale assolutoria esclude soltanto la
di lui responsabilità *personale in via penale*, ma non esclude
necessariamente la sua *colpa civile* di cui egli e la Amministrazione ferroviaria debbono rispondere tuttavia.

Danni personali per sporgersi dai finestrini.

Quando la distanza intercedente tra un'opera d'arte
(es. ponte, cavalcavia, ecc.) ed i binarii della ferrovia è
conforme alle disposizioni regolamentari, se un viaggiatore sporgendosi da un finestrino di un vagone mentre
il treno è in movimento, va ad urtare contro l'opera

---

(1) Cass. Roma, 5 novembre 1896, *Giur. Pen.*, 210.
(2) App. Roma, 25 aprile 1874, *Legge*, XIV, 621.
(3) Cass. Torino, 21 novembre 1894, *Giur. Tor.*, 813.

stessa, nessuna colpa può attribuirsi al vettore per non avere ammonito i viaggiatori a non sporgersi, mediante affissione di appositi avvisi nelle carrozze.

Sebbene manchi un preciso disposto di legge che vieti ai viaggiatori di sporgersi dai finestrini dei vagoni mentre il treno è in moto, non può ammettersi che essi abbiano il diritto di fare ciò liberamente e senza usare essi medesimi le necessarie cautele, sia per principio di ragione naturale che per la disposizione di legislazione ferroviaria che impone al viaggiatore l'obbligo di " *usare tutte le precauzioni necessarie e di vigilare per quanto da lui dipende alla sicurezza ed incolumità della sua persona* ,.

Anche nell'ipotesi in cui la distanza tra i binarii e l'opera d'arte non sia regolamentare, non può senz'altro ritenersi il vettore responsabile dell'infortunio, dovendosi prima assodare se e come vi abbia contribuito la imprudenza del viaggiatore (1).

Scontro di treni.

Il solo fatto dello scontro di due treni fa ritenere la colpa, la quale è *in re ipsa*; salvo che l'Amministrazione dimostrasse che il fatto avvenne per fatto a lei non imputabile (2).

Manufatti.

L'Amministrazione ferroviaria è pure responsabile se, conscia di un pericolo che deriva da opere o manufatti (od *armature*) lungo la linea, abbia trascurato di avvertirne i viaggiatori mediante avvisi affissi nelle vetture (3).

---

(1) Cass. Roma, 15 gennaio 1896, *Legge*, 1897, I, 565.
(2) App. Milano, 1894, *Legge*, I, 729.
(3) Cass. Roma, 4 marzo 1905, *Legge*, 1477.

Risponsabilità pei fatti dolosi o colposi di carattere penale.

È risponsabile civilmente dei danni, oltre che penalmente :

1° Chi *ponendo oggetti sulla linea*, o aprendo o chiudendo le comunicazioni dei binarii, o con falsi segnali fa sorgere il pericolo di un disastro, o produce il disastro stesso (art. 312 Cod. pen.);

2° Chi *danneggia* una strada ferrata, o le macchine, veicoli od istrumenti od apparecchi, o getta corpi contundenti o proiettili contro convogli in corso (art. 313 C. p.);

3° Chi fa sorgere il pericolo di disastro o cagiona disastri anche per sola negligenza, imperizia nella propria arte o professione, o per inosservanza di regolamenti o discipline (art. 314 Cod. pen.).

Dogane.

(Vedi pure **Depositi** — **Contrabbando**).

Avarie alle merci.

L'Amministrazione delle gabelle deve garentire alle parti interessate il deposito delle merci immesse nei suoi magazzini, e risponde del fatto dei suoi preposti, ma non vi ha risponsabilità per parte di essa fino alla verifica dei *manifesti* ed alla consegna dei *colli* che racchiudono le merci (1).

L'Amministrazione doganale risponde quindi della mancata restituzione delle merci sequestrate in caso di insussistenza della contravvenzione e dei danni cagionati alle merci stesse per omessa diligenza nella custodia (2).

Allorquando la merce depositata in un magazzino doganale subisce avarie per cause estrinseche alla merce in

---

(1) Cass. Napoli, 20 novembre 1885, *Legge*, VI, 39.
(2) Cass. Torino, 28 luglio 1870, *Legge*, X, 844.

deposito, non ad essa inerenti e non imputabili al depositante, quale lo stato umido dei locali, la Dogana deve rispondere, non potendosi al caso applicare l'articolo 49 del testo unico 26 gennaio 1896. La Dogana essendo infatti depositaria delle merci situate nei magazzini doganali, deve rispondere dei danni cagionati dalla sua colpa o dalla sua negligenza, a prescindere dalla ricerca se il deposito doganale possa dirsi volontario o necessario, imperocchè gli art. 1843 e 1849 Cod. civ., che si debbono intendere nel senso che l'uno completi l'altro, si riferiscono al deposito in genere. Niun dubbio poi che l'art. 49 del testo unico doganale non volle esimere la Dogana dal rispondere delle avarie o deperimenti colposi delle merci depositate, indicando l'articolo stesso tassativamente quali siano i casi in cui la Dogana non può essere chiamata a rispondere (1).

Lo Stato risponde pure dei danni derivati alle merci nei magazzini doganali sia per *difetto di custodia*, che per *cattivo imballaggio* in sèguito alla verifica di esse, e trattandosi di opere *artistiche*, per stabilire l'indennità dovuta al danneggiato, devesi tener cónto del valore *permutabile* di esse (2); cioè non sarebbero di per sè assolute le perizie o le attestazioni giurate giudiziali, e non basterebbe che, ad es., un perito affermasse che un quadro ha il valore di un *milione* per dar diritto a tale indennità, se non si provi che si trovi la persona che sia disposta a pagare tale somma; e quindi al disopra delle perizie sta in simili casi l'apprezzamento *ex aequo et bono* del magistrato.

Contravvenzioni.

Lo Stato non è mai risponsabile dei danni arrecati dai proprii funzionarii nell'esercizio delle loro funzioni *jure*

---

(1) Cass. Roma, 17 febbraio 1899, *Legge*, I, 436 con nota di P. B.
(2) App. Genova, 18 marzo 1900, *Legge*, II, 121.

imperii, e quindi non risponde dei danni sofferti da un privato sottoposto a procedimento penale in seguito a *contravvenzione doganale*, sebbene questa sia stata dichiarata dai magistrati *inesistente*. E nel caso in cui il.privato potesse provare che le guardie di Finanza avevano simulato le traccie della contravvenzione, sussisterà bensì la *risponsabilità personale degli agenti* (Vedi il titolo *Funzionarii pubblici*), ma non mai quella dello Stato (1).

Edifizii.

(Vedi anche Costruzioni — Amministrazione Comunale — Proprietarii di case — Industrie).

Generalità.

Il proprietario è responsabile civilmente dei danni derivati dalla rovina del suo edificio : nè sarebbe coperto dalla colpa di un inquilino, di un usufruttuario contro i quali potrebbe solo avere regresso. Questa risponsabilità comincia dal momento in cui l'edificio è compiuto. Essa è sancita a favore dei vicini, dei viandanti, senza escludere quella contrattuale del proprietario verso gli inquilini e senza derogare alle regole proprie dell'usufruttuario se ci sia. Se l'edificio appartiene *pro indiviso* a più proprietarii, sono tutti responsabili in solido. Deve darsi la prova della *colpa* (difetto di costruzione o mancata riparazione) per far luogo all'azione di risarcimento.

Anche l'*usufruttuario* e non il solo proprietario di un edificio minacciante rovina, è tenuto ad eseguire i lavori necessarii per rimuovere il pericolo, e non facendolo incorre nella risponsabilità civile (2).

Della morte avvenuta per la caduta di un *cornicione*

---

(1) App. Palermo, 17 settembre 1894, *Legge*, 1895, I, 593.
(2) Cass. Roma, 24 gennaio 1894, *Giur. Pen.*, 300.

deve rispondere chi dirigeva la costruzione, e chi appaltò l'esecuzione di un lavoro risponde anch'esso per il fatto dell'appaltatore, se questi risulti persona senza sufficiente capacità tecnica e se non prese le precauzioni sufficienti per la buona esecuzione del lavoro (art. 1153, 1640, 1641, 1643, 1644, 1645 Cod. civ.) (1).

La colpa del proprietario per mancate riparazioni alla sua casa non può essere compensata dalla colpa dell'inquilino per averla abitata quando il primo abbia dissimulato lo stato della casa stessa (2).

Infiltrazioni di latrine.

Non può esservi responsabilità di un inquilino pei danni derivati a sottostante appartamento da filtrazioni ed allagamento prodotto da *ingorgo della latrina*, se di questa l'uso è comune con altri inquilini che ne tengono essi pure la chiave. Tanto meno poi possono condannarsi in solido tutti gli inquilini al risarcimento, per essere incerto a quale tra essi sia addebitabile la colpa (art. 1153, 1156 Cod. civ.) (3). Infatti non può dirsi che l'inquilino abbia la *custodia* della cosa, perchè per aversi *custodia* fonte di responsabilità, occorre che la cosa custodita, e che fu causa del danneggiamento, si trovi sotto la diretta sorveglianza e dipendenza assoluta del custode, con *esclusione* di qualunque altra persona, il che non si verifica evidentemente nel caso in esame riguardo alla latrina di cui si servono parecchi inquilini.

Anche se si dovessero tenere in colpa e quindi responsabili tutti gli inquilini, se *non si tratta di fatto unico e comune a tutti*, ma bensì *di fatti distinti*, neppure non è luogo alla responsabilità solidale, ma ciascuno risponde del danno in ragione della gravità della colpa rispettiva (4).

---

(1) Cass. Roma, 24 aprile 1902, *Giur. Pen.*, 286.
(2) Cass. Roma, 5 maggio 1897, *Giur. Pen.*, 391.
(3) Cass. Torino, 7 luglio 1905, *Giur. Tor.*, 1285.
(4) Cass. Torino, 12 marzo 1894, *Giur. Tor.*, 644.

Scuderie.

L'art. 574 Cod. civ. benchè non tassativo non è applicabile a qualunque specie di incomodo che· dall'uso della cosa propria possa derivare al vicino, e che per giudizio del magistrato, sia di sì tenue entità da dover essere tollerato, e così è tollerabile l'incomodo derivante da scuderie attigue; cioè le *esalazioni* non straordinarie; lo *scalpitare* dei cavalli nelle lettiere; il rumore della *catene* che li legano ecc. (1).

Edifizio — Significato giuridico.

La parola *edifizio* usata nell'art. 1155 Cod. civ. si riferisce non solo ad un edifizio nel senso più proprio e comune della parola, ma a qualsiasi altra opera la cui rovina sia avvenuta per mancanza di riparazioni o per vizio di costruzione ed abbia arrecato dei danni (2); e così una casa, un muro, un pilastro, un pozzo, ecc. ecc. È vizio di costruzione tanto il vizio del *suolo* dipendente dall'essersi l'edifizio eretto sopra un *terreno* inetto a sopportarlo, quanto il vizio di *piano* dipendente dall'*inosservanza delle regole dell'arte del fabbricare*, e quanto il vizio del materiale, per essersi adoperati materiali di cattiva qualità e comunque difettosi per vizii interni non apprezzabili (3).

Ponticello o palancola — Rovina.

Un ponticello leggero di travi gettato attraverso ad un torrente per passare (detto volgarmente *palancola*) non è un *edifizio* che possa rendere responsabile il proprietario della rovina di esso derivata da mancanza di riparazioni, o dal vizio di costruzione (4).

---

(1) Cass. Torino, 24 ottobre 1894. *Giur. Tor.*, 800.
(2) App. Genova, 17 aprile 1896, *Temi Gen.*, 1085.
(3) App. Venezia, 19 aprile 1898, *Temi Ven.*, 492.
(4) Cass. Torino, 11 febbraio 1905, *Giur. Tor.* 377.

Opera notabile — Significato giuridico.

Spetta caso per caso al magistrato il giudicare se una opera debba ritenersi *notevole* agli effetti dell'art. 1639 Codice civ. (1). Venne nella pratica ritenuto che è opera notabile agli effetti della responsabilità decennale dell'imprenditore la costruzione sopra un edifizio preesistente, di un *solaio* e *copertura* a scopo di essiccatoio.

L'imprenditore di opere di innalzamento di edifizio preesistente risponde della solidità e stabilità dell'edifizio stesso, sottostante alle costruzioni nuove; e la responsabilità non cessa perchè il proprietario abbia voluto che alle costruzioni già fatte se ne sovrapponessero altre, dovendo sempre rispondere della perizia della sua arte (2).

L'imprenditore di opere di semplice subalzamento non è esonerato dalla responsabilità decennale a pretesto che esorbitasse dalle sue limitate cognizioni tecniche il conoscere della sufficiente solidità o meno del sottostante edifizio; e neppure è esonerato da responsabilità decennale per il fatto che le opere da lui eseguite siano state pienamente collaudate ed approvate. Fu anzi ritenuto che il *collaudo segni appunto il principio del decorrimento del decennio di garanzia* a carico dell'imprenditore (3).

Risponde pure della solidità dei *muri* sui quali la nuova costruzione si appoggia, benchè alla loro costruzione sia esso imprenditore rimasto estraneo (4).

Regolamenti edilizi — Danni.

Al privato danneggiato da costruzioni erette in contravvenzione a regolamenti edilizii, oppure in urto a convenzioni stipulate col Comune in deroga ai regolamenti stessi,

---

(1) App. Torino, 28 ottobre 1902, *Giur. Tor.*, 1903, 45; Ricci, *Dir. Civ.*, VIII, 289.

(2) App. Genova, 30 aprile 1894, *Annali di Giur.*, XXVIII, 3, 179.

(3) App. Cagliari, 18 luglio 1877, *Foro It.*, 1878, 92.

(4) App. Torino, 11 ottobre 1901, *Giur. Tor.*, 1492.

compete azione per ottenere soppresse dette costruzioni, o quanto meno modificate o ridotte, giusta i detti regolamenti e convenzioni (art. 1128 del Codice civile) (1).

Le prescrizioni di un piano edilizio regolatore sono invocabili nei rapporti reciproci dai privati proprietarii, che sono ad essi vincolati.

Spetta quindi azione ad un proprietario di agire contro il suo vicino, per risarcimento di danni, per *privazione di aria e di luce*, per avere questi costrutto sopra un'area che a norma del piano regolatore doveva restare invece inedificata (art. 90 della legge 25 giugno 1865 sulle espropriazioni per pubblica utilità) (2).

Può edificarsi invece senz'altro sopra il confine di un'area *tuttavia privata*, ma destinata a strada pubblica dal piano regolatore, aprendo su di essa *porte* e *finestre* (3).

Se un piano regolatore prescrive un dato modo di fabbricare per *isolati* (senza che sia resa obbligatoria la costruzione di un isolato intiero, ma in guisa che i singoli costruttori abbiano diritto di costrurre sulla loro rispettiva linea di area fabbricabile, così da costituire in definitiva l'intero isolato prescritto dal piano), il proprietario che imprende la costruzione su tutta la estensione della sua proprietà non è obbligato a limitarla ed a lasciare fra la sua fabbrica e quella del vicino alcuna distanza, quando anche per convenzione anteriore fosse stata convenuta una servitù attiva in favore del vicino, salvo a questo il diritto di essere indennizzato (4).

L'approvazione del piano di ingrandimento di una città non dà diritto a indennità pel vincolo che ne derivi a determinati terreni di area per vie e piazze pubbliche a disposizione del futuro piano, e pel conseguente divieto

---

(1) Cass. Torino, 19 giugno 1903. *Giur. Tor.*, 912.
(2) Cass. Torino, 11 settembre 1901, *Giur. Tor.*, 1477 ; SABBATINI, *Commento alle leggi sulla spropriazione per pubblica utilità*, II, articolo 90, n. 11.
(3) Cass. Roma, 27 febbraio 1894, *Giur. It.*, I, 1, 407.
(4) Cass. Torino, 14 settembre 1868, *Gazz. dei Trib. di Genova.*

di fabbricarvi sopra (art. 46 legge sulla spropriazione per pubblica utilità).

E neppure, pendente il termine prefisso al Comune per la esecuzione dell'opera stata dichiarata di pubblica utilità, il privato, soggetto al relativo vincolo, non ha azione per far accelerare la esecuzione stessa, e neppure per farsi liquidare una indennità pel ritardo. Unicamente gli è riservata tale indennità per quando sarà compiuta la esecuzione dell'opera (1) (art. 87 della legge 25 giugno 1865).

Il Comune non è tenuto a rispondere dei danni lamentati dal proprietario degli stabili minacciati di espropriazione per pubblica utilità (es. per esecuzione di piano regolatore), per non essere il Comune stesso addivenuto all'opera stessa nel termine perentorio all'uopo concessogli (2). Infatti è fuori di dubbio che il Comune, sia prima che dopo la pubblicazione e notificazione del piano regolatore, era nel diritto, per mutate circostanze, di modificarlo, di non eseguirlo, o di eseguirlo in parte soltanto, cosicchè non è lecito ascrivergli a colpa se, usando di un suo diritto, ebbe a ritardare la esecuzione dell'opera, e poi anche ad abbandonarla.

Minaccia di rovina.

Il proprietario di un edifizio che per effetto di cattiva manutenzione minacci rovina, è responsabile dei danni verso il proprietario dell'edifizio confinante per il fatto che questi non possa affittare i locali proprii a causa del vicino pericolo (3).

Incomodi — Polvere.

Il proprietario di un edifizio non ha azione verso il proprietario confinante per risarcimento di danni, che

---

(1) App. Torino, 12 dicembre 1902, *Giur. Tor.*, 1903, 171.
(2) App. Milano. 10 settembre 1901, *Giur. Tor.*, 1425 e Cass. Torino, 14 luglio 1902, *Giur. Tor.*, 1254.
(3) Cass. Napoli, 26 maggio 1903, *Mon. Trib.*, 29,

quest'ultimo gli arrechi colla *polvere* proveniente da un *negozio di carboni* tenuto nei suoi locali. E ciò specialmente se trattisi di un edifizio di poco valore e situato in località di poca importanza. Così pure il proprietario dei piani superiori di una casa non può per lo stesso motivo spiegare azione di danni verso il proprietario del piano terreno (1).

Caduta di una porta.

Ai danni prodotti dalla caduta della porta di uno stabile devono applicarsi le disposizioni di legge riguardanti la rovina degli edifizii; e perciò se la rovina avvenga per vizio di costruzione o per mancata riparazione della porta la responsabililà incombe al proprietario della casa (2).

Danni dall'esecuzione di piani edilizii.

L'attuazione di un piano edilizio regolare importa nel Comune che la promuove l'obbligazione di risarcire ai privati l'ingiusto danno che ne risentono, come quello della privazione o diminuzione di aria e di luce in modo da rendere *antigieniche* e *inservibili* le loro case; la soppressione o restringimento di *imbocchi di vie* sì da renderli inidonei al passaggio delle vetture per accedere alle case; e la rimozione di tubi destinati a condurre l'acqua alle case stesse (3). L'indennità è a carico del Comune, e non già dell'esecutore delle opere.

Cadute di tegole o cornicioni.

Per i danni cagionati non dalla rovina della casa, ma dalla caduta di un grave qualsiasi (es. una *tegola*) è appli-

---

(1) Cass. Napoli, 26 maggio 1908, *Mon. Trib.*, 29.
(2) Cass. Firenze, 23 marzo 1899, *Legge*, II, 43.
(3) Cass. Torino, 18 febbraio 1895, 885.

cabile il principio generale di cui nella prima parte dell'art. 1153 Cod. civ., pel quale il danneggiato deve provare la colpa del proprietario della casa che vuolsi causa del danno lamentato, non bastando la presunzione di colpa *(homini,* non *juris),* insita nel fatto stesso, ed è applicabile l'art. 1155 pel quale il danneggiato dovrebbe provare che la caduta è avvenuta per mancanza di riparazione o difetto di costruzione del tetto (1).

Dimostrato il danno risentito dalla caduta di un pezzo di cornice di una casa, per mancanza di riparazione o per vizio della costruzione, l'attore danneggiato non deve provare altro per ottenere il risarcimento del danno dal proprietario della casa, salvo a questi il dare la prova che la rovina non sia avvenuta per difetto nè di riparazione nè di costruzione. L'attore danneggiato dovrebbe fornire egli la prova della colpa solo quando ponesse a fondamento della sua azione di danno una ipotesi diversa dalle due suaccennate di cui all'art. 1155 Cod. civ., e salva sempre la prova del fortuito da parte del convenuto (2).

Vento impetuoso — Muro minacciante.

Il caso fortuito non esime da risponsabilità se fu preceduto dalla *colpa* di alcuno; e quindi il proprietario di un *muro* che da tempo minacciava rovina, è risponsabile ugualmente ed *interamente* dei danni materiali e morali recati dal crollamento del muro stesso che investì un terzo, sebbene esso sia caduto in occasione dello spirare di un vento assai impetuoso (3).

Risponsabilità dell'architetto e dell'imprenditore.

La risponsabilità dell'architetto e dell'imprenditore per la rovina dell'edifizio non è nè indivisibile nè soli-

---

(1) App. Genova, 25 febbraio 1896, *Legge*, I, 698.
(2) Cass. Firenze, 17 luglio 1896, *id.*, II, 689.
(3) Cass. Palermo, 28 febbraio 1895, *Legge*, I, 728.

daria; ma si suddivide fra essi in ragione delle rispettive ingerenze e colpe (art. 1639 Cod. civ.) (1).

Se però la risponsabilità dipendesse da un fatto *estraneo al contratto*, e così da delitto o quasi-delitto, in tal caso si avrebbe la loro risponsabilità solidaria a termini dell'articolo 1156 Cod. civ. Vi sono anche sentenze che pure nel primo caso ritengono la solidarietà (2).

Ad esonerare l'imprenditore od architetto dalla risponsabilità decennale, non giova l'opporre che la costruzione fu fatta rigorosamente colle norme del capitolato di appalto, e che esso imprenditore aveva osservato al proprietario committente essere prudente l'uso di materiali diversi (art. 1639 Cod. civ.) (3). E così pure la risponsabilità dell'imprenditore od architetto per difetto di costruzione o vizio del suolo si ha anche quando i materiali cattivi, che furono causa della rovina, siano stati approvati e voluti dal direttore dei lavori, al quale per fatto espresso del capitolato ne spettava il giudizio ed approvazione (4); e l'imprenditore non è esonerato dalla risponsabilità decennale pel fatto che le opere da lui eseguite siano state pienamente collaudate ed approvate (5).

Il *vizio della costruzione* è distinto dal *vizio* del *piano* e dal vizio del *suolo*, perchè è insito nell'opera stessa, e consiste nel fatto di aver adoperato materiali non idonei

---

(1) Cass. Torino, 18 ottobre 1906, *Giur. Tor.*, 1452. — Ricci, *Dir. civ.*, VIII, 242. — Laurent, *Principes*, XXVI, 29, 4ᵃ ediz.

(2) Pacifici Mazzoni, *Delle locazioni*, VIII, 242; Cass. Napoli, 23 giugno 1897, *Giur. It.*, 1897, I, 1, 1030 e 1898, I, 1, 48.

(3) App. Milano, 4 luglio 1900, *Giur. Tor.*, 1506.

(4) App. Torino, 23 ottobre 1902, *Giur. Tor.*, 45, e Cass. Torino, 7 dicembre 1905, *Giur. Tor.*, 1906, 121.

(5) *Art. 1639 Cod. civ.* — Se nel corso di dieci anni dal giorno in cui fu compiuta la fabbricazione di un edifizio o di altra opera notabile, l'uno o l'altra rovina in tutto od in parte, o presenta evidente pericolo di rovinare per difetto di costruzione o per vizio del suolo, l'architetto e l'imprenditore ne sono responsabili (Ciascuno risponde cioè del fatto proprio. Cass. Napoli, 17 dicembre 1886, *Gazz. Proc.*, XXI, 377). L'azione per indennità deve essere

alla destinazione dell'opera (materiali *difettosi*) o non idonei a sostenere il peso di altri materiali sovrapposti o congiunti; oppure nel fatto di avere adoperato materiali poco resistenti contrariamente alle buone regole dell'arte, e così l'uso di legname non adatto a lavori di travatura perchè non secco sufficientemente.

Questa responsabilità grava anzitutto sull'imprenditore, che provvede i materiali e il lavoro, ma ricade anche sull'architetto se aveva incarico di vigilare o dirigere i lavori, la quale incombenza implica quella di verificare la natura e qualità del materiale adoperato.

Sono invece difetti inerenti al *piano* e che possono produrre la rovina totale o parziale quelli che si riferiscono ad errori di calcolo nelle proporzioni e dimensioni delle singole parti, o modo di esecuzione (es. il collocare camini dove non siavi sufficiente sostegno); il calcolare male le proporzioni delle fondamenta, o la resistenza di un muro di sostegno; il non aver badato alle distanze da osservarsi per legge o per servitù precostituite, e se l'architetto non si curò di chiedere i titoli od istrumenti e informazioni circa tali servitù, è *in colpa* nel non averlo fatto; come pure è in colpa nel non aver osservato le disposizioni delle leggi e regolamenti generali o locali attinenti alle costruzioni che egli è in obbligo di conoscere in modo certo ed esatto per l'esercizio dell'arte sua.

Vizi del suolo sono invece, ad esempio, il non aver studiato la natura e consistenza del suolo, per cui non si poteva costruire una data opera, o richiedeva lavori

---

promossa entro due anni dal giorno in cui si è verificato uno dei casi sopra enunciati.

Art. 1644. — L'imprenditore è responsabile dell'opera delle persone che ha impiegato (vedi pure 1153 Cod. civ.).

Art. 1646. — I muratori, fabbri ed altri artefici che contrattano direttamente a prezzo fatto, sono soggetti alle regole stabilite dal Capo III, Titolo IX, Libro III, Cod. civ., e sono riputati *appaltatori* per la parte di lavoro che eseguiscono.

speciali di basamento per renderla solida; o l'aver ordinato costruzioni speciali insufficienti.

Dei vizi del *piano* risponde sempre l'architetto, e risponde pure l'imprenditore se si tratta di difetti la cui esistenza doveva manifestarsi necessariamente nell'*esecuzione* dei lavori, o si palesassero per la conoscenza della professione dell'imprenditore (es. capo-mastro).

Risponsabilità del proprietario.

Il *proprietario* poi di un edifizio è obbligato pei danni cagionati dalla rovina di esso, quando sia avvenuta per mancanza di riparazioni o per un vizio della costruzione (art. 1155 Cod. civ.). Per esimersi da questa risponsabilità il proprietario deve provare che il fatto avvenne per caso fortuito o per forza maggiore (1).

Edifizi e muri comuni.

Il proprietario che vuole atterrare un edifizio sostenuto da un muro comune, può rinunziare alla comunione di questo, ma deve per la prima volta farvi le riparazioni e le opere che la demolizione rende necessarie per evitare ogni danno al vicino, sotto pena del risarcimento dei danni stessi (art. 550 Cod. civ.).

Parimenti ogni comproprietario di un muro comune può attraversarlo con chiavi, capichiavi, collocare bolloni a mente dell'art. 552 Cod. civ., salvo il *risarcimento dei danni temporanei* provenenti dal collocamento delle chiavi e bolloni, e facendo le opere necessarie per non recar danno alla solidità del muro comune. Così pure volendo alzarsi il muro comune, deve l'autore dell'alzamento provvedere alle riparazioni ed opere occorrenti per sostenere il maggior peso, e farlo ove d'uopo ricostruire *per*

---

(1) App. Bologna, 7 giugno 1884, *Giur. Ital.*, II, 341.

intero se non è atto a sostenere l'alzamento : deve pure
risarcire i danni che pel fatto anche temporaneo dell'alzamento e della nuova costruzione il vicino avesse a soffrire
(art. 553, 554 Cod. civ.). Questi danni, limitati al fatto
temporaneo dell'alzamento, non si possono estendere alla
nuova condizione di cose creata dall'alzamento stesso (1).

Così pure uno dei vicini non può fare alcun incavo
nel muro comune od applicarvi od appoggiarvi alcuna
nuova opera senza il consenso dell'altro, e in caso di
rifiuto senza aver fatto determinare dai periti i mezzi
necessari affinchè l'opera non riesca di danno ai diritti
dell'altro (art. 557 Cod. civ.).

Così il proprietario dell'ultimo piano di una casa non
può, senza il consenso dei proprietari degli altri piani,
alzare nuovi piani o nuove fabbriche, eccettuate quelle
costituenti parapetto di lastrici solari, qualora possa
derivarne *danno* al valore della proprietà degli altri
(art. 564 Cod. civ.).

Per *lastrico* si intende il solo battuto artificiale di lapillo
o di altra materia, non già la contiguazione, la quale è
sempre regolata dall'alinea terzo dell'art. 563, e perciò
è a carico del proprietario dell'ultimo piano (2).

Nel caso collocamento di tubi di latrina, o di acqua
cadente dal tetto e dalle altre opere di cui all'art. 573
Cod. civ., se malgrado l'osservanza delle distanze stabilite
dall'articolo stesso ne derivasse tuttavia danno al vicino,
saranno stabilite le maggiori distanze ed eseguite le opere
occorrenti per riparare la proprietà del vicino, e se nemmeno queste opere saranno eseguite, si rendono applicabili
le disposizioni degli art. 1151 e segg. giacchè in tal caso
vi sarebbe colpa nel vicino medesimo (3).

Così pure debbono osservarsi le distanze di cui all'articolo 574 Cod. civ. relative al collocamento di forni, ca-

----

(1) Cass. Torino, 11 giugno 1879. *Legge*, I, 741.
(2) Cass. Napoli, 24 gennaio 1880, *Annali di Giur. Ital.*. I, 172.
(3) Cass. Torino, 31 dicembre 1881, *Legge*, 1882, I, 554.

mini, fucine, stalle, ecc. (Vedi su questo punto il titolo *Industria*).

Responsabilità penali.

Risponde contravvenzionalmente chiunque abbia avuto parte nel disegno o nella costruzione di un edifizio, se questi rovini per sua negligenza od imperizia senza produrre pericolo per l'altrui sicurezza, e così per la rovina di *ponti* o *armature* per la costruzione o riparazione di fàbbriche (art. 471 Cod. pen.).

È pure punito contravvenzionalmente il proprietario o chi lo rappresenta, o chi sia obbligato alla vigilanza di un edifizio o costruzione, che non provvede ai lavori opportuni per rimuovere il pericolo se l'edifizio o costruzione minaccino rovina con pericolo per l'altrui sicurezza. Ed infine chi trascura di rimuovere il pericolo persistente della rovina già avvenuta di un edifizio od altra costruzione (art. 472 Cod. pen.).

È pure punito chi colloca, senza le debite cautele, sopra finestre, terrazzi, tetti e simili, o vi appende cose che cadendo possano offendere od imbrattare le persone; è se non si conosce l'autore del fatto, ne risponde il conduttore o possessore dell'edifizio qualora egli fosse in grado di impedire il fatto (art. 474 Cod. pen.).

Elettricità.

(Vedi pure **Amministrazione comunale**).

Morte di un viandante fulminato dalla corrente.

Se una Società elettrica tiene collocato in aperta campagna un filo telefonico circa a due metri di distanza al di sotto di altro suo filo per conduttura di forza motrice, ed alla portata dei passanti, che, non ostante gli avvisi infissi ai pali di divieto e minaccia di seriissime conseguenze, prendono l'abitudine di toccare esso filo telefonico per godersi la lieve scossa che loro ne deriva per la corrente di induzione in esso determinata dal filo potente soprastante, è responsabile dell'essere a questo modo un passante rimasto fulminato per essersi in altro punto lontano rallentato il filo maggiore e postosi a contatto col telefonico, comunicandogli la corrente; tanto più se avvertita dell'inconveniente non fu sollecita essa Società a cessare subito la trasmissione ed a riparare il guasto (art. 1152 Cod. civ.). Infatti era prevedibile che non essendovi riparo od isolatore tra il filo telefonico e quello di trasmissione dell'energia, era possibile un contatto; ed era prevedibile anche che lasciando il filo telefonico ad altezza tale cui chiunque poteva arrivare a toccare il filo, era poi di intuitiva evidenza che, verificatosi il guasto ed il pericolosissimo contatto dei fili, era cosa urgente ed ovvia che ad evitare il pericolo di disgraziati accidenti, si riparasse prontamente ed in modo sicuro, o si sospendesse la corrente e non si rimettesse fino a che non fosse stata riconosciuta sicura la riparazione (1).

Infortunii ad operai.

È in colpa l'impresa che nell'eservizio della sua industria non adopera tutte le precauzioni possibili atte a preservare dai pericoli gli operai addetti al suo servizio, e così risponde di danni l'impresa, se, nell'ordinare ad un suo operaio la pulitura di alcune macchine elettriche, non fa sospendere la corrente, nè lo provvede di guanti isolatori, in modo che il medesimo venga fulminato dalla corrente elettrica (2).

Concorrenza tra illuminazione a gaz e illuminazione elettrica (Vedi Amministrazione comunale — Illuminazione).

---

(1) App. Torino, 1° marzo 1901, *Giur. Tor.* 437.
(2) App. Genova, 28 dicembre 1895, *Legge.* 1896, II, 58.

Condutture elettriche.

Sono regolate dalla legge 7 giugno 1894, n. 232. Ogni proprietario è tenuto a dar passaggio per i suoi fondi alle condutture elettriche sospese o sotterranee che si eseguiscano da chi abbia diritto permanente od anche solo temporaneo, di servirsene per gli usi industriali. Sono esenti da queste servitù le *case* (salvo per le facciate verso vie e piazze pubbliche) i *cortili*, i *giardini*, i *frutteti* e le *aje* alle case attinenti (art. 1 legge).

Chi diede la condotta deve corrispondere *indennità* al proprietario del fondo servente a senso dell'art. 6 della legge stessa e deve *risarcire pure i danni* immediati e quelli derivanti dalla intersecazione del fondo o da altro deterioramento, nonchè dall'esercizio del passaggio attraverso il fondo per la manutenzione o sorveglianza della condotta elettrica.

Circa le norme particolari sulle condutture elettriche e loro impianto può consultarsi il mio *Commento alle leggi sull'elettricità* (Torino, Fratelli Bocca ed., 1907).

Esattori.

Non competono i privilegi *fiscali* per la riscossione di crediti patrimoniali del Comune non essendo più in vigore il R. Decreto Legislativo 28 gennaio 1859; e l'Autorità giudiziaria è competente a dichiarare l'inefficacia della esecuzione intrapresa coi mezzi fiscali dall'esattore comunale fuori dei casi in cui il procedimento privilegiato è consentito dalla legge.

Il Comune non è risponsabile dei danni per l'esecuzione fiscale illegittimamente intrapresa dall'esattore. Neppure è risponsabile l'esattore la cui colpa sia esclusa dalla esecutorietà ordinata dal Sotto-Prefetto del ruolo nel quale venne inscritto il credito pel quale si è proceduto e dalla difformità della giurisprudenza intorno alla spettanza dei privilegi fiscali per la riscossione di crediti patrimoniali dei Comuni (1).

L'esecuzione coi mezzi fiscali non è autorizzata per ogni entrata comunale, ma solo, per le imposte, sovrimposte ed altre tasse per le quali sia autorizzata da legge speciale. Trattandosi di altre entrate comunali, la riscossione ne incombe bensì all'esattore ove il Comune non abbia tesoriere proprio, ma osservando le *norme ordinarie* di diritto e di procedura. Il decreto del Sotto-Prefetto con cui si approva e si rende esecutivo il ruolo e si ingiunge all'esattore di metterlo ad esecuzione coi privilegi fiscali, non vale a legittimare questo modo di riscossione...per quelle entrate per le quali il medesimo non è dalla legge autorizzata, nè vale a sottrarre l'esattore dalla risponsabilità per averlo intrapreso. La responsabilità per avere intrapreso l'esecuzione privilegiata per entrate comunali in casi dalla legge non ammessi, incombe all'esattore e non al Comune (2).

Il contribuente che ha patito l'esecuzione forzata per non avere eseguito il pagamento di una tassa, non ha ragione di indennità ancorchè si riconosca che la tassa per la quale fu ingiunto, non era dovuta (3).

L'esattore risponde dei danni cagionati dai proprii *messi* nel disimpegno del loro ufficio con dei veri e proprii fatti illeciti (4). Però è da ritenersi che il messo esattoriale non è un commesso dell'esattore nel senso voluto dall'art. 1158 Cod. civ., e quindi l'esattore non è responsabile dei fatti illeciti del medesimo, se nessun nesso intrinseco vi sia tra l'atto illecito e le incombenze affidate (5).

---

(1) App. Torino, 4 giugno 1886, *Giur. Tor.*, 585.
(2) Cass. Torino, 14 dicembre 1883, *Giur. Tor.*, 1884, 138.
(3) Cass. Roma, 31 gennaio 1881, *Giur. Tor.*, 612.
(4) Cass. Torino. 3 luglio 1894, *Legge*, 1895. I, 343.
(5) Cass. Firenze, 4 giugno 1894, *Legge*, II, 707.

Atti dell'esattore precedente.

L'esattore del quinquennio in corso non è tenuto a rispondere degli atti, delle obbligazioni e delle esazioni dell'esattore precedente, nonchè delle restituzioni alle quali questi sia obbligato verso i contribuenti o i terzi. L'uno non continua la personalità dell'altro. L'amministrazione delle finanze dello Stato non risponde delle operazioni e delle riscossioni fatte dall'esattore rispetto al contribuente (1).

Dazio consumo — Danni.

L'esattore comunale, condannato dalla Corte dei Conti a versare al Comune il canone del dazio consumo non riscosso dall'appaltatore, può proporre in via giudiziaria un'*azione di danni* verso il Comune stesso, a cui spetti la responsabilità della mancata riscossione per avere accettato dall'appaltatore del dazio una cauzione manifestamente nulla perchè rappresentata, ad esempio, da una ipoteca concessa dalla moglie dell'appaltatore senza la necessaria autorizzazione del tribunale (2).

Tesorieri.

Il tesoriere è responsabile delle somme pagate in più degli stanziamenti del bilancio indipendentemente dalla responsabilità degli amministratori firmatari dei relativi mandati, salvo verso costoro l'azione di regresso e quella di utile versione rispetto al Comune, da far valere in competente sede (3).

---

(1) Trib. Roma, 29 dicembre 1899, *Legge*, 1900, I, 91.
(2) Cass. Roma, 13 dicembre 1899, *Legge*, 1900, I, 182.
(3) Corte dei Conti, Sez. III, 1° gennaio, *Riv. Ammin.*, 872.

Esplosioni e Scoppii.

(Vedi pure **Incendi** — **Militari** — **Danni in generale** — **Fuochi artificiali**).

Polvere pirica.

I danni prodotti da una esplosione di polvere pirica in casa di un vicino non si parificano ai danni di incendio, e non ha per essi l'assicurato diritto ad indennizzo se la Società assicuratrice sia *mutua*, e se il titolo limita l'assicurazione ai soli danni di incendio, fulmine, scoppio di gaz od apparecchi a vapore, e *incendio* derivato da tali fatti.

Quindi l'assicurazione contro i danni per esplosioni di polvere *pirica* non rientra affatto nello scopo ed oggetto dell'assicurazione (1).

Il rischio assunto da una Compagnia di assicurazione contro gli incendii non può estendersi al di là dei limiti espressi nella polizza, e l'assicurato deve imputare a sua colpa se non è stato chiaro ed esplicito nel pretendere una menzione espressa dell'estensione del rischio (2).

Il Vivante (3) anzi è di avviso che nei casi dubbi il contratto debba sempre interpretarsi in favore della Compagnia assicuratrice, e specialmente se la assicurazione sia *mutua*, in cui è necessario che esista la maggior possibile uniformità di rischi e parità di condizione tra gli assicurati (4).

L'artefice impiegato in un cantiere non impegna la responsabilità del padrone pel danno di disastri che quegli rechi a terzi attendendo nel cantiere a lavori di fabbricazione di bombe e mortaretti per feste e diverti-

---

(1) App. Torino, 13 ottobre 1889, *Giur. Tor.*, 1900, 49.
(2) App. Lucca, 2 marzo 1894, *Foro It.*, 1894, 442. — Vidari, *Dir. comm.*, V. 4486, 4ª ediz.
(3) Vivante, *Assicurazioni terrestri*, pag. 47.
(4) Vidari, op. cit., n. 4380.

menti, se tali lavori sono estranei alle sue incombenze nel cantiere stesso; imperocchè se il fatto dannoso del commesso è estraneo alle incombenze affidategli dal padrone, non può a questo attribuirsi alcuna responsabilità (1).

Mine.

Se per l'esplosione di una mina in una cava sia avvenuto danno ad una cava vicina, si avrà diritto a risarcimento del danno stesso, ma non si potrà pretendere di imporre permanentemente un metodo determinato di lavorazione in quella cava allo scopo di evitare danni futuri; per ciò ottenere, occorrerebbe stabilire che l'uso delle *mine* in essa costituisca necessariamente ed evidentemente un pericolo permanente e *certo* di danno grave e prossimo (art. 438, 698, 699 Cod. comm.) (2).

Caldaie.

Se il danno cagionato dallo scoppio di una caldaia al momento delle prove per il collaudo può considerarsi come derivante da inadempimento, o da irregolare adempimento del contratto da parte dell'artefice costruttore e fornitore della caldaia, nei rapporti col committente deve considerarsi invece come derivante da colpa extracontrattuale riguardo alle persone eredi o rappresentanti delle persone che senza essere parti contraenti coll'artefice, furono tuttavia le vittime del disastro, quali il collaudatore e coloro che lo assistevano nel collaudo: quindi non sarebbe applicabile l'art. 1225 del Cod. civ. e toccherebbe invece ai danneggiati suddetti il dare la prova della colpa o negligenza dell'artefice dal quale reclamano la indennità (3). Non vi è risponsabilità nè per inadempienza

---

(1) Cass. Torino, 5 dicembre 1893, *Giur. Tor.*, 1899, 15.
(2) Cass. Torino, 27 novembre 1890, *Giur. Tor.*, 778.
(3) Cass. Torino, 27 marzo 1889, *Giur. Tor.*, 682.

di contratto, nè per quasi delitto, se l'avvenimento dannoso è conseguenza di una ignoranza o di un errore invincibile, come l'errore di tutti, l'errore e l'insufficenza della scienza stessa.

Polverificio — Scoppio.

Lo scoppio di un polverificio dà ragione di indennità ai proprietari degli edifizi contigui che ne vengono danneggiati salvo che si dimostri che lo scoppio fu l'effetto del caso fortuito e della forza maggiore. La prova del caso fortuito non può essere sufficiente se risulta solo dalla ordinanza del giudice istruttore con cui siasi dichiarato non luogo a procedere (1).

Colui che per eseguire certi lavori spara una *mina* prendendo tutte le precauzioni dovute ed abituali in simili circostanze, non è responsabile del danno che ciò malgrado sia stato recato ad altri dallo sparo, sebbene non abbia adottato quelle maggiori precauzioni *straordinarie* ed *eccezionali* già altre volte da lui stesso usate per mera abbondanza (2).

Non è commerciale ma *cirile* l'azione del terzo per essere risarcito del danno da esso riportato per lo scoppio di una mina (3).

Fuochi artificiali (Vedi il titolo analogo).

Gaz.

Se per colpa degli operai di una Società per il gaz, destinata ad eseguire alcuni lavori in una casa, una quantità di gaz sfugge e si accumula nella camera di un appartamento contiguo a quello in cui si fecero i

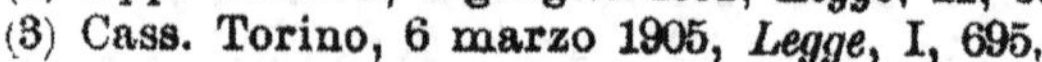

---

(1) App. Torino, 13 marzo 1882, *Giur. Tor.*, 511.
(2) App. Genova, 5 giugno 1891, *Legge*, II, 595.
(3) Cass. Torino, 6 marzo 1905, *Legge*, I, 695.

lavori, in modo tale da determinare lo scoppio in seguito ad accensione, la responsabilità della Società verso la vittima dello scoppio non viene meno per il semplice motivo dell'essere stata l'accensione determinata accidentalmente dalla vittima stessa (1).

Responsabilità penali.

Pur senza essere tenuti a risarcimento o responsabilità civile per non essere derivato ancora un danno effettivo, sussiste la responsabilità *penale* in via contravvenzionale pei fatti seguenti:

1° *Trasporto* o *deposito in casa* di polveri da sparo in quantità superiore a 5 Kg., ed in *qualunque* quantità per *dinamite* o *nitroglicerina* (articolo 21 legge di P. S., articolo 469 Codice penale).

2° *Impianto* di polverifici, fabbriche di fuochi artificiali, senza licenza o senza osservare le prescrizioni imposte dal Prefetto circa la distanza da abitazioni, assicurazioni degli operai ecc. (art. 22 legge di P. S., e art. 24 al 33 del Regolamento relativo. — Vedi pure articolo 462 Cod. penale).

3° *Messa in opera di caldaie a vapore* senza certificato ch'e siano sicure (tanto se nuove che riparate) (articolo 27 legge Pubblica Sicurezza).

4° Il non destinare persona *idonea* secondo i vigenti regolamenti, per vigilare il funzionamento di macchine a vapore (art. 28 legge P. S.).

5° Il *collocare mine* od altre macchine esplodenti o torpedini o farle *esplodere* per distruggere in tutto od in parte edifizi (art. 301 Codice penale).

6° Il fare esplosioni di bombe e simili per incutere timore.

---

(1) App. Milano, 28 giugno 1899, *Monit.* dei *Trib.*, 1900, 189.

Fallimento e Falliti.

Revoca — Danni.

Non basta l'aver provocato la dichiarazione di fallimento, indi *revocata*, per assoggettare chi provocò la dichiarazione stessa, all'obbligo di risarcire i danni, ma è indispensabile che siasi con ciò agito *in dolo od in colpa* (articolo 687 Codice comm.) (1).

E per vero non essendovi disposizione di sorta nel Codice di commercio, la quale stabilisca che in caso di revoca del fallimento, chi lo ha provocato sia passibile di danni, i medesimi non possono essere nè chiesti nè accordati se non a senso degli art. 1151 e 1152 Cod. civ. (2).

La Corte di Cassazione di Palermo ritenne poi addirittura che in tal caso non basta la semplice *colpa*, ma occorre dimostrare il *dolo* nel creditore (3), e sarebbe trasmodante il ritenere responsabile di una sentenza dichiarativa di fallimento, il creditore che domandò soltanto al magistrato un provvedimento di giustizia pel quale quanto meno erano in apparenza fondati gli estremi. *Nemini leditur et non videtur vim facere qui jure suo utitur, et ordinaria actione experitur* (L. 33, 155, *D. de reg. juris*). Una sola eccezione sarebbe possibile, cioè se tale domanda fosse stata fatta e preparata con *dolo*, poichè allora la parola del magistrato fu figlia dell'inganno, *et lege, rata non habetur auctoritas dolo malo facta* (L. 61, *D. de jur. dot.*).

La prevalente dottrina e giurisprudenza però ritengono che il creditore che ha provocato una dichiarazione di fallimento *senza legittima causa*, sia tenuto al plenario

---

(1) Cass. Torino, 12 novembre 1901, *Giur. Tor.*, 1902, 11. — Bolaffio, *Codice di Comm.*, I, n. 20. — Cuzzeri, *Commento al Codice di comm.*, VII, n. 65. — Luciani, *Trattato del fallimento*, n. 170.

(2) App. Torino, 21 febbraio 1889, *Giur. Tor.*, 452.

(3) Cass. Palermo, 27 luglio 1893, *Legge*, II, 408.

risarcimento dei danni (1); e che a tale effetto *basta la colpa grave* dello istante, nè si richiede che abbia agito con dolo, e con raggiri diretti a carpire la ingiusta sentenza (2).

Se invece il creditore così con ragionevole motivi di pericolo, non sarà tenuto a risarcimento di danni in caso che sia nondimeno revocata la dichiarazione di fallimento (3).

E neppure è dovuto risarcimento di danni pel semplice fatto che siasi fatta istanza per dichiarazione di fallimento, che non venga accolta, sempre quando però risulti che l'instante abbia agito senza dolo o colpa (4).

Siccome poi è principio costante che il convincimento del magistrato di merito in materia di colpa aquiliana desunto dall'apprezzamento delle risultanze di causa, è incensurabile in cassazione. così è pure incensurabile in detta sede l'escludere il dolo o la colpa nella materia di cui è caso (5).

Quasi delitto commesso da fallito.

È procedibile direttamente contro il fallito, senza intervento del curatore, l'azione per risarcimento di danni per quasi delitto commesso dal fallito dopo la dichiarazione di fallimento (art. 699 Cod. comm.) (6). E per converso il negoziante fallito può stare in giudizio penale come parte civile per azioni riflettenti i suoi diritti strettamente personali estranei al fallimento, senza che debba essere rappresentato dal curatore (7).

Così pure anche per la costituzione di parte civile contro l'accusato *fallito*, non è necessario il contrad-

(1) App. Roma, 24 maggio 1881, *Legge.* II, 274.
(2) Cass. Torino, 9 settembre 1882, *Legge*, II, 805.
(3) Cass. Torino, 19 marzo 1879, *Giur. Tor.*, 818.
(4) Cass. Torino, 30 settembre 1881, *Giur. Tor.*, 733.
(5) Citata sentenza, Cass. Torino, 12 novembre 1901.
(6) Cass. Torino, 27 febbraio 1903, *Giur. Tor.*, 481.
(7) Cass. Napoli, 14 dicembre 1888, *Diritto e Giur.*, IV, 299.

dittorio del curatore, e quindi la sentenza penale che, anche senza questo contraddittorio, liquida il montare dei danni a favore della parte civile, è opponibile alla massa dei creditori per ottenere l'ammissione al passivo della somma liquidata e delle spese fatte nel giudizio penale (1).

Responsabilità dei curatori.

Il curatore di un fallimento, colpevole di malversazioni nella sua amministrazione, non solo è responsabile dei danni, ma è punito penalmente a senso dell'art. 864 Codice commercio.

Altre responsabilità.

In tutte le sentenze penali di condanna per i reati speciali contemplati negli art. 865 e 866 del Codice di commercio, si ordinerà il *risarcimento dei danni* nella somma che già fosse accertata, salvo il risarcimento dei danni maggiori da provarsi (art. 867 Codice commercio).

Così pure tutti i falliti condannati per bancarotta saranno dichiarati tenuti al risarcimento dei danni.

Farmacie.

Privilegi — Apertura di nuove farmacie — Danni.

I vincoli, privilegi e piazze per l'esercizio della professione di farmacista sono tutt'oggi vigenti in tutti quei luoghi (nella specie in *Piemonte*), in cui già esistevano prima della nuova legislazione sanitaria (articoli 26 e 68 della legge sulla sanità pubblica 22 dicembre 1888; Regie Patenti 16 marzo 1839). Quindi non si possono aprire

---

(1) App. Torino, 6 luglio 1886, *Giur. Tor.*, 633 e Cass. Torino, 19 luglio 1887, *Giur. Tor.*, 672.

nuove farmacie ivi senza le autorizzazioni tutte prescritte dalle leggi preesistenti alla legge sanitaria del 1888. E chi abusivamente apra farmacia in concorrenza a farmacisti *piazzati, permissionati*, o comunque autorizzati in base a dette leggi preesistenti, è tenuto a risarcire loro i danni.

Tale illecita concorrenza si esercita anche colla vendita di medicamenti indipendentemente da apertura di nuova farmacia (1). E per vero l'art. 27 della legge sanitaria proclama la libertà dell'esercizio farmaceutico, ma con l'art. 68 detta libertà venne sospesa nei luoghi dove (come in Piemonte) esistevano vincoli e privilegi in tale esercizio.

Così pure venne deciso che sono pure in vigore i vincoli e privilegi stabiliti dalle antiche leggi e tra esse le notificazioni austriache del 1835 e 1838 vigenti nel Lombardo-Veneto (Giurisprudenza costante) (2).

Il farmacista privilegiato ha azione per difendere in giudizio la sua privativa contro il privato che apra abusivamente una nuova farmacia (3).

L'Autorità giudiziaria è competente a conoscere della lesione del diritto di farmacia privilegiata avvenuta per l'apertura di nuova farmacia (articolo 4 e 6 legge 20 marzo 1865 sul Contenzioso amministrativo) (4).

Trasloco di farmacia — Ordine di chiusura.

Non solo l'apertura di una farmacia, ma anche il solo *trasloco* di una farmacia in violazione dei diritti privilegiati di piazza, dà luogo a risarcimento di danno, e l'Autorità giudiziaria nel condannare ai danni medesimi, può ordinare altresì la *chiusura immediata della farmacia stessa* (5).

---

(1) App. Torino, 12 maggio 1905, *Giur. Tor.*, 991.
(2) Cass. Torino, 19 dicembre 1902, *Giur. Tor.*, 1903, 1229.
(3) Cass. Torino, 21 maggio 1891, *Giur. Tor.*, 889.
(4) App. Torino, 8 aprile 1902, *Giur. Tor.*, 687. — Cogliolo, *Codice sanit.*, pag. 261, n. 6.
(5) Cass. Torino, 31 dicembre 1900, *Giur. Tor.*, 1901, 89.

La Suprema Corte di Roma però (Sezioni unite) ha ritenuto con sentenza 30 novembre 1905 (1) che l'Autorità giudiziaria è bensì competente a decidere se l'apertura di una nuova farmacia viola il privilegio di farmacia preesistente, ma non può ordinare la chiusura della farmacia stessa *apertasi coll'assenso dell'Autorità amministrativa.*

La sentenza penale che nel trasloco di una farmacia fatto senza le autorizzazioni di legge esclude il carattere di contravvenzione alle Regie Patenti del 1839 e alla legge sanitaria vigente, non forma cosa giudicata per escludere che il trasloco medesimo sia lesivo di altrui diritti di proprietà e privilegio di piazza, all'effetto di pronunciare il risarcimento dei danni (art. 6 Cod. proc. pen).

Massime diverse.

La provvisoria conservazione dei privilegi e vincoli nell'esercizio delle farmacie, non è cessata collo spirare del quinquennio, entro il quale, secondo l'art. 68, devesi promulgare una legge speciale per l'abolizione dei privilegi e vincoli (2).

Vincoli farmaceutici in Roma.

La legge Clementina 5 febbraio 1771 e quella di Pio VI del 1789 sono tuttora in vigore in Roma, e quindi deve osservarsi la distanza delle *200 canne* tra una farmacia e l'altra; perciò l'azione di danni per il maggiore ravvicinamento di una farmacia ad un'altra non è preclusa dal fatto che le due farmacie già si trovassero a distanza minore delle duecento canne, nè da altri precedenti trasferimenti; e non valgono ad escludere tale azione circostanze particolari della farmacia trasferita, nè ra-

---

(1) *Legge*, 1905, 2395.
(2) Cass. Torino, 22 settembre 1897, *Giur. Tor.*, 1361.

gioni di igiene o di ristrettezza dei locali che motivarono il trasferimento (1).

Non è ammessibile l'azione di **violazione di privilegio** farmaceutico, se il farmacista che la propone non dimostra che la nuova azienda farmaceutica gli è causa di una apprezzabile concorrenza; e sono elementi che valgono ad escludere una apprezzabile concorrenza l'interposizione di altre farmacie, il diverso ordinamento della rete stradale, la formazione di nuovi quartieri in zone prima destinate a fondi rustici, ecc. (2).

Farmacie in Piemonte.

Il Regio Decreto 14 gennaio 1877 apportò modificazioni alle Regie Patenti del 1839, e così le condizioni per aprire nuove farmacie, sono le seguenti :

a) l'autorizzazione ad aprire una *nuova farmacia* data dal Prefetto sentito il parere del Consiglio Provinciale di Sanità;

b) deliberazione del Consiglio Comunale dalla quale risulti che per mancanza di farmacie sul luogo, o per insufficienza di quelle esistenti, o per lontananza e difficoltà di comunicazioni con le altre, aperte nei luoghi circostanti, la popolazione abbisogni della nuova farmacia (3). Nelle Regie Patenti richiedevasi inoltre che la deliberazione del Municipio (atto *consolare*) fosse confermato dal *giusdicente* (ora *Pretore*) ed attualmente, essendo soppressa la carica di giusdicente, si suole nella pratica comunicare semplicemente la *deliberazione* del Consiglio Comunale al Pretore perchè esprima il suo parere in proposito.

---

(1) Trib. Roma, 5 luglio 1905, *Pal. di Giust.*, 423.
(2) App. Milano, 13 dicembre 1904, *Mon. Trib.*, 34.
(3) Consiglio di Stato, IV Sez., 25 novembre 1904, *Bollet. Opere Pie*, 151.

Farmacie nel Lombardo-Veneto.

Secondo alcune decisioni, ai farmacisti del Lombardo-Veneto in forza delle disposizioni delle leggi austriache (decreto 10 ottobre 1835 e notificazione 1° agosto 1838) *non competono* privilegi a senso dell'art. 68 della legge sanitaria 22 dicembre 1888; poichè le accennate disposizioni legislative hanno avuto lo scopo di regolare l'esercizio *in massima ed in riguardo al pubblico interesse*, e non di attribuire ai privati proprietari un privilegio (1); l'unico diritto attribuito ai proprietari di farmacie preesistenti al 10 ottobre 1835 nel Lombardo-Veneto, è quello di avere una clientela *non inferiore a 5000 abitanti* nel territorio costituente la sfera di azione di quelle farmacie, e tale diritto venne riconosciuto e conservato dal ripetuto art. 68 della legge sanitaria (2).

Nel Lombardo-Veneto non occorre autorizzazione per l'apertura di nuove farmacie, purchè non si venga a ledere il diritto anzidetto, e l'Autorità giudiziaria è competente a decidere se l'apertura non autorizzata, di una nuova farmacia, abbia ridotto a meno di 5000 abitanti la clientela delle farmacie esistenti da prima del 10 ottobre 1835 (3).

Napoletano.

Nelle provincie dell'ex-reame di Napoli sono tuttora in vigore le disposizioni della legge 10 aprile 1850 e del regolamento 29 gennaio 1853 sull'esercizio dell'arte farmaceutica; e quindi non si può tenere a pubblico uso una farmacia *se non da chi è nel tempo stesso farmacista e proprietario della medesima.* La violazione di quelle disposizioni con offesa al diritto di altro farmacista, *dà diritto ad azione di danni.* L'apertura di nuova farmacia nel

---

(1) Cass. Firenze, 9 marzo 1905, *Legge*, 963.
(2) App. Milano, 16 settembre 1905, *Mon. Trib.*, 998.
(3) App. Milano, 16 settembre 1905, *Mon. Trib.*, 998.

Napoletano va preceduta da decreto prefettizio di autorizzazione su domanda di chi vuole aprirla col concorso di *parere* favorevole del Consiglio Comunale (1).

Liguria.

In Liguria i vincoli farmaceutici sono regolati dalle Regie Patenti 16 gennaio 1841 (2).

Concorrenza sleale.

Non costituisce concorrenza sleale il fatto del farmacista che mette in vendita un *preparato* di composizione notoria e non protetto da alcun diritto di esclusività in involucri somiglianti a quelli adottati per lo stesso preparato dal suo inventore. Ed a nulla influisce in contrario che tale farmacista rivendesse prima quel preparato per conto dello stesso inventore (3) (Vedi *concorrenza sleale*).

Vi sarebbe invece concorrenza sleale se si approfitta maliziosamente delle fatiche di un industriale e del credito che questi ha saputo procurare al suo prodotto, fabbricandone un altro simile e dandogli un nome ed una forma analoghi, ed atti a trarre in errore la gran massa dei compratori: e così costituisce concorrenza sleale al prodotto denominato *Pillole di catramina Bertelli*, il porre in commercio delle *Pillole di catramina Pistolini* imitando però le prime: *a)* nella forma delle scatole; *b)* nel colore della carta di avvolgimento; *c)* nel modo di chiusura; *d)* nel portare sulla parte anteriore quasi le stesse parole (4).

---

(1) App. Trani, 20 giugno 1905, *Foro Puglie*, 370 e Consiglio Stato, Sez. IV, 5 maggio 1905, *Giur. It.*, III, 298.
(2) App. Genova, 14 aprile 1905,, *Foro It.*, I, 892.
(3) App. Bologna, 18 luglio 1904, *Mon. Trib.*, 294.
(4) App. Roma, 2 agosto 1904, *Mon. Trib.*, 15.

Risponsabilità civile in base a reati.

Risponde civilmente dei danni, oltre che penalmente, chiunque, essendo autorizzato alla vendita di sostanze medicinali, le somministra in *ispecie, qualità* o *quantità* non corrispondente alle ordinazioni mediche o diversa da quella dichiarata o pattuita (art. 321 Cod. pen.).

Per gli sbagli da cui derivi *avvelenamento*, risponderà il farmacista dei danni civilmente, e penalmente per omicidio colposo (Vedi pure *Veneficio involontario*).

Risponde di omicidio colposo il farmacista che non mise alcun segno sulle cartine contenenti sublimato corrosivo (od altro veleno) e le consegnò al compratore che avendo nello stesso tempo acquistato cartine di chinino, scambi le une colle altre e muoia avvelenato (1).

Il conduttore di una farmacia non risponde civilmente per il fatto del suo commesso che soccorra una persona *svenuta* portata in farmacia e per negligente ed imprudente uso di un farmaco le cagiona grave lesione (2). Risponderà però l'assistente o commesso in proprio.

Risponderà invece di omicidio colposo e danni, il farmacista per il fatto del commesso, che in sua assenza, somministrò un veleno anzichè un calmante ad un ammalato cagionandone la morte (3).

Fatti leciti od illeciti. — Delitto civile.

Per giudicare se un fatto sia lecito od illecito secondo le regole di diritto, occorre aver riguardo alle leggi del tempo in cui il fatto fu eseguito (4).

Il concetto organico di *delitto civile* comprende tre condizioni :

---

(1) Cass. Roma, 4 dicembre 1898, *Giur. Pen.*, 252.
(2) Cass. Roma, 11 settembre 1897, *Giur. Pen.*, 501.
(3) Cass. Roma, 2 marzo 1900, *Giur. Pen.*, 362.
(4) Cass. Firenze, 8 luglio 1890, *Legge*, II, 154.

1° un fatto illecito e colposo ;
2° che sia imputabile al suo autore ;
3° la scienza di nuocere altrui.

Con questi criteri devesi valutare il fatto da cui possa risultare il *delitto civile* (1).

Il *delitto civile* può quindi definirsi una violazione della diligenza necessaria per non recar danno ad altri, e si distingue per ciò dal *delitto penale* che è la violazione di un divieto scritto nella legge penale e che oltre al risarcimento civile del danno, importa una pena afflittiva. Vedi in proposito quanto si disse nella *introduzione* a questo libro.

Secondo il Giorgi (2), dove manca *imputabilità giuridica*, cioè la coscienza e la libera elezione, manca il primo fondamento della responsabilità, e quindi gli infanti ed i pazzi non possono ritenersi civilmente responsabili. L'*ubbriaco* è responsabile se contrasse l'ubbriachezza per colpa (3), o mal governo di sè stesso; sarebbe irri sponsabile se l'ebrietà fu effetto di caso scusabile.

Colui il quale ha agito perchè *costretto* o *per sottrarsi* ad un *pericolo*, non risponde di danni (coazione, legittima difesa).

Può tuttavia in qualche caso essere tenuto a compenso (come nel caso di *eccesso* nella difesa).

Il *comando* di superiore non sempre costituisce coazione che esoneri da responsabilità, ma soltanto quando è rivestito dalle forme legali, cada su cosa di cui non sia manifesta l'ingiustizia e rientri nella potestà del superiore (4).

Dove manca la colpa non vi può essere responsabilità.

La colpa però può essere esclusa dal caso fortuito o dalla forza maggiore (Vedi *Forza maggiore*).

---

(1) Cass. Firenze, 3 luglio 1890, *Legge*, II, 154.
(2) *Obbligaz.*, vol. V, § 145 e segg.
(3) Costituisce *colpa* il bere soverchio, poichè si sa che bevendo assai si corre pericolo di ubbriacarsi.
(4) Giorgi, *Obblig.*, vol. V, § 148.

La responsabilità dell'offensore cessa quando vi sia lecita rinunzia da parte del danneggiato, e quando possa farsi luogo a compensazione di colpe, atteso il concorso di colpa anche da parte dell'offeso (Vedi *compensazione delle colpe*).

Il fatto che produce danno per rendere questo risarcibile, deve essere un fatto *illecito*, perchè altrimenti qui *jure suo utitur neminem laedit*.

Questa massima va però intesa a dovere, secondo che si tratti di danni recati dai privati, o di quelli recati dall'autorità o dalle pubbliche amministrazioni *pro bono publico*.

Tra i privati è sempre lecita la difesa della persona e delle cose contro l'aggressore, *cum aliter periculum effugere non possimus*; e perciò il danno recato dall'offeso all'offensore entro i limiti del moderame dell'incolpata tutela, non è mai risarcibile (es. le lesioni che, chi sia aggredito da un malvivente, rechi all'aggressore per liberarsi).

Lecito pure viene ritenuto secondo il diritto naturale, e quando non siavi altro scampo, l'inferire danno ad un terzo innocente per liberarsi da un male minacciato da forza maggiore, o da un offensore contro il quale non si possa reagire. Però giustizia richiede che il danno si ripartisca fra le due vittime, o, se ciò non sia possibile, che il danno si ripari da chi lo arrecò al terzo innocente, sebbene lo facesse per difendersi.

Il criterio per conoscere tra privati il danno dato *jure* e distinguerlo da quello dato *injuria*, consiste nell'indagare se l'offeso poteva vantare un *diritto*, o non aveva che un semplice *interesse*, perchè contro ad un diritto non è concepibile un altro diritto (1).

È danno dato *jure* anche quello recato scegliendo tra vari diritti l'esercizio di quello che recava danno, mentre

---

(1) Giorgi, *Obblig.*, vol. V, § 166-167.

l'esercizio degli altri diritti, che pur si sarebbero potuti scegliere, non avrebbe recato danno (Vedi pure *Amministrazione pubblica in generale*).

È *colpa* all'effetto del risarcimento del danno l'*abuso* di un diritto.

Ferrovie.

(Vedi pure **Disastri ferroviari e trasporti in generale**).

Costruzione — Danni.

Per i danni cagionati ai privati dalla *costruzione* o *manutenzione* di una strada ferrata, non può sperimentarsi l'azione per danno dato di cui all'articolo 82, n. 1, Cod. procedura civile, ma deve chiedersi l'indennizzo a senso dell'art. 46 della legge sulle espropriazioni per pubblica utilità 25 giugno 1865, n. 2359 (1).

Cottimisti e subappaltatori — Risponsabilità per danni.

La Società ferroviaria risponde della colpa dei suoi cottimisti nell'orbita dei lavori di costruzione di una linea ferroviaria. Il *cottimista* di lavori di nuova linea ferroviaria *è responsabile solidariamente colla Società*, dell'infortunio toccato ad un bambino di tre anni rotolato giù da un mucchio di sabbia sopra il binario, sul quale sopraggiungeva un treno di trasporto materiali, se questo procedeva senza segnali, e, pur constando di undici vagoncini, non aveva che un solo frenatore in coda. Neppure può invocarsi in tal caso la colpa dei genitori che abbandonarono quel bambino sul mucchio di sabbia, sapendo che ai piedi dello stesso correva il binario, per compensare

---

(1) Cass. Roma, 18 aprile 1905, *Cassa Unica Civ.*, 151.

le colpe, ma solo varrà a far diminuire l'ammontare delle indennità. E non può infine il cottimista riversare soltanto sulla Società ferroviaria la responsabilità col pretesto che gli ingegneri di questa non abbiano prescritto di costrurre a lato del binario gli occorrenti ripari (1).

E per vero qualora pure per *ipotesi* fossero mancate istruzioni per parte della Società ferroviaria, ciò non esimeva il cottimista dall'usare quelle diligenze che erano necessarie per impedire infortuni e la cui omissione costituisce di per sè colpa grave (Vedi pure *Compensazione delle colpe*).

In genere è pacifico che l'Amministrazione appaltante non è responsabile del fatto illecito ed arbitrario commesso dall'appaltatore nel suo interesse (2); ma tale principio non sarebbe più applicabile quando nel capitolato di appalto l'Amministrazione si è obbligata di *sorvegliare* e *dirigere*, anche nell'interesse dei privati, l'opera dell'appaltatore in quegli atti medesimi che, per mancata sorveglianza, sono risultati dannosi ai terzi. La clausola inserta nel capitolato d'appalto, per cui l'appaltatore si addossi ogni responsabilità per possibili danni, non impedisce, verificandosi tali danni, al terzo danneggiato per negligenza e colpa dei dipendenti dell'appaltatore suddetto, di rivolgersi per il risarcimento *direttamente* ed *esclusivamente contro l'appaltante* benchè esonerato (3).

Richiesta di vagoni — Danni.

L'Amministrazione ferroviaria, regolarmente richiesta da un privato di fornirgli i vagoni necessari per un determinato trasporto, non è tenuta a verun risarcimento di danni, se non li fornisce nel termine stabilito dall'articolo 106 dell'allegato *D* della legge 27 aprile 1885 (4).

---

(1) App. Torino, 7 luglio 1905, *Giur. Tor.*, 1250.
(2) Cass. Torino, 29 agosto 1894, *Giur. Tor.*, pag. 714 e 772.
(3) Cass. Roma, 16 aprile 1901, *Giur. Tor.*, 815.
(4) Cass. Torino, 16 agosto 1906, *Giur. Tor.*, 1247.

È questa giurisprudenza costante delle Corti Supreme del Regno (Firenze, Torino, Napoli), imperocchè altro è la richiesta del *trasporto di cose* contemplato nell'art. 2 dell'allegato *D* accennato, il cui inadempimento importa nell'Amministrazione l'obbligo del risarcimento dei danni, salvo che non ricorrano i casi di eccezione dallo stesso articolo di legge preveduti; altro è la semplice *richiesta preventiva di vagoni vuoti* per carico di merci a sensi dell'art. 106 della tariffa, accompagnata dal deposito di L. 5 per ogni vagone, la cui inesecuzione per parte dell'Amministrazione entro il termine di 36 ore, non induce nel richiedente altro diritto all'infuori della restituzione del deposito, poichè l'Amministrazione non ha obbligo formale di fornire i vagoni nel termine stesso.

Nella dottrina non mancano sostenitori della tesi contraria. La giurisprudenza più antica ritenne invece per massima che l'Amministrazione ferroviaria risponde per la insufficienza dei mezzi di trasporto, a meno che essa provi che le richieste fattele eccedevano i bisogni ordinariamente prevedibili (articoli 2 e 106 alleg. *D* della legge 27 aprile 1885) (1), ed in queste richieste ordinariamente prevedibili, non vanno compresi i momenti annuali di massimo traffico. La legge dice infatti che l'Amministrazione è obbligata ad eseguire sulle proprie linee ed in base alle tariffe e condizioni in vigore i trasporti di persone e di cose che le vengano richiesti, sempre *che vi possa provvedere coi mezzi corrispondenti ai bisogni ordinariamente prevedibili, e non ostino impedimenti straordinarii o di forza maggiore.* L'Amministrazione risponde dei danni conseguenti all'inadempimento di tali suoi obblighi.

L'Amministrazione ferroviaria è sempre *tenuta di regola* ad eseguire tutti i trasporti dei quali è richiesta, e solo eccezionalmente è esonerata in caso di forza mag-

---

(1) App. Milano, 23 ottobre 1893, *Legge*, 767.

giore od in caso che il materiale rotabile sia insufficiente, del che la prova sta a suo carico (art. 2 Legge 27 aprile 1885, alleg. *D*; art. 1225 Cod. civ.; art. 403 Cod. comm.) (1), e fu giudicato anche che la Società ferroviaria non è tenuta ai danni per mancata o deficiente consegna dei vagoni, se il quantitativo richiesto non eccedeva il prevedibile e se non ricorrevano casi di forza maggiore (2).

Costituirebbero casi di forza maggiore i momenti annuali di massimo traffico, per quanto sicuri ogni anno in certe epoche, e quindi in genere prevedibili (3).

Però se le ferrovie sono responsabili pel non eseguito trasporto, ciò non vuol dire che debbano tenere un dato numero di vagoni a disposizione del privato e per eventuali trasporti non ancora concretati e specificati (4).

Le ferrovie non rispondono poi della sospensione e ritardi nei trasporti per difetto di materiale viaggiante e straordinaria affluenza di merci, se di tali ritardi fu informato il pubblico con speciale avviso (5).

Giova infine richiamare che negli Atti parlamentari della Camera dei Deputati, legisl. XV, pag. 11813, si legge: " L'ingombro di merci nelle stazioni e la insuf-" ficienza del materiale non saranno considerati come " impedimenti straordinarii per giustificare il rifiuto di " eseguire i trasporti richiesti ed il ritardo avvenuto nel " farlo „.

Tariffe speciali.

Secondo la prevalente dottrina e giurisprudenza il beneficio della limitazione di responsabilità per le tariffe

---

(1) App. Casale, 21 giugno 1898, *Giur. Tor.*, 884.
(2) Trib. Milano, 2 aprile 1893, *Mon. Trib.*, 512.
(3) App. Milano, 23 ottobre 1893, *Foro It.* 1894, 43.
(4) Cass. Torino, 9 marzo 1901, *Giur. Tor.*, 443. — Vidari, *Diritto comm.*, VI, n. 5078 e 5441, 4ª ed.
(5) App. Roma, 21 luglio 1900, *Giur. Tor.*, 1159.

speciali, viene meno tanto nel caso di dolo che in quello di colpa grave (1).

Però la Corte di Cassazione di Torino ritenne recentemente (2) che dalla limitazione di responsabilità dell'Amministrazione ferroviaria di cui all'art. 5 dell'allegato *E* della legge 27 aprile 1885 *è escluso il caso di dolo, ma non anche quello di colpa grave*. Questo giudicato si fonda sul riflesso che se si dovessero escludere, nei trasporti a tariffa speciale, i casi di colpa grave dalla limitazione di responsabilità, non rimarrebbbe più nessuna differenza tra i trasporti a tariffa speciale e quelli a tariffa generale, perchè tanto per l'allegato *D* (tariffe generali) quanto per l'allegato *E* (tariffe speciali), la responsabilità delle ferrovie, quando non siano imputabili di *dolo* o di *colpa grave*, è ristretta al solo pagamento del valore della merce (art. 140 primo comma allegato *D* e art. 5 allegato *E*).

Nei trasporti per ferrovia il diritto di disponibilità delle cose trasportate passa dal committente al destinatario dopo l'arrivo e lo svincolo delle cose stesse. Ora siccome il diritto di agire per danni si fonda sul diritto di *disporre*, così il destinatario non può esercitare i diritti risultanti dal contratto di trasporto per ferrovia, se non ha fatto lo svincolo della merce verso pagamento del porto, spese o assegni (3).

Questa sarebbe la condizione del destinatario di fronte all'art. 408 del Codice di commercio. Ma vi si deroga in modo speciale coll'allegato *D* della legge 27 aprile 1885, col quale (4) è stabilito che il destinatario non ha che la scelta fra queste due vie : o *rifiutare* la riconsegna delle merci offertagli, ed allora il diritto di disporre e di agire rimane nel mittente; o accettare la riconsegna nonostante la insorta controversia sull'ammontare delle somme dovute

---

(1) App. Torino, 28 dicembre 1908, *Giur. Tor.*, 1904, 678.
(2) Cass. Torino, 24 febbraio 1905, *Giur. Tor.*, 749.
(3) Cass. Roma, 28 ottobre 1899, *Foro It.*, 1816.
(4) Vivante, *Dir. comm.*, vol. IV, n. 1943.

Baldi, *Casi pratici di responsabilità, ecc.* 18

e allora potrà adire il giudizio per ottenere la correzione dalla tariffa erroneamente applicata (art. 3, allegato *D*).

La giurisprudenza è ormai concorde nel ritenere che gli allegati *D* ed *E* della legge 27 aprile 1885 hanno il carattere di vera e propria legge e perciò debbono prevalere con efficacia derogatoria al Codice di comm. (1).

Smarrimento di documenti.

L'Amministrazione ferroviaria è responsabile dei danni derivati dallo smarrimento di un documento, che deve scortare la spedizione (ad esempio di un certificato doganale, oppure di polizia veterinaria circa la provenienza e sanità di bestiame), a causa della quale mancanza di documento sia resa impossibile la rispedizione della merce (2).

Spedizioni di merci — Ordine.

La ferrovia che non ha eseguite le spedizioni nel preciso ordine successivo nel quale gliene venne fatta richiesta, è responsabile dei danni. e così se, ad esempio, nel frattempo, le merci andarono distrutte da un incendio nel magazzino ferroviario in cui erano depositate; salvo però alla ferrovia il provare che nessuna colpa è a lei imputabile nè pel ritardo, nè per l'incendio (articolo 394 Cod. comm.) (3). Sarebbe nullo il patto di esonero della ferrovia da ogni responsabilità per *danni* alle merci affidatele, mediante riduzione della tariffa normale; imperocchè le tariffe ferroviarie non hanno portato alcuna deroga ai principii che determinano e regolano la responsabilità del vettore, di cui agli art. 400 e segg. Codice commercio (4).

---

(1) Cass. Torino, 17 dicembre 1904, *Giur. Tor.*, 1905, 768.
(2) Cass. Torino, 11 aprile 1904, *Giur. Tor.*, 855.
L'art. 400 e il 408 Codice comm., riguardano le *cose* trasportate.
(3) App. Milano, 4 giugno 1904, *Giur. Tor.*, 1293.
(4) Cass. Torino, 2 maggio 1893, *Giur. Tor.*, 568,

La responsabilità limitata della Amministrazione ferroviaria in base alla legge 27 aprile 1885 (alleg. *E*, art. 5 e 7 e articolo 416 Cod. comm.) sta soltanto per i casi di *avaria, perdita o ritardo*, dipendenti da *inconvenienti involontari*, non quando si tratti di fatti *illeciti o volontari* (1). Quindi la Amministrazione risponde degli ammanchi, anche nei trasporti a tariffa speciale. Nei trasporti marittimi il patto di esonero da responsabilità sopra accennata, sarebbe valido (Vedi *Navi e Navigazione*, § 3).

Erronee indicazioni date ai privati da agenti ferroviari (Vedi il titolo Committenti, § 4).

Ritardi — Danni.

La prova della forza maggiore esonerante la Società ferroviaria dal risarcimento dei danni di ritardo incombe alla Società che la eccepisce (art. 1225 Cod. civ.). Ed al viaggiatore danneggiato basta invocare il fatto materiale del ritardo, senza obbligo di provare che sia il ritardo stesso addebitabile a negligenza della Società (2).

Contravvenzioni insussistenti.

La Amministrazione di una ferrovia non risponde mai dei danni occasionati dai suoi agenti od impiegati per avere questi accertata una insussistente contravvenzione, anche se questa riguardi l'interesse della Amministrazione stessa (es. per preteso abuso di biglietto ferroviario di ritorno) (3).

---

(1) Cass. Torino, 9 novembre 1894, *Giur. Tor.*, 1895, 809. — Vidari, *Dir. comm.*, III, 3074. 3076. — Berlingeri, *Del contratto di trasporto*, art. 394. pag. 30 (Unione Tip.-Editrice di Torino'.

(2) Cass. Torino, 7 ottobre 1903, *Giur. Tor.*, 1489.

(3) Cass. Firenze, 14 novembre 1901, *Giur. Tor.*, 1902, 67.

Incendio.

Le Società ferroviarie sono responsabili per un incendio causato dalle scintille che si sprigionano dalla locomotiva, e ciò tanto più se la caduta di tali scintille deriva dall'uso di carbone scadente, essendo evidente in tal caso che non è una accidentalità, ma un fatto dipendente dall'esercizio e dagli esercenti la ferrovia (1).

Il vettore poi è *sempre responsabile dell'incendio* che ha distrutte in viaggio le merci affidategli pel trasporto, se non prova che si tratta di forza maggiore affatto non imputabile nè ad esso vettore, nè ai suoi dipendenti (2) (art. 400 Cod. commerciale).

Prove di locomotiva.

Chi fa manovrare una locomotiva a vapore *in un proprio fondo privato*, nel quale è vietato l'ingresso ad estranei, non risponde della uccisione di persona ivi illegalmente introdottasi ed investita dalla macchina, se risulta che i macchinisti, per le necessità tecniche della manovra che eseguivano, non erano in condizione di poter vèdere la persona espostasi negligentemente al pericolo; imperocchè l'obbligo della diligenza per impedire che il fatto proprio diventi dannoso per altri è contenuto nei limiti della *previdibilità* delle conseguenze di esso; nè può intendersi che per tutte le conseguenze *possibili* del fatto proprio, dannoso ad altri, vi sia imputabilità di colpa (3)

Perdita od avaria di merci.

Secondo i principii generali di diritto ogni vettore (e così pure le ferrovie) non è responsabile della perdita

---

(1) Cass. Firenze, 28 febbraio 1901, *Legge*, 1902, I. 669.

(2) App. Torino, 16 dicembre 1901, *Giur. Tor.*, 1902, 144. — Vidari, *Diritto comm.*, III, n. 3083, 4ª ed.

(3) App. Lucca, 21 novembre 1903, *Giur. It.*, I, 2, 18.

od avaria della merce sempre quando concorrano cumulativamente queste condizioni :

1° che la perdita od avaria dipenda da *forza maggiore*;

2° che questa si sia verificata *prima del tempo* in cui la merce avrebbe dovuto essere consegnata;

3° che egli abbia usate le debite diligenze per evitare o diminuire il danno della forza maggiore. Constatato il concorso di queste condizioni è sufficientemente motivata la sentenza che assolve il commissionario e il vetturale dalla risponsabilità (1). A liberare il vettore dalla responsabilità stessa non basta in fatti la sola prova dell'avvenimento della forza maggiore, ma è altresì necessario provare che il vetturale non è in colpa (2), cioè non vi concorse nè l'imprudenza, nè la negligenza, nè l'incuria sua e che fu nell'impossibilità di prevenire, evitare od attenuare gli effetti dell'avvenimento.

Sebbene le avarie delle merci trasportate siano derivate da caso fortuito (es. *un furioso temporale*), tuttavia ne è risponsabile il vettore, se questi era colpevole del ritardo nel trasportare le merci, poichè se avesse usata in ciò la debita diligenza e avesse consegnato in tempo le merci al destinatario, le medesime sarebbero andate immuni dalle conseguenze di quel caso fortuito (3).

Il caso di una *innondazione* che abbia invasa una stazione ferroviaria danneggiando le merci ivi raccolte, non è caso di forza maggiore, se non vi si prova in pari tempo che fu *imprevedibile* anche colla diligenza di un buon padre di famiglia, allontanando in tempo le merci e ponendole in salvo, quando la progrediente cresciuta delle acque minacciava, ma non aveva ancora invaso la stazione (4).

Sarebbe in questo caso inetto un capitolo di prova

---

(1) Cass. Torino, 11 luglio 1878, *Giur. Tor.*, vol. XI, 53.
(2) App. Torino, 27 dicembre 1869, *id.*, VII, 30.
(3) App. Torino, 16 maggio 1870, *id.*, VII, 491.
(4) Trib. Pallanza, febbraio 1869, *Giur. Tor.*, vol. VI, 188.

testimoniale che tendesse a stabilire solo che le acque crebbero repentinamente, da superare l'universale credenza, e raggiunsero le merci ad un livello così elevato che mai, a memoria d'uomo, era stato raggiunto dalle piene delle acque; ma per rendere ammessibile il capitolo è necessario che si deduca a prova anche il fatto che l'incaricato della custodia delle merci non avrebbe potuto prevenire gli effetti ritirando per tempo le merci (1).

Fu dichiarata risponsabile di danni la Società ferroviaria per le avarie sofferte dalla merce (es. *foglia di gelso*) per non essere stata sollecitamente scaricata all'arrivo della medesima in stazione; non sarebbe valida ad esimersi da risponsabilità l'eccezione che ciò accadde per *esigenze di servizio*, le quali non costituiscono forza maggiore (2).

L'Amministrazione della ferrovia è civilmente risponsabile delle somme che l'Amministrazione postale abbia affidato alla ferrovia e che siano andate smarrite, con obbligo nella Amministrazione postale di rifonderle ai privati (8).

L'Amministrazione della ferrovia cui venga consegnato un plico con dichiarazione della somma ivi contenuta, è sciolta da ogni risponsabilità per non essersi dal destinatario ricevuta la somma dichiarata, se non sia provato che veramente all'atto della consegna il plico medesimo la contenesse (4).

A comprovare che in un sacchetto o involto rimesso, chiuso e sigillato al vettore, ed andato smarrito o sottratto, o stato infedelmente aperto, si contenesse denaro, bastano prove indiziarie, salvo però a completarle con altri mezzi legittimi (5).

---

(1) App. Torino, 27 dicembre 1869, *id.*, VII, 80.
(2) App. Torino, 26 febbraio 1872. *id.*, IX, 294.
(8) App. Torino, 23 maggio 1871, *id.*, VIII, 464.
(4) App. Torino, 22 febbraio 1867, *id.*, IV, 298.
(5) App. Torino, 23 maggio 1871, *Giur. Tor.*, vol. VIII, 464.

Le strade ferrate rispondono altresì della *deficienza di peso o quantità* delle merci trasportate, verificata mediante il raffronto della quantità consegnata alla stazione di partenza con quella rimessa alla stazione di arrivo, salvo che stabiliscano che la deficienza proviene da *vizio* o da *natura* della *merce*, o dei *recipienti*, oppure da caso fortuito o forza maggiore (Vedi pure il titolo *Incendi*).

Lo stato della merce circa le *avarie* può provarsi per *testimoni* o per *perizia*. Se le deposizioni dei testi fossero contradditorie e si controbilanciassero a risolvere il dubbio è indispensabile il mezzo della perizia (1).

Danni per mancanza di ripari alle merci.

L'Amministrazione ferroviaria risponde delle avarie che alle merci siano derivate dall'essere state mal riparate con copertoni guasti od inservibili (art. 114 e 130 tariffe ferroviarie 1885) (2). Per vero le facoltà concesse dall'articolo 114, all. *D*, alla legge 27 aprile 1885 all'Amministrazione ferroviaria di non fornire copertoni quando non li abbia disponibili, non induce la irrisponsabilità sua, quando, avendone disponibili e concedendoli ad analoga richiesta si assuma di fornirli. Che anzi l'aver esonerato da risponsabilità coll'art. 130, lettera *d*, all. *D*, l'Amministrazione ferroviaria per le avarie sopravvenute alle merci trasportate *con copertoni di proprietà dello speditore* (3) significa che la risponsabilità dell'Amministrazione rimane in tutta la sua integrità quando i copertoni siano stati forniti dall'Amministrazione stessa.

Costruzioni e lavori in un tunnel — Infortunio.

L'impresa costruttrice di un *tunnel* è responsabile dell'infortunio di un operaio che camminando sul binario

---

(1) App. Torino, 8 maggio 1869, *id.*, VI, 417.
(2) Cass. Torino, 16 novembre 1901, *Giur. Tor.*, 1902, 548.
. (3) MARCHESINI, *Contratto di trasporto*, vol. II, n. 814.

nello stesso *tunnel* sia rimasto investito e schiacciato da parecchi vagoni correntigli incontro senza macchina che desse i fischi d'allarme e senza frenatore munito di trombetta. E nulla decide in contrario che la vittima abbia avuto torto, camminando in mezzo al binario, di non preoccuparsi della possibilità del sopraggiungere di un treno, se per altri assordanti simultanei rumori riesce spiegabile che non abbia potuto avvertire l'approssimarsi dei vagoni suddetti, e l'impresa è tenuta a risarcire ai parenti prossimi della vittima, non solo i danni *materiali*, ma anche quelli morali pel dispiacere sofferto (1).

Personale viaggiante — Infortunio.

L'Amministrazione ferroviaria non risponde del sinistro che colpì un impiegato viaggiante, se non si dimostra che ciò dipese da *difetto del carro* o *della linea*, o da *ordine* imprudentemente impostogli da superiori (art. 1151 e 1218 Cod. civ.) (2).

Ritardata consegna di merci — Ingombri.

Le ferrovie non rispondono del ritardo nei trasporti di merci quando dimostrino che ciò provenne da eccessivo *ingombro di treni* nella stazione di arrivo deficiente al bisogno (art. 403 Cod. comm.; art. 2, allegato *D.* legge 27 aprile 1885) (3).

Danni per mancata pulizia del vagone.

Bisogna tener presenti al riguardo le norme fondamentali vigenti circa il *carico* delle merci. Secondo la legge 27 aprile 1885 la regola è che il carico si compia

---

(1) App. Torino, 31 ottobre 1901, *Giur. Tor.*, 1457.
(2) Cass. Torino, 21 giugno 1902, *Giur. Tor.*, 1049.
(3) Pretura di Pianezza, 5 dicembre 1901, *Giur. Tor.*, 1902, 1368.

dalla Società vettrice (art. 59 princ. e 69 princ. all. *D*). Ma l'Amministrazione ferroviaria *può* lasciarlo compiere dal mittente nei trasporti a grande velocità, purchè a *tariffa speciale* (art. 59, alleg. *D*), ed in quelli a piccola velocità, sempre quando lo creda opportuno (art. 69, capov. 3°, alleg. *D*). Talora invece l'operazione del carico è *riserrata al mittente*, e così nel caso di merci *a vagone completo* a piccola velocità, il cui diritto fisso è stabilito in L. 1,20 (*avvertenza C* all'art. 63, alleg. *D*); nei trasporti di *bestiame* (art. 85, alleg. *D*) a tariffe speciali a piccola velocità accelerata (n. 52 e 53, lett. *a*), e quando si tratti di altre merci ammesse al trasporto a piccola velocità accelerata (tariffe speciali a piccola velocità accelerata, n. 50, lett. *d*, n. 51, lett. *b*, e n. 54, lett. *f*).

Ora nel caso in cui il carico delle merci è effettuato per cura del mittente, questo si compie interamente a rischio di lui, per modo che egli non può invocare la risponsabilità dell'Amministrazione per le avarie dipendenti dal modo di caricazione (1).

L'Amministrazione sarebbe responsabile ove fornisse al mittente un vagone inidoneo al trasporto e di cui la inidoneità fosse tale da non poter essere avvertita nonostante la diligenza di un avveduto commerciante.

Tolto questo caso, l'art. 69, 4° capoverso, combinato coll'art. 130, lett. *e* dell'allegato *D* sancisce chiaramente che l'obbligo dell'Amministrazione è soddisfatto allorchè il vagone è collocato nel luogo opportuno perchè il carico si possa compiere. Nel caso in cui il carico fosse assunto dallo speditore, ben può questi rilevare se il vagone non è pulito e farlo ripulire prima di *effettuare il carico*, cioè prima di *effettuare la consegna* che si immedesima nel fatto del carico, e la risponsabilità dell'Amministrazione ferroviaria prende inizio soltanto, a norma

---

(1) Cass. Torino, 25 aprile 1902, *Giur. Tor.*, 1482. — Bruschettini, *Del contratto di trasporto*, commento al Codice di comm. Edizione Vallardi, 1902, n. 47.

dell'art. 400 Cod. comm., dal *momento della consegna*, per cui consegue che nel caso in esame la merce rimase veramente avariata per fatto del mittente anteriore alla consegna, cosicchè giustamente l'Amministrazione non è tenuta a danni di sorta.

Avarie per contatto con altre merci.

Il vettore è risponsabile dell'avaria della merce trasportata (es., sacchi di mandorle) che sia rimasta appestata dal puzzo di altra merce vicina a contatto (es. stoccofisso ed olio di pesce), e resa inservibile a causa dello imperfetto stivaggio (art. 502 Cod. comm.) (1).

Deviatore — Schiacciato — Manovali.

È civilmente responsabile la Società delle ferrovie per la morte di un operaio deviatore rimasto schiacciato tra due repulsori nell'attendere come agganciatore alle manovre di smistamento di treni merci, se tali manovre alle quali era stato richiesto per l'assenza dei manovratori, si svolsero senza l'assistenza e la direzione di un capo e con personale deficiente al bisogno.

Fra i doveri delle Amministrazioni delle ferrovie verso i proprî dipendenti, è compreso anche quello di garantire la personale loro incolumità per i pericoli incontrati nell'adempiere alle loro incombenze e quando agiscono per ordine dei preposti all'esercizio dalla Amministrazione (2).

Si discute se trattandosi di infortunio sul lavoro, si versi nel campo della colpa aquiliana o in quello della colpa contrattuale. Nel primo senso si è pronunciata la Cassazione di Firenze (26 marzo 1896, rel. Scarienzi; *Giurisp. Torinese*, 375) e questa è la dottrina prevalente

---

(1) Cass. Torino, 9 marzo 1901, *Giur. Tor.*, 444.
(2) Cass. Roma, 16 aprile 1896, *Giur. Tor.*, 279.

in dottrina e giurisprudenza. Nel secondo senso, cioè che trattisi di colpa contrattuale decise la Cassazione di Roma (1).

Trattandosi di colpa aquiliana, la prova di essa sarebbe a carico di chi l'afferma (2); trattandosi invece di colpa contrattuale, essa sarebbe insita nell'inadempimento del contratto, e sarebbe a carico dell'inadempiente l'escludere la colpa (3).

Secondo la prevalente opinione è da ritenersi che il committente o locatore d'opera non è obbligato, per il contratto di locazione d'opera a tutelare la vita e l'incolumità personale dell'operaio; ma ne risponde solo in base a delitto o quasi delitto che gli si possa imputare, e del quale l'infortunio sia stato la conseguenza; spetta perciò all'operaio che chiede il risarcimento, il provare la colpa aquiliana del padrone, e non è a carico del padrone di escludere la colpa colla prova del caso fortuito o della forza maggiore. Tale norma si applica al caso di un *fuochista ferroviario* che sia stato ucciso dal *rovesciarsi della locomotiva* (4).

E per vero col contratto di locazione d'opera non è stabilito fra le parti altro rapporto che l'opera da prestarsi dall'una e la mercede da pagarsi dall'altra, e non può trovar luogo l'obbligazione del padrone di garantire l'incolumità personale di chi presta e loca l'opera sua; per il che l'infortunio che colpisce l'operaio è un fatto che non può generare la sua responsabilità se non è a lui attribuibile una colpa (5). Da ciò consegue:

1° Che la prova della colpa del padrone nell'infortunio è a carico del danneggiato che reclama, salvo che si tratti di caso in cui la colpa sia *in re ipsa*; mentre

---

(1) 16 giugno 1897, relatore Casaburi, *Giur. Tor.*, 1350.
(2) App. Torino, 9 giugno 1896, *Giur. Tor.*, 641.
(3) Cass. Torino, 19 marzo 1896, *id.*, *id.*, 280.
(4) Cass. Firenze, 26 marzo 1896, *Giur. Tor.*, 375.
(5) CHIRONI, *Colpa extracontrattuale*, nn. 71 a 89 e nota alla sentenza stessa.

invece la colpa nell'adempimento contrattuale è sempre presunta, se dal debitore non si esclude con prova contraria.

2° Che nell'infortunio a dare fondamento alla risponsabilità del padrone basta la colpa di lui lievissima, come sempre in tema di delitto o di quasi delitto (Legge 44. *ad leg. Aquil.*) (1); mentre nel campo contrattuale la colpa *lievissima* non basterebbe non essendo obbligato il debitore ad usare la diligenza massima, ma soltanto quella del buon padre di famiglia (art. 1224 Cod. civ.).

Rimangono però ferme in ogni caso, come già si disse, le disposizioni speciali delle leggi sugli infortunii sul lavoro.

Frane o rovine di manufatti.

L'Amministrazione ferroviaria è obbligata alla regolare manutenzione delle scarpate laterali, e deve quindi risarcire i danni per la rovina di un muro di cinta di privata proprietà posto in cima ad una di dette scarpate, che sia stata causata dalla trascurata manutenzione della scarpata medesima (art. 260 Legge 20 marzo 1865 sui lavori pubblici) (2).

Fu pure ritenuto che l'Amministrazione ferroviaria sia tenuta a provvedere a che, coll'alzamento annuale del letto di un torrente, non si renda inadatta allo scopo la diga costruita dallo Stato a garanzia della proprietà privata (3).

Così pure risponde dei danni per frane dipendenti da viziosa costruzione originaria delle strade esercite (articolo 1155 Cod. civile ; 281 legge sui lavori pubblici 20 marzo 1865).

---

(1) Cass. Torino, 19 marzo 1896, *Giur. Tor.*, 280; Cass. Firenze, 10 marzo 1892, *Giur. Tor.*, 408 e 3 marzo 1896, *id.*, 218.
(2) Cass. Torino, 7 luglio 1900, *Giur. Tor.*, 1014.
(3) App. Catanzaro, 9 luglio 1897, *Temi Calab.*, 287.

Consegna di merci per errore — Colpa del mittente.

La colpa del mittente di avere errato nello scrivere nella lettera di spedizione il nome del destinatario, non esclude la colpa del vettore, e non lo libera dalla responsabilità per avere omesso di denunciargli la irreperibilità del destinatario designato e la giacenza della merce in stazione, per aver rimesso la merce stessa ad altra persona (art. 400 Cod. comm.; 1218 Cod. civ.) (1).

La colpa od errore del mittente potrebbe esonerare il vettore della responsabilità del ritardo che fosse derivato dalle erronee indicazioni dategli, e delle avarie e perdite che, in conseguenza di quel ritardo, si fossero verificate. Ma una volta che le indagini si erano inutilmente praticate dal vettore, nulla valeva a salvarlo dalla responsabilità per l'ulteriore ritardo dell'aver tenuta giacente la merce in stazione e, peggio, dell'aver rimesso la merce a persona diversa da quella indicatagli e dal vero destinatario (2).

Il vettore è, per la natura del contratto, risponsabile della riconsegna della merce nel luogo di destinazione alla persona del vero destinatario od a chi si presenta munito di regolare girata della polizza di carico, e perciò è risponsabile per aver consegnato la merce ad altri che al vero destinatario o legittimo possessore della polizza ogni qualvolta in ciò gli si possa attribuire la colpa ossia l'omissione della ordinaria diligenza nell'assicurarsi dell'identità della persona e della legittimità del possesso della polizza. La clausola per la quale egli fosse dispensato dall'usare la comune diligenza, e fosse quindi affrancato dalla essenziale sua obbligazione, sarebbe inefficace siccome contraria alla natura del contratto, ed anche perchè la colpa lata si equipara al dolo, e sa-

---

(1) Cass. Torino, 1º aprile 1891, *Giur. Tor.*, 523.
(2) Cass. Torino, 28 dicembre 1886, *Giur. Tor.*, XXIV, 82.

rebbe contraria alla morale la stipulazione per la quale
altri si esimesse dal rispondere del dolo proprio e del
fatto proprio : " *illud non probabis, dolum non esse prae-*
standum, si convenit; nam haec conventio contra bonam
fidem, contraque bonos mores est, et ideo non sequenda est
(l. 1, § 7, Depositi). Di ciò non mancano esempi nella
giurisprudenza per l'applicazione nella materia speciale
dei trasporti (1).

La risponsabilità poi per essersi rimessa la merce ad
altri che al vero destinatario non cessa per il fatto che
sulla cassa contenente la merce non siasi indicato dal
mittente il recapito del destinatario, dovendo il commissionario di trasporti o vettore in tal caso trattenere la
merce nei suoi magazzini e rivolgersi al mittente per
averne informazioni, ed accertarsi anche dell'identità della
persona che si presenta a ritirare la merce, al fine di evitare l'equivoco dell'identità dei nomi.

Però è a ritenersi altresì che il commissionario di
trasporto non è obbligato a consegnare le merci *a mani*
e domicilio del destinatario, ma soltanto a farla pervenire nel luogo designato e di avvertire il destinatario di
ritirare la merce (2).

Fu ritenuto che lo *spedizioniere* cui venga dato incarico
di consegnare alcune merci a determinata persona, ha l'obbligo di fargliele pervenire a domicilio, sì che, ritenendole
nei suoi magazzini, deve rispondere di furto che fosse
avvenuto (3).

E così le Ferrovie sono responsabili della consegna del
carico verso il destinatario quando la medesima venga
fatta invece a persona diversa (4).

---

(1) App. Torino, 6 giugno 1879, *Giur. Tor.*, XVII, pag. 37 e note.
— VIDARI, IV, 2250 *bis*. – DALLOZ, 1874, 1, 305.
(2) App. Torino, 11 dicembre 1869, *Giur. Tor.*, vol. VII, pag. 149.
(3) Cass. Napoli, 16 luglio 1874, *Gazz. dei Trib. di Napoli*, XXVI,
pag. 787.
(4) Cass. Napoli, 14 dicembre 1876, *Legge*, XVII, 1, 392.

Quando nella lettera di vettura e nell'indirizzo si hanno indizî sufficienti per riconoscere che l'individuo, il quale si presenta per ritirare una merce, è il vero destinatario, l'Amministrazione della ferrovia non è esonerata da responsabilità per ciò solo che qualche lettera del nome scritto sull'indirizzo potesse lasciar luogo a dubbî (1).

Ed infine l'incaricato del trasporto è personalmente risponsabile per le consegne di merci da esso fatte senza accertarsi dell'identità del destinatario indicato nella polizza, senza che valga ad esimerlo da tale risponsabilità la circostanza che la consegna sia stata fatta a chi si potè credere dal destinatario medesimo incaricato del ritiro (2).

Colui al quale sono rimessi, per errore degli agenti ferroviarî, oggetti diretti ad altra persona in iscambio di quelli a lui diretti, è risponsabile del danno derivato all'Amministrazione ferroviaria se, scoperto immediatamente l'errore, non lo ha denunciato all'Amministrazione stessa, e si è costantemente rifiutato di fare la restituzione degli oggetti stessi. Questa risponsabilità non viene meno per ciò che gli agenti autori dello scambio lo abbiano consigliato a ritenersi gli oggetti in luogo di quelli suoi proprî (3).

Inibizione di opere — Danni.

Anche una pubblica Amministrazione è risponsabile del danno dato allorchè i suoi rappresentanti, pur senza agire con dolo od abuso di potere, abbiano tuttavia, nell'esercizio delle loro attribuzioni, operato con leggerezza e precipitazione; e così l'Amministrazione ferroviaria è risponsabile del danno recato al privato col promuovere contro di lui la *inibizione di una costruzione* da lui intra-

---

(1) App. Torino, 29 luglio 1867, *Giur. Tor.*, vol. IV, 619.
(2) App. Genova, 7 febbraio 1879, *Eco di Giur. Gen.*, III, 2. 86,
(3) Cas Torino, 25 giugno 1884, *Giur. Tor.*, 545,

presa in prossimità della ferrovia e la riduzione in pristino, senza avere appunto il concorso delle condizioni volute dalla legge, sempre che il detto provvedimento venga poi, ad istanza del privato, rivocato siccome emanato fuori delle condizioni dalla legge prevedute (art. 235 e 378 Legge 20 marzo 1865, all. *F*) (1).

La colpa e la risponsabilità dell'Amministrazione per un fatto dannoso non hanno luogo se questo fatto era inevitabile ed imposto da eccezionale necessità di servizio, accertata dal magistrato di merito con giudizio incensurabile in Cassazione (2).

Forza maggiore — Ritardi.

L'Amministrazione ferroviaria non risponde del danno del ritardo quando per impedimento di forza maggiore, in ispecie per difetto di materiale viaggiante e per la straordinaria affluenza di merci sulle linee, essa *ha diffidato con speciale avviso* il pubblico di sospendere i termini di resa a destinazione (3).

La Compagnia ferroviaria che si incarica di far pervenire la merce a destinazione per l'intermezzo di altre Compagnie, risponde del fatto di tutte queste, ed in ispecie dei danni del ritardo avvenuto nelle linee esercite da qualunque di esse insino alla consegna al destinatario.

La *rottura di un ponte* può giustificare il ritardo di pochi giorni, ma non quello di molti mesi, trattandosi di trasporti a grande velocità.

Nè vale alla Amministrazione ferroviaria l'invocare i proprî regolamenti per sottrarsi a responsabilità ed abbandonare le tasse di trasporto (4).

---

(1) Cass. Torino, 30 aprile 1886, *Giur. Tor.*, 292.
(2) Cass. Torino, 23 settembre 1886, *Giur. Tor.*, 664..
(3) Cass. Torino, 28 marzo 1884, *Giur. Tor.* 442.
(4) App. Torino, 20 febbraio 1884, *Giur. Tor.*, 285.

Interruzione di viaggio.

Fra i casi contemplati nell'art. 31 delle tariffe e condizioni di trasporto in ferrovia, nei quali il risarcimento del danno al viaggiatore che non ha potuto proseguire il viaggio, è limitato al rimborso totale o parziale del prezzo del biglietto, *non è compreso* quello del viaggiatore costretto a ritornare al punto di partenza per ingombro della linea senza possibilità di procedere con altri mezzi di trasporto.

Nel caso di interruzione della circolazione dei treni, la Ferrovia risponde dell'inadempimento del trasporto verso il viaggiatore, al quale deve risarcire i danni a termini dell'articolo 2 delle tariffe.

In detto caso l'obbligo della Ferrovia non è limitato al rimborso del prezzo del biglietto proporzionalmente alla parte del viaggio non eseguita (1).

. La interruzione del viaggio di persone in ferrovia, sia che dipenda da forza maggiore, sia da colpa dell'Amministrazione, dà al viaggiatore *sempre* il solo diritto alla restituzione totale o parziale del prezzo del biglietto, e non mai anche *ai danni*. Conseguentemente se la interruzione dipende da disastro avvenuto sulla linea ad un treno che precedeva, il giudizio, nel quale un viaggiatore di un treno successivo domanda i danni per la interruzione del viaggio, può espletarsi senza bisogno di attendere l'esito del giudizio penale concernente il disastro (2).

Custodia del bestiame — Mancanza di ripari.

I proprietari dei fondi limitrofi ad una strada ferrata non hanno veste per chiedere in giudizio contro le Società ferroviarie l'adempimento delle disposizioni regola-

---

(1) App. Roma, 10 marzo 1904, *Foro It.*, I, 118.
(2) Cass. Roma, 8 giugno 1905, *Legge*, 1466.

mentari circa gli argini, i ripari e le chiusure della linea ferroviaria, ma hanno diritto al risarcimento delle spese di maggiore custodia del bestiame resa necessaria dall'assenza di quelle opere (1).

Febbri malariche.

L'Amministrazione ferroviaria è responsabile dei danni verso viaggiatori stati colpiti da febbri per aver dovuto pernottare in treno in sito di malaria, avendo ivi perduta la coincidenza stante il ritardo subìto dal loro treno per essersi dovuto farvi salire due compagnie di soldati (art. 1152 Cod. civ.) (2).

Chiusura degli sportelli.

Sono risponsabili le Ferrovie delle disgrazie che avvengono ai viaggiatori per la negligenza degli agenti, che non curino bene la chiusura degli sportelli o dei cancelletti delle carrozze (3).

La colpa degli agenti, che non abbiano curato la chiusura dei cancelli della vettura, non può essere compensata dalla imprudenza del viaggiatore, della quale può solo tenersi conto nella valutazione del risarcimento dei danni (4).

Passaggio a livello chiuso con semplice catena.

L'Amministrazione non risponde dei danni per la disgrazia toccata ad un bambino, che malgrado fosse chiuso con semplice catena un passaggio a livello, sorpassò la catena entrando nella linea e rimanendo schiacciato dal

---

(1) Cass. Roma, 22 gennaio 1906, *Legge*, 423.
(2) App. Catanzaro, 22 giugno 1897, *Legge*, 1898, 1, 565.
(3) App. Firenze, 18 settembre 1895, *Legge*, 1896, I, 15.
(4) Cass. Firenze, 1° giugno 1896, *Legge*, II, 509.

treno sopraggiungente; imperocchè doveva la madre o chi per essa vegliare che il bambino non vi andasse e non lasciarlo solo in prossimità della ferrovia (1).

Guardia notturna — Omicidio.

L'Amministrazione ferroviaria è responsabile del reato (es. omicidio) commesso da una sua **guardia notturna** durante l'esercizio delle sue funzioni (2).

Risponde di omicidio colposo il guardiano ferroviario (e civilmente l'Amministrazione) che non chiuda il cancello di un passaggio a livello all'arrivo di un treno, e tenendolo socchiuso non invigili a che nessuno entri, tanto più se nel cuor della notte e mentre dal lato opposto manovrano lunghe file di carri, per modo che taluno, passando, rimanga investito e ucciso (3).

Merci — Danni.

Il mittente non perde l'azione di essere risarcito dei danni arrecatigli anche quando il destinatario abbia ricevuta la merce se vi sia stata protesta riserva e quando i danni colpiscono esclusivamente il suo patrimonio. L'applicazione della tariffa speciale la più ridotta non esonera la Società ferroviaria dalla responsabilità derivante da colpa grave (4).

Fuga di bestiame.

Gli agenti ferroviari addetti alla vigilanza del carico e scarico di bestiame debbono, se questo fugge, provvedere per la notorietà del fatto allo scopo di impedire

---

(1) Trib. di Bruxelles, 22 dicembre 1898, *Legge*, 1899, I, 688.
(2) Cass. Palermo, 13 maggio 1905, *Foro Sic.*, I, 882.
(3) Cass. Roma, 27 marzo 1905, *Cass. Unica*, XVI, 1015.
(4) App. Napoli, 28 dicembre 1904, *Mon. Trib.*, 594.

danni eventuali, e ciò sotto pena di risponsabilità civile (1).

Danni a stabilimento vinicolo.

Fu giudicato che l'Amministrazione ferroviaria risponde di danni verso il proprietario di uno stabilimento vinicolo le cui cantine, per la sopravvenuta costruzione di una nuova linea attigua, si trovino, pel passaggio dei treni, sottoposte a scosse e tremolìo, tanto da non potere i vini in esse riposti, depositare le feccie e regolarmente chiarificarsi (art. 46 legge 25 giugno 1865 sulle espropriazioni per pubblica utilità) (2).

Filossera e Diaspis Pentagona.

Diaspis — Piante distrutte.

Non è dovuto risarcimento al proprietario di piante infette da *diaspis pentagona* distrutte per ordine del Sindaco ; imperocchè non è sindacabile dall'Autorità giudiziarie, all'effetto di pronunziare su una domanda di risarcimento di danni, il provvedimento dato dalla pubblica amministrazione nell'esercizio legittimo dei suoi poteri per tutela della pubblica incolumità, e per impedire che della proprietà privata si faccia un uso contrario alla legge ed al bene generale dei cittadini (3).

La legge che provvede circa i danni recati dalla *diaspis pentagona* è quella del 2 luglio 1891, n. 386.

Filossera.

Circa le indennità da liquidarsi nel caso di distruzione di vitigni affetti da filossera se la cifra dell'indennità da

---

(1) Cass. Roma, 1 agosto 1905, *Cass. Unica Civ.*, 814.

(2) Trib. Acqui, 18 febbraio 1896, Est. Martinengo, *Giur. Tor.* 611.

(3) Cass. Roma, Sezioni unite, 31 dicembre 1904, *Giur. It.*, I, 1. 213 ; *Mon. Trib.*, 585.

pagarsi non eccede le L. 500, può intervenire accordo tra il proprietario ed il delegato filosserico. Se si tratta di somma maggiore, od il suddetto accordo non sia intervenuto, si liquiderà la indennità in base ad una *stima* fatta da un perito nominato dal Pretore a senso dell'articolo 7 della legge (testo unico) 4 marzo 1888, n. 5252. L'indennità è liquidata in base al grado di infezione delle viti e tenuto presente il disposto dell'art. 8 della legge stessa.

Fiumi e torrenti.

(Vedi pure **Amministrazione comunale** – Innondazioni — Ponti).

Palancole.

Il Comune che ha fatto costruire una palancola per attraversare un torrente è responsabile civilmente dei danni per la rovina della stessa e della caduta di passanti nel torrente sottostante; ma è necessario in questo caso dare la prova della colpa del Comune, senza poterla presumere per applicazione analogica dell'art. 1151 Cod. civ. (1).

Barche traiettizie.

Spetta all'Autorità governativa o amministrativa, secondo i casi, il concedere l'esercizio dei ponti, pontoni natanti, chiatte o barche traiettizie con mercede o pedaggio. E per vero il principio della demanialità dei fiumi e della libertà della loro navigazione non è di ostacolo alla concessione di privative di pedaggi su ponti con annesso *jus prohibendi* entro la cosidetta zona di giu-

---

(1) App. Torino, 18 giugno 1902, *Legge*, 810; *Giur. Tor.*, 1076.

risdizione, ossia di impedire ad altri di transitare il fiume con altri mezzi in ispregio della privativa.

Questo diritto di concessione già regale e demaniale, è passato alle Provincie per effetto della legge che alle Provincie affida il regime stradale; la privativa quindi è violata non solo colla concessione di altri ponti nella zona giurisdizionale, ma anche con qualunque passaggio praticato da sponda a sponda con mezzi diversi da quello del ponte munito di privativa (1).

Conseguentemente, chi, senza concessione, impianta sopra un pubblico fiume una *barca traiettizia* per il passaggio delle persone estranee alla famiglia, ai beni ed alla impresa del proprietario della barca, facendosi pagare dai passanti una mercede a guisa di pedaggio, commette un fatto civilmente illecito, ed *è responsabile del danno* che dal suo fatto ingiusto sia derivato a chi su altro punto dello stesso fiume eserciti pure il passo con barca trajettizia *legittimamente* per antica e regolare concessione.

Piena straordinaria.

Una straordinaria piena di un fiume eccedente ogni previsione ed ogni memoria d'uomo, costituisce un caso di *forza maggiore* che esclude ogni risponsabilità (Vedi *Caso fortuito*).

La prova può darsi per mezzo di testimoni (2).

Risponsabilità della pubblica amministrazione (Vedi Amministrazione pubblica — Innondazioni).

Derivazioni da acque pubbliche.

Quelli che hanno diritto di derivare acque da fiumi, torrenti, rivi, canali, laghi o serbatoi debbono fare tutte

---

(1) Cass. Firenze, 8 luglio 1890, *Legge*, II, 154.
(2) App. Torino, 21 dicembre 1881, *Giur. Tor.*, 1882, 182.

le opere necessarie per preservare i fondi vicini da ogni danno (art. 613 Cod. civ.); ed evitare danni tra utenti superiori ed inferiori per stagnamento, rigurgiti o diversione delle acque (art. 614 Cod. civ).

Qualunque proprietario o possessore di acque può servirsene a suo piacimento ove non osti titolo o la prescrizione, ma dopo essersene servito non può divertirle in modo che si disperdano in *danno* di altri fondi, a cui potessero profittare, mediante un equo compenso (articolo 545 Cod. civ).

Forza maggiore e Caso fortuito.

(Vedi pure Ferrovie — Colpa).

La forza maggiore libera da ogni responsabilità; ma per forza maggiore si intende solo quella che non si può prevedere, ed alla quale non è possibile umanamente sottrarsi (1).

Non è forza maggiore l'opposizione che alcuno trovi nella popolazione di un Comune all'esecuzione di un'opera pubblica che egli aveva assunto di eseguire (2) e neppure sono da ritenersi casi di forza maggiore i decreti delle Autorità amministrative contro cui si ha rimedio di richiamo (3).

Sono casi di forza maggiore l'*innondazione,* il *terremoto,* il *brigantaggio,* l'*invasione di bande armate* e di una *epidemia* (es. *Colera*) (4).

Chi allega la forza maggiore deve darne la prova; e non basta una semplice dichiarazione del Sindaco (5).

---

(1) App. Torino, 25 gennaio 1872, *Giur. Tor.,* vol. IX, 575.
(2) Citata sentenza.
(3) App. Brescia, 1º giugno 1879, *id.,* VIII, 95.
(4) Cass. Napoli, 1º dicembre 1870, *id.,* VIII, 96; Cass. Torino, 12 luglio 1867, *id.,* IV, 678.
(5) Trib. Pallanza, febbraio 1869, *id.,* VI, 188.

La risponsabilità del danno derivato da caso fortuito che sia stato preceduto da colpa, viene meno quando si provi che anche senza la colpa, il caso fortuito sarebbesi ugualmente avverato, ed il danno sarebbesi verificato nella stessa misura (1).

Ad escludere la risponsabilità di un danno non basta far accertare per perizia che questo ha potuto essere l'effetto di un caso fortuito, ma bisogna provare che effettivamente lo sia stato (2).

Scioperi.

Sono parificati alla forza maggiore (Vedi *Industrie*).

Furto (Vedi **Albergatori — Depositi e depositarii**).

Un agente di cambio a danno del quale sia stato commesso un furto di uua somma ricevuta per conto altrui, non è liberato dall'obbligo di restituirla (3).

Effetti della forza maggiore nell'esecuzione dei contratti.

Il debitore non è tenuto ad alcun risarcimento di danni, quando, in conseguenza di una forza maggiore o di un caso fortuito, fu impedito di dare o di fare ciò a cui era obbligato, od ha fatto ciò che gli era vietato (art. 1226 Cod. civ.). Non può però invocare a propria discolpa la forza maggiore colui che volontariamente si espone a subirla (4).

Lo sciopero degli operai che impedisca la consegna della merce per un giorno prefisso, è però ritenuto come

---

(1) Casss. Torino, 8 luglio 1879, *id.*, XVI, 738.
(2) Cass. Torino, 28 marzo 1885, *id.*, XXII, 461.
(3) App. Roma, 31 maggio 1875, *Legge*, XV, 551.
(4) Cass. Roma, 28 settembre 1887, *Legge*, II, 758.

caso di forza maggiore anche se lo sciopero dipenda dal fatto che il principale abbia rifiutato l'aumento di mercede preteso dagli operai (1).

Nel caso di deperimento o smarrimento della cosa che formava oggetto di una obbligazione ed il debitore alleghi il caso fortuito, è tenuto esso a darne la prova (articolo 28 Cod. civ.); e così ad esempio il venditore che per liberarsi dall'obbligo della tradizione della cosa venduta, alleghi lo smarrimento, o perdita, o distruzione della cosa venduta per caso fortuito, è tenuto a darne la prova (2).

In fatto di vendita se la cosa era difettosa e perì in conseguenza dei suoi difetti, il perimento sta a carico del venditore, il quale è tenuto verso il compratore alla restituzione del prezzo. Ma è a carico del compratore il perimento derivato da *caso fortuito* (art. 1504 Cod. civ.). Sarebbe pure a carico del compratore la morte dell'*animale comperato*, se egli abbia omesso di denunciarne la *preesistente malattia* al venditore e non abbia chiamato un sanitario per la opportuna cura (3).

In tale argomento però di morte di animali, oltre le disposizioni dell'art. 1505 del Codice civile relative ai vizî redibitorî, debbonsi osservare gli *usi locali* a preferenza della legge.

La forza maggiore ed il caso fortuito esonerano pure dalla responsabilità pei fatti dei proprî commessi o dipendenti, di cui all'art. 1153 del Codice civile, il quale stabilisce appunto che la responsabilità, portata dal citato articolo, cessa allorquando i genitori, i tutori, i precettori, e gli artigiani provino di non avere potuto impedire il fatto, e così nel caso in cui il fatto si sia verificato precisamente per forza maggiore o caso fortuito.

---

(1) App. Torino, 20 marzo 1886, *Giur.*, 363.
(2) Cass. Roma, 18 dicembre 1884, *Legge*, 1885, I, 488.
(3) Cass. Roma, 21 novembre 1883, *Legge*, I, 1884 224.

Così pure il *depositario* non è risponsabile in verun caso per gli accidenti prodotti alla cosa depositata da forza maggiore, eccetto che sia stato costituito in mora per la restituzione della cosa stessa (art. 1885 Cod. civ.).

Gli *albergatori* ed *osti* non sono risponsabili pei furti commessi a mano armata, o altrimenti con forza maggiore o per negligenza grave del proprietario (art. 1868 Cod. civ.).

Infine nel caso di *locazione di case*, l'inquilino o conduttore è obbligato per *l'incendio*, salvo che provi che è avvenuto per forza maggiore, o per difetto di costruzione, o nonostante la sua diligenza di accurato padre di famiglia; oppure che il fuoco si è comunicato da una casa o fondo vicino (art. 1589 Cod. civ.).

Norme generali sulla forza maggiore.

Caso fortuito e forza maggiore sono sinonimi agli effetti e conseguenze giuridiche. S'intende, secondo il Giorgi, per caso fortuito un evento non dipendente dal fatto del debitore, non prevedibile o, se prevedibile, non evitabile, che mette il debitore nella impossibilità di adempiere alla sua obbligazione.

Il caso fortuito libera il debitore come più avanti si è detto, eccetto che nei casi seguenti:

1° Se la legge abbia posto a di lui carico i fortuiti;

2° Se il debitore li abbia assunti per patto espresso, che però va interpretato restrittivamente;

3° Se il fortuito sia *dolo seu culpa determinatus* (1).

Il debitore che allega il fortuito deve provarlo, e cioè dimostrare:

1° Che si è verificato un avvenimento non dipendente dal fatto del debitore; e non basterebbe la sola impossibilità (ad esempio, la impossibilità di pagare) per

----

(1) Giorgi, *Teoria delle Obbligazioni*, II, § 8 e segg., vol. IV, §§ 12, 13 al 17.

iscusare, imperocchè dipende sempre da imprevidenza o colpa civile di chi assunse obbligazioni superiori alle sue risorse, o non seppe conservarle;

2° Che questo avvenimento è riuscito pel debitore imprevedibile o quanto meno inevitabile;

3° Che per tale avvenimento, il debitore è nell'im possibilità di adempiere l'obbligazione;

4° Che le conseguenze del fortuito non siano state aggravate con fatto positivo o negativo del debitore.

Il debitore risponde di tutti quei danni che avrebbe potuto impedire.

Funzionarii pubblici.

(Vedi anche **Amministrazione pubblica** —
Sindaco — Dazio).

Generalità.

Anche ai pubblici funzionarii è applicabile l'art. 1151 del Codice civile, per cui anch'essi sono tenuti a risarcire il danno per propria colpa arrecato ai cittadini (1).

Non basta la consapevolezza di arrecar danno per rendere risponsabile per risarcimento di danni il pubblico ufficiale per atti compiuti nell'esercizio delle sue attribuzioni, ma è indispensabile la di lui *colpa grave* od il *dolo* (Applicazione al caso di un *agente daziario* che constatò una contravvenzione dichiarata poi insussistente) (2). (Vedi *Dazio*).

Devesi infatti tener conto nell'apprezzare i fatti che si tratta qui di persona che non solo crede di esercitare un diritto, ma di *compiere un dovere del proprio ufficio.*

Ma se il funzionario esorbita dai limiti delle sue fun-

---

(1) Cass. Roma, 1° maggio 1889, *Legge*, 1890, I, 220.
(2) Cass. Torino, 5 settembre 1900, *Giur. Tor.*, 1149.

zioni con animo deliberato di recar danno, o con leggerezza ed imprudenza, deve rispondere del danno (1).

La legge XLVII, § 10, *De iniuriis*, sanciva: *Nec magistratibus licet aliquid iniuriose facere. Si quid igitur iniuriam fecerit magistratus vel quasi privatus, vel fiducia magistratus iniuriam potest conveniri* (2).

Ulpiàno nel libro I: *ad edictum praetoris*, prevedendo il caso di malgoverno anche per semplice negligenza od omissione, fatto della cosa pubblica dal funzionario preposto ad una determinata azienda, scrisse che costui poteva essere tenuto al congruo rifacimento: *Magistratus reipublicae non dolum solummodo, sed et latam negligentiam et hoc amplius, etiam diligentiam debent.*

La legge che ci governa, fedele alle tradizioni storiche, ha raccolti detti precetti nelle disposizioni di ordine generale comprese nell'art. 1151 e segg. Cod. civ., disposizioni le quali, data l'ampiezza e comprensività della latissima espressione usata, ove non si incontri una sanzione contraria, devono spiegare effetto dinanzi a qualsiasi classe di cittadini.

E così *esclusi i più alti gradi*, nonchè i funzionarî dell'ordine giudiziario pei quali hanno vigore le norme di cui nel titolo II, libro III, Codice di proc. civ.; esclusi taluni *ufficiali del Governo* sottratti al controllo dell'azione privata per effetto delle sanzioni di cui agli articoli 8 e 157 del testo unico della legge comunale e provinciale; e rispettate le disposizioni di ordine singolare che riguardano le responsabilità dei *conservatori delle ipoteche*, degli *ufficiali dello Stato civile* e di altri funzionarî, *ogni altra persona incaricata di un pubblico servizio, la cui risponsabilità non sia espressamente misurata da singolari norme legislative, è soggetta alle norme comuni* (3).

E questo accenno alle leggi suggerite dalle esigenze

---

(1) App. Genova, 9 dicembre 1892, *Giur. It.* 1893, I, 3, 72.
(2) App. Torino, 29 aprile 1899, 862.
(3) Citata Sentenza 29 aprile 1899, estensore Pratis.

del vivere sociale a prestigio del potere pubblico ed a salvaguardia della indipendenza di coloro a cui ne è delegato l'esercizio, spiega viemmeglio come sia intenzione del legislatore che nessuno sfugga alla responsabilità civile per gli atti compiuti nell'esercizio di funzioni pubbliche; onde, allorquando non esiste uno speciale regolamento, devono trovare applicazione le norme di diritto comune raccolte negli articoli 1151 e segg. Cod. civ.

Le conquiste fatte in questo ultimo scorcio di secolo dalle libertà civili, specialmeate per la adozione dei sistemi costituzionali, hanno rinvigorito il concetto della risponsabilità dei pubblici funzionari.

La ammessione dell'azione popolare introdotta dall'articolo 129 della legge comunale e provinciale precitata che fu giudicato potersi spiegare anche contro gli amministratori del Comune per la responsabilità individuale incontrata nelle deliberazioni collegiali, ne è uno dei più spiccati esempi.

E così pure la disposizione dell'art. 152 Cod. pen. che fa obbligo al pubblico ufficiále, sotto comminatoria di penalità, di compiere di sua iniziativa determinati atti che prima non eravi obbligo di avviare senza l'impulso di una speciale domanda di parte, accrescendo così anche e di molto la civile risponsabilità.

Così si esprime il Larombière nel suo *Trattato teorico-pratico delle obbligazioni*: *il n'existe aucune condition, aucune position, aucune profession, aucun art, aucune fonction si élevée, qu'elle soit, qui puisse s'attribuer l'irresponsabilité et revendiquer pour soi l'immunité.*

Fu però dalla giurisprudenza ritenuto che non sono risponsabili del loro operato gli impiegati delle pubbliche amministrazioni (tesorieri, cassieri, ufficiali postali) che abbiano annullati biglietti di banca apparentemente *falsi*, salvo che si giustifichi la validità dei biglietti medesimi, ed il dolo o colpa a carico dei funzionarii. I gerenti, direttori, tesorieri di società o banche private possono rifiutare bensì i biglietti che riputassero falsi, ma non annullarli, tranne che giustifichino essi la sussistenza della falsità dei biglietti stessi (1).

Fu ancora giudicato che pur stando in tesi di massima la risponsabilità del pubblico funzionario per dolo o colpa nel disimpegno delle sue mansioni, se ne deve eccettuare il caso in cui il fatto del funzionario resti coperto dal *segreto* di ufficio, ovvero sia accettato dalla superiore Autorità gerarchica, e costituisca elemento di un vero atto amministrativo (2).

All'infuori delle eccezioni stabilite, ogni ufficiale della pubblica amministrazione è tenuto a subire la risponsabilità del fatto suo secondo le regole del diritto comune quando lede *indebitamente* gli altrui diritti (3).

È poi da ritenersi che le amministrazioni pubbliche rispondono dei danni cagionati dai loro ufficiali e funzionari nell'esercizio delle proprie funzioni anche per semplice leggerezza, precipitazione od improvidenza, e senza che sia d'uopo il concorso di abuso di potere, dolo o temerità, e senza aver riguardo a buona fede, integrità di carattere e lealtà in genere dei funzionarii medesimi (4).

Chi ha ricevuto danno da un pubblico funzionario subalterno, deve esercitare la sua azione contro di questo o suoi eredi, e poi contro il suo superiore che sia risponsabile per danno da lui recato (5).

Un funzionario pubblico però non è personalmente risponsabile del danno recato ad un privato per una erronea interpretazione che esso abbia dato alla legge, se essa non sia colposa o effetto di *crassa ignoranza* (6).

---

(1) Cass. Torino, 29 dicembre 1883, *Legge*, 1884, II, 122.
(2) Cass. Roma, 11 gennaio 1894, *Corte Suprema*, I, 88.
(3) Trib. Taranto, 2 agosto 1871, *Legge*, XII, 220.
(4) Cass. Torino, 20 dicembre 1871, *Legge*, XI, 377.
(5) Trib. Cuneo, 23 aprile 1873, *Legge*, XIII, 151.
(6) App. Torino, 17 marzo 1873, *Legge*, XIII, 182.

Oltraggio — Atto arbitrario.

Il pubblico ufficiale oltraggiato che abbia fatto denuncia dell'oltraggio, anche senza costituirsi parte civile, è tenuto a risarcire i danni colpevolmente causati all'imputato, quando questo venga assolto nel giudizio penale perchè l'ufficiale pubblico aveva dato causa all'oltraggio eccedendo con atti arbitrarî i limiti delle sue attribuzioni (1).

Responsabilità civile delle Autorità giudiziarie.

Le Autorità giudiziarie e gli ufficiali del pubblico ministero sono civilmente responsabili :
1° Quando nell'esercizio delle loro funzioni siano imputabili di *dolo, frode* o *concussioni* ;
2° Quando rifiutino di provvedere sulle domande delle parti, o tralascino di giudicare o conchiudere sopra affari che si trovino in istato di essere decisi ;
3° Negli altri casi dichiarati dalla legge (art. 783 Cod. proc. civ).
Onde esercitare l'azione civile suddetta, il danneggiato non può *citare* in giudizio il funzionario come si usa nei casi ordinari per avere il risarcimento di un danno, ma deve seguire la speciale procedura tracciata dagli articoli 784 e segg. del Codice di procedura civile (2) (Vedi pure *Vendite*).

Responsabilità civile in dipendenza di reati.

Rispondono pure i pubblici funzionarî *civilmente* per il danno privato oltre alla responsabilità penale derivante da reato :
1° *Arresto arbitrario* (art. 147 Cod. pen.) ;

---

(1) App. Palermo, 23 febbraio 1900, *Legge*, II, 126.
(2) App. Genova, 5 dicembre 1880, *Amm. Giur. It.*, III, 492.

2° *Ordine* od *esecuzione di perquisizione* personale con abuso delle proprie funzioni (art. 149 Cod. pen.);

3° *Ricevere* arrestati senza ordine dell'Autorità competente o *ricusare* di lasciare in libertà detenuti dietro ordine regolare (art. 150 Cod. pen.); ·

4° *Omissione* di provvedere alla liberazione di persona detenuta illegalmente ;

5° *Abuso di potere* o di autorità ed uso di rigori non concessi da regolamenti contro detenuti (art. 152 Codice penale);

6° *Peculato* (sottrazione o distrazione di danaro od altra cosa mobile di cui si abbia l'amministrazione, esazione o custodia) (art. 168 Cod. pen.);

7° *Concussione* (costringere alcuno a dare o promettere danaro) (art. 169 Cod. pen.);

8° *Corruzione* (ricevere per *un atto* del proprio ufficio, per sè o per altri una retribuzione di qualsiasi specie non dovutagli) (art. 171 Cod. pen.); o per *ritardare* od ommettere un atto del proprio ufficio (art. 172 Cod. pen.);

9° *Atti arbitrari in genere* (art. 175 Cod. pen.);

10° *Prendere interesse privato in atti di ufficio* (articolo 176 Cod. pen.);

11° *Rivelazione di segreti di ufficio* (art. 177 Codice penale;

12° *Omissione* o *rifiuto di atti di ufficio* (articoli 178 e 179 Cod. pen.);

13° *Usurpazione* di funzioni pubbliche civili o militari (art. 185 Cod. pen.);

14° *Falsificazioni di atti* o alterazioni di atti *veri* (art. 275 Cod. pen.);

15° *Attestazioni false* di fatti o di dichiarazioni (articolo 276 Cod. pen.);

16° *Rilascio di falsi certificati* di condotta, indigenza od altri simili a senso dell'art. 290 Cod. pen.; quando cioè tali certificati siano destinati a procacciare alla persona a cui si riferiscono, la beneficenza o la fiducia pubblica o privata, o il conseguimento di uffici o impieghi pubblici, o favori o benefizî di legge, o l'esenzione da funzioni o servigi od oneri pubblici.

Le leggi speciali poi contengono non pochi casi determinati di norme speciali per risponsabilità incontrate dai funzionarî delle varie Amministrazioni nell'esercizio del loro ufficio.

E così si hanno norme speciali pei *Notai, Ufficiali dello Stato civile, Conservatori delle Ipoteche* (vedi articoli 405, 2067, 2068 Cod. civ.).

Garanzie amministrative (Vedi Sindaci e Prefetti).

I funzionarî pubblici possono essere risponsabili sia di fronte ai terzi che di fronte all'Amministrazioni, e per le risponsabilità verso le Amministrazioni dello Stato è ammesso il sequestro di parte dello stipendio a mente della Legge 7 luglio 1902, n. 276, e Regol. 26 settembre 1902, n. 426 (1).

Fuochi d'artifizio.

Nell'occasione di fuochi di artifizio ordinati da un Comune in occasione di festeggiamenti, il Comune stesso è risponsabile dell'incendio comunicato a costruzioni vicine per *insufficienza delle misure atte ad impedire danni.* Il *Sindaco* non può in tal caso essere *personalmente* dichiarato risponsabile se non risulti che abbia commessa una colpa. È competente a pronunciarsi l'Autorità giudiziaria sull'azione di risarcimento intentata pel risarcimento di tali danni, fondandosi l'azione stessa su atti di negligenza od imprudenza personalmente imputabili al funzionario, come ad esempio, l'aver lasciato incendiare

---

(1) Vedi Baldi, *Pignorabilità ed Impignorabilità.* Edizione Fratelli Bocca, Torino, pag. 137.

i fuochi a distanza troppo breve da private proprietà, o nell'avere omesse le misure necessarie per evitare l'ingerenza di persone estranee al personale municipale nel recinto riservato ai fuochi (1).

Nel caso sopra esposto non si ritenne colpa alcuna nel Sindaco *personalmente* perchè egli non aveva scelto il luogo destinato ai fuochi, ma aveva semplicemente concesso che si accendessero nel luogo preciso già scelto da anni da precedenti Amministrazioni, ed aveva dato l'incarico di accenderli alle persone più esperte in materia che vi fossero nel Comune.

Secondo la giurisprudenza francese, pur escludendo la colpa del mandatario (Sindaco), fu ritenuta la responsabilità civile del mandante (Comune).

Responsabilità penale.

Sorge poi responsabilità *penale* in via *contravvenzionale*, senza responsabilità civile per non essersi verificato danno effettivo nei casi seguenti:

Accensione di fuochi di *artificio* o macchine esplodenti senza licenza dell'Autorità (art. 467 Codice penale e art. 24 Legge di pubblica sicurezza) e così il lanciare *razzi*, innalzare areostati con fiamme.

Galli.

(Vedi pure **Animali in genere**).

Il proprietario di un *gallo*, il quale col becco abbia ferita una bambina in un occhio, tanto da renderne necessaria la enucleazione, *è responsabile del danno*, se non provi che il danno fu conseguenza del caso fortuito, o

---

(1) App. Roma, 8-21 novembre 1899, *Legge*, 1900, 419 e *Journal du Palais*, 1900, pag. 165 e 166.

di colpa della bambina; ed a nulla giova la circostanza
che il gallo si trovasse nel cortile della casa abitata dal
suo proprietario, e che la bambina, abitante altrove,
avesse per legittima ragione acceduto a detto cortile accompagnata dalla propria madre.

In questo caso furono liquidati in lire *duemila* i danni
risentiti dalla bambina di anni *tre* di famiglia di *contadini* (1).

Disturbo della quiete privata con canti notturni
(Vedi **Locazione di case**).

Gatti.

(Vedi pure **Animali in generale**).

Proprietario presunto.

La persona che tiene costantemente presso di sè un
gatto dandogli da mangiare e addomesticandolo, facendo
valere sul medesimo dei diritti di padronanza di fronte
alle altre persone, incontra la risponsabilità di cui al-
l'articolo 1154 Codice civile pei danni arrecati dal gatto
stesso (2).

E per vero, avuto riguardo alla natura di simili animali, che spesso vengono accolti in casa e ritenuti senza
saperne la provenienza, basta la presunzione di proprietà
in colui che lo tiene seco abitualmente.

Fu deciso anche che per la risponsabilità civile per
danni cagionati da animali (es. *morsicatura di un gatto
idrofobo*) basta dare la prova della *proprietà*, oppure
anche soltanto dell'*uso* o del *possesso* senza necessità di
provare anche la trascuranza e la colpa (art. 1154 Co-

---

(1) Trib. Milano, 4 marzo 1904, *Mon. Trib.*, 881.
(2) Pretura Milano, 28 marzo 1908, *Mon. Trib.*, 882.

dice civile) (1). Ad escludere tale risponsabilità è indispensabile la prova o della forza maggiore o della colpa del danneggiato.

Giornali.

(Vedi pure **Notai**).

Incolpazione di reato.

L'inserzione in un giornale di una corrispondenza, dove con leggerezza si addebita ad un individuo un omicidio e si narra che fu in seguito arrestato, obbliga al risarcimento dei danni in via civile anche quando siano state escluse in sede penale la diffamazione e l'ingiuria (articolo 1152 Cod. civ.) (2).

Tale azione di danni è proponibile, oltre che contro *l'autore* della corrispondenza ed il *direttore* del giornale, anche contro il *proprietario* ed *editore* dello stesso. Infatti, risultando il fatto insussistente, dovevasi, prima di pubblicare la notizia, appurare il fatto, ed in ciò sta la colpa o negligenza dell'autore della corrispondenza e degli altri che contribuirono alla pubblicazione di essa.

Sulla proponibilità dell'azione civile di danni nonostante che con ordinanza del giudice istruttore o con sentenza della Sezione d'accusa siasi dichiarato che il fatto non costituisce reato, è costante la giurisprudenza nell'ammetterla (3).

Protesti cambiari — Omonimia.

Il proprietario di un giornale su cui si pubblicano i protesti cambiarii è responsabile dei danni derivati per

---

(1) App. Torino, 6 maggio 1898, *Giur. Tor.*, 1100 e App. Venezia, 16 dicembre 1897, *Temi Ven.*, 1898, 50; Cass. Firenze 9 maggio 1895, *Annali*, 215.

(2) App. Casale, 12 aprile 1904, *Giur. Tor.*, 642.

(3) App. Casale, 19 dicembre 1902; Cass. Torino, 5 maggio, 1908, *Giur. Tor.*, 1902, pag. 732.

omonimia ad un terzo, se, per essersi omessa la indicazione dell'indirizzo, si ascrisse a lui il protesto di una cambiale di L. 500 di tutt'altra persona (articoli 1151 e 1152 Cod. civ.) (1).

Così pure l'editore di un bollettino di protesti cambiarî, il quale pubblica tra i protesti per difetto di pagamento di effetti scaduti quello, che fu invece protesto per difetto di accettazione di uno *chèque* a vista, è responsabile dei danni (2); poichè lo *chèque* è cosa diversa dalle cambiali e doveva quindi accennarsi.

Non possono invece essere dichiarati risponsabili degli eventuali danni i giornali che danno pubblicità a protesti cambiarî per mancata accettazione riproducendo gli elenchi depositati in Cancelleria e che devono presumersi essere regolari (art. 689 Cod. comm.) (3).

Errori materiali.

La pubblicità di un errore materiale avvenuto nello elenco mensile dei protesti induce la risponsabilità di chi lo rese di pubblica ragione, e non del notaio che preparò l'elenco (4).

Per la risponsabilità del danno recato con fatti colposi anche commessi col mezzo della stampa, non è necessaria la *intenzione di nuocere*, ma basta la prova della colpa o dell'imprudenza, e non è neppur necessario che il fatto sia punito dalle leggi penali (5).

Tale risponsabilità importa l'obbligo di risarcire non solo i danni materiali, ma anche i danni morali.

I danni morali non esigono una prova rigorosa, ma si estimano dal giudice nel suo prudente criterio (V. *Danni morali*).

---

(1) App. Torino, 27 marzo 1904, *Giur. Tor.*, 651.
(2) App. Milano, 27 marzo 1900, *Giur. Tor.*, 653.
(3) Trib. Torino, 29 aprile 1901, *Massime di Giur.*, 614.
(4) App. Roma, 5 settembre 1892. *Giornale notarile*, 721.
(5) App. Torino, 11 dicembre 1888, *Giur. Tor.*, 1889, 167.

Colui che è diffamato da un giornale non ha obbligo di provare l'insussistenza dei fatti imputatigli.

La responsabilità civile non incombe soltanto al *gerente*, ma anche al *direttore del giornale*, senza bisogno di provare che egli sia autore degli scritti ingiuriosi o vi abbia personalmente preso parte.

Offese alla riputazione.

Induce risponsabilità il fatto di un giornale che pubblichi un gruppo fotografico fantastico nel quale siavi il ritratto di una persona in tale posizione od atteggiamento e con tali leggende, da gettare il *ridicolo* o la *disistima* sulla persona medesima. In tale ipotesi è giustificata la condanna *solidaria* del *direttore* col *proprietario del giornale* e col *tipografo* che stampa il giornale stesso, quando per le condizioni eccezionali di quella pubblicazione risulti che il direttore non potè rimanervi estraneo (1).

Pubblicazione di condanne.

La pubblicazione sui giornali della condanna di un esercente per contravvenzione alla legge sanitaria concernente l'igiene delle sostanze alimentari, non genera alcuna responsabilità civile per danni nel Comune che abbia provocata la pubblicazione stessa, ottemperando ad un preciso disposto del regolamento locale d'igiene debitamente approvato (2).

Ingiurie.

Il *direttore* di un giornale che non ne sia proprietario, è tenuto *civilmente risponsabile* verso i terzi, degli articoli

---

(1) Cass. Francese, 28 aprile 1908, *Mon. Trib.*, 678.
(2) App. Milano, 1º marzo 1904, *Mon. Trib.*, 569.

ingiuriosi e diffamatorî pubblicati nel giornale stesso, oltre al *gerente* ed all'*autore* degli articoli suddetti, sempre che però non risulti dal contratto che esso direttore ha col proprietario esclusa la sua ingerenza e sorveglianza sulla redazione degli articoli (1).

Vi sono anche sentenze che estendono la risponsabilità anche al tipografo che stampa il giornale, tanto più se questi aveva conoscenza del carattere diffamatorio degli articoli. In questo tema basta la negligenza colposa e la imprudenza, e non occorre affatto l'intenzione dolosa preventiva di arrecar danno (2). Gli è perciò che la risponsabilità del direttore del giornale è fuori discussione, essendo essa stata ritenuta da giurisprudenza costante (3).

Il tipografo, come capo dello stabilimento, deve invigilare sui lavori che si compongono nella sua officina e provvedere affinchè con essi non vengano danneggiati i terzi, senza che possa ostarvi la particolare convenzione seguìta tra lui e l'autore degli scritti od il proprietario del giornale, per la quale sia interdetto allo stampatore ogni sindacato e sia limitata l'opera sua al lavoro materiale della stampa, imperocchè, se tale convenzione può avere un valore nei rapporti delle parti contraenti, non può averne alcuno in pregiudizio dei terzi, i quali non hanno bisogno di provare nello stampatore una colpa speciale e devono trovare in lui piena garanzia pe' fatti delittuosi che si consumano nel suo stabilimento, cosicchè, se pure lo stampatore sia stato assolto in sede penale per inesistenza di reato dal canto suo, ciò non lo libera dall'azione civile dei terzi che ne hanno sofferto un danno morale o materiale. Se poi lo stampatore ebbe piena conoscenza di quanto stampavasi, in tal caso deve rispon-

---

(1) Trib. Genova, 4 marzo 1897, *Giur. Tor.*, 895.

(2) Cass. Torino, 7 dicembre 1894, *Giur. Tor.*, 1895, 19; App. Torino, 25 gennaio 1895, *id.*, 167.

(3) Cass. Roma, 11 luglio 1892, *Mon. Trib.*, 942.

dere di un fatto proprio civilmente e non soltanto per il fatto altrui da esso non invigilato (1).

Fu giudicato ancora che anche colla stampa possono commettersi fatti *colposi*, nei quali non è necessaria la prova della intenzione di nuocere, ma basta la prova della imprudenza, come si disse più sopra, e neppure si richiede che il fatto sia punito dalle leggi penali.

Colui che è diffamato in un giornale, poi, non ha obbligo alcuno, per pretendere il risarcimento dei danni (morali e materiali), di provare la *insussistenza* dei fatti imputatigli. La prova della verità è a carico dell'autore delle imputazioni, se la persona imputata gli dia questa facoltà di prova, salvo i casi in cui tale prova sia di diritto.

La missione della stampa e la protezione dovutale non autorizzano ad attribuire ad una persona fatti immaginarî, lesivi della sua riputazione per farne oggetto di censure (2).

Fatti di cronaca.

Non è risponsabile di danni il giornalista che si limita a narrare i *fatti* avvenuti ed anche gli *apprezzamenti dell'Autorità di pubblica sicurezza* a carico di determinata persona stata arrestata ed indi riconosciuta innocente, quantunque da tale narrazione abbia potuto derivare qualche danno morale od anche materiale. Nè può essere risponsabile il giornalista per ciò che non abbia poi del pari annunciato la scarcerazione e la constatata innocenza, se di ciò non gli venne dall'interessato data notizia (3).

È poi ammesso il diritto di discutere, col mezzo della

---

(1) Cass. Roma, 28 novembre 1889, *Giur. Penale di Torino*, X, 345 e App. Brescia, 6 luglio 1889, *Giur. It.*, 1890, 2, 154.
(2) App. Torino, 11 dicembre 1888, *Giur. Tor.*, 166.
(3) App. Torino, 28 luglio 1891, *Giur. Tor.*, 763.

stampa, la moralità e condotta di un privato, che, uscendo dalle domestiche relazioni voglia innalzarsi a dignità sociali, quando però, scopo di tali discussioni sia non quello di diffamare, ma quello di *illuminare la pubblica opinione*, onde possa scegliersi soltanto realmente chi sia meritevole della carica (1).

Giornali dallo stesso titolo — Concorrenza sleale (Vedi Concorrenza sleale).

Pubblicità di quarta pagina — Danni.

Se in un contratto di pubblicità una parte si obbliga di far inserire e l'altra parte di inserire a richiesta della prima, entro un determinato tempo, articoli di *réclame* di una data estensione in determinati *giornali*, deve ritenersi inadempiente al contratto la parte che omette di fare all'altra le convenute richieste; e non può ritenersi anche inadempiente l'altra parte per non avere entro il termine stabilito lasciati in bianco gli spazii dei giornali che avrebbero dovuto essere destinati alle inserzioni. Nel caso suddetto non è applicabile l'articolo 68 del Codice di commercio relativo alla vendita dei suddetti spazii (2).

Quando una ditta conclude un contratto per farsi la *réclame* su certi giornali e per un certo periodo di tempo, essa può sciogliersi da tale contratto ove sia costretta da *forza maggiore* a cessare dall'esercizio del proprio commercio (es., per un incendio che abbia distrutto il suo stabilimento); e ciò quand'anche essa siasi obbligata a tener fermo il contratto ed a pagare l'abbonamento pattuito e a non sospendere per qualsivoglia motivo le inserzioni (3). Il *contratto di pubblicità* è un contratto *sui*

---

(1) App. Palermo, 1º agosto 1872, *Giur. Tor.*, X, 207.
(2) App. Milano, 3 aprile 1900, *Legge*, II, 123.
(3) App. Milano, 7 giugno 1899, *Legge*, 1900, I, 551.

generis, e risulta dalla fusione di due contratti affini, ma distinti, cioè : una locazione e conduzione d'opera, ed una locazione e conduzione di cose; imperocchè l'imprenditore della pubblicità mette a servizio altrui le opere proprie e degli operai, e per pubblicare gli avvisi dei giornali si vale delle cose altrui (*giornale* e *stampa*) (1).

Concorrenza sleale.

Fu ritenuta *concorrenza sleale* nel fatto dell'editore di un giornale a danno dell'editore di un giornale consimile per le seguenti circostanze :

1° Per avere repentinamente, e cioè nel corso dell'abbonamento, trasformata la testata del proprio giornale rendendola simile a quella dell'altro, cambiando i caratteri tondi in corsivi, spostando e modificando le diverse indicazioni di prezzi e condizioni d'abbonamento, ecc., in modo da far risultare una testata analoga a quella dell'altro ;

2° Per avere, per di più, e nella stessa occasione, intrapreso a fare, sull'esempio dell'altro giornale, diverse edizioni secondo le diverse regioni, cui ciascuna di esse era destinata ;

3° Per avere inoltre intrapreso a contrassegnare, sull'esempio dell'altro giornale, ciascuna edizione dall'indicazione della regione cui era destinata, impiegando le stesse identiche locuzioni adottate dall'altro giornale (2).

Critica di uomini politici.

L'opera del deputato al Parlamento Nazionale è liberamente censurabile dalla stampa, in qualunque campo, attinente al mandato politico, essa si esplichi; e sono pure liberamente sindacabili, nel campo economico, dalla

---

(1) Nota di Ercole Vidari alla sentenza precitata 7 giugno 1899.
(2) Trib. Milano, 2 dicembre 1895, *Legge*, 1895, I, 845.

stampa gli atti di coloro che si assumono la direzione di affari e di imprese ed istituti pubblici di credito, tanto più se all'uopo essi ricevono una retribuzione. Per tali critiche e censure la stampa non è mai tenuta a risarcimento di danni, a meno che, deviando dai termini di una serena discussione di interesse generale, siano stati da essa maliziosamente alterati i fatti con travisamento della verità ed ingiuriosa invadenza della vita privata delle persone (1), poichè in quest'ultima ipotesi è evidente che si fuorvierebbe da una serena discussione di interesse generale.

Il sindacato morale dell'uomo sull'uomo è un diritto connaturale al civile consorzio. Nell'*ordine politico* questo sindacato assurge a vero diritto statutario in quanto la sovranità si esplica per elezione, delegazione e mandato, ai quali è inerente il concetto del più ampio controllo.

E se il mandato si attinge alla fiducia pubblica, pubblico deve pur essere il sindacato in un comune intento di consiglio e di difesa.

Lo stesso è a dirsi quando nell'*ordine economico* siano resi di pubblico dominio dei fatti, i quali compromettendo le sorti di istituti che facciano appello al credito o risparmio pubblico, interessino la proprietà finanziaria del paese.

Ora se al singolo cittadino compete questo diritto di sindacato, il medesimo diritto deve competere al giornale, non come ente privilegiato, ma come organo dirigente o rispecchiante della pubblica opinione.

Il giornalismo quindi *serio* e *conscio della sua alta missione civile, politica e sociale*, merita appoggio, conferendo egli al bene comune. La libertà di stampa è necessaria guarentigia dell'istituzione di ben ordinato governo rappresentativo, e precipuo istrumento di ogni estesa comunicazione di utili e generosi pensieri.

---

(1) Cass. Torino, 18 dicembre 1905, Estensore Bacchialoni, *Giur. Tor.*, 1906, 254.

Quando il pubblicista osserva il suo alto dovere, merita plauso. Non retori dilaniatori dell'onore di persone rispettabili ed innocue; non bassi inquisitori di privati interessi a base di ricatto; o divulgatori di fatti per altri disonorevoli, mossi dal solo spirito di maldicenza o per semplice speculazione sulla insana curiosità del pubblico: tutto ciò è riprovevole; ma quando il giornalismo è rivendicatore della verità a scopo sociale, non è luogo a parlare di querele, ma date i fiori della riconoscenza ed il plauso e l'ammirazione delle forti e libere coscienze.

Diffamazione a mezzo della stampa.

La qualità di proprietario di un giornale può accertarsi di fronte ai privati, e nei confini dell'interesse privato, colle norme del Diritto comune e colle prove da esso concesse. Il diffamato può chiedere direttamente il risarcimento dei danni in *sede civile* citando il direttore ed i proprietarii del giornale, senza che occorra accertare preliminarmente l'esistenza del reato nei rapporti del penalmente responsabile e l'*exceptio veritatis* può invocarsi anche in sede civile (1).

Plagio.

Anche l'inserzione di una notizia in un giornale va, come articolo di giornale, soggetta alla regola che non può essere riprodotta in *altro giornale* senza indicazione dell'origine, sotto pena del risarcimento di danni (2). A questo riguardo osserva l'avvocato L. A. SENIGALLIA quanto segue: L'art. 40 della legge sui diritti d'autore va messo in raffronto coll'articolo 26 della stessa legge e deriva

---

(1) Cass. Napoli, 22 dicembre 1903, *Legge*, 1904, pag. 765 e studio del prof. G. Arangio-Ruiz in commento alla stessa sentenza — *loco citato.*

(2) Cass. Napoli, 1° giugno 1900, *Legge*, II, 81; App. Napoli, 28 aprile 1899, *Legge*, II, 157.

da tale confronto che il legislatore riguardo al materiale dei giornali distingue *due categorie*:

a) Lavori inseriti nel giornale sia in una sola volta sia a brani successivi (art. 26);

b) Articoli di polemica politica quando si trascrivono come elemento di discussione, e articoli di notizie (articolo 40).

Per la prima categoria, nella quale rientrano evidentemente tutte quelle ampie trattazioni che assumono il nome generico di *monografie* e che poi rivestono il carattere specifico di *critiche musicali*, di *riviste d'arte*, o di *trattati giuridici* o *studii artistici* o *letterarii*, si possono conservare i diritti di autore mercè dichiarazione, in mancanza della quale la riproduzione è libera per gli altri giornali o per altre opere periodiche, che sono soltanto obbligate a indicare la fonte se vogliono riprodurli.

Per la seconda categoria, che comprende gli articoli politici e quelli di notizie, non può conservarsi proprietà letteraria vera e propria come per gli altri, e si possono sempre riprodurre *purchè se ne indichi la fonte.*

Ne deriva che gli articoli di notizie non sono ancora oggetto di proprietà letteraria, ma sono egualmente tutelati per il loro valore *materiale,* cioè per le spese di invenzione, di trasmissione, di collaborazione e simili, e per il loro valore *immateriale,* che consiste nel lavoro intellettuale impiegato dal redattore o dal corrispondente per mettere insieme l'articolo.

Scrive il Luciani (1): gli articoli di notizie non hanno importanza eccetto quella inerente alla loro sostanza; la notizia di un avvenimento è pregevole solo in quanto rende a cognizione del lettore l'avvenimento stesso. La *forma* quindi in tali articoli non ha alcuna importanza, essendo affatto indifferente che essi siano concepiti in un modo piuttosto che in un altro.

---

(1) *Le pubblicazioni periodiche nel diritto privato.* Roma, 1893, pagina 102.

Ed il Tribunale di commercio di Parigi (1) decise che i telegrammi delle agenzie telegrafiche non sono protetti come proprietà letteraria; ma nessuno ha il diritto di pubblicarli in un giornale *non abbonato*, e chiunque riesca ad avere quei telegrammi e li pubblichi, deve *risarcire all'Agenzia il danno*, consistente nel prezzo di abbonamento.

Funzionari pubblici.

Il pubblico funzionario, o chi è tale considerato per ragioni di pubblico interesse, è soggetto al pubblico controllo, massime col mezzo della stampa relativamente agli atti da lui compiuti nell'esercizio delle sue funzioni. Per conseguenza, laddove vengano divulgati per mezzo della stampa a pregiudizio del pubblico funzionario fatti da lui effettivamente compiuti, non ha egli azione per ottenere il risarcimento dei danni contro l'autore della divulgazione (2).

Ingiurie.

In tema di ingiurie a mezzo della stampa la responsabilità civile che per presunzione *juris et de jure* incombe sul tipografo editore, non può mai gravare sul tipografo semplice stampatore, che non ha alcun obbligo di vigilanza sugli scritti pubblicati (3).

Il riprodurre un articolo diffamatorio da un altro giornale non esclude nè attenua la responsabilità civile (4).

---

(1) Sentenza 4 settembre 1895 e App. Parigi, 30 dicembre 1897, nella rivista *Diritti di Autore*, XVII, n. 5, maggio 1898.

(2) App. Torino, 19 aprile 1904, *Giur. It.*, I, 2, 63.

(3) Trib. Penale di Roma, 23 dicembre 1904, *Legge*, 1420.

(4) App. Napoli, 4 marzo 1904, *Giur. It.*, I, 2, 79.

Giudizio civile e Giudizio penale.

(Vedi anche Azione civile e azione penale).

Molto si è disputato circa l'influenza della cosa giudicata penale sull'azione civile. Nel caso di condanna dell'imputato, è un fatto che per i principii del nostro Codice di procedura penale e segnatamente in forza del disposto dell'articolo 573, la cosa giudicata penale esercita autorità nel giudizio civile pel risarcimento dei danni derivanti dal reato, e il *condannato* in sede penale, non può nel giudizio civile intentato contro di lui fare altra questione salvo che sulla *liquidazione* di essi (1).

Ma pel caso in cui non sia avvenuta la condanna dell'imputato, l'articolo 6 dello stesso Codice prescrive non essere ammesso per parte della persona offesa l'esercizio dell'azione civile per il risarcimento dei danni quando la sentenza penale abbia dichiarato *non farsi luogo a procedimento penale perchè consti non essere avvenuto il fatto* che formò oggetto dell'imputazione, o abbia assolto l'imputato perchè risulti *non avere egli commesso il reato nè avervi avuto parte.*

È per altro ammessa l'azione civile pei danni quando si sia dichiarato non farsi luogo a procedimento perchè il fatto imputato non costituisce reato, o perchè l'azione penale è prescritta o in altro modo estinta, e quando l'imputato è stato assolto perchè la reità non è provata.

E la Corte di Appello di Torino giudicò che sebbene un'ordinanza della Camera di Consiglio abbia dichiarato non esser luogo a procedere, il danneggiato può sperimentare l'azione civile pei danni, e per constatare il fatto dannoso può dedurre la prova testimoniale, anche se il valore della causa eccedesse le 500 lire (2).

---

(1) **Nota di Carlo Gatteschi** nel *Repertorio* decennale del Repertorio del *Monit. dei Pretori*, 1875, 1884, pag. 101.

(2) Sentenza 1º giugno 1874, *Annali*, II, 573.

Nel caso poi che il giudizio civile avesse preceduto il penale, il giudice penale deve rispettare le questioni civili decise precedentemente, e la sua sentenza farà stato circa il reato, ma non rispetto alle questioni civili incidentali (1).

A questo riguardo può consultarsi lo studio *Degli effetti della cosa giudicata in sede penale nei riguardi dell'azione civile* di Saripolos nella *Rivista penale*, VIII-185 e Carrara, *Pregiudicialità del giudizio civile sul giudizio criminale* (opuscoli, VII, 1889).

L'azione pubblica per la repressione di un reato non solo è indipendente dall'azione civile, ma impedisce o sospende l'esercizio di questa fino all'esito del giudizio penale.

Il Tribunale penale, dal momento che è investito della cognizione di un reato, ha giurisdizione non tanto per verificare l'esistenza di tutti gli elementi che costituiscono il reato stesso, quant'anche per conoscere incidentalmente di tutte le questioni dalla cui risoluzione dipende la punibilità del fatto o la misura della pena da irrogarsi, e quindi non è dato in pendenza del giudizio penale adire il Tribunale civile per ottenere da esso la risoluzione di una questione di diritto privato anche se questa possa influire sulla futura pronunzia del giudice penale. Così se, ad esempio, alcuno sia imputato di soppressione di un atto di donazione, non può, in pendenza dell'accusa, adire il Tribunale civile per domandare che sia dichiarata la nullità della donazione, per turpitudine della causa o per incapacità del donatario, sebbene la nullità dell'atto possa influire sulla punibilità del fatto o misura della pena (2).

La regola che l'azione pubblica penale si esercita indipendentemente dall'azione civile, ha due sole limitazioni :

____

(1) Consultare le note inserite nel periodico *La Legge*, anno 1881, I, 370 e nel *Monit. dei Pretori*, 1882, pag. 812.

(2) App. Firenze, 3 aprile 1873, *Legge*, 1873, 1103.

1° Quando si tratti di *soppressione di stato*, nel qual caso *si deve esaurire in precedenza il giudizio civile* e dopo di questo esaurire il giudizio penale;

2° Quando si tratti di *reato contro la proprietà, od altro diritto reale*, e l'imputato deduca l'eccezione: *feci sed jure feci*, essendo allora in facoltà del giudice penale il risolvere esso stesso la questione pregiudiziale di diritto civile, oppure di rinviarne la cognizione al Tribunale competente (art. 32 e 33 Cod. proc. pen.). In questo secondo caso non potrebbe il Tribunale civile giudicarne, se non quando il giudice penale, valendosi della facoltà accordatagli dalla legge, ne avesse fatto il rinvio esso medesimo (1).

Il CARRARA è di opposta opinione e sostiene che nel caso di soppressione di atto di donazione, il giudizio civile ben poteva avere precedenza sul penale, poichè la *nullità* dell'atto di donazione o per *sostanza* o per *forma* portava alla conseguenza che o sarebbe mitigata la pena, od anche *eliminato* il reato di falso.

Così nel caso in cui si impugni di falso in una causa civile un documento, e in pari tempo si sporga querela pel medesimo fatto in via penale; in questo caso deve avere la precedenza il giudizio penale.

Nel giudizio di liquidazione di danni a sèguito di reato, instaurato dall'offeso in sede civile, fa stato la sentenza penale di condanna, e la cosa giudicata esercita autorità ed efficacia anche nel giudizio civile relativamente ai fatti ritenuti o dichiarati costanti e non può mettersi in dubbio la reità di chi fu condannato, o la innocenza di chi fu assolto (2).

Anche se il giudice penale nulla abbia statuito in merito alla rivalsa dei danni, può sempre il danneggiato sperimentare la sua azione innanzi al giudice civile (3).

---

(1) Sentenza citata App. Firenze.
(2) Cass. Firenze, 21 febbraio 1881, *Mon. Pret.*, 134.
(3) App. Trani, 30 giugno 1881, *Mon. Pret.*, 1882, 141.

Il giudicato penale che esclude l'esistenza del fatto o assolva l'imputato *ex capite innocentiae*, fa stato nel giudizio civile e chiude l'adito all'azione di danni (1).

Giuramento falso.

Provata in sede penale la falsità di un *giuramento* prestato in causa civile, non si ammette la domanda di revocazione della sentenza basatasi sull'esaurimento del giuramento stesso, ma si ammette il risarcimento dei danni risultati come conseguenza dello spergiuro (2) (art. 1370 Cod. civ., 494 n. 1 e 2 cap.).

Fu però giudicato anche che non sia lecito chiedere coll'azione di danni dipendente dal reato di spergiuro quello che direttamente dietro l'esito del giuramento non può aversi (3).

Impiegati.

(Vedi pure **Concorsi ad impieghi — Funzionari pubblici — Sindaci**).

Soppressione di posto.

L'impiegato comunale, per quanto anziano, non ha diritto a risarcimento di danni per il licenziamento, se questo derivò da soppressione del suo posto, regolarmente deliberato dal Consiglio (4).

Competenza.

L'Autorità giudiziaria è competente a giudicare dell'azione di danni proposta da un impiegato comunale per

---

(1) GIORGI, *Teoria delle Obbligazioni*, vol. V, § 220.

(2) App. Torino, 12 luglio 1901, *Giur. Tor.*, 1665. — MATTIROLO, *Dir. Giud. Civ.*, II, n. 849, 4ª ed. — VITA-LEVI, *Il giuramento decisorio*, §§ 75 e 76. — MECACCI, *Lo spergiuro in causa civile*, §§ 3 e 4.

(3) App. Genova, 9 giugno 1890, *Giur. It.*, 2, 699.

(4) App. Casale, 15 settembre 1904, *Giur. Tor.*, 1386.

preteso indebito licenziamento (art. 2 e 4 legge 20 marzo
1865 Alleg. E sul Contenzioso amministrativo); tale competenza sorge quando dal licenziamento dell'impiegato
o dispensa si assume offeso un diritto civile dell'impiegato, quando cioè si tratta di violazione di patti contrattuali; è invece esclusa la competenza dell'Autorità
giudiziaria quando si tratta di provvedimenti fondati su
cause disciplinari, o sul criterio discrezionale dell'Amministrazione nell'ordinare i pubblici servizii (1). L'impiegato licenziato col pretesto di riduzione di organico,
può però insorgere contro il licenziamento quando risulti
evidente da varie circostanze provate dall'impiegato, che
il motivo della riduzione dell'organico era un puro e
semplice pretesto per l'ingiustificato licenziamento (2);
e le questioni aventi scopo di assodare tali contingenze
sono di competenza dell'Autorità giudiziaria (3).

Ingiusto licenziamento.

Il licenziamento di un impiegato di Cassa di Risparmio
(o di altro Istituto od amministrazione) senza giusti motivi, dà luogo a reclamo avanti il giudice ordinario ed
assoggetta l'Amministrazione al risarcimento dei danni
verso l'impiegato medesimo (4).

Però l'Autorità giudiziaria, se è competente a conoscere se l'atto amministrativo è emanato in conformità
delle relative leggi e se ne sia risultata la lesione di
qualche diritto privato, non può però scendere ad apprezzare le ragioni di fatto che hanno determinato il
provvedimento che coll'atto amministrativo è emanato.

In genere però l'Autorità giudiziaria non è competente a conoscere dell'azione dell'impiegato contro una

---

(1) Cass. Roma, 4 gennaio 1902, *Giur. It.*, I, 1, 719.
(2) Consiglio Stato, 24 marzo 1899, *Riv. Univ.*, 165.
(3) Cass. Roma, 16 dicembre 1898, *Corte Suprema*, I, 496 e 813.
(4) Cass. Torino, 17 maggio 1904, *Giur. Tor.*, 1083.

pubblica Amministrazione per il licenziamento datogli per violazione pretesa dei suoi diritti contrattuali, se il licenziamento risulti dato *per ragioni di pubblico servizio o per ragioni di disciplina* (1), e ciò anche quando le mancanze addebitate all'impiegato siano addotte come violazioni degli impegni contrattuali assunti dall'impiegato di fronte all'Amministrazione (2).

In questi casi la questione dell'arbitrario licenziamento motivato da considerazioni di disciplina o di servizio, si deve considerare *esaurita* col giudizio innanzi la Giunta Provinciale Amministrativa e alla IV Sezione del Consiglio di Stato, chiuso col rigetto, in quest'ultima sede, del ricorso proposto contro la relativa deliberazione di licenziamento (3).

Se invece non concorrono ragioni di *disciplina* o di *servizio* ed il reclamo viene basato sopra la violazione del diritto quisito alla *stabilità*, la competenza a conoscere di tale reclamo e relativo risarcimento di danni, è dell'Autorità giudiziaria (4). In genere quindi l'Autorità giudiziaria può conoscere dell'azione dell'impiegato quando la controversia si dibatta sopra l'esistenza e l'obbligatorietà di un vincolo giuridico che renderebbe illegale il licenziamento (5).

In caso di illegittimo ed intempestivo licenziamento di un impiegato comunale rifiutandosi il Comune di riammetterlo in ufficio, rettamente lo si condanna al risarcimento del danno che, a giudizio incensurabile del magistrato di merito, può ragguagliarsi all'intero stipendio che l'impiegato avrebbe percepito per tutti i rimanenti anni di servizio secondo il capitolato o contratto (6). Deve però tenersi anche presente che un im-

---

(1) Cass. Roma, Sezioni unite, 9 febbraio 1894, *Giur. Tor.*, 213.
(2) *Legge*, 1894, II, 435.
(3) Cass. Roma. 8 luglio 1898, *Legge*, II, 217.
(4) Cass. Roma, 6 ottobre 1897, *Giur. Tor.*, 14.
(5) Cass. Roma, 7 agosto 1895, *Giur. It.*, 1895, I, 1, 701.
(6) Cass. Torino. 6 febbraio 1889, *Giur. Tor.*, 856.

piegato *comunale*, ancorchè siavi tra lui ed il Comune un contratto che ne determini lo stipendio, la durata in carica e le obbligazioni, può sempre essere licenziato dal Consiglio Comunale per mancanze in ufficio e per ragioni di disciplina. L'Autorità giudiziaria però è incompetente a giudicare della giustizia od ingiustizia del licenziamento deliberato per tali cause (1).

L'Autorità giudiziaria sarebbe però competente a giudicare se il licenziamento non fosse fondato su ragioni di disciplina, ma fosse impugnato per illegalità come contrario alle stipulazioni del contratto, e si dovesse esaminare se il licenziamento fosse avvenuto con violazione dei patti e clausole del contratto, o la questione avesse per base l'*interpretazione* del contratto stesso (2).

La stessa giurisprudenza è accolta per quanto riflette gli impiegati di *Opere Pie* (3).

Maestri elementari.

È competente l'Autorità giudiziaria a conoscere della legittimità del licenziamento impugnato per difetto delle forme essenziali stabilite dalla legge, e la facoltà di reclamare al Ministero contro la deliberazione di licenziamento del Consiglio Provinciale Scolastico non pregiudica l'azione giudiziaria fondata sull'illegalità formale del procedimento, quando questo venga posto ad esecuzione (4).

Per regola generale però e fuori dei casi di violazioni di diritto, l'impiegato licenziato non ha altro diritto contro la deliberazione del Comune, che di reclamare al

---

(1) Cass. Roma, 7 luglio 1888, *Corte Suprema*, XIII, 521 e 539.

(2) Cass. Palermo, 13 novembre 1888, *Giur. Catanese*, XVIII, pagina 227.

(3) Cass. Roma, 11 maggio 1886, *Corte Suprema*, XI, 629, XIII, pag. 199.

(4) Cass. Roma, Sezioni unite, 25 aprile 1889, *Giur. Tor.*, 570.

Prefetto, o, se si trattta di maestri elementari, al Consiglio scolastico ed indi al Ministero (1).

È però giurisprudenza costante che sia competente a giudicare l'Autorità giudiziaria dei licenziamenti degli impiegati comunali, di Camere di Commercio o di Opere Pie, nei casi seguenti:

1° Quando la deliberazione di licenziamento sia stata presa da collegio a ciò incompetente, come se dalla *Giunta* invece che dal *Consiglio*; dal Consiglio Comunale anzichè dal Consiglio Scolastico trattandosi di maestri e di cause attinenti alla loro capacità didattica;

2° Se la deliberazione fu presa senza l'osservanza delle forme tutelari prescritte dalla legge (2);

3° Se la deliberazione ha per unica base le stipulazioni contrattuali e la questione versi tutta sulla esistenza od interpretazione od esecuzione del contratto (3);

4° E generalmente sempre quando il licenziamento intempestivo sia indipendente da motivi personali di mero apprezzamento; e così fu concessa azione nel caso in cui il licenziamento fosse stato determinato soltanto da soppressione dell'impiego e da motivi di economia, se l'impiegato aveva capitolazione a tempo determinato (4). All'incontro l'azione fu negata nel caso in cui l'impiegato licenziato per ragioni di economia non era munito di contratto con vincolo a tempo (5).

Soppressione di posti per trasformazione dell'ente.

Quando un ente morale non è soppresso, ma trasformato e riordinato, perchè meglio risponda ai suoi fini,

---

(1) Consiglio di Stato, 15 maggio 1885 e 12 giugno 1885, *Riv. Amministrativa*, XXVI, 489 e 938; *Circolare del Ministero degli Interni*, 8 giugno 1885, *id.*, 519.

(2) Cass. Roma, 8 gennaio 1884, *Gazz. dei Proc.*, XIX, 880.

(3) Cass. Napoli, 18 luglio 1884.

(4) Cass. Roma, 15 aprile 1885, *Annali giur. it.*, XIX, parte speciale, 48.

(5) Cass. Roma, 5 gennaio 1885, *Corte Suprema*, X, 11.

restano inalterate le sue obbligazioni verso il personale esistente.

L'impiegato, che ha quesito il diritto, ben può farlo valere anche di fronte all'ente trasformato sotto l'aspetto di risarcimento del danno subito. La nomina degli impiegati disposta dall'Amministrazione Comunale disciolta, e fatta da un Regio Commissario ha giuridica efficacia (1). L'avv. prof. Servilio Marsili osserva, a commento della detta decisione, che è giusto rispettare il diritto quesito dell'impiegato, e distingue tra la nomina dell'impiegato fatta senza determinazione di tempo, da quella fatta per tempo determinato. Mentre la prima non fa sorgere diritti quesiti nel funzionario, il quale è soggetto ai mutamenti che in progresso di tempo la pubblica Amministrazione può arrecare nell'interesse generale, salvo però sempre il rispetto al servizio in corso, la seconda invece produce l'acquisto di un vero e proprio diritto per tutto il tempo convenuto, in guisa che non potrebbe essere questi leso dalle innovazioni. Per vero, quando esiste una convenzione speciale, questa deve sempre essere rispettata. Già la sapienza Romana stabilì che *qui operas suas locavit totius temporis mercedem accipere debet si per eum non stetit quominus operas praestaret* (legge 38 *Dig.* loc. cond.).

Il BRUNEMANN, illustrando questa legge, fra gli altri casi enumera pur quello in cui il locatore sia stato licenziato entro l'anno stabilito per la durata del contratto ed insegna: *sic qui ad annum operas suas addixit mihi, et ego illum intra annum dimiserim, totius anni mercedem solvere debeo.*

Il CARACCIO, nel trattato *Locati-Conducti* (§ 2, pag. 66), sostiene che la mercede deve essere pagata, eziandio quando non solo per fatto del conduttore, ma altresì per *caso fortuito*, le opere non siano prestate dal locatore,

---

(1) App. Macerata, 28 aprile 1904, *Legge*, 1206.

*quando operae non praestantur facto conductoris vel casu
superveniente in personam ejus, debetur tota pensio.*

Nè questi principii di diritto razionale hanno cambiato
natura nei tempi moderni anche nel caso in cui si tratti
di riordinamento della pubblica Amministrazione, e di
soppressione di posto o di ufficio, per effetto di esso.

Lo stesso Consiglio di Stato (1) ha proclamato che le
pubbliche Amministrazioni nel modificare i loro organici
e riordinare i pubblici servizi, debbono rispettare i diritti acquisiti dagli impiegati, e se l'Amministrazione
non rispetti tali diritti, può sempre l'impiegato farli valere avanti le Autorità giudiziarie ordinarie.

La Corte di Cassazione di Roma (2) stabilì la massima
che l'impiegato comunale licenziato *ante tempus* dal Municipio indipendentemente da motivi personali e di mera
apprezzazione, mantiene il diritto a reclamare l'*intera
mercede pattuita per tutta la durata del contratto*, senza
che al Municipio giovi la forza maggiore e l'*interitus rei*
per la chiusura dell'istituto ove l'impiegato comunale
prestava l'opera sua. E per vero bene possono esservi
delle ragioni di ordine pubblico o di pubblica economia
che impongano all'Amministrazione dello Stato, delle
Provincie o dei Comuni di sopprimere un ufficio, un impiego precedentemente stabilito, e così operando queste
Amministrazioni non fanno che compiere un loro dovere
ed esercitare una facoltà della quale sono rivestite, e
possono non preoccuparsi, nell'interesse loro, del vincolo
contrattuale creato con coloro che sono stati concessio-
narii dell'ufficio o dell'impiego soppresso. Ma questa verità non può essere esagerata fino al punto da mettere
in tacere i vincoli contrattuali stessi legalmente stabiliti
ed accettati da chi ebbe a locare legalmente la propria
opera. Ciò violerebbe apertamente quella *buona fede* che

---

(1) 22 dicembre 1897, *Legge*, 1898, I, 172.
(2) 26 maggio 1888, *Legge*, II, 1.

presiede a tutte le convenzioni, mentre è risaputo che *nihil magis bonae fidei congruit id praestari quod inter contrahentes actum est.*

Fu altresì giudicato che in caso di diritto a *pensione* stabilito dal regolamento municipale a favore del *maestro direttore di banda* dopo un decennio di fedele e non interrotto servizio, la condizione deve esser ritenuta come adempiuta in conformità dell'art. 1169 del Codice civile, quantunque, prima che si compiesse il *decennio*, il Municipio avesse creduto di sopprimere il corpo di banda (1).

E poichè tutti gli atti del *Commissario Regio* di un Comune da esso deliberati d'urgenza coi poteri del Consiglio, sono *perfetti* coll'approvazione della Giunta Provinciale amministrativa, e neppure richieggono la ratifica del Consiglio, così ne consegue che siano valide le nomine di impiegati fatte dal detto Regio Commissario (2).

I poteri del Regio Commissario vennero sinteticamente riassunti in sentenza 16 giugno 1896 (3) della Corte di Cassazione di Roma la quale decise che il Commissario straordinario esercitando le funzioni che la legge conferisce al Sindaco ed alla Giunta, può prendere sempre sotto la sua risponsabilità, alla pari della Giunta, nei casi di urgenza sopravvenuti, tutte le deliberazioni che altrimenti spetterebbero al Consiglio; e colla veste di rappresentante il Sindaco e la Giunta, può anche *provvedere alla esecuzione delle deliberazioni sue*; i contratti da lui stipulati obbligano il Comune nei rapporti coi terzi contraenti di buona fede ed i detti contratti non possono mai essere dichiarati nulli per difetto di capacità.

---

(1) App. Macerata, 25 novembre 1880, *Legge*, 1904, 1299 in nota.
(2) Consiglio di Stato, Sezione IV, 11 maggio 1900, *Legge*, II, pagina 323.
(3) *Corte Suprema*, II, 421.

Impiegati privati.

Gli impiegati privati, anche se appartengono ad una *Società privata*, sono amovibili *ad nutum*, e la riserva apposta, alla prima nomina di un impiegato, di poter essere licenziato previo avviso di tre mesi, ha efficacia successiva per tutte le fasi della sua carriera. L'impiegato in tal modo licenziato (cioè col detto preavviso pattuito) non ha diritto a danni od interessi.

Una *Società privata* poi non cessa di essere tale sebbene abbia assunto un servizio pubblico (es. l'esercizio telefonico) (1).

Cessione di stipendio.

I funzionarii dell'Amministrazione sono personalmente risponsabili di un pagamento indebitamente fatto, mentre esisteva un atto di cessione del relativo credito regolarmente notificato.

Tale risponsabilità incombe *solidariamente* all'impiegato dal quale fu redatta la minuta del provvedimento erroneo, ed al suo superiore immediato (Capo-Sezione) che la vidimò e la rese, colla sua firma, esecutiva (2). Su tale argomento può consultarsi una monografia dell'avv. Giriodi (3).

Incendii.

(Vedi pure **Esplosioni e scoppi**).

Pegni.

Se in causa di un incendio vengono distrutti gli oggetti dati a pegno e custoditi in un Monte di Pïetà,

---

(1) App. Catania, 27 marzo 1900, *Legge*, II, 273.
(2) Corte dei Conti, 24 gennaio 1900, *Legge*, I, 598.
(3) *I pubblici uffici e la gerarchia amministrativa* nel suo *Trattato di diritto amministrativo*, diretto dal prof. Orlando, vol. I, n. 189 e seguenti.

questi risponde di danni, ma per colpa *contrattuale* e non per colpa aquiliana, ed al portatore della polizza o cartella di pegno, devesi perciò corrispondere la differenza tra il valore anticipato sugli oggetti pignorati, e la loro valutazione, quando questa sia segnata sulla cartella al momento della contrattazione del pegno in mancanza di valutazione; può il giudice valutare con criterio equitativo tenendo per base il valore risultante da certificato della Camera di Commercio circa il prezzo degli oggetti preziosi in rapporto al peso specifico dei singoli oggetti pignorati ed alla somma su di essi anticipata (1) (Vedi pure su questo punto il titolo *Danni in genere*, § 6).

Assicuratore.

L'assicuratore non risponde dei danni di incendio prodotto da colpa grave delle persone del cui fatto l'assicurato è responsabile (art. 441 Codice di commercio). Il contratto di assicurazione poi può pure esonerare da risponsabilità l'assicuratore anche in caso di incendio prodotto da colpa leggiera dell'assicurato o dei suoi dipendenti (2). Però fu pure giudicato che è conforme all'indole dei contratti di assicurazione contro i danni degli incendii che le Società liquidino gli indennizzi cogli assicurati anche se vi fosse stata colpa per fatto dei loro dipendenti (3); e venne anche ritenuto che l'assicuratore sia tenuto ai danni d'incendio nonostante che questo sia stato appiccato da un figlio minorenne dell'assicurato, del cui fatto deve rispondere il padre (assicurato) (4).

Di regola però nella pratica le Società assicuratrici sogliono mettere nella polizza la clausola che la *Società non è obbligata a risarcire i danni provenienti da fatto o*

---

(1) Conciliatore Napoli, 9 giugno 1905, *Gazz. Proc.*, XXXIV, 58.
(2) App. Torino, 25 gennaio 1904, *Giur. Tor.*, 477.
(3) App. Bologna, 20 marzo 1891, *Legge*, XXXI, II, 22.
(4) App. Milano, 2 aprile 1902, *Giur. Tor.*, 1903, 120.

colpa dell'assicurato o delle persone di cui esso sia legalmente risponsabile.

Scintille di locomotive.

La Società che esercita una ferrovia è *risponsabile* dell'incendio provocato dalle scintille che si sprigionano dalla locomotiva, e se la libera caduta delle scintille dipende dall'uso di materiale scadente non deve ritenersi effetto del caso, ma dipende dull'esercizio e dagli esercenti la ferrovia (1) (Vedi· pure *Ferrovie*, § 10).

Il diritto del privato di essere risarcito dei danni per l'incendio causato in tal modo, non viene meno per ciò solo che la costruzione, edifizio o deposito incendiato non si trovasse a quella distanza legale dalla strada ferrata, che viene prescritta dalla legge sulle Opere pubbliche 20 marzo 1865 all. F. In questo caso l'Amministrazione ferroviaria ha diritto di far abbattere quegli edifizii o costruzioni mediante pagamento di indennità, ma se li tollera, per evitare la dovuta indennità, deve rispondere necessariamente dell'incendio (2).

Spesa pei pompieri.

Deliberata dal Comune la istituzione del Corpo dei pompieri per estinzione degli incendi, la relativa spesa è obbligatoria come necessaria per la polizia locale (art. 175 n. 20, legge Comunale e Provinciale testo unico 4 maggio 1898). Quindi in caso di incendio non può il Comune dal privato, stato soccorso, pretendere veruna somma, neppure a titolo di rimborso di spese ad esso

---

(1) Cass. Firenze, 28 febbraio 1901, *Legge*, 1902, I, 669. — Fassa, *Responsabilità delle Compagnie ferroviarie*, pag. 82, Bocca, Editori, Torino, 1888.

(2) App. Torino, 20 dicembre 1870, *Giur. Tor.*, vol. VIII, 89.

Comune pretese occasionate dal servizio all'uopo prestato (1).

Su questo punto la giurisprudenza è ormai concorde. In Francia la questione è da gran tempo risolta nel senso della decisione sopra riferita, in base alla legge 28 piovoso anno VII.

Fu però in un caso speciale ritenuto che il Comune debba aver diritto a tale rimborso; trattavasi però di una estinzione seguita per opera di pompieri e con macchine di altro *Comune vicino* stato richiesto a nome del proprietario dell'edifizio incendiato, nel qual caso al Comune spetterebbe l'azione *negotiorum gestorum* contro il privato (2).

Del resto sta la tesi generale che il Comune, provvedendo all'estinzione di un incendio, compie un obbligo non nell'interesse esclusivo del danneggiato, ma nell'interesse collettivo, di cui fa parte il danneggiato stesso, ed ha uno scopo generale di impedire il danno di tutti o di parte degli altri cittadini. Nè potrebbe il Comune, pel disposto dell'art. 288 del testo unico della legge Comunale e Provinciale, assumere uffici o disimpegnare servizi che non siano di pubblica utilità.

Nell'antica Roma si erano costituite Associazioni private che avevano per iscopo di accorrere a spegnere gli incendii mediante corrispettivo di un premio (3), come si pratica pure oggidì nell'America settentrionale, dove le compagnie dei pompieri sono associazioni private con scopo di speculazione.

Nel periodo della Repubblica Romana fu istituito il *Corpo dei vigili* coll'incarico di spegnere gli incendii, e

---

(1) Cass. Torino, 12 aprile 1901, *Giur. Tor.*, 571. — Dalloz, *Commune*, n. 1278 e 1309. — Grün e Jolat, *Assur. Ferr.*, n. 264. — Jachia, *Le spese di estinzione degli incendi*, Genova 1882. — Vivante, *Assicurazioni*, n. 431 e 433.

(2) Cass. Torino, 7 marzo 1888, *Giur. Tor.*, XXV, 540; Cass. Napoli, 22 febbraio 1892, *Diritto e Giur.*, VII, 426.

(3) Paolo, *De officio praefecti vigilum.*

detto corpo era capitanato dal *Prefetto* o dal *Tribuno dei vigili* (L. 3 § 3 ff. *De officio praefecti vigilum*), e l'incendio ritenuto come accidente gravissimo, paragonabile all'invasione del nemico ed al naufragio (leg. 23 Dig. *De regulis juris*), era tutelato dalla pubblica autorità.

In Francia emanarono in proposito le leggi 24 agosto 1790, 22 luglio e 6 ottobre 1791, 28 febbraio anno VII, 28 piovoso anno VIII, per cui l'incarico era affidato a Corpi speciali Municipali, che dovevano *prévenir par des précautions conrenables à faire cesser par des secours habilement distribués les accidents et fléaux calamiteux, tels que les incendies.*

La legge sarda del 7 ottobre 1848 (*Comunale e Provinciale*) agli art. 133, 134 n. 17, 166 n. 4 e 5, 167 pose i principii che si trasfusero poi nel testo unico del 1898, dove non si parla espressamente delle spese degli incendii, ma sono queste implicitamente contemplate dalle due categorie 2ª e 20ª dell'art. 175 (1).

Assicurazioni.

Il principio che l'assicurato non può lucrare sull'infortunio e non deve quindi ricavare dal contratto che il puro risarcimento dei danni realmente sofferti non può spingersi sino ad interdirgli di risentire dei vantaggi, i quali dell'assicurazione non sono che conseguenze indirette (art. 434 Cod. com.) (2). L'assicurazione è infatti un contratto di *indennità*, per cui il rimborso non può mai eccedere il danno sofferto dalla cosa assicurata, perchè altrimenti il contratto non sarebbe più di indennità, ma degenererebbe in una scommessa (3).

L'assicuratore non è tenuto a pagare danni maggiori

(1) Sentenza 18 marzo 1900 del Pretore del VII Mandamento di Torino, estensore Collonnetti, *Giur. Tor.*, 1901, 592.

(2) Cass. Torino, 12 novembre 1900, *Giur. Tor.*, 1442.

(3) Vidari, *Dir. comm.*, V, n. 4389, 4ª ed.

di quelli effettivamente prodotti dal rischio anche quando siasi fatta una *doppia assicurazione* cioè l'una dal proprietario e l'altra dal conduttore della cosa perita, e chiedano entrambi la liquidazione del danno (1) (art. 434 e 477 Cod. comm.).

È per vero chiara la legge al riguardo nel senso che (art. 426-427 Cod. comm.) per quanto si moltiplichino i contratti di assicurazione o concorrano fra di loro fino a concorrenza del valore intero, se fatte contemporaneamente; — oppure concorrano successivamente, se fatte in tempi diversi, sempre solo fino a concorrenza del valore assicurato. Vedi *Assicurazioni contro i danni.*

Negligenza dei pompieri.

Il capo dei pompieri, che trascuri di domare un incendio valendosi di tutti quei mezzi che sono a sua disposizione, è tenuto al risarcimento dei danni cagionati dall'incendio suddetto (2) (Vedi pure *Funzionarii pubblici*).

Tramvie.

La Compagnia esercente una *tramvia a vapore* è responsabile del danno dell'incendio determinato dalle scintille gettate dal camino delle macchine con frantumi di carbone incandescente sulle proprietà private fiancheggianti la linea tramviaria (3). A stabilire che l'incendio sia stato causato dalle scintille è sufficiente la prova della voce pubblica generale e delle convinzioni individuali dei singoli testi escussi.

Fuochi artificiali (Vedi il titolo analogo).

---

(1) Cass. Torino, 20 giugno 1891, *Giur. Tor.*, 469.
(2) App. Torino, 29 aprile 1899, *Giur. Tor.*, 862.
(3) App. Torino, 21 ottobre 1893, *Giur. Tor.*, 1894, 87.

Risponsabilità dei conduttori od inquillini.

Il conduttore è obbligato per l'*incendio*, quando non provi che è avvenuto per caso fortuito o forza maggiore o per difetto di costruzione, o nonostante la diligenza solita ad usarsi da ogni accurato padre di famiglia, o che il fuoco si è comunicato da una casa o da un fondo vicino (art. 1589 Cod. civ.).

Se una casa è abitata da più inquilini, tutti sono obbligati per l'incendio in concorso col locatore, se anche esso vi abita, e ciascuno in proporzione del valore della parte da esso occupata, eccetto che provino che l'incendio è cominciato nell'abitazione di uno di essi, nel qual caso questi solo deve esserne risponsabile, o che alcuno di essi provi che l'incendio non ha potuto cominciare nella sua abitazione, nel qual caso questi non è risponsabile (art. 1590 Cod. civ.).

Avvenuta la distruzione della casa locata, il conduttore che l'ha assicurata, deve impiegare nel restauro l'indennità liquidatagli, sebbene ciò torni a vantaggio del locatore (1).

Risponde civilmente dei danni il padrone che ordina alle sue persone di servizio di abbruciare le stoppie nei campi, in sèguito alla qual cosa ne rimangano danneggiati i fondi vicini per essersi ai medesimi propagato il fuoco (2).

Risponsabilità civile in base a fatti delittuosi.

La risponsabilità civile può sorgere pure da un fatto represso e punito dalla legge penale, e così risponde dei danni:

1° Chi appicca il fuoco *volontariamente* e deliberatamente ad *edifizi* o *costruzioni* di qualsiasi natura a *pro-*

---

(1) Cass. Napoli, 30 gennaio 1888, *Giur. Tor.*, 456.
(2) Cass. Roma, 5 dicembre 1891, *Giur. Pen.*, 99.

dotti del suolo non ancora staccati, ovvero ad ammassi o depositi di materie combustibili, ad opifizii, depositi di merci, cantieri, veicoli di strade ferrate, cave, miniere, e foreste (art. 300 Cod. civ.);

2° Chiunque, per impedire l'estinzione di un incendio sottrae, occulta o rende inservibili materiali, apparecchi, od altri mezzi destinati all'estinzione (art. 307 Codice penale);

3° Chi per imprudenza o negligenza, o imperizia nella propria arte o professione, o per inosservanza di regolamenti, ordini o discipline, cagiona un incendio od esplosione (art. 311 Cod. pen.).

Industrie.

(Vedi pure **Artefici** — **Infortuni sul lavoro** — **Committenti e Commessi**).

Fumo ed esalazioni nocive.

Il proprietario dello stabilimento industriale che col fumo delle sue caminiere e colle esalazioni nocive delle sue officine reca noia e pregiudizio alle vicine abitazioni, è tenuto al risarcimento del danno (art. 574 e 1151 Codice civile); e nulla decide in contrario che le abitazioni danneggiate siano sorte successivamente al funzionare dello stabilimento (1). E per vero è norma eterna di diritto naturale che l'esplicazione del libero diritto di dominio sola allora si deve arrestare, quando incontra e viene a cozzare con un eguale diritto contrario.

Tale azione di danni è di indole commerciale; ed è quindi soggetta alla prescrizione decennale; e se proposta contro una società regolarmente costituita, è soggetta alla quinquennale (articoli 917-919, n. 1 e 2, Cod. di commercio).

______

(1) Corte d'Appello Torino, 4 agosto 1908, *Giur. Tor.*, 1904, 73.

Circa la natura civile o commerciale dell'azione vi sono taluni che ritengono le obbligazioni per quasi-delitto siano sempre *civili*, altri che siano commerciali (1). Perchè l'obbligazione del commerciante per quasi-delitto abbia carattere commerciale, si richiede però che il fatto illecito si immedesimi coll'esercizio di uno o più atti di commercio, oppure che il fatto illecito cada nella stipulazione o nella esecuzione di un negozio giuridico di carattere commerciale.

È vietato l'impianto di un opificio che invada il fondo vicino con esalazioni di fumo e di cenere volatilizzata e disturbi col frastuono assordante (art. 574 Cod. civ.). Il reclamo va proposto contro il *proprietario* del fondo, non contro il *conduttore* esercente l'opifizio anzidetto. Nè il proprietario avrà azione di rilievo verso di questo, se il fondo fu locato appunto ad uso di opifizio e se non risulta dimostrato che il conduttore stesso ne abbia abusato (2).

Ove uno stabilimento non sia insalubre od incomodo per l'indole sua, ma lo divenga per difetto di cautele nell'esercizio, può l'Autorità amministrativa prescrivere le cautele stesse, e solo dopo l'inosservanza di esse ordinare la cessazione dell'industria (3).

Sono tali le *fabbriche di guano artificiale*, i *forni da pane* (i quali solo possono essere incomodi se il fumo non sia condotto via, ma si spanda nei locali vicini), i *macelli* di animali porcini.

Un *ospedale* non è uno stabilimento di per sè incomodo od insalubre (4).

È in potere dell'Autorità giudiziaria l'ordinare quei provvedimenti che siano necessarii per impedire che gli

---

(1) Vidari, *Diritto comm.*, IX, n. 9065, 4ª ed. – Vivante, *Trattato di diritto comm.*, I, n. 59. — Pugliese, *Prescrizione estintiva*, 2ª ed., n. 361.

(2) App. Casale, 22 dicembre 1904, *Giur. Tor.*, 1905, 95.

(3) Cons. Stato, 30 dicembre 1867, *Legge*, vol. VIII, pag. 207.

(4) *Repertorio del periodico la Legge*, 1877, pag. 416, parte III.

stabilimenti nocivi rechino danno ai privati; e quando malgrado i provvedimenti comandati ed eseguiti, risulti manifesta la impossibilità di porre fine ai danni recati da una industria insalubre, incomoda o pericolosa, il magistrato può, sulla istanza della parte danneggiata, ordinare il trasferimento o la cessazione dell'esercizio dell'industria medesima (1).

Forno.

Il proprietario di un appartamento del piano superiore di una casa ha diritto di ottenere la demolizione di un *forno* costrutto nell'attiguo piano inferiore quando dal forno derivino inconvenienti tali, da rendere l'appartamento inabitabile, a meno che gli inconvenienti possano rimuoversi con opportune opere (2).

Fucina portatile.

Il vicino non può impiantare nella propria abitazione una *fucina* anche portatile, il cui fumo possa riuscire molesto o nocivo al proprietario soprastante senza provvedere, a norma dell'articolo 574 Cod. civ., al modo atto ad evitare a costui ogni danno (3).

Macchine assordanti.

L'articolo 574 Codice civile è applicabile anche nel caso di macchine che arrecano danno al vicino col loro rumore assordante e con pericolose scosse ai muri divisorii (4).

Già il diritto romano non permetteva di eseguire nel proprio fondo ciò che danneggiava la casa vicina con im-

---

(1) App. Brescia, 20 aprile 1869, *Legge*, vol. IX, pag. 808.
(2) App. Genova, 24 maggio 1897, *Giurista*, 805.
(3) Cass. Palermo, 2 maggio 1908, *Foro Sicil.*, 289.
(4) App. Milano, 28 maggio 1901, *Mon. Trib.*, 1902, 55.

missione di fumo o di acqua: — *Ex superiore aedificia in inferiora non aquam, non quid aliud immitti licet; in suo enim alii hactenus facere licet, quatenus nihil in alienum immittat; fumi autem sicut aquae esse immissionem* (L. 8, § 5, D. " *Si servitus vindicetur* „).

Non occorre, per aversi frastuono, che siano messe in moto macchine propriamente dette, ma basta che in qualunque modo si faccia rumore nell'esercizio di una industria, come nel caso dell'industria di *bottai* che producono *fumo* coi loro fuochi per piegare le doghe e arroventare i cerchi di ferro nel cortile, e martellando sui ferri o sulle botti, producono un frastuono molesto, oltre l'invasione del fumo e pulviscolo nelle abitazioni vicine, il cui valore locativo è evidentemente per tali cause diminuito.

Difficile accesso a negozi — Danni.

Se per lavori di restauro del piano stradale o suo abbassamento od innalzamento resti sospeso o difficile lo accesso a botteghe *non è dovuto* dal Comune risarcimento di danno (1) ai proprietarii delle botteghe, ed ai proprietarii delle case pel diminuito affitto degli alloggi a causa dell'incomodo di accedervi durante *l'esecuzione dei lavori.*

Mine di scavo.

Fu per contro stabilito che il proprietario di uno stabilimento industriale ha diritto al risarcimento dei danni prodotti da mine di scavo di una galleria nel sottosuolo, che abbiano reso inservibile lo stabilimento stesso, pel tempo per cui ne durò la inazione, per le merci andate a male od in deperimento, e per le spese di riattazione del fabbricato sconquassato (2).

---

(1) Cass. Torino, 18 gennaio 1901, *Giur. Tor.*, 232.
(2) App. Torino, 20 dicembre 1904, *Giur. Tor.*, 195.

Taglio o annacquamento di liquori.

Su tale argomento la Corte di Appello di Bologna (1)
ebbe a giudicare che il commerciante che allunga o taglia
il *cognac* fornitogli e lo rivende col nome e l'emblema
caratteristico di chi glielo ha fornito, è tenuto al risarcimento dei danni. Ma la Corte di Cassazione di. Roma
nella stessa causa ritenne (2) che non si possa ritenere
illecito il fatto del commerciante che comperando all'in-
grosso per rivendere al minuto il *cognac* genuino dallo
stesso produttore, lo diluisca e lo metta poi in commercio
colle stesse etichette fornitegli dal produttore prima di
avere constatato dietro la richiesta dell'interessato :

a) Se quella operazione di diluire il *cognac* non sia
necessaria per la necessità stessa del consumo, e se non
sarebbe fatta da ogni rivenditore nello stesso interesse
del produttore ;

b) Se la proporzione in cui fu fatta non sorpassi il
limite normale ;

c) Se la fornitura delle etichette da parte del produttore non importi implicitamente l'autorizzazione a diluire il prodotto.

Industria rumorosa.

Il proprietario di una casa, di fronte alla quale si impianta uno stabilimento industriale, non ha azione di
danni per asserto disturbo pel rumore di *telai meccanici*
ed *annaspatoi*, se nulla vi sia in esso di abusivo o di
eccezionale ; cosicchè sta nel criterio del magistrato il
giudicare se l'incomodo sia di tale tenuità da dover essere tollerato dal vicino (art. 574 Cod. civ.) (3).

L'articolo 574 Codice civile non è applicabile ad ogni

---

(1) Sentenza 20 dicembre 1902, *Temi Ven.*, 1903, 130.
(2) Sentenza 18 giugno 1903, *Mon. Trib.*, 906.
(3) Cass. Torino, 3 marzo 1903, *Giur. Tor.*, 591.

specie di incomodi o disturbi che dall'uso della cosa propria possa derivare al vicino, ma per la sua applicazione si richiede un qualche danno sensibile specialmente alla *solidità* od *abitabilità* del vicino edifizio.

Così non è interdetta l'applicazione di un *motore a gaz* e di macchine per l'esercizio di un'industria (es., *tipografia*) se dal loro funzionamento deriva semplicemente l'inconveniente di un *rumore* sentito dalla casa vicina, ma di sì tenue importanza ed in limiti tollerabili, a cui possano facilmente i vicini abituarsi. Sarebbero tuttavia da ordinarsi le cautele ed opere necessarie per rimuovere gli inconvenienti più gravi come le cattive esalazioni per mezzo di fumaiuoli, prescrivendo che siano portati a maggiore altezza (1).

Scuderie (Vedi Edifizi, § 2).

Decorrenza dei danni.

Il risarcimento dei danni per opere abusive (es., motore e fumaiuolo), poste sulla proprietà del vicino, è dovuto anche anteriormente alla giudiziale domanda, se è esclusa ogni acquiescenza e tolleranza, essendosi invece continuamente reclamato e protestato contro le opere stesse (art. 1151 Cod. civ.) (2).

Molino — Mancanza d'acqua.

Il proprietario di un molino animato da derivazione d'acqua concessa dal Governo, non ha azione di danni contro la Provincia per ciò che ad un antico ponte in legno, esistente a valle, distrutto da innondazione, abbia sostituito nuovo ponte in muratura ad arcate più ampie, che facilitando il rapido deflusso delle acque, vengano a

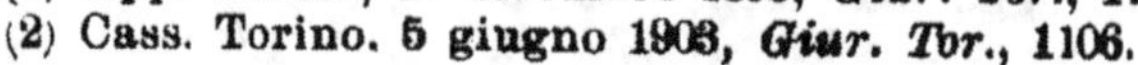

(1) App. Torino, 17 dicembre 1895, *Giur. Tor.*, 176.
(2) Cass. Torino, 5 giugno 1903, *Giur. Tor.*, 1106.

pregiudicare la derivazione anzidetta; e nulla decide in contrario che da oltre un trentennio si trovasse il proprietario nel possesso della derivazione, facilitata dal ponte precedente come da diga parziale (1). E per vero, l'esercizio legittimo di un diritto proprio, comunque produca danno ad altri, non genera però mai l'obbligo di risarcirlo; e nel caso in esame la Provincia aveva non solo *diritto*, ma *dovere* di costrurre il nuovo ponte per servizio del pubblico, in sostituzione di quello asportato dalle acque, o doveva costruirlo appunto con quelle maggiori e migliori modalità che l'arte suggeriva: inoltre il vecchio ponte, coll'ostacolo che opponeva alle acque, procurava al proprietario del molino niente altro che un *vantaggio* o *comodo*, ed è risaputo che comodità e vantaggio non sono protetti da azione di reintegrazione (2). Non può quindi in rapporto a tali vantaggi parlarsi di *acquisto per prescrizione* che valga a cambiare in *diritto* quel semplice *interesse* che può avere avuto il proprietario del molino, a perpetuare quello stato di cose.

Incomodi in genere cagionati da industrie — Abusi nel loro esercizio.

L'industriale deve adoperare tutte le precauzioni che la pratica e la scienza insegnano, per evitare e prevenire danni alla proprietà del vicino, avendo per criterio direttivo quello della colpa. L'azione che tende non ad ostacolare l'esercizio di una industria legittimamente autorizzata dalla competente Autorità amministrativa, ma ad impedire l'*abuso* di essa, che è *fonte di danni* che potrebbero *essere evitati*, è esperibile e giuridica, e sono ammessibili le prove all'uopo addotte (3).

---

(1) Cass. Torino, 17 aprile 1908, *Giur. Tor.*, 1038.
(2) Cass. Torino, 21 maggio 1887, *Giur. Tor.*, 599; Cass. Torino, 23 maggio 1902, *Giur. Tor.*, 1016.
(3) Trib. Firenze, 31 dicembre 1908, *Giur. tosc.*, 46.

Nel determinare la risponsabilità del proprietario di uno stabilimento industriale per le molestie (fumo, esalazioni, rumori, ecc., ecc.) che derivano dal di lui esercizio alle proprietà vicine, è legittimo tener conto delle particolari condizioni del luogo, e specialmente se trattisi di un centro industriale in cui siano agglomerati molti opifici, per guisa che la recìprocità degli incomodi corrisponde al dovere di una reciproca tolleranza, maggiore di quella che in altri casi potrebbesi pretendere. Si deve allo stesso effetto tener conto eziandio del periodo di tempo da che dura lo stato di cose lamentato, per moderare le pretese di risarcimento quanto al passato, in relazione alla tacita pazienza che per avventura fosse stata prestata dal proprietario del fondo contiguo all'officina, non lagnandosi degli incomodi che questo gli cagionava (1).

Zolfare.

L'impresa che esercita una miniera di zolfo deve risarcire ai privati il danno che risentono sia nella persona che nei beni per l'effetto dell'anidride carbonica che si sviluppa dalla combustione dello zolfo, quando abbia contravvenuto alle opportune norme regolamentari (2).

Il pulviscolo di carbone minerale ed i frammenti di fuligine che si sprigionano dal camino di un motore a vapore che invadono le finestre ed inquinano l'acqua del pozzo del vicino, non costituiscono soltanto un semplice incomodo che il vicino stesso sia in obbligo di tollerare, ma importano una diminuzione di patrimonio, e quindi un vero e proprio danno risarcibile (3).

E così pure deve risarcire i danni un'officina *gaz* che

---

(1) App. Torino, 4 agosto 1908, *Legge*, 2004.
(2) Cass. Palermo, 5 maggio 1904, *Mon. Trib.*, 810.
(3) App. Firenze, 15 settembre 1897, *Annali di Giur.*, 848.

col fumo od esalazioni nocive delle caminiere invade la proprietà vicina. Nè decide in contrario che questa condizione di cose esista da oltre un trentennio (art. 630 Cod. civ.), e neppure decide che le abitazioni sul fondo del vicino siansi costrutte od ampliate dopo che l'officina gaz già era impiantata ed attuata; potendo al più questa circostanza influire per diminuzione del risarcimento di danno (art. 574 Cod. civ.). (1).

Contro lo strepito prodotto dall'esercizio delle piccole industrie, quali sono quelle del fabbro-ferraio, del calderaio, ecc., ecc., può esser luogo ad azione per danni allora soltanto che esso sia portato ad un grado assolutamente eccessivo ed insopportabile pel vicino (2). Ciò si accerta di regola con perizia o con testimonii.

Incendio.

La parte che invoca un caso fortuito allo scopo di essere esonerata da ogni obbligo di risarcimento di danni per inesecuzione di contratto (es., un patito *incendio* che distruggendo il proprio opificio, ha reso impossibile la fornitura della merce venduta) ha obbligo di provare che nel caso fortuito che invoca non concorra nessuna sua colpa, cioè che l'incendio non fu causato da sua negligenza o trascuranza (3).

Il Laurent osserva in proposito a tale questione (4): *Il y a des faits dont le caractère est douteux. L'incendie, quand il est occasionné par le feu du ciel, est certainement un cas fortuit. Mais, hors ce cas, il est le plus souvent la*

---

(1) Cass. Torino, 13 febbraio 1902, *Giur. Tor.*, 358.

(2) App. Perugia, 10 febbraio 1890, *Legge*, I, 596. Consulta pure Saredo, *Della responsabilità civile dei proprietari di stabilimenti industriali incomodi, insalubri o pericolosi*, nell'*Archivio giur.*, vol. III, pag. 82.

(3) App. Torino, 14 dicembre 1900, *Giur. Tor.*, 1901, 121.

(4) *Principes de droit civil*, XVI, n. 263.

suite d'une imprudence... donc c'est à celui qui l'allègue comme tel (cas fortuit) d'en faire la preuve.

Scioperi.

Nei contratti di forniture (ad es., di carboni in ragione di determinate quantità mensili, è caso di forza maggiore che esonera il venditore da ogni obbligo di risarcimento di danni quello di uno *sciopero* degli operai del distretto carbonifero indicato nel contratto (art. 1226 Cod. civ.) (1). E nulla giova che in due miniere del distretto medesimo, siansi seguitati i lavori anche durante lo sciopero di tutte le altre, se ciò avvenne in condizioni affatto anormali per aumenti di mercedi, ecc., in modo da non potersene giovare il venditore.

E fu ripetutamente giudicato che lo sciopero generale degli operai di un opificio costituisce un caso di forza maggiore che esime l'industriale dal rispondere del non aver potuto adempiere nel tempo pattuito le commissioni affidategli, semprechè risulti non aver egli potuto prevenirlo, ed avere fatto inutilmente quanto era in lui per impedirne od attenuarne i dannosi effetti (2).

Esercizio di opifici — Danni.

La disposizione dell'articolo 574 Cod. civ. è soltanto dimostrativa, non tassativa pei tre casi ivi accennati di *incendio, scoppio* od *esalazioni nocive.*

Il *tremolio*, il *rumore*, il *fumo* sono pure pregiudizii che un vicino, con opere fatte nella sua proprietà, non può recare al vicino a termini del detto articolo 574 allorchè eccedono i limiti dell'ordinaria tolleranza nelle relazioni di buon vicinato. E così nel caso in cui per lo stabilimento e l'esercizio di meccanismi a breve distanza dalla

---

(1) Cass. Torino, 8 marzo 1901, *Giur. Tor.* 421.
(2) App. Torino, 20 marzo 1896, *Giur. Tor.*, 868.

casa del vicino, si produca un rumore ripetentesi a ogni minuto, assordante ed eccessivamente molesto per gli inquilini della casa vicina, e si emetta fumo ad altezza minore di quella di essa casa e che dal vento venga portato dentro la medesima. In tal caso debbonsi ordinare le opere e le cautele avvisate dai periti atte a togliere o rendere tollerabile l'incomodo o il danno, come il trasporto dei meccanismi a maggiore distanza, l'isolamento delle loro fondazioni, l'alzamento dei fumaiuoli e simili.

La autorizzazione amministrativa concessa per l'impianto dello stabilimento riguarda soltanto l'interesse della sicurezza pubblica e non pregiudica l'azione del privato danneggiato per il conseguimento della giusta indennità o per far eseguire le opere a rendere tollerabile l'esercizio (1).

E così pure l'autorizzazione governativa concessa per l'impianto di uno stabilimento industriale non è di ostacolo all'azione giudiziaria e non impedisce che, ove del caso, i Tribunali ordinino la chiusura dello stabilimento stesso, purchè non si tratti di stabilimento esercitato dalla Pubblica Amministrazione, poichè in questo caso l'Autorità giudiziaria potrebbe bensì constatare il danno e determinare l'indennità, ma non ordinare la chiusura.

Fu anche giudicato che quando si tratta di stabilimenti pericolosi o producenti esalazioni nocive per i vicini, e sia constatato non potersi con nessuna condizione precauzionale togliere il pericolo e impedire il danno, se ne possa ordinare la *rimozione* (2).

Le relazioni di buon vicinato impongono certamente delle reciproche tolleranze, senza delle quali sarebbe pressochè impossibile tra vicini l'esercizio delle rispettive proprietà. Il POTHIER annovera perciò tra i quasi-contratti anche i rapporti di vicinato, come quello che genera tra i vicini obbligazioni reciproche.

---

(1) App. Torino, 9 novembre 1888, *Giur. Tor.*, 1889, 66.
(2) App. Torino, 4 febbraio 1868, *Giur. Tor.*, 806, vol. XVI.

Ma si eccederebbero manifestamente i limiti di queste esigenze, quando si ritenesse lecito ad un proprietario l'impiantare nel suo fondo un esercizio da cui derivasse per la proprietà del vicino un danno *apprezzabile* e *permanente*. Nè le relazioni di vicinato, nè le esigenze dell'industria possono mai esagerarsi al punto da imporre il sacrifizio anche solo parziale della proprietà altrui (1).

L'articolo 574 Codice civile prevedendo il caso di stabilimenti con macchine messe in moto dal vapore od altri manufatti per cui vi sia pericolo di incendio, di scoppio o di esalazioni nocive, prescrive si osservino le distanze che secondo i casi siano stabilite dai regolamenti, o in loro mancanza dall'Autorità giudiziaria affine di evitare danni al vicino. Questa disposizione non ha per obbiettivo il riparare danni già prodotti, ma unicamente di prevenirli provvedendo alla sicurezza della proprietà dei vicini; ma se in pratica queste precauzioni prudenziali, risultano nondimeno inefficaci, sarà intatto l'obbligo del risarcimento (2).

Vi è qualche rara sentenza che ritenne che pel fatto del *tremolio*, *rumore*, ecc., non spetti azione di danni, e solo possa l'autorità politica dare provvedimenti in via amministrativa per far cessare tali inconvenienti (3), ma la prevalente opinione è quella di cui si è fatto più sopra lo svolgimento,

Anche il *conduttore* di un fondo, al pari del proprietario di esso, ha azione per reclamare la riparazione del danno cagionatogli dal vicino coll'impianto di una officina da cui venga pericolo di incendio, scoppio od esalazioni nocive (4).

Ha diritto al risarcimento dei danni il vicino danneg-

---

(1) Laurent, VI, 137. — Borsari, II, pag. 132. — Ricci, II, 60. — Pacifici-Mazzoni, *Comm.*, I, 78.

(2) Pardessus, I, 201. — Toullier, III, 332. — Marcadé, art. 674, n. 2. — Solon, *Répons.*, n. 550. — Demolombe, *Servit.*, I, 524.

(3) App. Torino, 21 novembre 1887, *Giur. Tor.*, 1888, 61.

(4) Cass. Torino, 17 luglio 1889, *Legge*, II, 589.

giato da innovazioni nell'impianto di un'industria rumorosa (esempio : sostituzione di telai meccanici a vapore a telai a mano). Se pel fatto del vicino taluni incomodi siano diminuiti, non è lecito *compensare* tale vantaggio con un nuovo danno prodotto dal fatto stesso (1).

Maglio.

Fu giudicato che ottenuto il provvedimento amministrativo che autorizza l'esercizio di un maglio in una ferriera a tenore della legge di pubblica sicurezza, viene riconosciuto il diritto di tenerlo in esercizio e perciò l'Autorità giudiziaria non può ordinare la rimozione del maglio. Ma tuttavia al proprietario vicino danneggiato dall'esercizio del maglio stesso, compete azione a pieno risarcimento di danni, che può elevarsi fino a raggiungere e uguagliare il valore del suo immobile come se egli ne fosse stato effettivamente espropriato, essendo da parificarsi ad espropriazione il fatto che più alcuno non possa servirsi della cosa propria per causa del fatto del vicino (2).

Esercizio normale e regolare di industria.

Se i locali di una casa sono stati affittati per un determinato uso industriale (es.: per uso di una *tipografia*), formalmente regolato in contratto, la clausola che obbliga l'affittavolo a non dare molestia agli altri inquilini non va riferita alle molestie che necessariamente derivano dal regolare esercizio dell'industria, ma solamente alle maggiori, provenienti da colpevole abuso (art. 1583, n. 1, Cod. civ.) (3).

---

(1) Cass. Firenze, 12 aprile 1894, *Legge*, I, 692.
(2) Cass. Roma, 9 luglio 1892, *Legge*, 1893, I, 37.
(3) Trib. Novara, 28 maggio 1905 e Corte d'Appello di Torino, 22 dicembre 1905, *Giur. Tor.*, 1906, 108 e 100.

Disposizioni generali di legge.

Tutta la materia relativa alle distanze, incomodi per esercizio di industrie, si impernia sul disposto dell'articolo 574 Codice civile che dispone : " Chi vuol fabbricare contro un muro comune o divisorio, ancorchè proprio, camini, forni, fucine, stalle, magazzini o di. sale o di materie atte a danneggiarlo, ovvero stabilire in *vicinanza* della proprietà altrui macchine messe in moto dal vapore, od altri manufatti, per cui siavi pericolo di incendio o di scoppio, o di esalazioni nocive, deve eseguire le opere e mantenere le distanze che, secondo i casi, siano stabilite dai regolamenti, ed in loro mancanza dall'Autorità giudiziaria, affine di evitare ogni danno al vicino.

E così in applicazione di tale articolo fu deciso che il vicino ha diritto di far rimuovere una concia di pellami impiantata nel fondo contiguo, purchè provi che emani esalazioni intollerabili (1).

In certi casi può essere sufficiente anche il solo *attenuare* anzichè togliere totalmente l'incomodo, il quale così attenuato possa divenire *sopportabile* (2).

Infortunii sul lavoro.

Rapporti tra la legge sugli infortunii, sul lavoro e la legge comune per responsabilità (Vedi Artefici).

Omessa denuncia di infortunio.

Anche nel caso di omissione di denuncia dell'infortunio, l'industriale non può essere convenuto in giudizio civile per la risponsabilità verso il danneggiato e quindi va assolto allo stato degli atti, se non si prova dall'at-

---

(1) Cass. Firenze, 10 novembre 1887, *Legge*, 1888, I, 10.
(2) Cass. Torino, 5 settembre 1889, *Legge*, 1890, I, 665 ; Cass. Palermo, 6 giugno 1889, *Legge*, 1890, I, 594.

tore che vi fu condanna *penale* dell'industriale o di chi fu da lui preposto alla direzione o vigilanza dei lavori pel fatto pel quale l'infortunio è derivato (1).

Infortunio a bordo di navi.

Quando lo scarico di merci è collegato al trasporto, è tenuto colui il quale sorveglia quest'ultimo lavoro a renderlo immune da ogni pericolo derivante anche dallo scarico, sebbene ad altri affidato (2).

Concetto del lavoro secondo la legge sugli infortunii.

Il lavoro, al fine di evitare gli infortunii, devesi guardare nel suo complesso, anche nelle *intermittenze* di necessaria attesa e di *riposo* degli operai, poichè il loro diritto all'incolumità della vita ha per correlativo l'obbligo dell'appaltatore di intrattenerli in luoghi scevri da pericoli (3); epperciò infortunio *in occasione di lavoro* è, ai sensi di legge, quello che avviene nel tempo e nel luogo del lavoro o che ha per causa efficiente, diretta od indiretta, il lavoro: onde non è infortunio in occasione di lavoro quello toccato all'operaio lungo la via percorsa per recarsi a casa nell'intervallo del consueto riposo giornaliero (4). E così pure non è infortunio risarcibile quello che colpisce l'operaio lungo il cammino che deve percorrere per recarsi al lavoro (5).

Però la legge sugli infortunii sul lavoro non si può applicare ai sinistri dovuti alle *forze della natura* anche se occorsi durante il lavoro, ma non così però se le con-

---

(1) App. Genova, 6 luglio 1900, *Legge*, II, 802.
(2) App. Trani, 80 maggio 1905, *Foro Puglie*, 284.
(3) Citata sentenza App. Trani.
(4) App. Venezia, 3 maggio 1905, *Legge*, 1612.
(5) App. Venezia, 7 dicembre 1904, *Legge*, 251.

dizioni in cui il lavoro si eseguiva, hanno messo in moto queste forze o le hanno aggravate. Cosicchè l'**insolazione** che abbia colpito l'operaio mentre lavorava *in condizioni disadatte*, deve considerarsi come infortunio (1).

È poi considerato come infortunio nel lavoro anche il **suicidio** dell'operaio che abbia avuto un infortunio che produsse *disordini cerebrali e dolori* che determinarono il suicidio stesso (2).

È pure infortunio, in occasione di lavoro, che perciò rientra nell'assicurazione, la **uccisione** di un capo riparto ad opera di un suo dipendente improvvisamente impazzito e reagente all'invito fattogli dal suo capo riparto di recarsi al suo posto di lavoro (3).

È risarcibile poi non solo l'infortunio che avvenga nella *attuazione* del lavoro, ma anche quello che ha luogo mentre l'operaio nell'interesse del padrone attende alle operazioni preparatorie dello stesso, quale è il **trasporto**, a scopo di lavoro, di una *trebbiatrice* da un luogo ad un altro (4).

Imprudenza dell'operaio.

È dovuto indennizzo anche per gli infortunii dipendenti da imprudenza dell'operaio, e così gli atti imprudenti ed anche temerarii che psicologicamente originano dalla consuetudine ed abitualità al pericolo, rientrano pur essi nel rischio professionale: nemmeno la inosservanza di norme regolamentari stabilite a tutela dell'incolumità personale esclude in via assoluta il diritto ad indennità (5).

Deve ritenersi infortunio, in occasione di lavoro, l'in-

---

(1) Cass. di Parigi, 2 marzo 1904, *Contratto di lav.*, 256.
(2) App. Roma, 5 novembre 1904, *Contratto di lav.*, 869.
(3) Cass. Torino, 13 dicembre 1904, *Legge*, 467.
(4) Cass. Roma, 8 dicembre 1904, *Legge*, 594.
(5) Trib. Venezia, 19 luglio 1904, *Contratto di lav.*, 65.

fortunio che colpisce un operaio addetto ad una trebbiatrice, il quale, mentre conduce la macchina da uno ad altro luogo, cade dalla medesima in modo da riportare gravi lesioni (1).

È così pure è infortunio sul lavoro la morte di un operaio avvenuta perchè invitato dal principale ad osservare se gli operai di una fabbrica vicina abbiano già ripreso il lavoro, per poter veder meglio, sale sopra un mucchio di rottami, e toccando inavvertentemente un filo elettrico, rimane fulminato (2).

È pure risarcibile l'infortunio che non sia conseguenza di un *fatto meccanico* e neppure consista in una lesione traumatica esterna, ma sia cagionato da malattia organica contratta in occasione di lavoro (ad es. morte per emottisi manifestatasi in seguito ad un grave panico e ad una violenta scossa nel sistema nervoso subìta a causa di lavoro (3).

Non è risarcibile l'infortunio patito dal macchinista di una trebbiatrice nel mentre, essendo la medesima inattiva perchè·guasta, ne cura il trasporto della parte rotta per farla riparare; imperocchè ai sensi dell'art. 1 n. 4, della legge 31 gennaio 1904 e art. 12 del regol. relativo sugli infortunii sul lavoro, è risarcibile l'infortunio avvenuto durante l'*effettiva prestazione di servizio* intorno alle macchine in azione per uso agricolo od industriale (4).

Venne giudicato che chi dà a cottimo la pulitura di un *pozzo nero* ad un vuotacessi di professione non risponde per l'asfissia di costui per essere disceso senza le necessarie precauzioni (es. senza accendere prima un lume per vedere se stia acceso), e neppure risponde, se

---

(1) Pretore di Ravenna, 25 agosto 1904, *id.*, 107.
(2) Cass. Torino, 8 luglio 1905, *Giur. Tor.*, 1309; *Foro It.*, I, pagina 1356.
(3) Cass. Napoli, 31 luglio 1905, *Foro It.*, I, 1352.
(4) Trib. Alba, 24 febbraio 1905, *Giur. It.*, I, 2, 288.

vedendo il primo in procinto di morire, chiami ed ec-
citi altra persona a discendere in aiuto dall'asfissiato e
sìa con ciò causa che anche il secondo disceso rimanga
asfissiato. Non si può infatti pretendere che in tal frangente si preveda e provveda come a mente calma (1).

L'ernia inguinale prodottasi in un operaio ad esempio
nel trasportare una trave assai pesante, secondo l'ordine
avuto, costituisce infortunio sul lavoro risarcibile, quantunque l'operaio potesse avere qualche predisposizione
precedente all'ernia, da valutarsi come concausa nel sinistro (2).

Peste bubbonica.

Una malattia epidemica (es. la peste bubbonica) contratta in occasione di lavoro, ha i caratteri di infortunio
sul lavoro, e dà diritto a ripetere la relativa indennità
dalla Società assicuratrice (3).

Malattie professionali.

L'indennizzo dovuto per gli infortunii sul lavoro, si
estende anche alle cosidette malattie professionali (4).

L'assicuratore non è tenuto a corrispondere l'indennità
di infortunio ad operai non compresi nelle categorie di
quelli assicurati dall'industriale, e ciò anche quando
trattandosi di assicurazione collettiva l'industriale dimostri
che in realtà l'assicurazione percepì il premio di assicurazione anche sui salari pagati agli operai non specificati nella polizza (5).

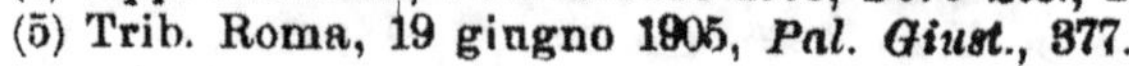

(1) Cass. Roma, 4 giugno 1897, *Giur. Pen.*, 358.
(2) Trib. Casale, 19 maggio 1905, *Legge*, 1507.
(3) App. Napoli, 29 luglio 1904, *Foro It.*, I, 187.
(4) App. Palermo, 4 novembre 1905, *Foro Sic.*, I, 694.
(5) Trib. Roma, 19 giugno 1905, *Pal. Giust.*, 877.

Incomplete dichiarazioni nella polizza.

Il padrone risponde in proprio verso l'operaio delle conseguenze delle sue erronee od incomplete dichiarazioni alla Società assicuratrice (1).

L'industriale che colla propria negligenza o colpa (tenendo nascosti i termini precisi del contratto stipulato e facendo dell'accaduto infortunio una denunzia erronea all'assicuratore) rende impossibile all'assicurato l'azione per la consecuzione della indennità, è vincolato al risarcimento dei danni (2).

Valore probatorio dell'inchiesta.

L'inchiesta fatta in occasione di infortunio sul lavoro serve di *prova* nel giudizio per l'indennizzo (3).

Nelle *controversie* sul diritto ad indennità per infortunii sul lavoro il giudice può fondare la pronuncia anche sulle risultanze del verbale di inchiesta contenente le dichiarazioni dell'infortunato, in ispecie quando esse siano invocate a proprio favore da entrambe le parti in giudizio (4).

Responsabilità del Direttore.

Il direttore di un opificio è responsabile *penalmente* a titolo di colpa degli effetti derivanti dalle *condizioni difettose delle macchine* e dalle abituali inosservanze delle norme regolamentari. La responsabilità *civile* poi dell'esercente, è pedissequa a quella penale del direttore.

L'art. 1153 Cod. civ. non va però *in materia penale* interpretato ed applicato in senso materiale ed assoluto

---

(1) App. Genova, 1° agosto 1905, *Temi Gen.*, 521.
(2) Cass. Torino, 11 marzo 1905, *Legge*, 1512.
(3) App. Palermo, 4 novembre 1905, *Foro Sic.*, 1, 694.
(4) Cass. Torino, 31 dicembre 1904, *Giur. Tor.*, 841; *Foro Ital.*, I, pag. 566.

sino al punto di chiamare risponsabile *sempre e senza eccezioni* il committente per il fatto del commesso anche quando si tratti di lavori interamente affidati alla perizia dell'artefice od imprenditore debitamente scelto ed operante in una sfera d'azione e di competenza del tutto estranea a quella del committente. Il committente è civilmente risponsabile del fatto del commesso solo allorquando l'opera del commesso non sia richiesta che ad integrare, surrogare o rappresentare quella del committente.

L'art. 32 (1) della legge sugli infortunii sul lavoro, sancisce in caso di *condanna penale* l'eventuale rispon-

---

(1) *Art. 32*, Legge 31 gennaio 1904, n. 51. — Non ostante l'assicurazione effettuata colle norme da questa legge stabilite, rimane la responsabilità civile a carico di coloro che siano assoggettati a condanna penale pel fatto dal quale l'infortunio è derivato.

Rimane anche la risponsabilità civile al proprietario o capo od esercente l'impresa, industria o costruzione, quando la sentenza penale stabilisca che l'infortunio sia avvenuto per fatto imputabile a coloro che egli ha preposti alla direzione o sorveglianza del lavoro, se del fatto di essi debba rispondere secondo il Codice civile.

Le precedenti disposizioni di questo articolo si applicano soltanto quando il fatto dal quale l'infortunio è derivato, costituisce reato di azione pubblica.

Qualora venisse dichiarato non essere luogo a procedimento perchè l'azione penale sia estinta per amnistia, o per morte o dietro domanda degli interessati, proposta entro un anno da tale dichiarazione, il giudice civile deciderà se per i fatti che avrebbero costituito reato, sussista la responsabilità civile a norma dei tre primi comma di questo articolo.

Non si fa luogo a risarcimento qualora il giudice riconosca che non ascende a somma maggiore della indennità che per effetto di questa legge viene liquidata al danneggiato od agli aventi diritto di cui all'art. 10 della legge, o degli eredi nel caso previsto dall'art. 15.

Quando si faccia luogo a risarcimento, questo, trattandosi del danneggiato o degli aventi diritto di cui all'art. 10, o degli eredi nel caso previsto dall'art. 15, non sarà pagato che per la sola parte per la quale eccede le indennità liquidate a norma di questa legge.

sabilità civile del proprietario, o capo o esercente del·
l'impresa, industria o costruzione quando il fatto sia im·
putabile a chi venne da esso preposto alla direzione e
sorveglianza del lavoro (1).

Pertanto, perchè sia proponibile l'azione di risarci·
mento di danno contro l'industriale indipendentemente
da quella per la liquidazione della indennità di infor·
tunio, è indispensabile che sia intervenuta una sentenza
penale di condanna a carico dell'industriale (2).

Fatto illecito di altro operaio.

Il proprietario od impresario che ha assicurato l'ope·
raio infortunato, non risponde civilmente pel fatto ille·
cito di altro *semplice operaio.*

L'operaio poi che è causa dell'infortunio di altro ope·
raio non risponde civilmente pei maggiori danni non
coperti dall'assicurazione, se non quando il di lui fatto
costituisca *reato di azione pubblica*, e sia per esso inter·
venuta sentenza penale di condanna.

Operaio mal pratico — Risponsabilità del padrone.

Incontra una grave risponsabilità l'industriale che com·
mette operazioni pericolose ad un operaio il quale non
abbia una pratica accertata delle macchine. Questa ri·
sponsabilità però è diminuita se risulti che l'industriale
avvertiva l'operaio di non esporsi al pericolo se non si
sentiva sicuro (3).

Il proprietario o capo o esercente un'impresa, o co·
struzione od industria, non è civilmente risponsabile

---

(1) Cass. Roma, 27 febbraio 1905, *Legge*, 1097.
(2) Cass. Torino, 26 aprile 1905, *Giur. Tor.*, 810 ; *Temi Gen.*, 610 ;
Giur. It., I, 1, 1158; *Mon. Trib.*, 927.
(3) Probi-viri, Milano, 10 febbraio 1904, *Contr. lav.*, 69.

quando la sentenza penale stabilisca che l'infortunio sia avvenuto per fatto imputabile ad un semplice operaio, dovendo ai termini del primo capoverso dell'art. 32 della legge sugli infortunii, rispondere civilmente nonostante l'effettuata assicurazione, soltanto del fatto imputabile a coloro che egli ha preposto alla direzione o sorveglianza del lavoro (1).

Nel risarcimento di danni per infortunii sul lavoro devesi tener conto delle spese di una cura ordinaria e razionale, non delle spese di lusso: sono dovuti anche i danni morali per il patema d'animo.

Gli *interessi* però sulla somma dovuta per risarcimento di danno per infortunio sono dovuti dal giorno della *sentenza* e non da quello della domanda (2).

Casi pratici di conseguenze di infortuni.

La perdita di due *dita*, anulare e mignolo e dei relativi metacarpi, si assimila per la liquidazione dell'indennità alla perdita *completa della mano* (3). L' infortunio che colpisce l'operaio *mancino* alla mano sinistra, la quale è per lui la mano del lavoro, va liquidato come ad altro individuo normale che si fosse prodotto l'infortunio alla mano destra (4).

L'operaio **monocolo** che a causa di un infortunio venga privato dell'altro occhio ha diritto all'indennità corrispondente alla perdita completa della facoltà visiva e non soltanto a quella stabilita per il caso di perdita totale di un occhio (5).

La perdita di **due denti incisivi**, sia pure accompagnata dall'indebolimento degli altri due denti laterali,

---

(1) Cass. Roma, 18 marzo 1905, *Legge*, 883.
(2) App. Palermo, 5 dicembre 1904, *Circolo giur.*, II, 13.
(3) Trib. Roma, 16 giugno 1905, *Giur., It.*, I, 2, 681.
(4) Pretura Terni, 7 aprile 1905, *Contr. lav.*, 204.
(5) App. Firenze, 31 dicembre 1904, *Riv. comm.*, 566.

costituisce un caso di invalidità temporanea, e non di invalidità permanente parziale (1).

Nel concetto di invalidità permanente parziale a sensi dell'art. 94 del Regolamento in vigore (corrispondente all'art. 73 del Regol. 1898) non rientrano se non per quelle conseguenze di infortunii per le quali è diminuita la capacità produttiva dell'operaio. Quindi le lesioni organiche che, pur diminuendo, anche permanentemente, l'integrità fisica, non hanno essenziale relazione colla capacità stessa, non sono contemplate dalla legge; come ad es. la perdita di *tre denti* e di parte dell'osso della mascella superiore sinistra (2). Deve considerarsi come infortunio per causa di lavoro la caduta di un operaio dall'alto, anche se avvenuta per vertigine o per disattenzione (3).

Non ostante la *risponsabilità civile* dell'imprenditore l'istituto assicuratore è tenuto a pagare l'indennità *salvo rivalsa* (4).

Ferrovieri.

L'operaio ferroviario inscritto alla Cassa pensioni, in caso di infortunio, ha diritto ad *unica* indennità, uguale alla maggior somma tra quella consentita dagli statuti e quella fissata dalla legge sugli infortunii (5). Altre sentenze invece decisero che il ferroviere ascritto al consorzio di mutuo soccorso od alla Cassa pensioni, che sia colpito da infortunio, ha il diritto di pretendere insieme il sussidio continuativo a lui dovuto per cessazione dal servizio dal Consorzio di mutuo soccorso o dalla Cassa pensioni, e l'indennità stabilita dalla legge sugli infor-

---

(1) App. Ancona, 8 aprile 1905, *Giur. It.*, I, 2, 499.
(2) Pretura Urbino, 10 settembre 1904, *Riv. Giur. Tosc.*, 651.
(3) Cass. Torino, 31 dicembre 1904, *Giur. Tor.*, 341.
(4) App. Roma, 21 ottobre 1904, *Contr. lav.*, 98.
(5) Cass. Roma, 14 giugno 1904, *Riv. comm.*, 32.

tunii (1). Infine altre sentenze giudicarono che il ferroviere abbia diritto a ripetere o l'indennità stabilita dalla relativa legge o quella maggiore che gli spettasse per avventura dalla Cassa di soccorso, ma non mai l'una e l'altra (2).

Il R. Decreto 22 gennaio 1899 sugli istituti di previdenza del personale ferroviario è costituzionale, e la sua legittimità è stata riconosciuta dalla posteriore legge 29 marzo 1900 (3).

Prima di chiudere questa materia è bene ritenere come principio generale che la legge sugli infortunii sul lavoro ha lo scopo di provvedere a riparare agli operai il danno derivante dai *rischi professionali* contemplati nella legge stessa, cosicchè fuori di questi casi risorge sempre la responsabilità civile a mente della legge ordinaria.

Ingegneri e Geometri.

Errori.

L'ingegnere o geometra che incaricato del progetto di una strada, commette *errori* nella livellazione, è risponsabile dei danni provenienti dalla sospensione dei lavori iniziati in base al suo progetto. Un errore nella livellazione di metri 1,50 oltrepassa quei limiti di tolleranza che in generale sono ammessi nella costruzione delle strade (4). L'appaltatore poi non ha diritto ai danni verso l'ingegnere che nel progetto errò nelle livellazioni ed altimetrie, se egli non procedette al preventivo tracciamento della strada che avrebbe fatto conoscere l'errore.

Il professionista è risponsabile dei danni che arreca

---

(1) App. Roma, 5 novembre 1904, *Giur. It.*, I, 1.
(2) App. Aquila, 7 novembre 1905, *Foro It.*, I, 1508.
(3) Cass. Roma, 2 febbraio 1905, *Legge*, 640.
(4) App. Casale, 24 luglio 1868, *Giur. Tor.*, 520.

colla sua negligenza o grossolana imperizia, ad esempio
nel valutare una forza idraulica; quindi l'assuntore di
un impianto dell'illuminazione elettrica, il quale, incaricato dal Comune di verificare la sufficienza di una
forza idraulica abbia dichiarato questa sufficiente e indotto così il Comune ad affidare a lui l'impianto, è risponsabile di tutte le conseguenze della cattiva riuscita
dell'opera per insufficienza della forza motrice (1) (Vedi
pure *Edifizii e Costruzioni*).

Innondazione.

(Vedi pure **Acque**).

Straripamenti.

Colui che ostruisce un fosso di sua proprietà posto sul
confine con altri fondi, deve essere condannato alla rifusione dei danni derivati da uno straripamento per
forte alluvione, limitatamente però al grado di responsabilità che può spettargli per il fatto proprio (2).

Così pure è tenuto al risarcimento di danni il Comune
che non avendo provveduto allo spurgo di una roggia
comunale, fu causa che l'acqua straripasse e cagionasse
danno ad un fondo. Detta azione, essendo personale, ben
può rientrare nella competenza del Conciliatore (3) (Vedi
Amministrazione comunale).

Escluso che l'innondazione, che fu causa del danno,
sia avvenuta per la trascurata manutenzione, dell'argine
o per la mal regolata derivazione dell'acqua, non è luogo
a risarcimento, dovendo in tal caso attribuirsi a forza
maggiore il disastro (4).

---

(1) App. Catanzaro, 18 agosto 1899, *Legge*, 1900, I, 160.
(2) Concil. di Altino, 6 aprile 1905. *Guida Concil.*, 579.
(3) Cass. Torino, 27 luglio 1901, *Mon. Trib.*, 86.
(4) Cass. Firenze, 4 luglio 1878, *Mon. Pret.*, 1878, 6.

La pubblica amministrazione deve risarcire i danni recati alla proprietà privata in occasione di una innondazione che siano derivati non da forza maggiore, ma da opere eseguite dalla stessa amministrazione, come dallo sfioramento da essa ordinato di un argine, nell'intento di evitare danni maggiori a pregiudizio anche della navigazione (1).

Responsabilità della Pubblica Amministrazione (Vedi **Amministrazione Pubblica**).

Responsabilità penali (Vedi Acque).

Ipoteche.

(Vedi pure **Notai**).

Iscrizione illegittima.

Se venne iscritta illegittimamente una ipoteca sopra gli stabili di un terzo, questo ha diritto a risarcimento di danni, provando che tale iscrizione gli ha tolta la possibilità di approfittare dell'occasione di vendere e di ipotecare ad altri i suoi stabili, ed ha diritto di ottenere quanto meno la declaratoria generica di responsabilità, salvo liquidazione, e spetterà all'attore il dare in seguito le prove per ridurre in lire e centesimi l'ammontare dei danni stessi (2).

Iscrizione eccessiva.

L'essersi in base a condanna *generica* di danni iscritta ipoteca per cifra decupla di quella in cui i danni medesimi vennero di poi in separata sede liquidati, non è

---

(1) Cass. Torino, 28 dicembre 1878, *Giur. Tor.*, 1879, 879.
(2) Cass. Torino, 27 luglio 1904, *Giur. Tor.*, 1888.

atto colposo che generi di per sè stesso risponsabilità pei danni derivati dalla menomata disponibilità degli stabili ipotecati, se di essi danni non si fornisce la prova concreta (1).

Indisponibilità del fondo.

Il danno di una illegittima iscrizione ipotecaria non può essere indotto da una *astratta* ed *ideologica* indisponibilità del fondo ipotecato, ma deve essere accertato colla prova della *effettiva* indisponibilità, cioè di non averne potuto disporre affatto, o di essersi trovate condizioni più onerose a causa della apparente iscrizione (2).

Ipoteche capziose.

L'avere *senza titolo* ed in modo alquanto capzioso ottenuta la iscrizione di una ipoteca, costituisce un fatto *illecito*, che dà luogo all'azione per risarcimento del danno (3).

Nullità di iscrizione.

Il Conservatore delle ipoteche non è tenuto a collazionare le due note che gli sono presentate da chi richiede l'iscrizione di un'ipoteca, per accertarsi che siano esattamente conformi; e non è quindi risponsabile se a causa di una differenza di nomi, occorsa per errore in una delle due note di iscrizione ipotecaria, sia nulla, purchè egli abbia eseguita l'iscrizione col nome che si legge nella nota rimasta presso di lui (art. 2067 Cod. civ.) (4).

---

(1) App. Torino, 18 agosto 1899, *Giur. Tor.*, 1471.
(2) Cass. Torino, 8 febbraio 1898, *Giur. Tor.*, 1899, 1471 in nota.
(3) Cass. Torino, 3 luglio 1895, *Giur. Tor.*, 584.
(4) Cass. Roma, 23 giugno 1896, *Legge*, 1897, II, 77.

Infatti non è lecito aggravare la risponsabilità di chicchessia, addossandogli obblighi non espressamente sanciti dalla legge o dal contratto, e più specialmente sarebbe contrario ad ogni principio di giustizia che colui, che richiese l'iscrizione dell'ipoteca, presentando una delle due note redatta in modo inesatto, potesse chiamare risponsabile il Conservatore del danno, che è dovuto principalmente ed originariamente alla sua propria colpa.

Qui culpa sua damnum sentit, de se quaeri debet.

La risponsabilità del Conservatore allora soltanto potrebbe sostenersi, quando i titoli e le note, in base ai quali è richiesta l'iscrizione dell'ipoteca, non presentassero le forme estrinseche volute dalla legge, come se, per esempio, trattandosi di scrittura privata, le sottoscrizioni dei contraenti non fossero autenticate, o trattandosi di atti seguiti in paese estero, non fossero debitamente legalizzati (art. 1990 Cod. civ.); fuori di questi casi il Conservatore non ha altro dovere che quello di eseguire l'iscrizione in conformità dei documenti, che gli sono presentati dal richiedente (1).

Fu pure negata la risponsabilità del Conservatore per la nullità dell'iscrizione ipotecaria derivante da irregolarità commesse nelle note a lui presentate dal richiedente (2).

Il Conservatore che assume un ufficio ipotecario non ha nè diritto nè obbligo di eseguire il riscontro e la verifica dei registri e dei repertorii, come pure non ha alcuna risponsabilità per gli errori o dimenticanze occorsi per colpa o negligenza del suo antecessore (3). La disposizione generale sancita dall'art. 1151 Cod. civile trova, relativamente alla risponsabilità dei danni che

---

(1) Cass. Napoli, 11 dicembre 1871, *Legge*, 1872, I, 88.
(2) App. Casale, 27 maggio 1882, *Giur. Casalese*, vol. II, p. 283.
(3) Cass. Torino, 12 agosto 1887, *Legge*, 1888, I, 11.

incombe ai Conservatori, limitazione nell'art. 2067 stesso Codice (1).

Non può dirsi in colpa un Conservatore di ipoteche che in esecuzione di un decreto emanato a termini dell'art. 2039 del Codice civile, cancelli una iscrizione sebbene il decreto non sia passato in giudicato (2).

È *nullo* il decreto di autorizzazione giudiziale alla donna maritata emesso su ricorso consensuale dai coniugi senza che il marito sia stato sentito o citato a comparire in Camera di Consiglio. Risponde dei danni il Conservatore, che in base a tale decreto proceda alla cancellazione di una ipoteca iscritta a favore della donna maritata. Risponde comunque il Conservatore pei danni se il decreto esigeva l'investimento del credito su un libretto di deposito *intestato* alla creditrice ed il deposito sia stato fatto invece su un libretto al *portatore* (3).

I Conservatori delle ipoteche non sono risponsabili di avere incluse nei *certificati* ipotecarii formalità di iscrizioni o trascrizioni non pertinenti agli immobili ai quali i certificati si riferiscono, quando tale inclusione dipende da incerte e non troppo precise indicazioni di questi immobili (4).

Il Conservatore delle ipoteche che *per discrepanza tra le designazioni dei beni colpiti* nella iscrizione e *quelle contemplate nell'atto di consenso*, rifiuta la chiesta cancellazione, è *tenuto a rimborsare* la spesa occorsa per ottenere il decreto del Tribunale che ne autorizza la cancellazione (5).

La risponsabilità dei Conservatori non è limitata ai casi tassativamente contemplati nell'articolo 2067 Cod. civ., i quali si debbono ritenere formulati solo in via

---

(1) Cass. Firenze, 25 agosto 1889, *Legge*, 1890, I, 10.
(2) App. Bologna 8 maggio 1891, *Legge*, 1892, I, 88.
(3) Cass. Firenze, 30 marzo 1905, *Mon. Trib.*, 806.
(4) App. Napoli, 10 dicembre 1904, *Temi Sic.*, 807.
(5) Concil. di Verona, 30 gennaio 1905, *Massime*, 159.

dimostrativa. *Risponde* il Conservatore dell'**ingiusto rifiuto di cancellare** un'ipoteca, ed il rifiuto è ingiusto se il Conservatore richiede formalità dalla legge non imposte. La procedura indicata dall'art. 2039 Cod. civ. è puramente facoltativa e non obbligatoria (1).

La **competenza** stabilita dall'art. 35 della legge 13 settembre 1874 n. 2079 per le azioni di responsabilità dei conservatori delle ipoteche, non è *assoluta* e non trova applicazione al caso di chiamata del Conservatore in garanzia a termini dell'art. 100 del Codice di procedura civile (2).

Se al Conservatore delle ipoteche sia fatta domanda di rilascio di *certificato* di una data persona, debbono in esso comprendersi tutte le iscrizioni che la riflettono, per quanto accese *anche contro altre persone*, sotto pena dei danni. Non è a ritenersi responsabile il Conservatore delle ipoteche per il rilascio di un **certificato incompleto** se si provi che le parti contrattarono astrazione fatta dal certificato; ma è apprezzamento di fatto incensurabile il ritenere se le parti si siano o no basate su di esso nel contrattare (3).

Ipoteche cauzionali degli esattori.

Non incontra responsabilità di danni, ed anzi è obbligato il Conservatore delle ipoteche a *cancellare* l'ipoteca cauzionale dell'*esattore*, sulla presentazione del *decreto Prefettizio* che compendia gli atti consensuali dei diversi enti interessati, e ne sanziona la legalità e l'efficacia e non può nè deve pretendere l'esibizione dei singoli atti consensuali a norma del Codice civile (4).

È per vero le disposizioni speciali della legge e rego-

---

(1) App. Napoli, 19 giugno 1905, *Gazz. Proc.*, XXXIV, 89.
(2) Cass. Napoli, 26 aprile 1904, *Foro It.*, I, 1350.
(3) Cass. Torino, 4 ottobre 1905, *Giur. Tor.*, 1521.
(4) Cass. Torino, 22 novembre 1899, *Legge*, 1900, I, 10.

lamento sulla riscossione delle imposte dirette anche nella parte relativa alla cancellazione delle ipoteche cauzionali, derogano alle disposizioni del Codice civile (articolo 130 Regol. 22 giugno 1897 sulla riscossione delle imposte dirette, art. 2033, 2089 Cod. civ.).

I Conservatori delle ipoteche sono obbligati a rilasciare anche certificati speciali sopra *determinati* beni (legge 24 settembre 1874, n. 2079). Essi però non sono tenuti a risarcimento di danni per omissioni od errori incorsi, senza colpa loro, nei certificati (1).

I Conservatori sono risponsabili per i danni risultanti:

1° Dall'*omissione nei loro registri* delle trascrizioni, delle iscrizioni e delle relative annotazioni, come pure degli errori incorsi in tali operazioni;

2° Dall'*ommissione nei loro certificati* di una o più trascrizioni, iscrizioni od annotazioni, come pure degli errori incorsi nei medesimi, salvochè l'ommissione o l'errore provenga da indicazioni insufficienti, che non possano venir loro imputate;

3° Dalle *cancellazioni* indebitamente operate (articolo 2067 Cod. civ.).

Nel caso di qualunque diversità fra i risultati dei registri e quelli delle copie o dei certificati rilasciati dal Conservatore delle ipoteche, si starà ai risultati dei *registri, ferma la risponsabilità del Conservatore per ogni danno* che fosse derivato dalle inesattezze delle dette copie o dei detti certificati (art. 2068 Cod. civ.).

Lavori Pubblici.

Cessata manutenzione di opere pubbliche.

L'Amministrazione dello Stato non è tenuta a rispondere dei danni derivati ad un privato dalla cessata ma-

---

(1) Cass. Firenze, 28 febbraio 1885, *Temi Ven.*, 154.

nutenzione di un'opera, che essa non abbia più ritenuta di pubblico interesse; e per converso, se il privato non siasi curato di fare ad un'opera, che era già stata ritenuta di interesse pubblico, le opportune riparazioni, non può l'Amministrazione pretendere di porre a di lui carico il danno pubblico che dalla loro omissione sia potuto derivare (1).

Perdita di utilità privata.

L'azione del proprietario per essere risarcito della perdita di una utilità a causa di un'opera pubblica, *senza che egli abbia sofferto espropriazione diretta*, può essere esercitata prima che l'opera sia consegnata e che il danno sia effettivamente consumato, tosto che esso derivi da quell'opera come *conseguenza inevitabile*, e produca quindi il *deprezzamento della proprietà* (2).

Omissione di opere di difesa contro fiumi o torrenti (art. 99 Legge sui Lavori Pubblici) — (Vedi Amministrazione comunale, § 8) (8).

Competenza dell'Autorità giudiziaria.

Ove da un'opera pubblica sia derivato danno al privato, l'Autorità giudiziaria è sempre competente a conoscerne (4).

Strade comunali (Vedi Amministrazione comunale, § 9, e più avanti Lavori stradali).

Ferrovie (Vedi il titolo Ferrovie).

---

(1) Cass. Roma, 16 maggio 1905, *Cass. Unica Civ.*, 195.

(2) Cass. Roma, Sezioni Unite, 20 giugno 1905, *Giur. It.al*, I, 1, 959; *Foro It.*, I, 1087.

(3) Cass. Palermo, 16 giugno 1904, *Temi Sic.*, II, 218.

(4) Cass. Roma, 18 aprile 1905, *Cass. Unica Civ.*, 151.

Divieto di costrurre.

È dovuta una indennità ai proprietarii contigui di un'opera di pubblica utilità, ai quali sia fatto divieto di costrurre (art. 46 legge 25 giugno 1865) (1).

Infatti tale impedimento costituisce la perdita o quanto meno la diminuzione di un diritto, e porta per compenso il diritto ad indennità.

I proprietarii di fondi permanentemente danneggiati dall'esecuzione di un'opera pubblica, per la perdita o diminuzione di un loro diritto, possono agire per farsi indennizzare, valendosi del disposto del citato articolo 46 della legge sulle espropriazioni di pubblica utilità (2).

E possono aver diritto all'indennizzo ancorchè non siano stati espropriati neppure parzialmente (es.: i proprietarii poco distanti da un *Tiro a segno* che non possono fabbricare nell'area non spopriata, ma in cui possono giungere proiettili) (3) (Vedi *Tiro a segno*).

Costruzioni difettose.

Le Amministrazioni pubbliche non possono essere ricercate per danni derivanti da viziosa costruzione di opere, se queste furono invece costrutte in esatta conformità del progetto stato approvato nelle debite forme dalle Autorità amministrative competenti (4). Infatti non può essere in colpa la pubblica Amministrazione che si attiene ad un progetto debitamente esaminato ed approvato, e lo eseguisce. Ma però non può negarsi che se dopo eseguita l'opera, si verifica un fatto nuovo da cui

---

(1) Cass. Torino, 10 dicembre 1904, *Giur. Tor.*, 1905, 142.

(2) Cass. Roma, 7 dicembre 1901, *Legge*, 1902, I, 113 ; *Foro Ital.*, 1900, pag. 967.

(3) App. Torino, 12 luglio 1904, *Giur. Tor.*, 1880.

(4) Cass. Roma, Sezioni Unite, 9 marzo 1899, *Giur. It.*, I, 1, 556 e *Giur. Tor.*, 1902, pag. 219 in nota.

sorse danno, non può negarsi l'obbligo di risarcire questo danno.

L'Amministrazione adempie sufficientemente il dovere di risarcire i danni da essa cagionati nell'esecuzione di lavori pubblici, qualora procuri al danneggiato uno stato di cose equipollente a quello anteriore ai lavori medesimi; ed invano il danneggiato potrebbe pretendere l'identico ripristinamento dell'antico stato di cose; e qualora tre periti ingegneri abbiano proposte le opere credute necessarie per equipollenti, il Tribunale riconoscendole convenienti, non può a meno che ordinarne l'esecuzione, e l'Amministrazione non rimane pienamente liberata che dopo il collaudo delle opere stesse. Dopo avvenuto il collaudo non può più discutersi se quelle opere corrispondano effettivamente allo scopo pel quale furono ordinate, poichè in tal modo non si renderebbe mai definitivo il giudicato e liberata l'Amministrazione (1).

Lavori stradali.

Il Comune che *abbassa di livello* una strada pubblica, è tenuto a risarcire i danni derivati ai proprietarii delle case latistanti, dall'essere messe allo scoperto le fondamenta delle case stesse e resi impraticabili gli accessi alle medesime od alle botteghe, ma non già i danni derivati per diminuito affitto degli alloggi e minore affluenza di avventori alle botteghe per causa della difficoltà di accedervi, durante i lavori (2).

Così pure il Comune che ha *sopraelevato* il livello di un proprio stradale ha obbligo di indennità verso gli inferiori fondi latistanti, per l'aumentato deflusso sopra di essi delle acque piovane (3) (art. 536 Codice civile). E per vero, se da un lato il Comune, proprietario delle

---

(1) Cons. Stato, 26 dicembre 1860, *Legge*, II, 282.
(2) Cass. Torino, 18 gennaio 1901, *Giur. Tor.*, 283.
(3) App. Milano, 4 luglio 1899, *Giur. Tor.*, 1900, 1445.

sue strade, è in diritto di modificarle nell'interesse generale dei suoi amministrati, d'altra parte se colla sua azione invade o danneggia il diritto altrui, è tenuto ai danni, non trattandosi qui di atti compiuti *jure imperii* (Vedi *Amministrazione comunale*).

Fu analogamente ritenuto che lo *Stato*, la *Provincia*, ed il *Comune* nell'*aprire* nuove strade, hanno l'obbligo imprescindibile di farle costruire a regola d'arte, facendone, da persone competenti, determinare il livello, delineare i lati e condurre a compimento la costruzione per modo che non ne venga danno al privato frontista; e che particolarmente è responsabile dei danni la Provincia che nel costrurre una nuova strada, espone la proprietà di un privato frontista a essere invasa dalle acque defluenti da un acquedotto vicino (1).

E così pure è riconosciuto, nell'interesse generale, allo *Stato* il diritto di innalzare il livello delle sue strade, ma però, se tale novità porta lesione al diritto quesito di proprietà privata, è in obbligo di riparare e risarcire il danno recato (2); ed è risarcibile qualunque danno ancorchè non volontario, nè colposo, quando sia *permanente* e derivante dalla perdita o dalla diminuzione di un diritto (3).

Il privato non ha però azione contro il Comune che ha abbassato il livello di una strada propria, se l'utile perduto deriva da una concessione revocabile *ad nutum*, oppure da semplice tolleranza; e nemmeno basterebbero a dare ragione di indennità le variazioni introdotte in una strada pubblica, quando non arrechino alterazione all'uso attuale di essa, ma unicamente possono esercitare pregiudizio per un uso diverso avvenire (4).

---

(1) App. Genova, 3 maggio 1895, *Temi Gen.*, 365.

(2) Cass. Palermo, 22 giugno 1897, *Foro Sic.*, 643.

(3) Cass. Roma, 23 dicembre 1898, *Corte Suprema*, II, 405; *Foro It.*, 1894, 415, *Giur. It.*, 1898, pag. 286.

(4) Cass. Napoli, 23 febbraio 1897, *Dir. e Giur*, pag. 18; Cassazione Torino, 22 novembre 1899, *Giur. Tor.*, 1579. — Giorgi, *Obbl.*, V, pag. 184 e segg. — F. Bianchi, *Servitù legali*, I, n. 28.

I danni *permanenti* pei quali soltanto le indennità sono dovute, sono quelli destinati a durare tanto quanto il nuovo stato di cose creato dalla costruzione dell'opera di pubblica utilità.

Il vantaggio *speciale* ed *immediato* che il fondo finitimo risente dall'opera, va *calcolato* o *detratto* dall'indennità anche quando non si tratta di spropriazione parziale, ma di risarcimento a fondi che, pur non essendo toccati dalla spropriazione, ne sono rimasti diminuiti di valore (articolo 41 legge 25 giugno 1865).

Ma non sono nè calcolabili, nè detraibili mai i vantaggi *generali* che al fondo danneggiato derivano *come ad ogni altro*, dall'esecuzione dell'opera pubblica.

Il Sabbatini (1) osserva in proposito: invano pretenderebbe l'espropriante di compensare parte dell'indennità dovuta per l'occupazione di un intero immobile coi vantaggi arrecati dall'opera pubblica ad *altri immobili contigui* appartenenti allo stesso proprietario e non connessi fra di loro per ragione di dipendenza. E tanto meno potrebbe l'espropriante pretendere di rivalersi delle spese sostenute per la stessa opera d'utilità pubblica, obbligando i proprietarii dei fondi contigui non occupati neppure in parte, a prestargli un compenso per l'aumento di valore risentito nelle loro proprietà.

Una tale pretesa si ridurrebbe in sostanza ad una domanda di contributo, e questo non può imporsi altrimenti che per legge, in conformità degli articoli 9, n. 2, e 77 e seguenti.

Quindi, ne deriva che se la porzione non espropriata acquista un maggior valore in conseguenza dell'esecuzione dell'opera pubblica, come se venisse a fronteggiare una nuova via pubblica, non può questo vantaggio tenersi a calcolo per diminuire allo spropriato l'indennità di spropriazione per la parte toltagli, *se quello non è un*

---

(1) Sabbatini, *Espropriazione per pubblica utilità*, art. 41, n. 7: App. Torino, 18 luglio 1896, *Giur. Tor.*, 1897, 46.

vantaggio esclusivo od almeno speciale ed immediato (articoli 40, 41, 42 legge 25 giugno 1865).

Nel determinare il giusto prezzo di aree considerate come fabbricabili, si deve detrarre quella parte di esse che deve lasciarsi libera per destinarla alle strade di accesso alle fabbriche o case che si costruissero. E fu pure deciso che trattandosi della costruzione di una strada provinciale che avrebbe dato accesso ad un terreno non espropriato, in luogo di un'anteriore strada mulattiera, questo vantaggio *non era deducibile* dall'indennità, perchè non era un vantaggio speciale, ma *comune*, perchè giovava pure a tutti gli altri proprietarii che non avevano sofferto veruna spropriazione (1).

Nel caso di spropriazione parziale per causa di pubblica utilità, non vanno computati pel calcolo dell'indennità i danni che alla porzione non espropriata derivano dalla esecuzione dell'opera pubblica e dal suo esercizio, se non si tratti di *danni diretti* derivanti dalla espropriazione, ma di *danni comuni* risentiti da tutte le proprietà nella stessa zona (art. 40, 41, 46 legge 25 giugno 1865).

E così non sono danni risarcibili la *perdita* o la *diminuzione della prospettiva* derivata dalla costruzione di una ferrovia sopra un rialzo; il *pericolo* di una *innondazione*, di *corrosioni* o quello di *incendii* per le scintille delle locomotive (2).

In generale in materia di lavori pubblici in rapporto alle private proprietà, è a ritenersi che allorquando si venga ad imporre un onere od un vincolo alla proprietà, il quale produca l'effetto di costringere il proprietario a cederla in tutto od in parte sia a vantaggio di privati, sia per uso pubblico, è sempre dovuta una indennità e così nel caso in cui si obbligano, ad esempio, i frontisti di una via pubblica a costruire *portici* ad uso pubblico (3)

---

(1) App. Torino, 10 luglio 1891, *Giur. Tor.*, 700.
(2) Cass. Torino, 3 aprile 1894, *Giur. Tor.*, 327.
(3) Cass. Napoli, 10 dicembre 1877, *Gazz. Proc.*, XXIX, 4.

o quando i frontisti stessi risentano danno dall'innalzamento o abbassamento del piano stradale, giacchè la pubblica Amministrazione ha il diritto di obbligare il privato a soffrire una *modificazione*, ma non già una *diminuzione* della sua proprietà (1). E così pure è dovuta *indennità* anche nel caso in cui si scavi una *galleria sotto un monte*, quantunque a notevolissima profondità, in quanto che in forza dell'articolo 440 Cod. civile chi ha la proprietà del suolo ha pur quello dello spazio soprastante e di tutto ciò che si trova sopra o *sotto* la superficie (2).

Lesioni personali.

Scherzi di cattivo genere.

È responsabile dei danni civilmente ed anche risponde penalmente (secondo alcuni per lesione *colposa* (art. 375 Cod. pen.) e secondo altri per lesione *volontaria* (art. 372 Cod. pen.) colui che cagiona una lesione ad altri con un atto diretto a fare uno *scherzo* e non ad offendere (Esempio: togliendo di sotto la sedia a chi sta per sedersi) (3).

Fu poi giudicato che non si risponde penalmente quando le conseguenze del fatto da cui il danno è derivato non fossero prevedibili, ma può aversi responsabilità civile; così nel caso di ferimento prodotto da un *uovo* gettato da una finestra (4).

Dottrina e giurisprudenza sono concordi nel ritenere che non varia la responsabilità dell'autore delle lesioni per la circostanza della cura mancata o trascurata che

---

(1) App. Roma, 1º luglio 1882, *Legge*, 1883, I, 304.

(2) Cass. Napoli, 7 luglio 1885, *Legge*, II, 377; App. Napoli, 4 giugno 1886, *Legge*, 1887, I, 278.

(3) App. Torino, 9 dicembre 1898, *Legge*, 1899, I, 137.

(4) App. Genova, 18 giugno 1904, *Temi Genovese*, 494.

abbia potuto prolungare la malattia, senza distinguere fra conseguenze mediate od immediate (1).

Però dovrà verificarsi se il fatto della trascurata cura sia stato dolosamente eseguito per ottenere artificiosamente un maggiore risarcimento di danno, nel qual caso ben può applicarsi la massima *malitiis non est indulgendum* (2).

Rispondono dei danni verso la nutrice i genitori infetti di *lue* venerea che per mezzo del bambino lattante la comunicano alla nutrice (3).

Basta la *possibilità* e non si richiede anche la *probabilità* che da un fatto possa nascere un danno perchè la previdibilità dell'evento renda risponsabile del danno stesso; e così il fatto di tenere un fucile *carico* e coi *cani* alzati (*armato*) in una camera ove stanno più persone, appoggiato al muro in un angolo, se per un caso qualunque il fucile cade ed esplodendo ferisce una persona, il proprietario del fucile risponde dei danni, poichè egli doveva prevedere che il fatto, se non *probabile*, era quanto meno *possibile*, e bastava che togliesse le cartuccie per evitare il fatto dannoso (4): " *Mucius dixit: Culpa esse autem, quod cum a diligente provideri poterit, non esse provisum* „ (PAOLO, Libro 31, *Dig. Ad leg. aquiliam*). " *Culpa abest si omnia facta sunt quae diligentissimus quisque observaturus fuisset* „ (CAJO, Libro XXV, § 7, *Digesto*).

Analogamente risponde di danni e di lesione colposa colui che affida ad un giovane inesperto la pulitura di un fucile carico, che, esplodendo ferisca una persona (5).

Lesioni indirette.

Colui che nell'impeto dell'ira insegue un terzo coll'evidente intenzione di percuoterlo, sia pure anche solo a

---

(1) Cass. 11 dicembre 1902, *Riv. Pen.*, Supp. XI, 231.
(2) Trib. Perugia, 18 maggio 1904, *Corte Ancona*, II, 55.
(3) *Riv. Pen.*, XV, 573. — *Giur. Pen. di Torino*, 1889, 156.
(4) Trib. Saluzzo, 31 luglio 1896, *Giur. Pen.*, 402.
(5) Cass. Roma, 9 giugno 1897, *Giur. Pen.*, 414.

pugni, risponde civilmente dei danni, e penalmente (lesione preterintenzionale, articoli 372-374 Codice penale) per la lesione cui l'inseguito vada incontro, per trovare scampo. (Es.: va a battere il capo in un muro; oppure in una *invetriata*; oppure inciampa, cade e si rompe una gamba, o precipita in un fosso, ecc., ecc. (1).

Trascuratezza nella cura per parte del leso.

Non risponde il feritore di maggiori danni e maggiori conseguenze derivate al ferito, provenienti sia da una colposa trascuranza, sia da un insistente rifiuto di ottemperare alle prescrizioni del medico curante (2).

Ciclisti (vedi pure *Biciclette*).

Non basta ad esonerare da colpa per un investimento il dimostrare che l'autore fosse un *abile ciclista*, e che se non diede l'allarme, ciò fece per prudenza, essendo a brevissima distanza dall'investito, ed essendo pericoloso l'uso del campanello a breve distanza da chi si vuole schivare, perchè frequentemente determina invece una mossa a tutto danno della vittima; e per vero il ciclista prudente non deve aspettare a dare i segnali quando è *addosso* al pedone, ma deve darli ragionevolmente a certa distanza e deve in ogni caso rallentare e fermare la corsa (3).

Lettere e Corrispondenze.

(Vedi pure **Riputazione**).

Lettere anonime.

Riconosciuto l'autore di una lettera anonima lesiva dell'onore di un commesso di negozio e rivolta al prin-

---

(1) Cass. Roma, 28 giugno 1898, *Legge*, 1899, I, 65.
(2) App. Milano, 21 dicembre 1898, *Legge*, 1899, I, 816.
(3) Trib. Biella, 10 febbraio 1900, *Giur. Pen.*, 127.

cipale di questo nel persistente proposito di ottenere il licenziamento, il medesimo è tenuto al risarcimento dei danni materiali e morali verso il commesso medesimo (1).

Elementi costitutivi di questi danni morali sono essenzialmente il dolore per le ingiuste accuse ed il patema d'animo pel minacciato discredito e licenziamento.

All'accertamento dei danni morali non sono richiesti coefficienti concreti di precisa liquidazione, ma basta la provata esistenza del fatto generatore doloso o colposo, perchè possa il magistrato valutarne *ex aequo et bono* lo ammontare.

Lettere in generale.

Il contenuto di una lettera costituisce un segreto di appartenenza esclusiva delle parti fra le quali è scambiata (2); e perciò le lettere confidenziali da una delle parti rivolte in un modo personale a terza persona non possono in causa prodursi ed invocarsi dalla parte contraria che in qualsiasi modo ne sia venuto in possesso (art. 1312, 1358 alinea Cod. civ.) (3). Ciò però non è a dirsi quando pel loro contenuto e per le circostanze eccezionali del caso, le confessioni scritte nella lettera abbiano dovuto dal terzo comunicarsi ad altri, tra cui anche alla parte interessata, per poter esaurire l'incarico che nella lettera stessa gli fosse stato affidato.

Le ingiurie contenute in una lettera diretta ad un terzo non possono essere provate colla esibizione di queste lettere (4).

---

(1) App. Casale, 19 gennaio 1900, *Giur. Tor.*, 243.
(2) App. Genova, 26 maggio 1890, *Monitore*, 1890, 725.
(3) App. Casale, 19 gennaio 1900, *Giur. Tor.*, 242.
(4) Cass. Napoli, 28 marzo 1874, *Giur. Tor.*, 648; App. Napoli, 1º dicembre 1880, *Foro It.*, 322. — Giorgi, *Obblig.*, I, n. 374. — Hepp, *Traité théorique et pratique de la correspondance privée*, pag. 85 e segg. — Dalloz, *Rép.* voce *Lettre missive*, n. 24 e segg. — Laurent, *Principes*, III, nn. 201 e 202.

Così fu pure ritenuto che le lettere dirette da una delle parti in causa ad una terza persona, possono essere ammesse come prove in un giudizio, se consti che la terza persona fu intermediaria nella quistione, e che le lettere le furono appunto scritte in tale qualità (1).

Fu però anche ritenuto che la lettera particolare scritta negli intimi rapporti e nella espansione dell'amicizia, è a considerarsi come cosa sacra, e non può essere lanciata alla pubblicità, senza mancare alle leggi dell'onore e della morale, tanto più quando lo scopo della pubblicità fosse la malevolenza od altra ragione personale di vendetta o rancore, ovvero si esibisce una lettera sottratta o eziandio rimessa ad un terzo per avvalersene in interessi proprii e ai quali il terzo a cui la lettera sotto il suggello dell'amicizia fu diretta, sia estranea; ed a questi principii si potrebbe solo fare *eccezione* quando la pubblicità della lettera fosse necessaria come *atto di legittima difesa* per parte di chi la ricevette, in cospetto del mittente. Questa eccezione però non potrebbe verificarsi quando una delle parti volesse contro il suo avversario trarre partito di una lettera confidenziale scritta da un terzo ad altra persona, nella specie, per comprovare l'intimità tra la parte avversaria ed il testimonio da lei presentato (2).

Fu giudicato che una lettera confidenziale rimessa per abuso di confidenza a colui contro cui è scritta, non può fornire a questo l'argomento di un'azione di indennità (3); che il carattere confidenziale di una lettera ne rende inviolabile il segreto e impedisce che altri possa prevalersene (4); che la lettera privata è proprietà di chi la riceve, nè questi può costringersi a produrla in causa (5).

---

(1) App. Bologna, 5 marzo 1888, *Riv. Bolognese*, 74. — Giorgi, op. citata.

(2) App. Torino, 19 aprile 1882, *Giur. Tor.*, 874.

(3) Riom, 5 maggio 1815. *Journal du Palais*, 1815, p. 716.

(4) Agen, 20 gennaio 1810, *Journal du Palais*, 1810, pag. 49.

(5) Cass. Firenze, 21 dicembre 1868, *Annali di Giurispr. Italiana*, I, 1, 887.

Fu pure ritenuto che l'attribuire fatti disonoranti anche mediante *discorso con una sola persona*, con proposito doloso od ingiurioso, dà diritto all'ingiuriato di chiedere il risarcimento dei danni (1).

Solo il DEMOLOMBE sostiene contro la quasi universale dottrina e giurisprudenza, che nessuna legge vieta espressamente di produrre una lettera confidenziale dinanzi ai tribunali (2).

Il nostro Codice penale all'articolo 161 sancisce che chiunque, essendo in possesso di una corrispondenza epistolare o telegrafica, non destinata alla pubblicità, *ancorchè a lui diretta*, la fa indebitamente pubblica, *ove il fatto possa cagionare nocumento*, è punito colla multà da lire cento a duemila.

Non potrebbe qualificarsi come corrispondenza un lavoro che avesse un carattere letterario, ma il pubblicarlo senza il permesso dell'autore o suo rappresentante, cadrebbe sotto il disposto dell'articolo 32 della legge sui diritti d'autore 19 settembre 1882, n. 1012.

Nel caso dell'art. 161 Codice penale, non v'ha dubbio che, provato il reato, sia dovuto il risarcimento dei danni morali e materiali.

Liquidazione dei danni.

(Criterio per valutare i danni).

Ricorso in Cassazione.

L'apprezzamento del magistrato di merito sulla entità dei danni liquidati pel risarcimento, è *insindacabile in Cassazione*, e nulla decide in contrario che abbia il magistrato di merito ritenuto che nel fatto colposo lamen-

---

(1) App. Torino, 21 gennaio 1896, *Giur. Tbr.*, 205.
(2) *Cours de Code Napoléon*, vol. IV, pag. 500, n. 894. Consulta pure AUBRY e RAU, IV, § 491.

tato, il danno si trovava *in re ipsa*, senza uopo di giustificazione concreta, e che lo abbia liquidato *ex aequo et bono* escludendo l'opportunità di mandare a meglio istruire la causa (1).

Perdita di impiego.

Per valutare il danno risentito in seguito ad un *fatto illecito*, da una persona, la quale viene dichiarata *inabile al lavoro*, e perciò perde l'impiego che prima aveva (nel che appunto consiste il danno risentito pel fatto illecito) può seguirsi il criterio di prendere per base il reddito di cui fruiva prima il danneggiato, e di capitalizzarlo secondo i criterii portati dalla tabella approvata con Decreto 30 giugno 1900 del Ministero di Agricoltura, Industria e Commercio (2).

Per valutare il danno cagionato da quasi delitto ad una persona rimasta inabile al lavoro, e che abbia per tale motivo perduto l'impiego, secondo altre sentenze, non si deve capitalizzare lo stipendio annesso all'impiego, ma si deve seguire il criterio stabilito dalla *legge di registro* per la valutazione di un diritto di *usufrutto* (3). Questa massima, pure di data recente, fornisce quindi un altro criterio al magistrato in questa importantissima e delicata materia.

Interessi legali.

Sulle somme liquidate ad un viaggiatore per indennizzarlo in seguito a disastro ferroviario, decorrono gli interessi mercantili nella ragione legale (4).

Nella liquidazione del danno subìto da un salariato o dai suoi eredi per la perdita dell'impiego o posto, non

---

(1) Cass. Torino, 14 giugno 1904. *Giur. Tor.*, 1094.
(2) App. Milano, 24 maggio 1904, *Mon. Trib.* 995.
(3) App. Milano, 6 ottobre 1903, *Legge*. 547.
(4) Sentenza citata App. Milano.

si deve aver riguardo alla misura di mercede percepita al momento del sinistro, ma si deve ancora considerare la possibilità del miglioramento di carriera, di aumento di salario, in quanto questo era possibile e prevedibile nell'ordinario andamento delle cose. A questo scopo non è erroneo il sistema di basare il calcolo dell'indennizzo sulla *media* fra il salario percepito all'epoca del sinistro, ed il salario massimo a cui il danneggiato avrebbe potuto giungere.

L'indennizzo ai danneggiati può essere stabilito sotto forma di *capitale*, o sotto forma di *annualità* a seconda delle ragioni particolari di convenienza che militano a favore dei singoli aventi diritto (1) (Vedi più sotto § 6).

Nel liquidare il danno a sèguito della morte di una persona, bisogna tener presente, oltre il *guadagno* giornaliero che essa percepiva, anche la sua *condizione sociale*, la sua *età* ed i *vantaggi* morali si risolvono in risarcimento pecuniario (2) (Vedi *Danni morali*).

Tra gli altri casi citiamo il seguente, in cui in sèguito alla uccisione colposa di un operaio di 35 anni, furono liquidati alla famiglia superstite i danni *materiali* in lire *cinquemila*, calcolandosi che il detto operaio guadagnasse lire 3 al giorno, spendendone una per sè; ed i danni *morali* furono liquidati pel fatto stesso il lire *duemila* (3).

Giudicato penale — Sua influenza.

Il giudicato penale fa stato in sede civile quanto all'*esistenza* del fatto accertato. Epperò, assodato dalla sentenza della Sezione di accusa e successiva condanna

---

(1) Trib. Federale Svizzero, 26 febbraio 1908, *Mon. Trib.*, Milano, pag. 196.

(2) App. Casale, 28 marzo 1904; App. Palermo, 18 aprile 1904, *Mon. Trib.*, 454 e 755.

(3) App. Napoli, 19 febbraio 1904, *Mon. Trib.*, 633.

della Corte d'Assise, che da parte del danneggiato non vi fu colpa, è impossibile nel susseguente giudizio civile la disputa sulla compensazione, o sul concorso delle colpe, al fine di escludere o limitare il risarcimento del danno (1).

Perdita di un occhio.

Furono liquidati in lire duemila i danni risentiti da una bambina di tre anni, di famiglia di contadini, per la perdita di un occhio che si dovette enucleare in seguito ad una beccata di un gallo (2).

Migliorate condizioni del danneggiato.

L'essersi, dopo il fatto illecito per cui è dovuto risarcimento di danno, migliorata la posizione economica del danneggiato (es.: vedova di operaio ucciso passata a seconde nozze), non può invocarsi dal civilmente risponsabile per far diminuire la indennità a cui egli è tenuto (3). Imperocchè se la posizione del danneggioto è migliorata, ciò deve profittare *a lui* e non già a chi ha fatto del male per proprio dolo o colpa.

D'altra parte il diritto al risarcimento è quesito pel leso al momento in cui il danno egli ha risentito; cosicchè la sentenza che questo risarcimento gli aggiudica, non può riferirsi che a quel momento, pel principio generale che le sentenze non *creano* mai diritti, ma bensì li *dichiarano* semplicemente o li riconoscono. Nel caso poi di omicidio (anche solo colposo), per la liquidazione dei danni materiali non può assumersi a criterio il maggiore o minore bisogno di chi vi ha diritto (4).

---

(1) App. Trani, 15 marzo 1904, *Foro Puglie*, 173.
(2) Trib. Milano, 4 marzo 1904, *Mon. Trib.*, 331.
(3) Cass. Torino, 8 ottobre 1902, *Giur. Tor.*, 1903, 16.
(4) App. Torino, 20 gennaio 1898, *Giur. Tor.*, 237.

Omicidio (Vedi pure **Carrozze**).

Nella liquidazione dei danni materiali per omicidio, bisogna tener conto non solo del danno emergente, ma anche del lucro cessante, consistente nei guadagni che l'ucciso avrebbe fatto coll'esercizio della sua attività secondo la sua condizione sociale, secondo la sua capacità soggettiva, e secondo la sua età, sotto deduzione di quanto egli avrebbe rivolto a suo profitto personale. È questo un principio generale e costante (1). Per la liquidazione di questi danni non si può assumere a criterio il bisogno maggiore o minore di chi vi ha diritto come sopra si disse; e trattandosi dell'uccisione di un padre di famiglia d'anni 28, esercente come affittuario l'industria agricola, si valutò ad anni 25 la sua vita presunta ulteriore, e ad annue lire mille il suo guadagno; da cui detraendo il terzo che sarebbe stato da lui consumato a suo vantaggio individuale, venne calcolata in lire sedicimila la somma dei profitti perduti, cosicchè capitalizzando questi profitti col considerarli come un usufrutto duraturo per 25 anni, si liquidò in concreto la indennità in un capitale immediatamente esigibile di lire *8300*.

Nel caso in esame l'ucciso lasciava superstite la moglie in età giovanissima 'ed una bambina, e loro furono liquidate lire cinquemila di danni *morali* e così in complesso lire tredicimila trecento, di cui metà alla vedova e metà alla figlia da investirsi, per quest'ultima, in rendita nominativa a lei'intestata.

Siccome poi questo capitale deve sopperire ai bisogni della vita, sta bene che sia impiegato come sopra si è detto, ma dovrà essere annualmente intaccato e diminuito di una quota che, unita al frutto dell'anno, valga a formare il necessario pel sostentamento per l'anno stesso,

---

(1) App. Torino, Sentenza citata,

in modo da rimanere completamente estinto il capitale medesimo col venticinquesimo anno.

La liquidazione accennata è fatta colle norme della legge di registro per le rendite, e per eseguirla, si deve calcolare il numero degli anni di vita probabile dell'ucciso (non del danneggiato a causa dell'uccisione stessa), calcolare quale sarebbe il risparmio annuo sul suo guadagno (cioè detraendo dal guadagno ciò che avrebbe consumato l'ucciso per il suo sostentamento) e *moltiplicare* per il numero degli anni probabili la quantità di risparmio fatto dall'ucciso per ogni anno.

Nel determinare i danni morali per omicidio, devesi tener conto dell'affezione, e così nel caso di uccisione di un figlio unico, dell'acerbità del dolore del padre per l'immatura e violenta perdita del figlio stesso (1).

Fa appena d'uopo ricordare poi, che l'*arresto personale* è stato mantenuto dalla legge 6 dicembre 1877 per le indennità derivanti da reato, e deve pronunciarsi la conversione in arresto, sebbene il colpevole stia scontando la pena (reclusione) a cui sia stato condannato in sede penale.

Concordata fra le parti in una somma fissa e determinata la indennità dall'una all'altra dovuta per un fatto già compiutosi, non può questa pretendere per danni gli interessi su quella somma a decorrere dalla data del fatto per cui la indennità è dovuta; ma sibbene solo dalla data della mora convenzionale o giudiziale pel pagamento della indennità convenuta (2).

Attribuita da *sentenza* una somma fissa e determinata a titolo di danni, avuto riguardo ad ogni cosa non sono dovuti gli interessi della somma stessa se non dal dì della *notificazione* della sentenza, salvo che questa abbia stabilito che decorrano dalla domanda giudiziale (3).

---

(1) App. Torino, 3 novembre 1885, *Giur. Tor.*, 1886, 104.
(2) App. Firenze, 14 febbraio 1868, *Giur. Tor.*, vol. V., 173.
(3) App. Torino, 29 dicembre 1866, *Giur. Tor.*, vol. IV, 200.

Nella liquidazione del danno si attende unicamente al valore della cosa danneggiata, non già al maggior lucro che può ottenere la proprietà del danneggiante (1).

Se il fatto da cui derivano i danni costituisca reato, nella liquidazione dei danni stessi debbono comprendersi: 1° la spesa occorsa per intervenire nel giudizio penale quale parte civile; 2° la spesa per il medico curante ed assistenza, medicinali e cure; 3° spese per sepoltura della vittima del reato; 4° la cessazione dell'utile che dall'opera dell'ucciso derivava alla sua famiglia; 5° le spese anche non ripetibili di avvocato e procuratore (2).

Prove.

In materia di indennità *tutto è abbandonato al prudente criterio* del giudice del merito, purchè nel fissarla non ecceda la domanda del danneggiato, perchè in tal caso giudicherebbe *ultra petita* (3).

Colui che è condannato a risarcire i danni, può, ove lo creda di suo interesse, eccitare l'avversario a presentare la liquidazione, ed, ove questi si mostri renitente, può fargli prefiggere un discreto termine, trascorso il quale, sia lecito a lui di formare la liquidazione, e presentarla all'avversario per le sue osservazioni (4).

Il *giuramento in litem* per determinare l'ammontare dei danni sofferti, non è ammessibile, se non quando sia impossibile l'accertarlo altrimenti (5).

È costante giurisprudenza che possa ammettersi la *prova testimoniale* dei fatti che dànno azione di indennità per sè stessi, indipendentemente da qualunque convenzione,

---

(1) Cass. Napoli, 17 febbraio 1867, *Giur. Tor.*, vol. IV, 584.

(2) App. Torino, 16 dicembre 1878 e 19 aprile 1880, *Giur. Tor.*, XVI, 92 e XVII, 378.

(3) Cass. Torino, 17 febbraio 1869, *Giur. Tor.*, vol. VI, 187.

(4) App. Cagliari, 5 marzo 1872, *Giur. Tor.*, vol. IX, 448.

(5) App. Casale, 28 marzo 1878, *Giur. Tor.*, vol. X, 817.

sebbene l'indennità possa superare la somma di lire cinquecento (1).

Quando per la solidarietà stabilita dall'art. 1156 Codice civile, il coautore di un delitto o quasi delitto ha dovuto pagare totalmente i danni cagionati, compete a lui ragione di regresso per *rimborso pro rata* verso gli altri compartecipi di quel fatto dannoso (2) (Vedi pure *Amministrazione pubblica in generale*).

Onorari di avvocati — Parte civile.

Nella liquidazione dei danni materiali si debbono comprendere le spese di costituzione di parte civile e quelle del relativo patrocinio per l'avvocato e pel procuratore, nonchè le spese di viaggi, di iscrizione ipotecaria, ecc., ma il *tutto nei limiti del giusto e necessario*, e si debbono escludere quelle non proporzionate alla natura ed importanza della causa ed in ispecie un eccesso di dispendio nel patrocinio dell'avvocato (3).

La sentenza civile che liquida e condanna ai danni può dichiararsi *provvisoriamente esecutoria* in base alla sentenza penale passata in giudicato (art. 363, n. 1, Codice proc. civ.) (4).

Ferimenti e lesioni.

Nel caso di ferimento devono risarcirsi dall'autore del reato al ferito, le spese di *cura* (medico, farmacista, assistenza); quelle del più costoso nutrimento; quelle per sostituire altra persona, ad esempio, nel suo commercio durante la malattia, e corrispondergli una annualità o capitale equivalente, se la ferita è *insanabile* o porti una

---

(1) Cass. Torino, 14 marzo 1866, *Giur. Tor.*, vol. III, 153.
(2) App. Torino, 28 novembre 1881, *id.*, XIX, 16.
(3) App. Torino, 6 agosto 1882, *Mon. Pret.*, 1883, 68.
(4) Sentenza citata 6 agosto 1882.

debilitazione permanente. Deve inoltre rimborsarne le spese di parte civile, indennità ai testimonii, spese di viaggio per accedere alle Autorità, spese di avvocato e procuratore (1).

La determinazione delle indennità è lasciata al sano criterio del giudice che apprezzerà tutte le *circostanze* e la *condizione* delle persone.

Nel caso di danni per ferimento, la *provocazione* constatata nel giudizio penale non può essere esclusa nel giudizio civile con altre prove per riguardo ai danni civili.

L'autore di un *delitto* deve sempre risarcire non solo i danni *immediati* e *diretti*, ma anche gli *occasionali* od *indiretti* (2).

Ingiurie.

Nel liquidare i danni per ingiuria per lettera trasmessa per la posta, si tratta di ingiuria *privata* anche se offenda la persona in riguardo a pubbliche funzioni da essa esercitate, e non può tenersi conto della *pubblicità* datavi dalla stessa persona ingiuriata (3).

Criterio per liquidare i danni (4).

Nel liquidare danni che derivino da quasi delitto (es.: investimento tramviario od automobilistico, caduta di corpi da edifizi e simili), ma non da infortunio sul lavoro, non è applicabile, per quanto riflette le deturpazioni che rimangono alla persona in sèguito alle ferite, il criterio sancito all'art. 95 del regolamento 13 marzo 1904 sugli infortunii sul lavoro (5).

---

(1) Cass. Torino, 8 marzo 1882, *Mon. Pret.*, 267.
(2) Cass. Torino, 7 luglio 1882, *ivi*, 379.
(3) App. Torino, 6 agosto 1882, *ivi*, 1883, 68.
(4) App. Torino, 4 dicembre 1905, *Giur. Tor.*, 1906, 322.
(5) Vedi SALVI, *Studio sulla legge sugli infortuni*, *Foro Ital.*, 1905, pag. 611.

Schiaffo ad un Sindaco.

Vennero liquidate lire *1000* come riparazione per danni morali ad un sindaco schiaffeggiato in occasione di una dimostrazione politica (1).

Forme diverse di liquidazione.

La liquidazione del danno può. essere : *conrenzionale, giudiziale o legale.*

Conrenzionale è quella fatta colla *clausola penale* nella stipulazione del contratto. ed in tal caso il giudice non ha l'arbitrio per modificarla (2).

Giudiziale è quella fatta dal giudice sulla richiesta della parte in contradditorio dell'altra, sul fondamento delle prove fornite.

Il giudice a tal'uopo ricorre alle presunzioni, alle perizie, ai testimoni ed al giuramento estimatorio. L'arbitrio del giudice è *sovrano* in questa materia, nè incontra altro freno che le regole di procedura. Per regola generale non può il giudice tener conto del *prezzo d'affezione* in omaggio alla massima : *Pretia rerum non ex affectione et utilitate singulorum, sed communiter fungi* (L. 33, pr. D. *Ad leg. Aquil.*).

In alcuni casi però è pur lecito al giudice di tener conto del prezzo di affezione.

Legale è la liquidazione fatta dalla legge stessa nel caso in cui i *danni* consistono negli *interessi* legali decorsi o decorrenti sopra una somma.

---

(1) App. Aquila, 17 ottobre 1899, *Legge*, 1900, I, 591.
(2) Giorgi, *O'bliy.*, vol. II, § 113 (art. 1230 Cod. civile).

Locazione di case.

(Vedi pure **Proprietari di case**).

Appartamento ammobigliato — Inquillino affetto da etisia (Vedi **Camere ammobigliate**).

In mancanza di diverse disposizioni deve riconoscersi valida ed in vigore di legge la consuetudine che obbliga l'inquilino a rifondere al locatore i danni sofferti dalla casa e dai mobili appigionati per causa di *malattia contagiosa* sviluppatasi nella famiglia di esso inquilino (1).

La giurisprudenza più antica però ritenne anche che colla pubblicazione del Codice civile hanno cessato di aver forza obbligatoria le consuetudini locali, salvo quelle alle quali il Codice stesso si riferisce (articolo 48 disposizioni transitorie per il Codice civile); e quindi non sarebbe più obbligatoria la consuetudine che in qualche luogo fosse invalsa, che morendo in un appartamento locato un inquilino, per tisi od altra malattia infettiva, fosse dovuta al locatore un'indennità in ragione dell'entità ed importanza del locale affittato (2). Però può il locatore stipulare validamente la clausola nel contratto di affitto, di tale rimborso.

Rovina di pavimento.

Il locatore di un appartamento è tenuto ai danni verso l'inquilino travolto dallo sprofondamento di un pavimento per *difetto di manutenzione* (3). Però tocca al danneggiato il fornire la prova del vizio di costruzione o della mancanza di riparazione da parte del proprietario obbligato al risarcimento (4); ed il proprietario può sempre pro-

---

(1) Cass. Roma, 26 gennaio 1892, *Foro It.*, 185.

(2) Cass. Torino, 19 febbraio 1885, *Giur. Tor.*, 254.

(3) App. Torino, 17 marzo 1903, *Giur. Tor.*, 567.

(4) App. Casale, 14 giugno 1897, *Giur. Tor.*, 1182.

vare che la rovina dell'edificio **avvenne** invece per causa accidentale e malgrado tutti i provvedimenti da lui presi per evitarla (1).

E anche quando il conduttore viene informato dei vizi o delle lesioni della casa locata nello stipulare il contratto locatizio, è obbligo imprescindibile nel locatore proprietario di eseguire le riparazioni opportune (2).

Quanto all'onere della prova nei casi di applicazione dell'articolo 1155 Codice civile, la dottrina a grande maggioranza insegna che contro il proprietario dello stabile rovinato, sia sempre una presunzione di colpa, salvo al detto proprietario il diritto di sperimentare la prova contraria, cioè dimostrare che la rovina non è dovuta a cattiva costruzione, nè a manutenzione difettiva (3). Il GIORGI segue però l'opposta opinione (4).

Sgombro per spropriazione per pubblica utilità.

Lo sgombro forzato senza preavviso cui trovasi obbligato l'inquilino per la spropriazione dell'edificio per pubblica utilità non gli dà diritto a risarcimento di danni verso il locatore (art. 1575, n. 3, Cod. civ.). Una tale espropriazione non si può equiparare infatti che ad un caso fortuito o di forza maggiore; ora essendo canone di diritto che *damnum fatale reparationem non permittit,* così è troppo manifesto che per analogia devesi applicare il disposto dell'articolo 1578 Codice civile, che esonera il locatore da qualsiasi indennità al conduttore quando la cosa sia perita per caso fortuito.

Per contrapposto è pure ritenuto che coll'espropriazione per causa di pubblica utilità dei locali affittati, si risolve la locazione, e quindi al locatore non compete

---

(1) App. Torino, 25 febbraio 1895, *Giur. Tor.,* 308.

(2) App. Roma, 9 ottobre 1897, *Temi rom.,* 1898, 369.

(3 RICCI, *Dir. civ.,* VI, n. 102. — CHIRONI, *Colpa extracontrattuale,* II, pag. 388.

(4) GIORGI, *Obblig.,* V, n. 410, 2ª ediz.

più veruna indennità per la continuata occupazione di
essi e dei loro accessorii da parte del conduttore se
ciò sia avvenuto per nuovo contratto tra lui e l'espropriante (1).

Fu infine giudicato che il conduttore ha diritto ad indennizzo sul maggior prezzo che per fatto suo venga a
percepire il locatore espropriato (2); e così avrà diritto
di ottenere dal locatore il rimborso dei frutti pendenti e
delle migliorie; ma nessuna indennità gli spetta per pre-
tesi lucri sperati e perduti e per i danni alla sua industria
e commercio.

Asportazione di accessori.

Il conduttore che altera lo stato della cosa locata aspor-
tandone delle costruzioni accessorie (es.: tubi e forni) è
obbligato, al finire della locazione, a indennizzare il locatore non del valore che le costruzioni avevano secondo
il loro stato e condizione al momento della soppressione,
ma della intera somma che sarà necessaria per ricostrurne
delle nuove nei locali dismessi (art. 1585 Cod. civ.) (3).
Questa massima venne però censurata in quanto che il
conduttore ha bensì l'obbligo di restituire al locatore la
cosa nello stato in cui questi gliela ha rimessa, ma non
ha obbligo di migliorarla e restituire nuovo ciò che il
locatore gli aveva rimesso in malo arnese, allo stesso
modo per cui non risponde dei deterioramenti avvenuti
per forza maggiore o per vetustà. Ed è ciò che si legge
chiaro nel Diritto romano: " *Colonum villam hac lege ac-*
ceperat ut incorruptam redderet praeter vim et vetustatem
(leg. 30, § 4, Dig. *Locati*). *Res perit domino.*

E se l'inquilino ebbe il torto di alterare le cose aspor-
tando gli accessorii usati, non lo si deve punire con una
responsabilità maggiore di quella dalla legge stabilita.

---

(1) Cass. Torino, 8 febbraio 1895, *Giur. Tor.*, 385.
(2) Cass. Torino, 28 febbraio 1889, *Giur. Tor.*, 583.
(3) Cass. Torino, 1° aprile 1901, *Giur. Tor.*, 921.

Promessa di affitto di locali per determinate industrie.

Colui che avendo promesso di dare in affitto un locale ad uso albergo, ha poi mancato all'obbligo assunto, deve risarcire i danni e in questi deve comprendersi anche il *guadagno mancato*, e che ragionevolmente si sarebbe fatto se, consegnati i locali promessi, si fosse ivi stabilito l'albergo (1).

L'incertezza del guadagno e le eventualità a cui va soggetto, e che potrebbero farlo aumentare o diminuire, dovranno bensì tenersi in conto nel determinare la somma a rifondersi pel risarcimento, ma non sono ragioni per negarne *a priori* la rifusione.

Solo nel caso di danno *emergente futuro* che fosse *incerto* ed *eventuale*, non si avrebbe azione se non quando il *pericolo* fin dal presente produca un deprezzamento ed un *danno attuale* (2). Ma non si può dire lo stesso dei *guadagni futuri*. È vero che anch'essi finchè non sono realizzati sono naturalmente incerti, ed è vero altresì che i *guadagni sperati* non siano danni risarcibili *in tutta la estensione dello sperato*, ma lo sono certamente nei limiti di quello che è *ragionevolmente sperato*, e sui quali si suole e si deve fare assegnamento e che solo potrebbero mancare per cause fuori dell'ordine consueto. Le cause ordinarie possono produrre un aumento o diminuzione del guadagno sperato: ma ciò sarebbe questione di prova e nulla più, ed è risaputo che *in probatione lucro cessantis sufficiunt probationes verisimiles ex coniecturis et praesumptionibus resultantes* (3).

---

(1) Cass. Torino, 29 marzo 1890, *Giur. Tor.*, 401.

(2) Cass. Firenze, 20 gennaio 1890, *Temi ven.*, XV, 73. — Giorgi, *Obblig.*, V, 160. — Chironi, *Colpa extracontrattuale*, Il, 407. — Laurent, XX. pag. 526.

(3) App. Palermo, 6 dicembre 1889, *Circolo giur.*, XXI, 2, 64.

Locazione di case per prostituzione.

Si può locare la propria casa a delle prostitute senza che il proprietario della casa vicina possa richiedere danni imperocchè nessuna legge vieta di locare la propria casa a prostitute, e questo fatto è in *sè lecito*, e non costituisce colpa, e quindi non dà luogo a risarcimento. Già in diritto romano era sancito il principio secondo il quale, " *iniuriam hic accipere, non quemadmodum circa iniuriarum actionem, contumeliam quamdam; sed quod non jure factum est, hoc est, contra jus* „ (L. 5, § 1, Dig. *Ad legem Aquiliam*); cosicchè " *nullus videtur dolo facere qui suo iure utitur* „ (L. 55, Dig. *De div. reg. juris.*), e " *nemo damnum facit nisi qui id fecit quod facere jus non habet* (L. 151, Dig. *ivi*), e più specialmente poi " *non existimari operis mei vitio damnum tibi dari in ea re in qua jure meo usus sum* „ (L. 24, § 12. *De damno inf.*), imperocchè " *nec de dolo actionem et sane non debet habere si non animo vicino nocendi, sed suum agrum meliorem facendi id fecit* „ (L. 1, § 12, Dig. *De aqua et aquae pluv.*).

Però vi sarebbe responsabilità di danni tra locatore ed inquilino sia quando la casa di tolleranza è stabilita dall'inquilino senza consenso del locatore: sia quando è stabilita dallo stesso locatore in altra parte della sua casa nella quale abita l'inquilino (1); in questo caso questo ha pure diritto di chiedere lo scioglimento del contratto di locazione, e questo diritto ha pure anche nel caso in cui il locatore non faccia o non possa far cessare lo stabilimento di una casa di tolleranza posta nella proprietà del vicino, la quale rechi pregiudizio al pacifico godimento della cosa locata. Il caso di forza maggiore che rende menomato il godimento pacifico della cosa locata, è sempre a carico del locatore.

Il proprietario di una casa non può in essa stabilire

---

(1) Cass. Torino, 28 ugno 1867, *Giur. Tbr.*, IV, 677.

un postribolo con danno del vicino che per tale fatto non trovi più a locare la propria casa, e tanto più se detta casa abbia comuni le scale, il cortile, i cessi con quella del vicino (1). E per vero, secondo i principii generali del buon vivere sociale, le case non sono destinate a postriboli, e solo potrà questa destinazione tollerarsi se non reca danno ad altri, ma se il danno deriva (anche se non si abbia intenzione di offendere e si miri solo a trarre maggiore profitto dalla propria casa) si deve ciò impedire. *Prodesse enim sibi unusquisque dum alii non nocet, non prohibetur* (Leg. I, § 11. *De aqua et aq. pluv.*).

Il proprietario di un immobile che permette al conduttore di adibirlo ad uso di meretricio clandestino, è risponsabile del danno e del deprezzamento che ne derivano agli immobili confinanti. I proprietarii di questi immobili hanno azione per conseguire sia il *divieto di tale uso*, come il relativo risarcimento dei danni, anche quando per l'esercizio di tale prostituzione clandestina l'Autorità di polizia non abbia creduto di elevare contravvenzione (2).

Birrarie ed esercizi pubblici.

Non è lecito al proprietario di una casa a cui si accede per un cortile comune col vicino stabilire in essa un esercizio pubblico di birreria e bigliardo, i cui avventori per mancanza di apposito orinatoio siano costretti a insudiciare e danneggiare il muro del vicino. Sulla istanza del vicino stesso, può dichiararsi tenuto a collocare nel muro proprio l'orinatoio e, in difetto, può inibirsi di continuare a tenere aperto nella propria casa quel pubblico esercizio, tanto più poi se il regolamento municipale imponga appunto agli esercenti birrerie, bottiglierie, bigliardi, ecc., l'obbligo di avere un orinatoio a disposizione

---

(1) Cass. Torino, 30 agosto 1888, *Giur. Tor.*, XX, 1056.
(2) App. Milano, 30 luglio 1894, *Legge*, II, 686.

degli avventori. L'Autorità giudiziaria è competente in caso di inadempimento, a interdire la continuazione del pubblico esercizio nonostante che questo sia stato aperto coll'autorizzazione dell'Autorità amministrativa (1).

Canto dei polli — Danni.

Colui che è molestato durante la notte dal canto di polli altrui, può esercitare l'azione civile sia per far cessare la molestia, che per avere 'il risarcimento dei danni (2), sebbene non vi possa essere contravvenzione alla legge di pubblica sicurezza o al Codice penale pei clamori notturni.

Mancate riparazioni a gradini di una scala.

Il locatore che manca all'obbligo imposto dalla legge di fare tutte le necessarie riparazioni per l'alloggio del conduttore, se incontra una risponsabilità civile, non può però essere tenuto personalmente risponsabile dei danni cagionati alla persona del conduttore per il difetto di tali riparazioni, all'infuori del caso in cui la sua negligenza sia tale da costituire la causa diretta dei danni stessi, e quindi non risponderà *in via penale*, se avendo omesso di riparare i gradini di una scala divenuti quasi impraticabili per il lungo uso, senza però presentare un imminente pericolo, il conduttore cadendo abbia riportato delle lesioni personali (3).

Riparazioni – Sfratto dell'inquillino.

L'inquilino che abbia dovuto sloggiare dall'appartamento prima della scadenza della locazione per necessarie

---

(1) App. Torino, 4 febbraio 1868, *Giur. Tor.*, XVI, 241.
(2) Cass. Firenze, 30 novembre 1878, *Giur. Tor.*, 241 ; *Legge*, 1879, parte 1ª, pag. 259.
(3) App. Milano, 3 febbraio 1897, *Legge Rep.*, 358.

ed urgenti riparazioni allo stabile, non ha diritto al risarcimento di danni contro il proprietario; tanto meno poi se al principio della locazione fossero già note le lesioni di cui si rese indispensabile il riparo (1).

Il proprietario di una casa, che per costringere gl'inquilini a sgombrarla toglie gli infissi delle porte e delle finestre, per cui gli inquilini poveri rimanendo nei locali per non trovare altro alloggio ammalino di pleurite e polmonite a causa delle intemperie cui furono esposti per essere state tolte le imposte e vetrate, risponde dei danni stessi, perchè il fatto suo era evidentemente fatto *illecito* (quanto meno esercizio arbitrario delle proprie ragioni) e così nasce la sua responsabilità.

Guasti.

Il proprietario non può agire verso l'inquilino per danni dipendenti da abuso della cosa locata se non abbia fatto eseguire alcuna constatazione giudiziale dei danni medesimi prima di ricevere la cosa locata in consegna (2).

Molestie di terzi.

Il proprietario locatore è responsabile verso il conduttore dei *danni* arrecati per fatto dal terzo alla cosa locata, a partire dal giorno in cui ne sia stato reso edotto dallo stesso conduttore (3).

Risponsabilità degli inquillini o conduttori per l'incendio (Vedi Incendi — Assicurazioni contro i danni).

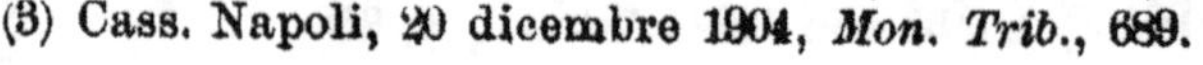

(1) Cass. Roma, 28 ottobre 1905, *Cass. unica civ.*, 399.
(2) Corte di Besançon, 18 marzo 1905, *Mon. Trib.*, 858.
(3) Cass. Napoli, 20 dicembre 1904, *Mon. Trib.*, 689.

Risponsabilità generali secondo le disposizioni di legge.

Il locatore è tenuto a risarcire il conduttore dei danni che derivassero dai vizii o difetti della cosa locata salvo che provi di averli ignorati (art. 1577 Cod. civ.).

La casa al punto di essere inabitabile dà diritto all'inquilino di chiedere la risoluzione della locazione ed il risarcimento dei danni, i quali però sarebbero esclusi se il locatore provasse di non essere in colpa (1).

I danni infatti hanno fondamento nel dolo o nella colpa del locatore, e quindi, escluso il fondamento di essi, gli stessi non possono ripetersi, mentre invece la *garanzia dell'uso* di cui agli articoli 1575 e 1576 Codice civile, è dovuta anche quando i vizii non fossero noti al locatore al tempo della locazione (2).

Nel caso di risoluzione di contratto di locazione sia per colpa del conduttore che per colpa del locatore, sono sempre dovuti i danni a senso degli articoli 1595 e 1165 del Codice civile.

Nel caso di *vendita del fondo locato*, il conduttore licenziato dall'acquirente, in mancanza di locazione per atto autentico o per iscrittura avente data certa, ha diritto al risarcimento dei danni verso il locatore (articolo 1601 Cod. civ.).

Circa le riparazioni e guasti di piccola manutenzione a carico degli inquilini provvedono gli articoli 1604 al 1606 Cod. civ.

Nel caso di *risoluzione del contratto* per colpa dell'*inquilino*, questi è obbligato a pagare la pigione pel tempo necessario ad una nuova locazione, ed a risarcire i danni che fossero derivati dall'abuso della cosa locata (art. 1611 Cod. civ.).

---

(1) Cass. Torino, 9 febbraio 1888, *Legge*, 441.
(2) Cass. Napoli, 12 dicembre 1885, *Gazz. Proc.*, XX, 451.

Locazioni di fondi rustici.

Asportazione di foraggi e deficienza di cultura.

Non si debbono applicare le penalità stabilite nel contratto di locazione per asportazioni di foraggi e deficienze di bestiami, se la quantità conservata sui fondi locati fu sempre bastante ai bisogni in modo da risultare escluso qualsiasi loro deterioramento (art. 1615 Cod. civ.). Neppure il locatore può chiedere indennizzi in riguardo alle colture dei fondi per mancanti quantitativi di determinate culture, se in complesso lo stato della tenuta è migliorato e se i fittabili subentranti han rilevate le culture precedentemente esistenti (art. 1585 Cod. civ.) (1).

Danni.

È valido il patto che i danni arrecati dal conduttore ai fondi affittati, dovranno dal medesimo risarcirsi immediatamente al locatore, senza attendere la fine della locazione (art. 1583, n. 1 e 1585 Cod. civ.).

Locatore e conduttore — Responsabilità (Vedi pure Committenti e commessi).

L'affittavolo di un fondo rustico non diventa il commesso del locatore per ciò solo che eseguisca delle condotte per conto di questo, *obbligatorie* a termini del contratto di affitto; e non è quindi lo stesso locatore responsabile civilmente pel danno arrecato dall'affittavolo eseguendo tali condotte, e così, ad esempio, schiacciando col carro un fanciullo (2).

Il proprietario di un fondo che stipula un contratto di

---

(1) App. Torino, 12 novembre 1903, *Giur. Tor.*, 1904, 263.
(2) App. Milano, 17 febbraio 1903, *Giur. Tor.*, 443.

boaria con un capo famiglia, stabilendo che i membri della famiglia dipendano esclusivamente da quest'ultimo, non è tenuto a rispondere dei danni recati ai terzi da un figlio del boaro nell'esecuzione di incombenze relative alla coltivazione del fondo (1).

Deve rispondere di danni chi fa opere dannose ai fondi altrui al solo scopo di scovare un animale o per esercitarvi la caccia (2). E così analogamente risponde chi, per esercitare abusivamente la pesca, abbia danneggiato una paratoia in un corso d'acqua (3).

Lo spargimento fatto dal proprietario, affittavolo o colono, di bocconi avvelenati nei fondi da lui posseduti, al fine di tutelare i seminati dagli animali, non costituisce reato, nè dà luogo a risarcimento dei danni a favore dei proprietari di galline, che introdottesi in detti fondi vi incontrarono la morte. Infatti spettava ai proprietari delle galline vigilare che non andassero nei fondi altrui. *Quis ex sua culpa damnum sentit non intelligitur damnum sentire* (leg. 203, Dig. *De reg juris*); e non può ascriversi a colpa di chi opera secondo il suo diritto, il non aver preveduto che estranei entrando nel fondo potessero risentire danno: " *nam et culpa ab eo exigendum non est eum divinare non potuerit per eum locum aliquis transiturus sit* „ (*Ad. leg. Aquil.*), e deve essere lecito difendere le proprie cose nel modo che si crede più adatto fino a che non si invada un *diritto* altrui.

Se risulti che dalle acque stagnanti di una fossa di un privato derivano danni alla salute pubblica, non ha diritto ad indennità il proprietario della fossa se l'autorità Comunale lo obbliga ad otturarla; imperocchè non si fa luogo ad indennizzo allorchè un atto dell'amministrazione sopprime non già l'*esercizio legittimo* del diritto

---

(1) App. Bologna, 11 aprile 1904, *La Temi*, 554.
(2) Cass. Roma, 23 maggio 1892, *Giur. Pen.*, 851.
(3) Cass. Roma, 2 maggio 1892, *Giur. Pen.*, 348.

di proprietà ma bensì l'*abuso* del diritto di proprietà
stesso (1).

Danni a fondi locati.

L'azione di indennità per danni arrecati ai raccolti,
compete non solo al proprietario del fondo, ma anche
direttamente all'affittuario (2).

Se vengono recati danni a fondi tenuti in affitto, anche
al *conduttore* compete l'azione di risarcimento colla distinzione stabilita dagli art. 1581 e 1582 Cod. civ. (3).

Risponsabilità generali circa l'affitto di fondi rustici secondo la legge.

Se l'affittuario di un fondo rustico non lo fornisce del
bestiame e strumenti necessarii alla coltivazione, se abbandona la coltura, o non lo coltiva da buon padre di
famiglia, od impiega il fondo locato ad uso diverso da
quello per cui fu destinato o non eseguisce in genere i
patti dell'affitto in modo da recar *danno* al locatore,
questi ha diritto alla risoluzione del contratto ed al risarcimento dei *danni in tutti i casi* (art. 1615 Cod. civ.).

L'affittuario poi, trattandosi di locazione per più anni,
ha diritto di chiedere una riduzione di fitto per il caso in
cui il raccolto in tutto o almeno nella metà sia perito
in un anno per caso fortuito, salvo che sia compensato
dall'annata precedente. La riduzione si fa nell'ultimo
anno facendo un conguaglio coi frutti raccolti in tutti
gli anni dell'affittamento (1617 Cod. civ.). Vedi pure il
titolo *Colpa contrattuale.*

Il conduttore è tenuto sotto pena dei *danni* e delle
spese ad avvertire prontamente il locatore delle usur-

---

(1) Consiglio di Stato, 4 gennaio 1862, *Legge*, II, 58.
(2) Cass. Torino, 10 maggio 1895, *Giur. Tor.*, 892.
(3) App. Torino, 28 agosto 1895, *Giur. Tor.*, 716.

pazioni che si commettessero sulla cosa locata (art. 1587 Cod. civ.).

Nel caso di **masseria** (o colonia o mezzadria), la perdita per caso fortuito di tutto o di parte del raccolto dei frutti divisibili è sopportata in comune dal locatore e dal mezzaiuolo e non dà azione ad alcuna indennità in favore dell'uno verso dell'altro (art. 1648 Cod. civ.).

Il mezzaiuolo, che senza il consenso del locatore cede o subloca la masseria, è tenuto al risarcimento dei danni (art. 1649 Cod. civ.).

Nel caso di **locazione a soccida o soccio**, il conduttore deve usare la diligenza di un buon padre di famiglia per la conservazione del bestiame datogli a soccida (art. 1665 Cod. civ.). Egli non è obbligato pei casi fortuiti se non quando sia imputabile di colpa precedente, senza la quale non sarebbe avvenuto il danno (art. 1672). Nella soccida coll'affittuario o col mezzaiuolo, detta **soccida di ferro**, al termine della locazione l'affittuario deve risarcire ogni deficienza che si verifica nel valore del bestiame; e per converso, ogni eccedenza è a di lui vantaggio (art. 1692 Cod. civ.).

Lotto e Lotterie.

Se per ritardata spedizione delle matrici del lotto avvenga danno ad un privato (es. non gli si paghi la vincita) lo Stato deve risponderne (1). Infatti qui trattasi di un caso di colpa di un funzionario governativo, o che agisce in nome e per conto del Governo, e quindi è evidente la risponsabilità del committente pel fatto del commesso (vedi pure *Funzionarii*). Fu poi ritenuta anche la risponsabilità di colui che si incarichi di custodire un biglietto di una giocata fatta in società fra parecchi, cosicchè se egli smarrisce il biglietto che sarebbe stato

---

(1) App. Milano, 24 luglio 1904, *Rivista univ. di Giur.*, I, 676.

vincitore, deve rispondere dell'intera vincita verso i giocatori, salvo che dimostri che il fatto avvenne senza sua
colpa, per caso fortuito o per forza maggiore (1).

Sortini o storni.

Per la vendita di un *sortino* o *storno* (cioè di quelle
giuocate che i ricevitori del lotto fanno per proprio
conto, e poi rivendono ai privati dopo la chiusura del
giuoco) è tenuto risponsabile il ricevitore in caso di
sbaglio nell'aver trascritto sul registro matrice i numeri
figuranti giocati sul *sortino* e deve indennizzare la *intera*
vincita fallita, e non soltanto a sborsare il *quintuplo*
della posta (art. 1802. Codice civile; art. 7 R. Decreto
21 novembre 1880, n. 5744; art. 30 legge 14 ottobre 1894
n. 473 sul lotto) (2). Infatti, nessuna disposizione di legge
autorizza il ricevitore ad emettere i cosidetti *storni* o
sortini e solo questa emissione deve ritenersi tollerata
dal Governo in base all'art. 7 del Regol. 1880, per cui
il ricevitore, prima di chiudere e spedire il registro matrice suggellato alla Direzione del Lotto, fa varie giuocate per proprio conto che espone in vendita nel sabato
per eccitare i passanti ad acquistarli, quando più non
sarebbero in tempo a fare giuocate proprie. Quindi in
tale funzione il ricevitore non adempie un obbligo del
suo ufficio a favore dello Stato ma si tratta di giocate
già da lui fatte per proprio conto e che rivende al pubblico col suo interesse per percepire quel maggiore *aggio*
che gli spetta sulle giocate, e facendo una *speculazione
in proprio*, non è applicabile più la legge sul lotto che
all'art. 30 dichiara che qualora venga rifiutato il pagamento della vincita per qualsiasi difetto nella matrice
imputabile a negligenza del ricevitore, il giuocatore non
può pretendere che il quintuplo del prezzo del giuoco,

----

(1) App. Genova, 22 dicembre 1905, *Legge*, 779.
(2) Cass. Torino, 17 dicembre 1900, *Giur. Tor.*, 62.

da pagarsi in proprio dal ricevitore. Infatti, nel caso dell'art. 30 il giuocatore ha l'obbligo di verificare ed accertarsi (art. 13 legge 14 ottobre 1894, n. 473) che il giuoco venga *esattamente trascritto sia sulla matrice che sul biglietto*, e quindi è *in colpa* anch'esso se non verifica lo sbaglio, ed in ciò sta la ragione che compensando in parte la negligenza del ricevitore ha diritto al rimborso del quintuplo della tassa pagata. Invece nel caso di *sortini* il giocatore è nella impossibilità di fare tale controllo perchè il giuoco è già chiuso, e quindi deve rispondere *esclusivamente* ed *integralmente il ricevitore* della sua colpa che fu causa non fosse pagata la vincita che appariva dal *sortino* o *biglietto venduto*, ed è giusto quindi risarcire interamente il danno.

Secondo le leggi sul lotto, qualora venisse rifiutato il pagamento della vincita per qualsiasi difetto nella prima matrice, dovuto a negligenza del ricevitore, il giuocatore non potrà pretendere che il *quintuplo* del prezzo del giuoco da pagarsi *in proprio* dal ricevitore stesso, il che esclude che il giuocatore possa chiedere allo Stato conto della negligenza del ricevitore. Se l'errore è sul *biglietto*, non vi ha risponsabilità di sorta, poichè doveva il giuocatore verificare immediatamente. In caso poi che non giungano in tempo i registri alla Direzione, il giuoco si ha come non fatto, ed i giuocatori non hanno altro diritto che riprendere il denaro giuocato (1). Nondimeno vi sono sentenze, che ritennero che il ricevitore del lotto è responsabile, verso chi giuoca, delle negligenze commesse nell'esercizio delle sue funzioni, secondo la legge comune (2).

In ogni ipotesi poi, si osserva che se i casi di *negligenza*, appunto per essere previsti nella legge, non possono dar luogo a risarcimento in misura maggiore di

---

(1) Studio di G. QUARTA, *Legge*, 1876, III, 835.
(2) Cass. Roma, 12 aprile 1876, *Legge*, I, 407.

quella dalla legge stessa stabilita, i casi di *dolo* o di *frode* rientrano nella legge comune.

Così ad es. nel caso in cui il commesso del lotto per una giocata di lire *sei*, scriva sulla matrice lire 0,60 e sul biglietto da consegnarsi al giuocatore lire *sei*, allo scopo di lucrare dolosamente la differenza di lire 5,40, venne ritenuto civilmente risponsabile il ricevitore del lotto pel fatto del suo commesso. L'avv. Vito La Mantia, in un suo studio al riguardo (1), riporta la motivazione di tale sentenza, che qui si trascrive:

" Attesochè la negligenza suppone un errore *involontario* e scevro di frode, ma nel caso in esame l'errore non può dirsi nè innocente nè involontario, ma è fatto deliberatamente allo scopo di illecita appropriazione clandestina della differenza tra le due somme,

" Che la frode rimane occulta al giuocatore salvo nel caso di vincita, e trattandosi di frode e dolo, entrambi sono regolati dalla legge comune,

" Che l'art. 1153 Cod. civ. obbliga i committenti a rispondere del fatto dei commessi, e se il ricevitore del lotto nel caso di semplice negligenza è tenuto solo a pagare il *quintuplo* del prezzo, in caso di *dolo* è invece tenuto a rifondere l'intera *vincita* che il giuocatore avrebbe dovuto ricevere dallo Stato se la scritturazione fosse stata esatta, e il ricevitore risponde anche se non fu partecipe della frode perchè la sua è *colpa in eligendo aut vigilando*, per questi motivi ecc. ecc. (2).

Tombole.

Autorizzata dall'autorità competente una tombola, e resa nota con pubblici manifesti, compete ai vincitori azione giuridica per ottenere i premii.

---

(1) *Legge*, 1880, III, 300.

(2) App. Palermo, 24 aprile 1880, causa Puma. — In senso contrario giudicò la Corte d'appello di Perugia, 22 febbraio 1869.

La vincita di una *cinquina* non può essere invalidata
solo perchè posteriormente alla medesima siansi estratti
numeri duplicati con quelli della vincita, quando però
nessun numero doppio sia sortito durante l'estrazione
della medesima. Se in questo caso i preposti all'estrazione disconoscono la vincita della cinquina dopo la pro-
clamazione, ordinando una nuova estrazione, sono colpevoli di violazione dei patti e termini del contratto, ed
impegnano la loro responsabilità personale (1).

Responsabilità dei ricevitori del lotto.

Il ricevitore del lotto che paga una vincita oltre le
lire mille senza l'autorizzazione della Direzione compar-
timentale contravviene alla legge e diventa personalmente risponsabile del pagamento eseguito (2).

Macchine.

(Vedi pure **Ferrovie** — **Disastri ferroviari** —
Minori — **Committenti** — **Esplosioni**).

Trebbiatrici.

È risponsabile il padrone per il danno derivato ad un
operaio nel lavorare ad una *trebbiatrice*, per la negligenza dei dipendenti addetti al servizio della macchina (3).
La Ditta che manda un suo capo operaio a mettere in
opera (montare) un macchinario da lui costrutto, non è
risponsabile se questi, avvicinatosi troppo ad una ruota
dentata senza fare prima fermare il macchinario in movimento, ne rimane impigliato; e non si può addebitare
ad essa Ditta la mancanza di ripari alla ruota dentata

---

(1) Trib. Teramo, 11 ottobre 1886, *Legge*, 1887, I, 603.
(2) Cass. Palermo, 6 marzo 1894, *Legge*, I, 476.
(3) App. Torino, 9 febbraio 1883, *Giur. Tor.*, vol. XX, 376.

suddetta (1); imperocchè è massima costante che il padrone non è civilmente responsabile se l'infortunio avvenne per imprudenza o negligenza di esso operaio (salvo s'intende l'applicabilità della legge speciale sugli infortunii sul lavoro) (2).

Una *trebbiatrice* e la *macchina a vapore* che le dà movimento costituiscono un solo meccanismo, ed il proprietario di essa che adibisce al servizio della macchina un fuochista non autorizzato, è responsabile verso di lui dell'infortunio che lo incoglie, anche se questo lo abbia colpito nell'avere atteso temporariamente, per ordine avuto dal proprietario al servizio della trebbiatrice invece che a quello della macchina.

Il padrone non risponde del danno recato all'operaio dallo scoppio di una **macchina** avvenuto fortuitamente durante l'esperimento di *collaudo*. La responsabilità incombe invece al costruttore della macchina a cui colpa sia ascrivibile lo scoppio (Vedi il titolo *Esplosioni*). La morte dell'operaio rimasto ucciso nel disastro non dà azione di indennità a tutti gli eredi legittimi di lui, ma solo a quelli che dimostrino averne avuto danno. E così attribuendosi il diritto di indennità ai *genitori* ed alla *vedova* dell'ucciso, non può ugualmente attribuirsi ai *fratelli* ed alle *sorelle* di lui che non si trovassero in condizione di avere da lui gli alimenti a senso degli articoli 141, 142 Cod. civ. L'essere poi il padre ricoverato in un *ospizio di carità* non lo priva di questo diritto all'indennità (3).

Case di salute.

Il proprietario di una *villa di salute* non può impedire al vicino l'uso d'una *trebbiatrice*, il cui rumore pregiu-

---

(1) App. Torino, 6 aprile 1900, *Giur. Tor.*, 648.
(2) App. Milano, 2 giugno 1895, *Giur. Tor.*, 498.
(3) App. Torino, 9 dicembre 1887, *Giur. Tor.*, 1888, 99.

dichi glì ammalati nervosi ivi ricoverati; ma ha diritto
di reclamo unicamente se il rumore sia tale da essere
insopportabile anche in condizioni normali, ed a persone
sane (1).

Malattie infettive (ed Epidemie).

(Vedi pure **Camere ammobigliate** — **Baliatico** — **Forza maggiore**).

Distruzione di oggetti di privati — Indennità.

Se allo scopo di arrestare la diffusione di un'epidemia
colerosa, l'autorità amministrativa ha ordinato e fatto
eseguire la distruzione di un *deposito di stracci*, il proprietario *non ha* azione per chiederne il pagamento, nè
verso il Governo, nè verso il Comune, ancorchè la distruzione fosse stata preceduta da una perizia diretta ad
accertarne il valore (2). Imperocchè è principio accolto
dalla maggioranza degli scrittori e dalla giurisprudenza,
che i provvedimenti emessi *iure imperii* dal potere amministrativo per fini di interesse generale (sanità pubblica, sicurezza pubblica, ecc., ecc.), non dànno diritto ad
indennizzo a favore del privato che ne abbia risentito
qualche danno o perdita (3).

Case di salute.

Qualora un ammalato, entrato in una casa di salute,
vi muoia per malattia infettiva, il proprietario dello

---

(1) App. Torino, 3 settembre 1897, *Legge*, 1898, I, 344.
(2) Cass. Roma, Sezioni Unite, 27 marzo 1894, *Legge*, I, 763.
(3) Consulta Giorgi, *Dottrina delle persone giuridiche*, vol. III,
pag. 102 al 106.

stabilimento non può pretendere, oltre la rifusione delle spese derivate necessariamente e direttamente dal caso, anche una indennità per il danno subìto nell'esercizic dello stabilimento, sebbene provi che la malattia era già in corso prima dell'accettazione dell'ammalato; e ncn sarebbe neppure ammessibile la prova della consuetudine di pagare tutto il valore del mobiglio arredante i locali occupati dal defunto (1). Infatti, per farsi luogo a risarcimento di danno occorre la prova di una colpa; ora in tal caso, per far luogo a danni, occorrerebbe prcvare che chi condusse l'ammalato, *sapesse* che era affetto da una malattia infettiva (se lo stabilimento sia tale che non riceva per suo organico o statuto ammalati di tal genere), cosicchè non si dovranno risarcire che le sole spese o danni che sono la diretta conseguenza del caso. Neppure potrebbe ammettersi la prova della consuetudine allegata, imperocchè è certo che il contratto per cui un ammalato entra in uno stabilimento di cura, è *atto civile*, e non commerciale, poichè lo scopo è quello della *cura*, ed i rapporti che si formano tra un ammalato ed il medico sono di indole civile e nessuno vorrà mai sostenere che il medico esercitando la sua professione faccia un atto di commercio.

Ora l'articolo 48 delle disposizioni transitorie del Codice civile ha abolito espressamente tutte le consuetudini locali eccetto quelle richiamate nel Codice stesso, epperciò non può ammettersi la consuetudine per l'interpretazione dei contratti, se la consuetudine stessa non è dal Codice espressamente richiamata (2).

---

(1) App. Genova, 12 marzo 1895, *Legge*, I, 623.

(2) Si può osservare però circa la tesi sostenuta dalla Corte di Genova che se i rapporti tra ammalato e medico sono civili, lo stesso non può dirsi dei rapporti tra ammalato e *proprietario dello stabilimento di cura*, potendo in esso rivelarsi il carattere di una impresa commerciale almeno per il vitto, l'alloggio e divertimenti forniti all'ammalato.

Alberghi.

Se durante il soggiorno di una famiglia in un albergo, un figlio è colpito da malattia contagiosa, che non permette di trasportarlo altrove prima della sua convalescenza, il proprietario dell'albergo non ha diritto a risarcimento di danni, ma solo al rimborso delle spese sostenute per la disinfezione del letto, biancheria e locali dopo la partenza del malato (1).

Venne pure deciso che il proprietario di un albergo, nel quale venne accettata una persona colpita da affezione cancrenosa, ha diritto, nel caso di morte di essa, al rimborso delle spese incontrate per la cura, per la assistenza straordinaria, il funerale, la disinfezione dei locali, il cambio dei mobili e tappezzeria della camera occupata dal defunto; ma non ha diritto a risarcimento di danni per sviata clientela, se non dimostra che la persona malata fu dai parenti mandata al suo albergo colla certezza o quasi che vi sarebbe morta (2). Nel caso in esame pare però che si sarebbe ben potuto accordare al locandiere anche la indennità per sviata clientela, in quanto che non occorre neppure stabilire negli eredi la colpa aquiliana in proprio. Infatti come eredi della persona morta all'albergo, ne raccoglievano costoro tutti gli obblighi; tra i quali quello di compensare ogni pregiudizio che al locandiere fosse derivato dal soggiorno nell'albergo e per la morte ivi avvenuta, e questo compenso è conforme a giustizia.

Casi diversi.

Il *barbiere* è risponsabile delle malattie infettive cagionate agli avventori con l'uso di ferri non disinfettati; specialmente poi se il barbiere sapeva di aver adope-

---

(1) Trib. della Senna, 30 giugno 1893, *Legge*, 1894, I, 596.
(2) App. Milano, 7 luglio 1897, *Legge*, II, 704.

rato quei ferri su persona con evidenti manifestazioni di malattie della pelle (1).

Il *venditore di carne* proveniente dalla macellazione di bestie affette da carbonchio (od altra malattia infettiva) che mangiata da più persone cagioni la morte o gravi malattie, risponde non solo dei danni civili, ma altresì di omicidio e lesioni colpose (2).

L'*abbruciamento* di suppellettili e lo *scrostamento* delle pareti di una camera in cui morì un *coleroso*, ordinata dalla Commissione sanitaria municipale od Ufficio di igiene, ricadono a tutto carico del proprietario, dovendo considerarsi come effetto di fortuito e di forza maggiore (3) (Vedi pure *Amministrazione comunale*).

Negli altri casi è a ritenersi che la ragione ad avere una indennità in sèguito a provvedimento dell'Autorità amministrativa, non può sorgere altrimenti se non quando per effetto di tale provvedimento sia ad alcuno tolta la proprietà o l'uso della medesima, ed in tal caso l'indennità rappresenta appunto il compenso ossia il valore del diritto stato soppresso o menomato (4). Sta per altro la massima che quando i provvedimenti dell'Autorità amministrativa hanno per oggetto un pubblico e generale interesse, i privati che ne siano danneggiati non hanno azione per risarcimento del danno avuto (5).

La comunicazione di malattia sifilitica fatta da un uomo ad una donna, vincola la di lui responsabilità per il risarcimento dei danni se egli conosceva di esserne affetto, e se sapeva che detta malattia si trasmette a causa di intimi rapporti. Furono in un caso liquidate L. 12 mila di danni alla donna rimasta contaminata (6).

---

(1) Trib. Torino, 19 giugno 1895, *Legge*, II, 474; *Cass. Unica*, col. 1052.

(2) Cass. Roma, 27 febbraio 1897, *Giur. Pen.*, 216.

(3) Trib. Venezia, 10 novembre 1873, *Legge*, XIV, 72.

(4) Cons. di Stato, 4 gennaio 1862, *Legge*, II, 58.

(5) App. Milano, 26 settembre 1871, *Legge*, XII, 11.

(6) Trib. di Rouen, 25 novembre 1905, *Mon. Trib.*, 517.

Mandatarî.

(Vedi pure **Società commerciali**).

Mandatarî commerciali.

Il mandatario che non opera secondo le istruzioni ricevute o, in difetto di istruzioni secondo gli usi del commercio, è obbligato verso il mandante al risarcimento del *danno* (art. 356 Cod. Comm.).

Il mandatario che distrae dal fine prescritto le somme ricevute per conto del mandante, è debitore non solo degli interessi su tali somme dal giorno in cui le ha ricevute, ma deve risarcire i danni, salvo l'azione penale se vi sia dolo o frode (art. 358 Cod. comm.). Il mandato commerciale, anche se gratuito, rende il mandatario responsabile a senso degli art. 1745, 1746 del Codice civile (1).

È applicabile l'art. 356 Cod. comm. anche al *commissionario* responsabile di violazione di mandato (2); e così pure al *commerciante* mandatario di un altro, ed a chi dà false informazioni sulla solvibilità di un negoziante, anche senza dolo, ma per grave negligenza (3).

Institori e rappresentanti (Vedi pure **Commessi e rappresentanti di commercio**).

Il preponente è risponsabile dei fatti dell'institore e delle obbligazioni da lui contratte entro i limiti del commercio a cui è preposto (art. 368 Cod. comm.).

L'institore non può, senza espresso consenso del preponente, fare operazioni, nè prendere interesse per conto proprio od altrui in altri commerci del genere di quello

---

(1) App. Genova, 11 febbraio 1888, *Eco di Giur.*, 74.
(2) App. Venezia, 11 marzo 1889, *Temi ven.*, 409.
(3) App. Genova, 2 marzo 1889, *Giur. It.*, II, 55; Cass. Torino, 7 maggio 1892, *Giur. Tor.*, 871.

cui è preposto. Se contravviene a questo divieto, l'institore è tenuto al risarcimento dei *danni*, ed il preponente ha inoltre il diritto di ritenere per sè i profitti conseguiti cogli atti vietati (art. 372 Cod. comm.).

Maniaci ed Interdetti.

Chi è tenuto ad assistere un infermo di mente (es. il figlio adulto e sano obbligato a custodire il padre infermo di mente) risponde civilmente dei danni prodotti dall'infermo di mente in un atto di insania, poichè mediante una più accurata vigilanza e diligenza da parte del custode, seco lui convivente, il fatto doveva e. poteva essere evitato (1).

Chi non ha coscienza delle proprie azioni, non incontra risponsabilità per delitto o quasi-delitto in linea civile. Indipendentemente però alla regola dell'art. 1153 del Cod. civ. gli atti di una persona incapace possono essere fonte di risponsabilità in base all'art. 1152 per coloro che a un titolo legittimo siano obbligati a sorvegliarla e impedire che nello stato anormale in cui si trova rechi danno ad altri. Tale obbligo è determinato dal vincolo di *stretta parentela* congiunto al fatto della *convivenza domestica*; e si verifica maggiormente quando la persona in cui sono riunite queste condizioni abbia perfetta consapevolezza delle tristi e pericolose condizioni in cui si trova l'autore del danno (2).

Risponde di danni il figlio che, convivendo col padre affetto da manìa di persecuzione, lascia a sua disposizione un fucile carico del quale il padre si serva in un momento di furore uccidendo un terzo. Nè vale ad esimere da risponsabilità l'imprudenza usata dalla vittima (3).

---

(1) Cass. Roma, 3 aprile 1905, *Legge*, 838.
(2) App. Cagliari, 21 dicembre 1903, *Foro It.*, I, 1017.
(3) Trib. Sassari, 7 marzo 1908, *Foro Sardo*, 166.

Quanto alla risponsabilità dell'*Amministrazione pro·vinciale* per quanto riflette i manicomii della provincia, si giudicò anche che la risponsabilità dei committenti per i fatti dannosi dei loro commessi ha per base il principio che *qui sentit commodum, sentire debet incommodum*, e perciò non può incorrere in risponsabilità nè il *direttore,* nè l'Amministrazione provinciale da cui il manicomio dipende, per il fatto degli infermieri (1). Massima però contraddetta da altri giudicati.

Morte per eccessi.

La Provincia è civilmente risponsabile verso i parenti di un pazzo ricoverato nel Manicomio Provinciale, se consta che il medesimo abbia dovuto soccombere in sèguito agli eccessi di un infermiere (2).

Delitti commessi da pazzi.

Da un fatto delittuoso, anche se manchino le condizioni per la repressione in via penale, può sorgere azione civile per risarcimento di danni patrimoniali che ne siano derivati, e quindi la dichiarazione di non luogo o di *inesistenza di reato* per infermità mentale e incoscienza dell'autore del fatto delittuoso, non è di ostacolo all'esercizio dell'azione civile da parte delle vittime (o loro eredi) pel relativo indennizzo. Le sentenze penali che impediscono l'esercizio dell'azione civile sono solamente quelle indicate nell'art. 6 del Codice penale, e non vanno comprese tra esse le sentenze o gli altri provvedimenti che prosciolgono dall'azione penale in corso di istruzione: nè la formola della *inesistenza di reato* è compresa fra le ipotesi del predetto articolo 6 (3).

---

(1) App. Macerata, 5 febbraio 1885, *Legge*, I, 735.
(2) App. Genova, 13 marzo 1905, *Temi Gen.*, 408.
(3) App. Cagliari, 21 dicembre 1908, *Foro It.*, I, 1017.

La persona danneggiata da un atto di un *interdetto* non ha azione contro il *tutore* in proprio, ma solo contro l'interdetto in persona del tutore (1).

In tesi generale vuolsi ritenere che la persona stata interdetta, è vincolata normalmente per i delitti o quasi delitti anteriori all'interdizione, in conformità delle norme ordinarie di diritto (2). Nè, così opinando, ne consegue che secondo la legge vi possa essere colpa senza risponsabilità, o, ciò che torna lo stesso, che possa esistere imputabilità, come elemento costitutivo della colpa, anche quando difetti nel preteso colpevole la libertà di elezione o la sicurezza di discernimento. Al contrario, nel sistema della legge, ciò è evitato. La legge infatti assume come base, in tema di potenzialità ad obbligarsi, e in generale ad esplicare efficacemente la propria attività di soggetto di diritto da parte dell'uomo che abbia raggiunto la maggiore età, e non sia stato interdetto, la presunzione di capacità, per effetto della quale, gli atti suoi sono validi, semprechè una tassativa disposizione di legge non li uniformi e non li caduchi.

Sarà quindi nullo il testamento di chi, nel momento in cui vi addivenne, era infermo di mente (art. 763 Cod. civ.), nulla nelle stesse condizioni la donazione (art. 1052 Cod. civ.), il matrimonio (art. 112 Cod. civ.) ed il contratto (art. 336 Cod. civ.); ma saranno validi per contro tutti gli obblighi che abbia assunto il mentecatto, specialmente se nascente· da delitto o quasi-delitto (leg. 5, ff. 2 Dig , *ad leg. Aquil.*); (leg. 23, Dig. *De furto*). Cioè la legge elimina con una presunzione *iuris et de iure* di capacità introdotta per salvaguardare i diritti dei terzi e la stabilità delle obbligazioni, quella ricerca circa l'effettiva capacità ed integrità di mente che la legge ammette quando si tratti o di atti di disposizione a titolo gratuito vuoi *inter vivos*, vuoi *mortis causa* o del matri-

---

(1) Cass. Torino, 18 luglio 1878, *Giur. Tor.*, XV, 568.
(2) App. Torino, 14 dicembre 1881, *Giur. Tor.*, 1882, 211.

monio, che è atto della vita civile di peculiare importanza anche dal punto di vista sociale, perchè base della famiglia legittima, nei quali ultimi casi, particolari ragioni di convenienza suggeriscono al legislatore di temperare il maggior rigore usato verso il mentecatto in tema di obbligazioni e gli consentono di tener presente l'*infelicitas fati* del demente (leg. 9, Dig. *ad leg. Corn. de Sic.*); conciliando così le esigenze dello stretto diritto coi principii della logica pratica e della equità (1).

Ricovero indebito di persona non pazza.

È responsabile di danni colui che approfittando di particolari circostanze e sorprendendo la buona fede di un medico, trova modo, con un certificato da questo rilasciato, di far rinchiudere arbitrariamente una persona in un manicomio. Risponde pure di danni il medico il quale rilascia un certificato attestante la manìa furiosa di una persona unicamente sulle dichiarazioni di terzi e dopo una sola visita del preteso malato senza curarsi di sottoporlo a speciali esami ed osservazioni. In un caso in cui la persona rinchiusa era di condizione *persona di serzizio*, e fu trattenuta per otto giorni indebitamente nel Manicomio, furono liquidate lire cinquemila di danni, di cui lire 3000 a carico di chi provocò il rinchiudimento, e lire 2000 a carico del medico (2).

Suicidio di un pazzo a bordo.

Il capitano di una nave deve esercitare anche i doveri di custodia e di tutela della incolumità dei passesgieri e della sua negligenza risponde il proprietario-vettore. E così si avrà la loro responsabilità se avendo il capitano accettato a bordo un pazzo non accompagnato,

---

(1) Nota dell'Avv. A. Simondetti, *Giur. Tor.*, 1901, pag. 309.
(2) Corte di Caen, 16 gennaio 1901, *Mon. Trib.*, 18.

abbia omesso di provvedere che fosse custodito, onde avvenne il suicidio del pazzo (1).

Risponsabilità penali.

Risponde contravvenzionalmente chi lascia vagare pazzi affidati alla sua custodia o non avvisa l'autorità se gli siano sfuggiti, e chi riceve o licenzia persone affette da alienazione mentale, senza le debite autorizzazioni (articoli 477, 478 Cod. pen.).

Materie ecclesiastiche.

Sospensione a divinis.

Se un sacerdote sia stato sospeso *a divinis* per false accuse contro di lui fatte presso i suoi superiori, ed egli chieda per tale motivo risarcimento di danni, deve l'Autorità giudiziaria dichiararsi incompetente a conoscere della domanda (2).

Rifiuto di somministrare i Sacramenti.

Venne ritenuto che il fatto di un sacerdote, il quale, nel somministrare nella chiesa alla balaustra dell'altare l'Eucaristia ai fedeli, alla vista di tutti omette di comunicare una persona, passando all'altra successiva, per sapere egli che la detta persona omessa non sia in condizioni spirituali degne (3), non costituisce *ingiuria*. Infatti in questo caso è bensì vero che il fatto non ridonda ad onore della persona omessa, ma il sacerdote in ciò fare non aveva intenzione di recare *ingiuria*, ma com-

---

(1) Cass. Roma, 16 dicembre 1904, *Foro It.*, I, 279.
(2) Cass. Firenze, 24 marzo 1904, *Foro It.*, I, 1433.
(3) Cioè per es. per non avere egli dato la *assoluzione* dai peccati nella confessione.

pieva un suo dovere professionale e di coscienza ed era legittimo e giustificato il suo modo di agire. Era la penitente, che sapendo di non essere secondo le norme catechistiche in condizioni spirituali da essere degna di appressarsi al Sacramento dell'Eucaristia, doveva astenersi. Non compete quindi alla medesima diritto di risarcimento di danno.

Danni materiali in chiese ed edifici di culto.

Per tali danni sorge non solo azione civile per risarcimento, ma anche azione penale, costituendo essi reati; e così, per chi nei luoghi destinati al culto (o nei cimiteri) *mutila o deturpa monumenti, statue, dipinti, iscrizioni o sepolcri* (art. 143 e 424, n. 3, Cod. pen.).

Matrimonio.

(Vedi pure **Seduzione**).

Promessa di matrimonio.

L'inadempimento ingiustificato della promessa di matrimonio, non dà mai luogo a risarcimento di danni maggiori e diversi dalle spese fatte per causa del promesso matrimonio, nemmeno quando questi danni discendano da un fatto distinto dalla promessa medesima (es.: l'essersi indotto il fidanzato a vendere i proprii mobili ed a locare a terzi i proprii beni, compresa la casa di abitazione (art. 54 Cod. civ.) (1). È questa la teoria prevalente in giurisprudenza e dottrina.

Però venne anche giudicato che è bensì vero che la promessa di matrimonio non produce nè *obbligo legale* di contrarlo, nè dà luogo ad azione di danni, ma non si applica tale regola ai patti *distinti dalla promessa di ma-*

---

(1) Trib. Casale, 8 marzo 1904, *Giur. Tor.*, 832.

BALDI, *Casi pratici di responsabilità, ecc.*

trimonio e non dipendenti necessariamente dalla medesima (1).

Se poi la promessa di matrimonio è stato stromento e mezzo per compiere la seduzione, allora è dovuto risarcimento di danno (Vedi *Seduzione*).

Raggiro sullo stato personale.

La *donna maritata* risponde sempre, nonostante il difetto di autorizzazione, dei danni derivati da un suo quasi delitto; e così dall'avere indotto in inganno il terzo col quale ha contrattato, col *dichiararsi nubile* nel relativo rogito e col sottoscriversi col solo suo cognome di ragazza, e facendo poi annullare essa stessa il contratto per difetto dell'occorrente autorizzazione (art. 1306 Codice civile).

Ma però non sussiste alcun quasi delitto per essersi essa dichiarata nubile ed indotto altri ad un contratto pel quale sarebbe occorsa l'autorizzazione maritale, se il terzo con cui contrattò, conosceva il suo stato di donna maritata (2).

In alcuni casi però è ritenuto dalla patria giurisprudenza che se concorsero raggiri nella donna per farsi credere nubile, non possa più impugnare l'atto (3).

Risponsabilità del marito.

Il marito non è risponsabile del delitto o quasi delitto della moglie, se non è provata la sua *compartecipazione*; nè basta che egli avesse conferito alla moglie il mandato generale *ad negotia* (4).

---

(1) App. Torino, 30 dicembre 1879, *Giur. Tor.*, 1880, 253.
(2) Cass. Torino, 16 dicembre 1901, *Giur. Tor.*, 1902, 231.
(3) App. Torino, 7 settembre 1900, *Giur. Tor.*, 1411 e 5 febbraio 1900, *ivi*, 368.
(4) Cass. Torino, 10 agosto 1883, *Giur. Tor.*, vol. XX., 998.

Matrimonio contratto con straniero.

La donna cittadina italiana che si marita con uno
straniero, non diventa straniera se non nel caso in cui a
termini della legge nazionale del marito, essa, col fatto
del natrimonio, abbia acquistata la cittadinanza del marito medesimo (art. 14 Cod. civ.). La *donna italiana* pertanto che si marita ad un *francese* senza contratto nuziale,
cade sotto l'impero della Comunione matrimoniale dei
beni del Codice francese, ed è perciò *tenuta a rispondere*
colle proprie attività mobiliari dei debiti per *risarcimento
di danni* verso. terzi derivanti da delitti commessi dal
marito (1).

Opposizioni al matrimonio.

Chi si oppone alla celebrazione di un matrimonio a
senso dell'articolo 82 e seguenti del Codice civile, va
soggetto, nel caso in cui l'opposizione sia respinta, al
risarcimento dei danni, salvo il caso in cui l'opponente
sia un *ascendente* od il Pubblico Ministero (art. 91 Codice
civile).

Annullamento di matrimonio per impedimento.

Allorquando il matrimonio sia stato annullato per causa
di un impedimento *conosciuto da uno dei coniugi* e lasciato
ignorare all'altro, il coniuge colpevole sarà condannato,
oltre ad. una multa non minore di lire 1000 estensibile a
lire 3000 (ed anche, secondo le circostanze, al carcere
estensibile a sei mesi), all'*indennità* al coniuge ingannato,
ancorchè *non sia data la prova specifica* del danno sofferto
(art. 127 Cod. civ.).

____

(1) App. Torino, 27 aprile 1901, *Giur. Tor.*, 736.

Matrimonio celebrato in contravvenzione all'art. 57 Cod. civ.

Questo articolo stabilisce che non può contrarre nuovo matrimonio la donna, se non decorsi dieci mesi dallo *scioglimento* o dall'annullamento del matrimonio precedente, eccettuato il caso di nullità del precedente matrimonio per impotenza dell'altro coniuge, ed eccettuato il caso in cui la donna abbia partorito.

La donna che contragga nuovo matrimonio in contravvenzione al citato articolo, oltre la penalità stabilita per essa unitamente all'altro coniuge e all'ufficiale di Stato civile che celebrò il matrimonio stesso, *decade* da ogni *donazione, lucro dotale,* e *successione* che provengano dal primo marito (art. 128 Cod. civ.).

Risponsabilità civile di danni in base a reati.

È dovuto rifacimento di danno morale e materiale in dipendenza di ogni fatto illecito che sia previsto dal Codice penale; e così:

1º Nel caso di *adulterio* (articoli 353 e 354 Codice penale);

2º Nel caso di *bigamia* (art. 359 Cod. pen.).

Medici-Chirurghi.

(Vedi pure Opere Pie).

Il medico-chirurgo, e in generale ogni professionista, è responsabile della negligenza che costituisce un quasi delitto, non già di qualunque *errore* od *imperizia* nello esercizio dell'arte (1).

Fu anche giudicato, che quando è intervenuta una convenzione tra l'ammalato e il medico, questi è rispon-

---

(1) App. Roma, 8 febbraio 1894, *Legge*, II, 88.

sabile di colpa contrattuale, cioè della lieve e non mai della lievissima.

Trattandosi di un direttore di clinica non può presumersi l'ignoranza e l'imperizia. In generale la giurisprudenza ritiene che il professionista è risponsabile non per gli errori di concetto, ma solo quando abbia data prova di *crassa* ignoranza, o abbia mancato di accortezza o diligenza (1).

Omissione di cure e diligenze.

L'omissione di cure e diligenze *comuni*, da parte di un sanitario, non può considerarsi come un *errore* professionale scusabile (2).

Gli esercenti professioni liberali sono risponsabili dei danni a termini degli articoli 1151 e 1152 Codice civile, senza potersi distinguere tra il caso del dolo o della colpa lata e quella della colpa lievissima o lieve (3).

Per potersi però ritenere risponsabile il medico del danno cagionato per *imperizia*, occorre che questa sia bene accertata, non potendo scambiarsi qualsiasi errore con un quasi delitto che solo può dar luogo a risarcimento (4).

Circa la risponsabilità dei medici non mancano scrittori che sostengono che essi nell'esercizio dell'arte sanitaria siano sempre *irresponsabili*.

Questa dottrina si fonda essenzialmente su questi motivi :

1° Il *silenzio* della legge al riguardo ;

2' La *inesistenza della risponsabilità* professionale nel Diritto romano ;

3° Il *diploma* dato dallo Stato che fa presumere la capacità ;

---

(1) App. Palermo, 5 febbraio 1906, *Circ. Giur.*, II, 51.
(2) App. Bologna, 11 giugno 1901, *Legge*, II, 413.
(3) Cass. Firenze, 12 luglio 1888, *Legge*, II, 583.
(4) Cass. Roma, 18 marzo 1895, *Legge*, II, 602.

4° La *risponsabilità* della scelta da parte del malato;

5° La *necessità di un mandato illimitato* nell'esercizio della professione;

6° La *difficoltà della prova*.

Contro tale teoria si oppone giustamente (1):

1° Nel silenzio della legge per casi speciali si debbono applicare le norme generali di risponsabilità;

2° Anche nel Diritto romano vi sono casi in cui si applicava risponsabilità in certe contingenze (2);

3° Lo Stato autorizza bensì ad esercitare la professione dopo determinati studi e prove, ma con ciò non si esclude che il medico non debba rispondere dei danni che possano essere recati dal professionista;

4° L'ammalato nella generalità dei casi non è competente nella scelta del medico, ed anche se la cattiva scelta potesse essergli attribuita come elemento di colpevolezza, questa non eliminerebbe la colpa del medico;

5° È vero che occorre un mandato illimitato nell'esercizio della professione, ma a condizione che il medico adempia con rigorosa esattezza i doveri che la legge gli impone:

6° Quanto alla difficoltà della prova, se si tratta di evidente negligenza, basta il buon senso dei giudici; se di fatti più gravi o difficili a conoscersi, i giudici ricorreranno al perito, il quale, senza entrare nel metodo di

---

(1) Huc, *Commentaire du Code civil*, 1892, vol. VIII, pag. 555.

(2) I Romani distinguevano tra i medici le cui opere erano *locari solitae*, e pei quali una mercede anche se non era stabilita in certo numero, era considerata giusta, ed i medici le cui opere erano considerate liberali in stretto senso, *locari non solitae* e pei quali non valeva mercede; i primi erano detti *locatores operarum artifices* e gli altri *homines studiorum liberalium periti*; a favore dei primi per ottenere la mercede spettava *l'actio locati*, e contro di loro per *violazione di contratti*, spettava *l'actio conducti* (L. 22. D. 2. D. loc. cod. 19. 2). *Procutus ait; Si medicus servum imperite secuerit, vel ex locati, vel ex lege Aquilia competere actionem* (L. 7, § 8, Dig. IX, 2).

cura, dirà però se si tratti di fatti contrarii alle regole generali e più comuni della medicina.

E per vero, il medico che esercita in virtù del diritto conferitogli dalla legge in forza del diploma dopo verificata la sua capacità colle prove che sono prescritte per ottenere il titolo di dottore, agirà bensì con indipendenza secondo i suoi lumi e la sua coscienza; ma i giudici possono e debbono indagare se vi fu da parte del medico alcuna negligenza o dimenticanza delle precauzioni che la prudenza ordinaria impone, delle regole ammesse da tutti come certe (1). Il medico deve astenersi dal fare sugli ammalati degli esperimenti. Scrive il VENEZIAN (2) che un medico che facessse sui suoi ammalati degli esperimenti scientifici, come, ad esempio, inoculasse il *pus* sifilitico in un degente all'ospedale provocando degli accidenti sifilitici, non istà nei termini del contratto, e deve rispondere di tale danno.

Però in certi casi può essere giustificato che il medico faccia simili esperimenti, e così, ad esempio, nel caso in cui un ammalato sia disperato e destinato immancabilmente alla morte, ben può tentare tutti i modi possibili, essendo suo dovere di cercare di strappare il degente alla morte. Non sarebbero giustificati gli esperimenti fatti per solo amore dell'arte o curiosità scientifica.

Nel caso in cui un medico per imperizia o trascuratezza facesse perire o peggiorare l'ammalato, è giusto che risponda del danno; e così il POCHINTESTA (3) scrive: Soggiacciono a risponsabilità i cultori dell'arte sanitaria se per ignoranza assoluta, imperizia o negligenza o contravvenendo alle prescrizioni speciali della legge, arrechino danno alle persone a cui prestano le loro cure.

Fu giudicato risponsabile il medico, che malgrado le vive sofferenze accusate dall'infermo, tenne per 36 ore

---

(1) SOURDAT, *Risponsabilità.*
(2) *Danni e risarcimenti*, pag. 112.
(3) *Delle Obbligazioni*, pag. 294.

un bendaggio destinato a ridurre la lussazione di un braccio, che in conseguenza andò in cancrena; il medico doveva levare l'apparecchio e vedere il perchè dei dolori di cui l'infermo si lagnava (1).

Il dovere del medico è quello, una volta assunta una cura, di compierla con diligenza e secondo i dettami della scienza, e nulla deve smuoverlo: non il pensiero che le condizioni modeste economiche dell'ammalato siano insufficienti a retribuirlo della sua opera; non le lagrime del cliente che lo supplichi di tralasciare di fargli una operazione dolorosa o di non somministrargli un rimedio sgradevole al palato (2).

Nel campo scientifico non vi sono e non vi possono essere errori di idee e di opinioni imputabili a colpa, se non quella dell'assoluta ignoranza ed imprudenza (3).

Il DEMOLOMBE distingue due responsabilità nel medico, cioè l'una detta *naturale*, e l'altra propriamente detta *medica*.

La prima deriva da fatti che si possono provare in modo certo, e colpisce il medesimo come qualunque altro cittadino; la seconda invece è ammessibile solo in casi rarissimi, perchè troppe e diverse sono le scuole mediche sulle quali sarebbero chiamati a giudicare magistrati profani alla medicina, i quali dovrebbero necessariamente ricorrere a perizie di altri medici partigiani oppure nemici della teoria in questione, ed il cui giudizio sarebbe quindi parziale.

Il CHIRONI osserva invece che il Tribunale decide se vi sia colpa nel medico (4) e senza discutere se vi possa essere colpa da parte del medesimo nell'aver scelto una teoria o metodo di cura invece di un altro, può però

---

(1) Corte di Nimes, 26 febbraio 1884, riportata da CHIRONI, *Questioni dir. civ.*, pag. 166.

(2) Dott. MARIO SARFATTI, Studio nella *Legge*, 1900, 1, 427 e segg. che qui si riassume.

(3) Trib. Roma, 25 luglio 1886, *Legge*, II, 313. ·

(4) CHIRONI, *Questioni dir. civ.*, pag. 165.

giudicare se nell'applicare lo scelto metodo di cura, il medico sia stato negligente. — Ist. § 6, *De lege aquil.*, IV, 3 : " *Imperitia culpae adnumeranda veluti si medicus curationem dereliquerit, male quempiam secuerit aut perperam ei medicamentum dederit „*. (Dig. I, tit. XVIII, *De officio praesidis.*, f. 6, § 7) " *Medico imputari eventus mortalitatis non debet sed quod per imperitiam commisit, imputari ei debet „*.

Quanto poi al misurare la negligenza devesi tener conto della speciale professione, poichè vi sono tanti tipi di uomo diligente quante sono le condizioni sociali, industrie o professioni (1).

E così un fatto che per un uomo normalmente non sarebbe imputabile, può costituire una colpa per chi, fornito di cognizioni speciali, ha il dovere di conoscere le gravi conseguenze delle quali può esser causa (es.: il lavare una ferita con liquido non antisettico).

E così per un chirurgo che compia una operazione, alla responsabilità *generica* di coloro che esercitano un' arte sanitaria, si aggiunge quella speciale alla pratica chirurgica, che consiste non solo nel giudicare se sia il caso di procedere all'operazione, ma anche nell'eseguirla rettamente con mano sicura e secondo i dettami della scienza. Se poi un medico, ad esempio, per essere da tempo relegato ad esercitare la sua professione in luogo lontano dai centri di studio, e impossibilitato a tenersi al corrente dei nuovi trovati della scienza, o di fare esperimenti, non si trovasse in grado di curare un ammalato, od operarlo, sarebbe in colpa, se invece di chiedere lo aiuto di altri, od inviare l'ammalato ad una clinica di città, ricorresse a tentativi; e per vero, se è scusabile in un medico di campagna una incompleta istruzione scientifica o capacità operativa, non è ammissibile che egli non sappia che nei grandi centri vi sono metodi razionali di cura secondo i più recenti portati della scienza.

---

(1) GABBA, *Giur. It.*

Il chirurgo poi non è soltanto tenuto per il buon esito dell'operazione nel senso dell'*esecuzione*, ma anche per quelle *traccie* che potessero rimanere dell'operazione, se si dimostra e prova che si sarebbe potuto evitare, e ciò contrariamente al Diritto romano che stabiliva: " *Cica tricium autem aut deformitatis nulla fit aestimatio, quia liberum corpus nullam recepit aestimationem „.*

E per vero, se per colpa del chirurgo rimase una cicatrice che deformi il viso, e che poteva evitare, devesi a lui imputare tale fatto che potrebbe produrre un vero danno effettivo (es.: trattandosi di una ragazza impedire o rendere frustraneo un matrimonio).

In nessun modo poi può ammettersi che per convenzione tra le parti venga modificata od esclusa l'entità della colpa. Non si può applicare la massima *volenti non fit iniuria*, perchè quando la volontà del danneggiato è rivolta a sottrarre alle sanzioni di legge chi la legge colla sua negligenza o colpa abbia violata, quella rinuncia potrà valere al massimo per la rinuncia da parte del danneggiato a riscuotere la somma nella quale potrebbe venir liquidato il danno, ma non mai a vincolare chi il danno soffrì, e che questo suo danno non venga riconosciuto colla relativa responsabilità del colpevole (1).

" *Une convention ne saurait y aporter atteinte, pour restreindre ou pour sopprimer cette obligation et la résponsabilité qui peut en résulter „.*

Medici condotti — Licenziamento.

In caso di illegittimo licenziamento di un medico condotto, spetta al medesimo il risarcimento dei soli danni *materiali*, ma non dei danni morali, perchè l'inadempimento contrattuale non dà mai luogo a risarcimento di danni morali (2) (art. 1228 Cod. civ.). Vi è però anche

---

(1) FROMAGEOTE, *De la faute*, pag. 66.
(2) App. Ancona, 8 ottobre 1906, *Giur. Tor.*, 1436; Cass. Torino, dicembre 1904, *Giur. Tor.*, 1905, 686.

qualche giudicato che ritenne che nei danni di cui all'art. 1229 Codice civile si debbano comprendere anche i danni morali. Sulla questione della risarcibilità dei danni morali può consultarsi lo studio analogo di C. F. GABBA (1).

Altre responsabilità.

Rispondono pure penalmente i medici-chirurghi (ed ove d'uopo civilmente se vi siano danni privati) che rilasciano per solo favore falsi attestati destinati a far fede presso le Autorità (art. 289 Cod. pen.).

Rispondono poi di contravvenzione i medici, chirurghi, levatrici, ed altri ufficiali di sanità che avendo prestato l'assistenza della propria professione in casi che possono presentare i caratteri di delitto contro la persona, omettono o ritardano di riferire all'Autorità giudiziaria (articolo 439 Cod. pen.); salvo che il referto esponga la persona assistita ad un procedimento penale.

Detto referto va quindi fatto sia nei casi di suicidio o di reati *involontarii* (avvelenamento per isbaglio, ecc., ecc.).

Rispondono civilmente pei danni, oltre che penalmente, coloro che esercitando una professione sanitaria (medici, chirurchi, levatrici, flebotomi, ecc.) procurano l'*aborto* ad una donna (art. 381-384 Cod. pen.).

La responsabilità professionale dei medici non può essere misurata coi criterii comuni di colpa, ma va limitata soltanto al caso di colpa grave, quando cioè trattasi di imperizia assoluta, evidente, universalmente riconosciuta, ed anche in tale valutazione non si può astrarre dalla condizione dell'ambiente in cui l'opera del medico siasi svolta (2).

Assai discusso fu il caso del senatore Antona, e fu ritenuto che la negligenza dell'operatore non ne trae la responsabilità di omicidio colposo se fra quella ed il

---

(1) *Foro It.*, 1896, pag. 685.
(2) Trib. Roma, 1 dicembre 1908, *Legge*, 278.

fatto della morte non corra il rapporto di causa ad effetto. Non è imputabile di negligenza nell'esercizio della sua professione il chirurgo che, eseguita una operazione in un pubblico ospedale, dove il servizio di assistenza sia convenientemente organizzato, e, prestate le prime cure e fatte le prime medicazioni, consegnò l'operato alle cure dei medici addetti all'istituto (1). Risponde dei danni invece il medico che *rifiuta* di prestare l'opera propria ad una persona in modo che ne derivi la morte per non essere stata curata in tempo: circa la responsabilità penale alcuni sostengono che per tale fatto deve addebitarsi al medico un vero e proprio omicidio colposo: altri che deve rispondere solo di rifiuto di ufficio dovuto a senso dell'art. 178 Cod. pen.

Levatrici.

Risponde dei danni civili e di omicidio colposo la levatrice che *cagiona* la morte di un neonato non per errore professionale, ma perchè, non riputando per vitale il bambino, abbia omesso di allacciare il cordone ombelicale (2). E così pure risponde la levatrice che senza necessità od ordine del medico abbia lavato i genitali di una puerpera con sublimato corrosivo, e tacendo tale fatto al medico chiamato, sia stata causa della morte della donna (3).

Militari (Danni).

Manovre, ecc. ecc. (Vedi pure Tiro a segno nazionale — Danni in genere).

Tiri di artiglieria.

Il diritto del proprietario di uno stabile di essere risarcito dall'Amministrazione dei danni recati dagli spari di

---

(1) Senato del Regno costituito in Alta Corte di Giustizia, 12 febbraio 1901, *Riv. Pen.*, LIX, 448; *Cass. Unica*, 766.

(2) Cass. Firenze, 28 aprile 1888, *Legge*, II, 675.

(3) Cass., 30 maggio 1902, *Giur. Pen.*, 373.

cannoni nelle esercitazioni di artiglieria, non può venir meno solo perchè l'Amministrazione abbia già transatto ogni danno anche per l'avvenire col precedente proprietario, se di tale fatto non vi sia cenno nel trapasso dello stabile (1).

Coscritti.

Del danno che si pretende arrecato da coscritti (rotture, ecc., ecc.) non può essere tenuto a rispondere il Comandante del distretto militare, non essendo ad esso applicabile l'articolo 1153 Codice civile (2).

Bachi da seta — Tiri di cannone.

Il proprietario che si vede rovinato il fabbricato e resone impossibile l'uso per abitazione e per allevamento di bachi da seta, a causa dei tiri di grossi cannoni fatti in vicinanza per esercitazioni militari, ha diritto al risarcimento dei danni (3).

In ogni caso poi la soverchia vicinanza di un campo di tiro ad abitazioni preesistenti al suo impianto, qualora sia causa di molestia o deprezzamento al valore locativo delle case medesime, dà luogo e titolo a risarcimento di danni, senza che il carattere di pubblico interesse dell'Istituto, diminuisca o sopprima l'obbligo dell'indennizzo (4).

Esercitazioni di tiro.

Se in occasione di esercitazioni militari, un proiettile lanciato, deviando dal campo di tiro, va a ferire ed è

---

(1) Cass. Torino, 9 marzo 1905, *Legge*, 2102.
(2) Concil. Girgenti, 5 febbraio 1905, *Guida Conc.*, 889.
(3) Cass. Torino, 9 marzo 1905, *Giur. Tor.*, 1905, 766.
(4) Cass. Firenze, 23 aprile 1896, *Temi Ven.*, 410.

causa della morte di una persona che trovasi in luogo aperto, ciò implica la negligenza e l'imperizia e quindi la colpa di chi doveva provvedere le necessarie cautele, e non vi ha provveduto. Quindi l'Amministrazione della Guerra deve rispondere di questo danno, se non prova che il fatto non fu causato da omissione di cautele o insufficienza loro. E così pure nel caso in cui il proiettile esplodente, andò, deviando, a conficcarsi senza esplodere nel terreno fuori del campo di tiro, dove recandosi poi altri a lavorare dopo cessato il tiro, ebbe a colpire colla zappa il proiettile stesso e farlo esplodere, rimanendone ucciso (1).

Così pure risponde l'Amministrazione della Guerra se per lo scoppio di un proiettile lanciato da un campo di esercitazioni di tiro, ne avvenga l'uccisione di una persona fuori del campo, a meno che essa provi che in ciò non vi fu colpa alcuna da sua parte, e che il caso derivò puramente da caso fortuito o da forza maggiore (2). Nè varrebbe a salvare l'Amministrazione da responsabilità lo stabilire soltanto che furono osservate nel tiro le prescrizioni regolamentari. Ciò potrà scusare gli autori materiali dello sparo, ma non l'Amministrazione superiore, che ordinò, o permise esperimenti tanto pericolosi *in condizioni di riparo che il fatto dimostrò insufficienti*. Imperocchè se il regolamento non risponde a garantire la incolumità della persona del cittadino, spetta all'Amministrazione il correggerlo o completarlo, e sussiste la colpa sia nel non aver provveduto a modificare il regolamento, sia nel non avere evitato, come di dovere, l'infortunio.

Se poi risultasse che il fatto avvenne per *difettosa costruzione* del campo di tiro, che lascia sfuggire i proiettili oltre il muro di cinta, in modo di renderne pericolose le

---

(1) App. Torino, 25 giugno 1895, *Giur. Tor.*, 564.
(2) App. Torino, 25 ottobre 1892, *Giur. Tor.*, 1893, 11.

vicinanze, la responsabilità è più evidente, poichè la colpa sta nel fare esercitazioni in luogo pericoloso e non adatto (1).

I soldati non sono, e non possono essere tutti esperti nel tiro in modo da colpire diritto nel segno; ove ciò fosse, le esercitazioni sarebbero inutili, ed è appunto per prevenire gli effetti della necessaria inesperienza dei soldati che si richiedono per le esercitazioni al tiro dei bersagli muniti di opportuni ripari e deve pure sapersi dall'Amministrazione che i proiettili fanno spessissimo degli strani rimbalzi in modo da colpire chi si trovi fuori della linea di tiro. Ed è appunto ad evitare anche tali inconvenienti e possibilità che l'Amministrazione deve porre in essere tutte le cautele possibili sotto pena di rispondere della sua omissione o negligenza.

Scuotimenti per detonazioni di artiglieria.

Il diritto assoluto di proprietà non autorizza il proprietario ad usare della cosa sua in modo da impedire o diminuire agli altri, ed in ispecie, ai proprietarii vicini, l'esercizio dei diritti inerenti alle proprietà rispettive (art. 436 Cod. civ.).

Quindi l'Amministrazione militare, che in terreno proprio stabilisce e mette in esercizio un campo per esperimenti di artiglieria, che colle loro detonazioni producendo scuotimenti di terreno e vibrazioni violenti, arrecano danno agli edifizii circostanti e mettono in pericolo la loro stabilità e la sicurezza delle persone, deve risarcire questi danni e garantire contro i danni futuri. La legge sulle servitù militari riguarda tassativamente le opere di fortificazioni, i polverifici e le polveriere, e non può estendersi ad un campo militare a scopo di istruzione e di esperimenti di artiglieria.

La prescrizione estintiva dell'azione a reclamare la

---

(1) App. Torino, 21 gennaio 1890, *Giur. Tor.*, 261.

predetta indennità non decorre finchè il danno non si è verificato; e quindi per quanto antico sia l'esercizio del campo militare d'esperimenti, se tuttavia il danno non si è verificato che coll'introduzione delle recenti bocche da fuoco di maggiore potenza, non può addursi prescrizione dell'azione.

La *cattiva costruzione degli edifizii* danneggiati e la mancanza delle necessarie riparazioni non valgono a liberare interamente da responsabilità l'Amministrazione militare, quando sia constatato che realmente anche lo sparo delle artiglierie ha concorso a produrre il danno; e sarà a seconda della maggiore o minore importanza delle varie cause che dovrà misurarsi la responsabilità.

Se a riparare questi danni dovette il vicino fare rilevanti spese, se per essi dovette perdere i fitti per mancate locazioni, con ragione si dichiara tenuta l'Amministrazione a risarcire questi danni e perdite e non soltanto a garantire da ogni danno futuro sia eseguendo essa le opere necessarie ad assicurare la stabilità degli edifizii, sia pagando la spesa a ciò necsssaria, qualora non intenda rimuovere per l'avvenire la causa del danno e dei pericoli (1).

Spari da un forte.

Se gli spari avvengono invece con cannoni situati in una *fortezza*, allora si ha per parte dell'Amministrazione militare l'esercizio di un diritto proprio, e così non è essa tenuta a risarcire danni se un opificio situato in vicinanza del forte, durante gli spari, fu, per prudenza, tenuto inoperoso dal suo proprietario; massime poi se l'opificio fu stabilito in vicinanza del forte per precaria concessione dell'Autorità militare (2).

Si fa luogo a risarcimento di danni anche nel caso che

---

(1) App. Torino, 26 aprile 1889, *Giur. Tor.*, 521.
(2) Cass. Torino, 21 maggio 1887, *Giur. Tor.*, 599.

un *forte* sia munito di nuove batterie di maggior calibro di quelle precedenti, con intensificazione negli spari molesti ad una villa vicina (art. 438 Codice civile — art. 46 legge sulla spropriazione per pubblica utilità 25 giugno 1865) (1).

Danni recati dai cavalli in custodia di militari (Vedi Animali).

Manovre militari.

L'azione per risarcimento di danni causati dalle truppe sul *campo*, deve proporsi contro il Comandante la *Divisione militare*, il quale legalmente le rappresenta (2).

Chi, dietro richiesta del Municipio fattagliene d'ordine del generale comandante la divisione militare, sgombra un suo locale e lo mette a disposizione delle truppe che lo occupano, e rimane così spogliato per più mesi dell'uso di esso, ha diritto a indennità dall'Amministrazione della guerra e per essa dal Demanio, ma non dal Municipio richiedente; questo uso va considerato come una locazione forzata e non sono applicabili le leggi sugli alloggi militari (3).

Minorenni.

(Vedi pure Scuole).

Ad esonerare il *padre* dalla civile responsabilità per danni prodotti dal figlio minorenne, non basta dedurre che il fatto non era prevedibile se risulta da altro lato che detto minorenne andava girando di notte con compagni dai 14 ai 16 anni commettendo delle monellerie (4).

---

(1) Cass. Torino, 27 luglio 1906, *Giur. Tor.*, 1290.
(2) Trib. Messina, 9 maggio 1904, *Temi Sic.*, II, 296.
(3) App. Casale, 6 dicembre 1903, *Legge*, III, 292.
(4) App. Torino, 27 ottobre 1904, *Legge*, pag. 340.

La risponsabilità cade per regola sul padre, e solamente in mancanza di lui sulla madre. cioè in tutti i casi in cui, per morte o per impedimento, o per assenza del padre, la sorveglianza e l'educazione dei figli resta affidata esclusivamente alla madre. Tanto il padre che la madre possono liberarsi provando che non poterono impedire il fatto dannoso; ma la semplice assenza nel momento del fatto, non basta ad iscusare. Neppure vi sarebbe scusa se il padre avesse egli medesimo ordinato il fatto da cui derivò il danno, o avesse affidato al figlio quelle incombenze che diedero causa al danno (1).

Buona educazione.

Il genitore esercente la patria potestà può liberarsi della risponsabilità di cui all'articolo 1153 Codice civile, provando di avere impartito al figlio conveniente educazione e di avere sempre vigilato sulla di lui condotta (2).

Assenza dei genitori.

Il padre e la madre sono esonerati dalla risponsabilità pei danni cagionati dai loro figli minori durante la loro assenza giustificata (3).

Il padre e la madre possono anche liberarsi adottando le difese che potrebbe fare il figlio per iscusarsi.

Il figlio, per vincolare la risponsabilità del padre, deve *coabitare* col genitore; e cessa la costui risponsabilità se il figlio abita fuori della casa paterna per causa legittima.

L'obbligo della custodia e della conseguente risponsabilità cessa poi a maggior ragione quando il figlio è stato affidato alle cure di un terzo per *imparare un mestiere,*

---

(1) Giorgi, *Obbligazioni*, vol. V, § 259 e segg.
(2) App. Milano, 9 dicembre 1903, *Mon. Trib.*, 411.
(3) App. Torino, 30 luglio 1897, *Giur. Tor.*, 1841.

od *a scopo di istruzione* (es.: collocato in un *collegio-convitto*), oppure sia entrato nel *servizio militare* (1). Il Ricci ammette anché tale esonero da risponsabilità quando il padre si trovi impossibilitato materialmente a sorvegliare il figlio per trovarsi *degente in letto.*

Le parole *abitanti con essi* usate nell'art. 1153 Cod. civ. non vanno prese alla lettera; il padre non risponderebbe del danno del figlio sebbene minore, che, come si disse, fosse applicato ad imparare un'arte o professione, o si trovasse in una casa di educazione, od avesse abbandonata la casa paterna per arruolarsi nel servizio militare, o per conseguire altro onesto stato. Però il padre non sarebbe esonerato da risponsabilità neppure in questi casi, se avesse negletta ogni vigilanza, conoscendo la cattiva condotta del figlio, o se avesse permesso che il figlio conducesse una vita errante e scapestrata. Spetta al giudice di valutare se nel genitore esista una colpa qualunque (2).

Lavori di fanciulli — Pericoli.

L'industriale che adibisce a lavori eventualmente *pericolosi* dei fanciulli, deve esercitare su di essi una speciale sorveglianza per sopperire alla naturale loro irriflessione o temerarietà (art. 1152 Cod. civ.); quindi l'industriale che incarica un fanciullo di ripulire delle macchine ferme, deve sorvegliare onde, staccandosi dal suo lavoro, non si trastulli con vicine puleggie in movimento, producendosi danno.

L'imprudenza del fanciullo non elimina per compensazione la colpa dell'industriale, ma solo influisce per diminuire l'ammontare dei danni (3).

---

(1) App. Torino, 27 febbraio 1892, *Giur. Tor.*, 228. — Laurent, *Principes de droit civil*, XX, 562, 564.

(2) Nota nel Repertorio decennale 1874-1884 del *Mon. dei Pret.*, pag. 104.

(3) Cass. Torino, 9 dicembre 1902, *Giur. Tor.*, 1903, 743.

Lesioni personali.

Se il padre dimostra di aver dato buona educazione al figlio, che non frequentava nè osterie, nè cattive compagnie, ed era di ottimi costumi, non risponde dei danni seguìti per avere il figlio ferito alcuno in una briga attaccata con terzi in occasione di un ballo di carnevale (1), essendo tale fatto imprevedibile.

I genitori (aventi la patria potestà) di fanciulli che si percossero a vicenda e per i quali si portò querela e contro querela, possono essere chiamati quali civilmente risponsabili e condannati nelle spese di processo benchè i ragazzi siano impuniti per aver agito senza discernimento (2).

Ciclista minorenne.

È ritenuto in giurisprudenza che risponde civilmente il padre del ciclista minorenne per i danni che il medesimo ha cagionato servendosi della bicicletta; ed infatti il padre può ben prevedere il caso che il figlio per naturale spensieratezza possa lasciarsi trasportare dal piacere del correre e così investire altre persone, cosicchè permettendo al figlio l'uso della bicicletta, implicitamente il padre si assoggetta alla eventuale risponsabilità in caso di disastro *per colpa del figlio* (3) e così risarcirà i danni cagionati dal fatto del ciclista imprudente ed audace che proceda velocemente o all'impazzata.

Vigilanza — Infortunio sul lavoro.

L'industriale, che assume in qualità di apprendista nel suo stabilimento, ove agiscono congegni meccanici peri-

---

(1) App. Casale, 31 ottobre 1904, *Giur. Tor.*, 1488.
(2) Cass. Torino, 3 luglio 1889, *Giur. Pen.*, 328.
(3) Trib. Biella, 10 febbraio 1900, *Giur. Pen.*, 127.

colosi, un ragazzo appena decenne, è risponsabile dell'infortunio toccato al medesimo per avere imprudentemente ed anche fuori delle sue mansioni toccata una macchina in moto; e nulla decide in contrario che il ragazzo non dovesse far altro che raccogliere laminette e fili di mano in mano che uscivano dalla macchina, e gli si trovasse collocato vicino un operaio adulto, se viceversa costui, dovendo sopratutto attendere al proprio lavoro, lasciava a tratti incustodito il ragazzo (1).

Omicidio colposo.

Il padre non risponde civilmente per l'omicidio colposo commesso dal figlio minorenne in momento in cui esso si era allontanato da casa pei suoi affari, lasciando il figlio stesso sotto la sorveglianza materna, se dimostra di avergli data buona educazione, se la buona indole del figlio non aveva mai fatta sentire necessità di una speciale sorveglianza continua (2).

Mutuo — Danni.

Il padre che nell'interesse dei figli minorenni provoca in *malafede* e surrepisce un decreto autorizzativo di mutuo a senso dell'articolo 224 Codice civile, resta vincolato per quasi delitto a rispondere dei danni che al mutuante in buona fede siano in sèguito derivati dal pronunciato annullamento del mutuo suddetto (3).

Furto.

Il padre non è risponsabile civilmente del furto che il suo figlio minore e seco lui convivente commettesse fuori

---

(1) App. Milano, 23 giugno 1902, *Giur. Tor.*, 1179.
(2) App. Torino, 8 maggio 1903, *Giur. Tor.*, 683.
(3) Cass. Torino, 19 novembre 1901, *Giur. Tor.*, 1902, 15.

della casa paterna e fuori della sua sorveglianza, come nel caso in cui il figlio, essendo addetto ad un ufficio come scrivano, ivi commettesse un furto a danno del suo principale (1). Ma nel caso che il figlio, commesso il furto, si assenti dall'ufficio per più giorni andando qua e là e consumando in bagordi i frutti del delitto, ed il padre, di ciò informato, invece di porre in guardia il principale, giustifica presso il medesimo con mendicati pretesti l'assenza del figlio e quindi ritornato questi all'ufficio vi commettè altro furto, non potrebbe il padre in tale ipotesi declinare la sua responsabilità. La responsabilità del padre pel fatto del figlio cessa se quegli non poteva impedire il fatto stesso, e fu ritenuto che se un cane fu aizzato dal figlio del padrone ed altri ne fu morsicato, il padre che non ha potuto impedire a quel fatto del figlio, non è responsabile del danno (2).

Lesioni colpose.

Il genitore è responsabile del danno arrecato ad una *vecchia* dal figlio diciassettenne, che, correndo sfrenatamente a notte buia lungo uno stretto marciapiede reso sdrucciolevole dalla pioggia, l'abbia gettata a terra causandole la rottura del femore che la rese inabile al lavoro (3) (art. 1153 Cod. civ.). Nè ad esimere dalla responsabilità del padre varrebbe l'addurre che il fatto avvenne fuori della presenza del genitore. Il più delle volte, anzi quasi sempre, l'azione dannosa si compie dai figli fuori della presenza del padre, e sarebbe illusoria quindi la responsabilità civile di cui la legge grava il genitore, se egli potesse scusarsi col dire che gli era impossibile lo impedire il fatto, perchè commesso in sua assenza o a sua insaputa. I civilmente responsabili genitori devono

---

(1) App. Torino, 8 febbraio 1878, *Giur. Tor.*, XV, 808.
(2) App. Torino, 16 maggio 1881, *Giur. Tor.*, XVIII, 549.
(3) App. Milano, 11 febbraio 1902, *Giur. Tor.*, 781.

stabilire di aver sempre sorvegliato i figli, di aver dato loro buona educazione, e certamente non è segno di buona educazione, e peggio ancora di *sorveglianza*, il fatto che di notte un ragazzo diciassettenne si trovi fuori di casa da solo e corra velocemente.

Non luogo a procedere per mancanza di discernimento.

La declaratoria di non farsi luogo a procedimento per inesistenza di reato in quanto che l'imputato minorenne abbia agito *senza discernimento*, non impedisce alla parte lesa, quantunque costituitasi parte civile nel processo penale, di promuovere l'azione di danni contro il padre come civilmente risponsabile (art. 6 Cod. proc. pen.) (1).

Omicidio per rivalità amorose.

Il padre è risponsabile civilmente del reato commesso dal figlio minorenne per rivalità amorose notorie ed in sèguito a rancori preesistenti in occasione di festa patronale di villaggio, con arma all'uopo preparata da varii giorni (art. 1153 Cod. civ.), ed a nulla giova il dedurre a prova che il figlio fu dal padre mandato a scuola, educato con cura e buoni esempi, che era di indole docile e mai diede luogo a lagnanze (2).

Lesioni.

Un ragazzo dodicenne, che in sèguito ad innocente scherzo fattogli da un suo compagno di scuola si irrita, e seco lui addivenendo a breve colluttazione lo ferisce, sia pure inavvertentemente, colla penna in un occhio, che

---

(1) Cass. Torino, 25 agosto 1895, *Giur. Tor.*, 637. — MATTIROLO, *Dir. giud. civ.*, V, n. 183.
(2) App. Casale, 24 ottobre 1902, *Giur. Tor.*, 1391.

non ebbe la precauzione prima di deporre, è obbligato a risarcimento di danni, anche se sia stato dichiarato non luogo a procedere in sede penale per non avere agito con discernimento (1) (art. 1151, 1152, 1309 Cod. civ.).

Non è tenuto a rispondere di danni il padre di un fanciullo di otto anni, che, trastullandosi con altri fanciulli tutti incustoditi, colpisce casualmente un suo coetaneo all'occhio, cagionandogliene la perdita (2). E per vero, nel caso in esame il padre dell'offensore non avrebbe potuto impedire il fatto avvenuto, per essere stato suscitato da cause del tutto imprevedibili, perchè insorte repentinamente, quali le percosse inferte, tanto più che si svolgeva in una riunione di ragazzi di pari età intenti al loro trastullo, in modo da non potere lasciar intravedere l'intervenuto evento, nè dar luogo alla possibilità di una pronta opera per impedirlo (3). In ogni caso poi trattandosi di danni tra due fanciulli lasciati entrambi incustoditi dai rispettivi genitori, si fa luogo alla compensazione della colpa parziale o totale, e secondo i casi all'esonero completo da ogni risponsabilità del genitore del fanciullo feritore (4). (L. 9, § 4, ff. *Ad legem Aquiliam*, e § 4, *De lege Aquilia*).

La colpa dei genitori, di avere abbandonato il loro bambino per la strada, non si compensa colla colpa maggiore del carrettiere, che stando sdraiato sul carro, ed abbandonando anche le guide del cavallo, investe e ferisce il bambino. In questo caso il civilmente risponsabile (padrone) ha però azione di rilievo verso il dipendente autore materiale del fatto (5).

La risponsabilità del padre, ed in mancanza di esso, della madre, si estende soltanto riguardo ai figli *mino-*

---

(1) App. Torino, 4 maggio 1900, *Giur. Tor.*, 810.
(2) App. Casale, 16 maggio 1896, *Giur. Tor.*, 484.
(3) App. Roma, 27 giugno 1888, *Temi Rom.*, 253.
(4) App. Torino, 2 aprile 1894, *Giur. Tor.*, 564.
(5) App. Torino, 13 luglio 1891, *Giur. Tor.*, 785.

renni. Dei danni recati dai figli maggiori di età, non rispondono i genitori.

Si chiede se rispondono pei danni, recati dai *figli emancipati.*

Figli emancipati.

Se l'emancipazione deriva dal matrimonio, i genitori non rispondono, imperocchè il figlio che contrae matrimonio diventa indipendente dai genitori. Se l'emancipazione deriva da atto formale avanti il pretore, allora lo emancipato che continui a convivere ed abitare coi suoi genitori, è soggetto alla loro autorità morale. D'altronde dovrebbe attribuirsi a colpa dei genitori stessi l'emancipazione di un figlio immeritevole di ottenerla (1).

Figli naturali riconosciuti.

La legge non distingue fra figli *legittimi* e figli *naturali riconosciuti,* per cui i genitori o il genitore del figlio naturale riconosciuto, sono soggetti alle stesse obbligazioni di legge come se i figli fossero legittimi (2).

Reati forestali.

Fu giudicato che trattandosi di minore condannato per contravvenzione forestale, deve il padre risarcire il danno (3).

Lesioni colpose con armi.

La comprovata vigilanza abituale del padre sul figlio minore non vale a liberarlo da responsabilità pel fatto

---

(1) Duranton, *Dir. Civ.*, VII, n. 715. — Zachariae, III, § 447, nota 3.

(2) V. Duranton, VII, n. 715. — Marcadé, sull'art. 1384 Cod. Francese.

(3) Pretura di Scopa, 13 febbraio 1878, *Monit. Pret.*, 264.

dannoso del figlio stesso, e così è responsabile civilmente il padre, che, anche allo scopo di attendere ai lavori campestri lascia in casa il figlio minorenne, il quale, impossessandosi di un fucile carico lasciato incustodito dal padre e con quello trastullandosi, uccide una persona. Tale responsabilità però può essere tolta o diminuita per la colpa del padre della vittima, se essendo pur questo un minore, e, in ispecie, un bambino di tre anni, sia lasciato dal padre in piena balìa di sè e di vagare·liberamente incustodito (1).

Ad esimere il padre dalla responsabilità civile dell'articolo 1153 Codice civile incorsa per delitto di omicidio commesso dal figlio non vale invocare la sentenza della Corte d'Assise che ritenne avere quest'ultimo agito per eccesso nella necessità di difendersi (2).

Tutori — Amministrazione — Responsabilità.

Oltre la responsabilità diretta per la Amministrazione portata dal Codice civile, fu giudicato che è responsabile *in proprio* il tutore che, incaricato dal Consiglio di famiglia con deliberazione omologata, di vendere immobili del minore a date condizioni, trascura queste condizioni con danno del minore, non esige a tempo le rate scadute del prezzo, concede more arbitrariamente, ritarda l'iscrizione dell'ipoteca legale, e intanto i compratori cadono in fallimento e il minore rimanga perdente. L'approvazione dei conti annuali del tutore da parte del Consiglio di famiglia non lo libera da responsabilità se non risulta che questo fosse stato da lui informato dello stato reale delle cose, e, in ispecie, delle more scadute (3).

È responsabile il tutore della perdita sofferta dal minore per *non avere riscosso tutte le somme dovute e tras-*

---

(1) Cass. Torino, 27 agosto 1895, *Giur. Tor.*, 637.
(2) App. Casale, 18 dicembre 1894, *Giur. Tor.*, 1895, 46.
(3) App. Torino, 6 luglio 1895, *Giur. Tor.*, 579.

curatone l'impiego in rendita prescrittogli dal Consiglio di famiglia e dal Tribunale (1).

È pure contabile il tutore dei danni cagionati al minore dal non avere *rinnovata* in tempo utile l'*ipoteca* competente al suo amministrato, o per non averla riaccesa contro gli acquisitori dei beni prima della trascrizione dell'atto di acquisto. La conseguenza di tale negligenza è la condanna del tutore a pagare al minore la somma stata inscritta, dovuta dal debitore originario, salvo al tutore il diritto di regresso contro di questi, che esso deve però azionare a di lui esclusive spese (2).

Circa l'*esazione di crediti del minore,* il tutore deve rispondere non solo di ciò che abbia esatto, ma altresì di quanto avrebbe potuto e dovuto esigere, adoperando la diligenza di un buon padre di famiglia. Se non si dimostra che il tutore *fu in colpa* oppure che egli *trasse qualche vantaggio per sè* dai contratti conchiusi a nome del minore, non gli si può dare alcuna contabilità in proposito (3).

Il tutore è risponsabile delle *spese eccessive* non solo quando eccede le somme determinate dal Consiglio di famiglia, ma ancora quando questo non ha fatto determinazione veruna (4).

Gli *interessi* dovuti dal tutore *ex lege* per aver egli rivolto a suo profitto il danaro del minore, o che non collocò a fruttifero impiego semestralmente, rivestono la natura di *capitale,* e perciò non vanno soggetti alla prescrizione quinquennale (5).

Il tutore che omette di fare l'*inventario* nel modo e nel termine stabilito, non ostante qualunque dispensa, o lo fa *infedele,* è tenuto al risarcimento dei *danni* e può essere rimosso dalla tutela (art. 288 Cod. civ.).

---

(1) App. Torino, 6 luglio 1895, *Giur. Tor.,* 579.
(2) App. Torino, 17 febbraio 1873, *Giur. Tor.,* X, 811.
(3) App. Torino, 18 luglio 1865, *Giur. Tor.,* II, 887.
(4) Cass. Torino, 27 giugno 1882, *Giur. Tor.,* XIX, 813.
(5) Cass. Torino, 19 luglio 1877, *Giur. Tor.,* XV, 11.

Il tutore che avrà omesso di provocare le delibera·
zioni del Consiglio di famiglia intorno alla somma da
spendersi per l'educazione ed istruzione del minore e
quant'altro è indicato nell'articolo 291 Codice civile, di-
venterà risponsabile, decorsi tre mesi, degli interessi di
qualunque somma eccedente le spese strettamente necessarie (art. 291 Cod. civ.).

La legge non stabilisce speciali risponsabilità a carico
dei singoli membri del Consiglio di famiglia, il cui operato va quindi giudicato alla stregua delle norme generali di *colpa* o *dolo* riguardo la risponsabilità.

Il tutore è tenuto a provvedere nell'interesse dell'incapace che rappresenta (sia esso interdetto o minorenne)
alla trascrizione degli atti soggetti a tale formalità, sotto
pena di risarcimento di danni; e ad assicurare gli immobili del minore contro il pericolo degli incendii e pagare a tempo debito il premio dovuto per assicurazione.

Artigiani e precettori.

L'articolo 1153 del Codice civile tiene risponsabili i
precettori e gli artigiani per i danni cagionati dai loro
allievi ed apprendisti nel tempo in cui sono sotto la loro
vigilanza. A differenza di quanto riguarda la risponsabilità dei genitori, non è pei precettori ed artigiani necessaria la coabitazione cogli allievi o apprendisti. La risponsabilità non ha luogo allorchè i tutori, genitori, precettori
od artigiani provino di non aver potuto impedire il fatto
di cui dovrebbero essere risponsabili.

Gli artigiani e precettori non sono risponsabili nelle
ore in cui l'allievo non è presso di loro. La risponsabilità loro poi si ritiene che riguardi solo gli apprendisti
minori di età.

I precettori od artigiani nel caso di risponsabilità
hanno regresso verso l'allievo o apprendista, ma non mai
verso i genitori di costoro.

Maltrattamenti — Abusi di correzione.

Oltre che *civilmente* per i danni, risponde *penalmente* chiunque, abusando dei mezzi di correzione o di disciplina, cagiona danno o pericolo alla salute di una persona sottoposta alla sua autorità od a lui affidata per ragione di vigilanza, educazione od istruzione, cura, vigilanza o custodia, oppure per l'esercizio di una professione o di un'arte; e così pure chiunque usi maltrattamenti verso fanciulli minori dei 12 anni (articoli 390–391 Cod. pen.). Tra i maltrattamenti è compreso il lasciar mancare il cibo sufficiente.

Monumenti nazionali.

(Vedi pure Opere d'arte).

L'Autorità giudiziaria è competente a conoscere della legalità ed efficacia della dichiarazione di *monumentalità* di una casa medioevale pronunziata dal Ministero della pubblica istruzione e del successivo divieto fatto al suo proprietario dal Comune di abbattere la casa suddetta per sostituirla con altra costruzione moderna più proficua (art. 2 legge 20 marzo 1865, all. *E*). Il Ministero della pubblica istruzione non ha facoltà di impedire sotto pretesto di *monumentalità* l'abbattimento di una casa di stile pregevole medioevale e nemmeno ha tale potere il Comune di Novara in base al suo regolamento edilizio; e per le illegali inibitorie all'uopo intimate al proprietario della casa stessa sono tenuti in solido Ministero e Comune al rifacimento di danni (RR. DD. sui monumenti nazionali 7 giugno 1866, n. 2992, 7 agosto 1874, n. 2032 e 5 marzo 1876, n. 3028) (1).

---

(1) Trib. Novara, 21 aprile 1901, *Giur. Tor.*, 720.

La questione se taluni *ruderi* siano o no monumentali, di maniera da essere al commercio privato sottratti, dipende dall'interpretazione delle leggi relative, e quindi è di competenza dell'Autorità giudiziaria; e così mentre al solo Ministero della Pubblica Istruzione si addice il portare giudizio tecnico sopra i caratteri costitutivi del monumento, spetta per contro all'Autorità giudiziaria il vedere se da quei caratteri derivino le condizioni per cui un monumento possa essere sottratto alle leggi del comune commercio (1).

Ad attribuire poi al Ministero della Pubblica Istruzione la facoltà di prendere possesso e provvedere alla conservazione degli edifizi aventi carattere monumentale, e già appartenenti ad enti ecclesiastici soppressi per le leggi 7 luglio 1866 e 15 agosto 1867, è indispensabile che la monumentalità sia dichiarata colle norme stabilite col Regolamento 21 luglio 1866 e R. D. 5 luglio 1882.

L'Autorità giudiziaria è incompetente a giudicare del carattere monumentale di un edifizio, ma è competente a giudicare se la dichiarazione di monumentalità *sia legale*, e nel caso in cui la dichiarazione sia legalmente avvenuta, può il Ministero della Pubblica Istruzione promuovere la espropriazione per pubblica utilità a termini degli articoli 83 e 84 della legge 25 giugno 1865 (2).

Monumenti antichi.

In Roma è tuttora vigente l'Editto Pacca del 7 aprile 1820, tenuto in vigore dalla legge 28 giugno 1871, in base al quale editto il monumento rinvenuto nel sottosuolo appartiene allo Stato, salvo il diritto del proprietario del fondo di essere indennizzato della perdita del suolo (3).

---

(1) Cass. Roma, 18 maggio 1898, *Giur. It.*, I, 1, 874.
(2) App. Torino, 23 giugno 1894, *Giur. Tor.*, 742.
(3) App. Perugia, 19 dicembre 1881, *Legge*, 1882, I, 441.

Oltre l'Editto Pacca, riguardano i monumenti ed oggetti d'arte anche l'Editto di Benedetto XIV del 1° gennaio 1750; il Decreto granducale toscano 1750; Clorografo di Pio VII, 2 ottobre 1802: Editto 16 aprile 1854, e tra le leggi recenti la legge 14 luglio 1887, n. 4730, sulla tutela dei monumenti in Roma; il Regolamento 23 novembre 1891, n. 653; e la legge 12 giugno 1902, n. 185, per la tutela e la conservazione dei monumenti ed oggetti d'arte e d'antichità; la legge 27 giugno 1903, n. 242, sull'esportazione all'estero di oggetti storici e R. Decreto 11 agosto 1903, n. 380; R. D. 27 agosto 1905 N. N. 498 e 499 pel rilascio di licenze di esportazione di oggetti antichi; Regol. 17 luglio 1904 n. 431 modificato con R. D. 28 giugno 1906 n. 447.

Muli.

(Vedi pure Animali in generale — Cavalli).

Responsabilità indiretta.

Il proprietario di una *mula*, che, conscio della sua caparbietà, obbliga il suo colono a servirsene, è responsabile civilmente della morte della costui moglie per un calcio sferratole dalla mula anzidetta, perchè in tal caso è dimostrata la sua colpa, ed esso risponde anche pei danni arrecati dall'animale in occasione in cui altri se ne serva (1). Infatti è evidente che il proprietario sia in colpa coll'obbligare il colono a servirsi della mula mentre esso proprietario era consapevolissimo che l'animale era di indole cattiva, e segnatamente tirava calci, ed era prevedibile il pericolo od il danno che ne poteva derivarne nell'usarne.

---

(1) Cass. Torino, 17 giugno 1905, *Giur. Tor.*, 1079.

Navi e Navigazione.

Vizio di costruzione della nave — Carico eccessivo.

L'assicuratore non risponde del sinistro marittimo derivato da *vizio di costruzione* della nave e da *carico eccessivo* (art. 615 e 632, n. 5, Cod. di comm.) (1). E per vero, l'assicuratore risponde dei danni derivati dagli *accidenti di mare*, e per accidente, secondo la concorde dottrina e giurisprudenza, si intende qualunque sinistro avvenga in mare o *per causa di esso*, sia durante il viaggio, sia in porto ; ora non si ha accidente se il fatto avvenne o per vizio inerente alla cosa assicurata, o per colpa del capitano o padrone che caricò soverchiamente.

Baratteria.

Le colpe del **capitano** costituenti la *baratteria* delle quali, tranne **patto in contrario**, l'assicuratore non è responsabile, sono soltanto quelle che esso capitano commette come **preposto al governo della nave in** *linea nautica*, non quale *gestore* dell'azienda commerciale e del carico della **nave** suddetta (articolo 618 Cod. comm.) (2); imperocchè la *baratteria*, secondo la dottrina e concorde giurisprudenza comprende *tutte le specie di negligenza, imprudenza, imperizia e dolo nel governo della nave*, e cioè comprende i **fatti** colposi o dolosi compiuti dal capitano come *navarca* (governatore della nave). La deviazione del viaggio, cioè l'approdare ad un punto più che ad un altro, non costituisce *baratteria*, perchè ciò dipende dalle condizioni del mare, o dalla facilitazione del carico o scarico delle merci, nel che il capitano, come buon padre

---

(1) Cass. Torino, **21 dicembre 1904**, *Giur. Tor.*, 1905, 155.
(2) Cass. Torino, **26 marzo 1904**, *Giur. Tor.*, 694. — PIPIA, *Trattato di diritto marittimo*, II, n. 1872.

di famiglia, è arbitro supremo, e non risponde di eventi, se esula la colpa.

Esonero da risponsabilità.

È valida in un contratto di trasporto marittimo la clausola, che esonera il proprietario della nave da ogni risponsabilità per colpa, negligenza, od imperizia del capitano (art. 491 Cod. comm.) (1). Giurisprudenza e dottrina non sono concordi su tale argomento, e si è pure deciso dalle Supreme Corti che è nullo il patto con cui l'armatore sia esonerato dal rispondere del fatto del capitano (2). Nel senso della validità del patto si osserva che non vi è nulla di immorale in esso, tanto più che si tratta di esimersi dalla risponsabilità pel fatto di persone che non si possono sorvegliare (il capitano mentre è in navigazione); l'immoralità sussisterebbe solo se si volesse eliminare la risponsabilità per il fatto proprio (3); in senso contrario, cioè per la nullità, si osserva che di fronte al disposto dell'articolo 491 non può il proprietario esimersi da una risponsabilità che la legge, secondo i principii generali di diritto, gli impone. Sembra questa la opinione preferibile.

La semplice esclusione poi del caso fortuito o della forza maggiore non basta a rendere risponsabile il capitano della nave, se non è provata la colpa (4) (art. 496 Cod. comm.). Il principio insegnato dal Casaregis, che *ad excludendum se a culpa tenetur navarchus probare casum exclusivum culpae*, vale solo nei rapporti del capitano coi proprietarii, coll'armatore della nave, coi caricatori e

---

(1) Cass. Torino, 27 luglio 1904, *Giur. Tor.*, 1265. — Giorgi, *Delle obbligazioni*, V, n. 323, terza edizione.

(2) Cass. Torino, 12 marzo 1894, *Giur. Tor.*, 260. — Vivante, *Polizza di carico*, n. 92. — Pipia, *Il contratto di noleggio*, n. 526. — Vidari, *Diritto Commerciale*, nn. 5000, 5002.

(3) Cass. Firenze, 14 giugno 1886, *Temi Ven.*, XI, 323.

(4) Cass. Torino, 23 dicembre 1902, *Giur. Tor.*, 1903, 165.

cogli altri interessati, ma se altri sia il danneggiato, in questo caso si rientra nella regola generale, e starà a chi domanda l'indennizzo il dimostrare se il capitano è in colpa (1). Il VIDARI (2) invece insegna che di regola tocchi al capitano il provare la propria irresponsabilità.

Urto di navi.

Se l'urto avvenne in mare libero, devesi per le conseguenze applicare la legge della nazionalità della nave per colpa del cui equipaggio l'urto è avvenuto (articolo 491 Cod. comm.). Il proprietario della nave può, coll'abbandono, liberarsi dalle conseguenze del fatto del capitano e dell'equipaggio anche quando questo fatto è doloso o colposo, e può liberarsi in tal modo anche pei danni tanto alle case quanto alle persone (3).

L'istituto dell'abbandono liberativo, che restringe così il principio della responsabilità del preponente, trova la sua ragione nella necessità di favorire per causa di pubblica utilità il commercio marittimo, che è uno dei più potenti fattori della ricchezza e prosperità sociale.

Se il proprietario della nave, già esposto ai rischi gravissimi della navigazione, dovesse rispondere con tutto il suo patrimonio del fatto del capitano e dell'equipaggio, che egli nell'immensità dell'oceano non ha modo di sorvegliare, si troverebbe difficilmente chi volesse esporre ogni sua sostanza al pericolo di tanta jattura.

Nel Diritto romano la responsabilità dell'*exercitor navis* era illimitata. "*Omnia facta magistri praestare debet qui eum praeposuit*„. (Ulpiano, legge 1, § 5, ff. *De exercit. act.*). Ma nel progresso le legislazioni ritennero necessario mitigare il rigoroso principio della responsabilità indefi-

(1) Cod di Commercio, commentato da Castagnola, Maurizi, ecc., art. 496, n. 145.
(2) *Corso di Diritto Commerciale*, VI, n. 5055, quarta edizione.
(3) Cass. Torino, 17 aprile 1903, *Giur. Tor.*, 906.

nita delle leggi romane, restringendola al limite del va·
lore della nave, come rilevasi dal *Consolato del mare,*
celebre raccolta delle più antiche ordinanze dei sovrani
della Francia, Spagna, Germania, e delle Repubbliche
marittime italiane, che costituì la legge mercantile del-
l'Europa meridionale dal sec. XI al XIII.

Da questa derivò in Francia una ordinanza del 1681
così concepita: " Les propriétaires des navires seront re·
sponsables des faits du maître, mais ils en demeureront
déchargés en abandonnant le navire et le fret „.

Nella legge del 1841 si modificò il Codice francese del
1808, e l'articolo 216 del Codice stesso venne così for-
mulato : " Tout propriétaire de navire est civilement res·
ponsable des faits du capitaine, et tenu des engagements
contractés par le dernier pour ce qui est relatif au navire et à l'expédition. Il peut dans tous les cas s'af-
franchir des obligations ci-dessus par l'abandon du navire
et du fret „.

La quale disposizione venne letteralmente trascritta
nell'articolo 231 del Codice albertino e poscia nell'articolo 311 del Codice di commercio italiano del 1865, ed
infine nell'art. 491 del Codice del 1882, colla aggiunta della
risponsabilità del proprietario ai fatti dell'equipaggio, e
colla limitazione che l'abbandono non è consentito al proprietario il quale abbia contratto obbligazione personale,
e che dagli effetti liberativi sono esclusi i salarii e gli
emolumenti dell'equipaggio, e che infine l'abbandono
deve comprendere non solo il nolo da esigersi, ma anche
quello già esatto.

Nel caso di urto di navi, a termini dell'articolo 662
Codice di commercio, può farsi luogo alla *condanna solidale* di entrambe al *risarcimento di danni verso i terzi,*
ma per tale condanna non basta che l'urto sia colposo,
ma devesi accertare che *la colpa sia comune,* oppure che
sia *impossibile* precisare a quale delle due navi sia im·
putabile.

L'abbandono della nave fatto dal proprietario per liberarsi dal rispondere pel fatto del capitano o dell'equipaggio, può essere dichiarato liberativo ed efficace prima ancora dell'accertamento della risponsabilità (1).

Nel caso di urto di navi di *diversa nazionalità*, avvenuto in mare libero, l'abbandono della nave urtante è regolato dalla *legge nazionale* di questa (2).

Ritardo nella partenza di una nave.

Il ritardo nella partenza di una nave dà diritto al passeggiero di essere risarcito del danno, ma tale ritardo non comprende quelle modiche tardanze che possono derivare dalla natura stessa delle operazioni necessarie al capitano prima della partenza (art. 585 Cod. comm.) (3). Un'improvvisa avaria nella macchina del piroscafo può costituire, a giudizio insindacabile del magistrato di merito, quella *forza maggiore* che è sufficiente ad esonerare il capitano dal risarcire i danni del ritardo. Lo spirito della legge nell'articolo 585 del Codice di commercio è di tutelare la buona fede dei viaggiatori ed il pubblico interesse; per questo venne, nei casi di breve ritardo, posto a carico del capitano il mantenimento e l'alloggio dei viaggiatori, ma sarebbe stato iniquo che al capitano si addossassero i danni del ritardo prodotto da una forza maggiore o da un caso fortuito (4).

Per contro è risponsabile l'armatore verso il passeggiero, dei danni derivatigli da gravi ritardi subìti nel viaggio in dipendenza da *vizii della nave* (es.: rottura di tre *pale* dell'elica per vetustà od altro difetto) (5).

---

(1) Citata sentenza, Cass. Torino, 17 aprile 1903.
(2) App. Genova, 10 dicembre 1894, *Foro It.*, 1895, 166.
(3) Cass. Torino, 5 maggio 1902, *Giur. Tor.*, 711.
(4) Castagnola ed altri, *Codice di Commercio commentato* (art. 585, n. 679).
(5) App. Genova, 30 dicembre 1899, *Temi Gen.*, 1900, 28.

Risponsabilità dell'armatore o proprietarii.

Il *proprietario* di una nave risponde della *ferita* toccata al *primo ufficiale di bordo* dall'involontaria esplosione di una rivoltella imprudentemente maneggiata da un macchinista nel prestargli man forte contro un marinaio ribelle (art. 491 e 537 Cod. comm.) (1).

Sarà dovuto quindi il risarcimento delle spese e della malattia o ferita. — Il proprietario della nave risponde anche dei fatti e delle omissioni imputabili al capitano o ad altre persone dell'equipaggio nell'esercizio delle funzioni rispettivamente loro affidate (2).

Il *capitano* poi è un vero e proprio mandatario dell'armatore o proprietario, e può considerarsi anzi come un *instilore*. Esso assume quindi rimpetto a tutti, per il viaggio di cui è incaricato, la *rappresentanza giuridica* del proprio mandante, ed obbliga sempre il proprietario od armatore della nave, e non mai sè stesso, per tutto quanto riguarda la esecuzione del mandato conferitogli (3).

L'armatore della nave è responsabile dei danni causati ai marinai dalla *caduta di una vela* della nave per il cattivo stato in cui si trovavano ridotti gli attrezzi della nave stessa. Gli articoli 537 al 540 del Codice di commercio contemplano solamente gli infortunii derivati ai marinai da *caso fortuito* o *forza maggiore*, e non quelli provenienti da cause addebitabili a negligenza dell'armatore.

Per esimersi dalla risponsabilità derivante dalla propria trascuranza nel fornire la nave dei dovuti attrezzi, non giova all'armatore l'invocare il *difetto di reclamo* al riguardo da parte del *capitano* e del *nostromo* (articolo 491 Cod. comm.).

---

(1) Cass. Torino, 15 luglio 1902, *Giur. Tor.*, 1887.
(2) Vidari, *Corso di Diritto Commerciale*, vol. V, n. 4995, quarta edizione.
(3) Vidari, op. cit., vol. VI, n. 5815; vol. V, n. 4993, 4994, 4995.

Egli è tenuto al risarcimento dei danni così derivati per infortunio anche quando sia rimasto vittima lo stesso nostromo (art. 1152 Cod. civ.) (1).

L'armatore è *risponsabile* personalmente della *insufficienza del carbone per le macchine del piroscafo, e dei mezzi di salvataggio* (2).

Fu invece giudicato che il *proprietario* della nave *non risponde* del danno arrecato dallo *scoppio della caldaia* alla persona del capitano, dato che lo scoppio sia avvenuto *per colpa del macchinista*; e nemmeno la risponsabilità del proprietario può sorgere dallo stato di deterioramento di cui la macchina presentava segni evidenti, perchè spettava al capitano il provvedere a non esporre con sè le altre persone dell'equipaggio ed i terzi, a certo pericolo (3).

Locazione di navi.

Il proprietario di una nave che l'abbia ceduta in affitto ad un terzo, il quale se ne serve per il suo commercio marittimo, non può essere ritenuto risponsabile dei fatti del capitano a termini dell'articolo 491 del Codice di commercio neanche nel caso di delitto da questo commesso, essendo in tal caso la risponsabilità civile limitata al conduttore della nave (4).

Viaggio impedito per ragioni sanitarie.

Gli articoli 551 e 553 del Codice di commercio riguardano non solo il noleggio delle merci ma anche quello dei passeggieri, e l'art. 551 in ispecie riguarda non solo il caso in cui il viaggio sia impedito per fatto di una

---

(1) Cass. Torino, 16 dicembre 1899, *Giur. Tor.*, 1900, 45.
(2) App. Napoli, 2 luglio 1897, *Foro It.*, 953.
(3) App. Genova, 26 dicembre 1896, *Temi Gen.*, 1897, 55.
(4) Trib. penale di Genova, 2 giugno 1899, *Legge*, II, 167.

Potenza in caso di *guerra*, ma anche quello in cui venga impedito per *misura sanitaria*, e così nel caso in cui un piroscafo con emigranti salpato da un porto dove infierisce una epidemia, sia respinto dal porto in cui dovrebbe sbarcare, costringendosi quindi a riportare gli emigranti al luogo di partenza. Questi hanno diritto ai danni (1).

Scarico — Danni.

La nave non può dirsi in *disarmo* per ciò solo che l'armatore, dopo l'arrivo in porto, abbia congedato l'equipaggio dando in appalto il lavoro di scarico.

L'armatore che ha affidato il discarico di una nave ad un *pubblico assuntore* di simili mansioni, non risponde delle colpe di costui o degli operai da lui scelti, in caso di infortunio avvenuto in dipendenza dei lavori di scarico, ed è irrilevante la prova che l'infortunio sia derivato per caduta di una carrucola, fornita, colla relativa corda troppo debole, dall'armatore stesso, poichè spetta sempre all'assuntore dei lavori la piena risponsabilità della scelta degli strumenti di lavoro (2).

Vi sono però altre sentenze che adottano un diverso principio, e così fu ritenuto (3) che il fatto che il capitano abbia dato in appalto l'esecuzione e la direzione delle operazioni relative al *caricamento*, non può esonerarlo dalla risponsabilità, perchè, a differenza di quanto avviene nell'appalto in genere, che può essere eseguito senza alcuna ingerenza del committente, nel caso in esame tratterebbesi invece di operazioni riflettenti la *nave* ed il suo *esercizio* e nelle quali il capitano è sempre interessato in ragione del dovere di direzione e di vigilanza che gli incombe per tutto ciò che avviene sulla nave e si riferisce al suo esercizio.

---

(1) Cass. Torino, 9 febbraio 1888, *Giur. Tor.*, 184.
(2) App. Genova, 27 ottobre 1899, *Legge*, 1900, I, 18.
(3) App. Genova, 16 giugno 1893, *Temi Gen.*, 462.

Infortunii a bordo.

È competente l'Autorità del Compartimento marittimo in cui è iscritta la nave a giudicare della risponsabilità per infortunio sul lavoro toccato ad un marinaio in corso di navigazione, e non già l'Autorità del luogo del primo approdo, che è competente solo in materia penale. In tal caso, concorrendo colpa contrattuale e colpa aquiliana, l'indole dell'azione sarà determinata dal carattere preponderante del contratto (1).

L'operaio assunto in servizio per lavori di scaricamento a bordo di una *nave germanica* in un porto italiano non può, in caso di infortunio sul lavoro, invocare la legge germanica, ma bensì la legge italiana (2).

L'obbligo che la legge impone al capitano di far curare i marinai se malati, si estende a tutte le persone che trovansi a bordo bisognevoli di cura, e specialmente a quelle che abbiano incontrato lesioni nel fare cosa utile alla nave (es.: nell'adoperarsi per spegnere un incendio a bordo). Dell'inosservanza di tale obbligo è risponsabile l'armatore della nave (3).

Assicurazioni marittime contro i danni (Vedi il titolo Assicurazioni contro i danni).

Disposizioni legislative sulla risponsabilità dei proprietarii di navi.

I proprietarii di navi sono risponsabili dei fatti del capitano e delle altre persone dell'equipaggio, e sono tenuti per le obbligazioni contratte dal capitano per ciò che concerne la nave e la spedizione. Tuttavia il proprietario o comproprietario, che non ha contratto obbli-

---

(1) App. Genova, 10 marzo 1899, *Legge*, I, 589.
(2) App. Genova, 30 settembre 1898, *Legge*, I, 446.
(3) App. Genova, 30 maggio 1905, *Temi Gen.*, 625.

gazione *personale* può in tutti i casi, mediante l'*abbandono della nave* e del *nolo* esatto o da esigere, liberarsi dalle risponsabilità e dalle obbligazioni suddette, ad eccezione di quelle per i salari e gli emolumenti delle persone dell'equipaggio. La facoltà di fare l'abbandono non ispetta a chi è nel tempo stesso capitano e proprietario o comproprietario della nave (art. 491 Cod. comm.).

Il proprietario può *congedare* il *capitano*, e non è dovuta indennità, salvo sia stato ciò convenuto in iscritto (art. 494 Cod. comm.).

Perita la nave, le azioni per baratteria o colpa del capitano possono esperirsi *soltanto contro il proprietario*, non contro l'*armatore* (1).

Non si elimina la risponsabilità dei proprietarii della nave pei fatti del capitano, perchè questi non fu da essi scelto e nominato; essi sono pure risponsabili dei fatti dei raccomandatarii (2).

Capitano e sue risponsabilità portate dal Codice di commercio.

Il capitano o padrone incaricato del comando di una nave è obbligato per le *colpe anche leggiere* che commette nell'esercizio delle sue funzioni, e la sua risponsabilità nei casi preveduti dal Codice di commercio non cessa se non colla prova di ostacoli provenienti da caso fortuito o da forza maggiore (art. 495 Cod. comm.).

Il capitano è risponsabile delle cose caricate, e di ogni danno che per qualunque causa possa accadere alle cose da esso caricate sopra la coperta della nave senza il consenso scritto del caricatore. Il consenso si presume accordato per le spedizioni limitate alle coste del Compartimento marittimo amministrativo nella cui circoscrizione

---

(1) App. Genova, 9 luglio 1886, *Eco*, 860.
(2) App. Lucca, 1° maggio 1888, *Ann.* III, 262.

sono prese, è di un Compartimento limitrofo, e per la navigazione sui *laghi* e sui *fiumi* (art. 498 Cod. comm.).

Risponde di danni, oltre al pagamento, il capitano che senza necessità ha dato in pegno o venduto cose caricate o vettovaglie, od ha portate nei suoi conti spese od avarie non vere; salva l'azione penale (articolo 512 Cod. comm.).

Avvenendo il naufragio per causa della cattiva caricazione, il capitano risponde dell'opera dei caricatori (vedi più indietro risoluzioni di giurisprudenza al riguardo) (1).

Il capitano risponde insieme all'armatore verso il destinatario del danno nello scambio delle merci, causato da negligenza (2).

Se le *merci* dirette a più destinatarii *si sono mescolate* durante il viaggio, il capitano è tenuto a procedere alla *resa comune*; se questa non è effettuata, i destinatarii che ricevettero una quantità di merce minore, non hanno azione verso quelli che ne ritirarono una quantità maggiore, ma soltanto verso il capitano (Vedi pure art. 413 Cod comm.) (3).

Danni in relazione al nolo.

Il caricatore che durante il viaggio ritira le cose caricate, deve pagare il nolo per intero e tutte le spese di traslocazione cagionate dallo scaricamento. Se le cose sono ritirate per fatto o per colpa del *capitano*, questi è responsabile dei danni e delle spese (art. 567 Codice di commercio).

Il *capitano* perde il nolo ed è tenuto al risarcimento dei danni verso il noleggiatore se questi prova che la nave era inabile a navigare quando è partita. La prova

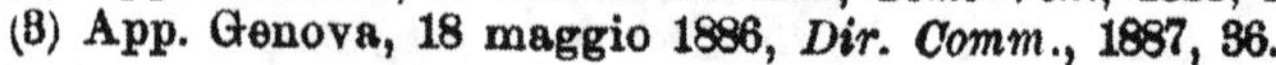

(1) App. Genova, 3 maggio 1887, *Eco*, 166.
(2) App. Venezia, 13 novembre 1885, *Temi Ven.*, 1886, 11.
(3) App. Genova, 18 maggio 1886, *Dir. Comm.*, 1887, 36.

è ammessa anche contro gli atti di visita (art. 571 Codice comm.).

Passeggieri.

Quando il *viaggio è rotto prima della partenza* della nave per *fatto del capitano*, il passeggiero ha diritto al risarcimento dei danni; non si ha diritto nè da una parte nè dall'altra ad indennità se è rotto per forza maggiore o caso fortuito (art. 583, n. 3 e 4, Cod. comm.).

Se il viaggio è *rotto dopo la partenza* della nave, perchè il capitano ricusa di proseguire il viaggio od è altrimenti in colpa dello sbarco del passeggiero in un porto di approdo, il capitano è obbligato al risarcimento dei danni (art. 554, n. 2, Cod. comm.).

In caso di *ritardo* nella partenza della nave, il passeggiero ha diritto all'alloggio ed anche al vitto a bordo durante il ritardo, se il vitto era compreso nel nolo, oltre al *risarcimento dei danni* quando il danno non sia derivato da caso fortuito o da forza maggiore. Se il ritardo è cagionato da *tempo cattivo* (riconosciuto e dichiarato dall'ufficiale dell'Amministrazione della marina, capitano di porto, ecc.), può il passeggiero sciogliere il contratto perdendo un terzo del nolo pagato.

Se il ritardo eccede 10 giorni, può pure sciogliere il contratto ricevendo la restituzione del nolo intero (art. 585 Cod. comm.).

Se la nave *devia dal cammino* o fa rilascio per volontà o per fatto del capitano, i passeggieri continuano a ricevere alloggio e vitto a spese della nave ed hanno diritto al *risarcimento dei danni*, oltre la facoltà di risolvere il contratto (art. 586 Cod. comm.).

Avarie.

Sono avarie tutte le spese straordinarie fatte per la nave e per il carico unitamente o separatamente, e tutti i *danni* che accadono alla nave ed al carico dopo il caricamento e la partenza sino al ritorno e scaricamento (art. 642 Cod. comm.).

Sono *avarie comuni* le spese straordinarie fatte ed i danni sofferti volontariamente per il bene e per la salvezza comune (es., getto in mare di merci per alleggerire, taglio di alberi, vele, ecc.) (art. 643 Cod. comm.).

Sono *avarie particolari* tutti i danni sofferti e tutte le spese fatte per la sola nave o per il solo carico (art. 646 Cod. comm.).

I danni accaduti alle cose caricate per accidenti provenienti dalla negligenza del capitano o delle altre persone dell'equipaggio sono avarie particolari a carico del proprietario delle cose stesse, salvo il regresso verso il capitano o sulla nave o sul nolo.

I danni provenienti ai proprietarii della nave per una più lunga ed arbitraria stazione nei porti, sono risarciti dal capitano (art. 646 Cod. comm.).

Urto di navi.

Se l'urto di navi è avvenuto per caso *fortuito* o per *forza maggiore*, i danni e le perdite sono sopportati dalle cose che li hanno sofferti senza diritto a ripetizione (art. 660 Cod. comm.).

Se l'urto è avvenuto *per colpa di una* delle navi, i danni e le perdite sono a carico della nave medesima (art. 661 Cod. comm.).

Se *non risulti* a quale tra le navi urtate sia imputabile la colpa, o se la *colpa risulti comune*, ognuno sopporta i danni e perdite sofferti senza diritto a ripetizione, e però ciascuna è obbligata solidariamente pel risarcimento dei danni e delle perdite cagionate alle cose caricate e per le offese alle persone morte o ferite (art. 662 Cod. comm.).

La risponsabilità delle navi sopra stabilita non esclude quella degli *autori* della colpa verso i danneggiati e verso i proprietarii delle navi (art. 663 Cod. comm.).

Per l'*ammessibilità dell'azione di risarcimento di danni* derivanti dall'urto delle navi, occorre fare protesta o richiamo entro tre giorni avanti l'autorità del luogo o del primo approdo (art. 665 Cod. comm.). Però per i danni cagionati alle persone od alle cose caricate, la mancanza di protesta non nuoce agli interessati che non si trovavano sulla nave, o non erano in grado di manifestare la loro volontà.

Tra i danni da risarcirsi in caso di urto di navi si comprendono anche gli utili perduti per la ritardata navigazione per tutto il tempo necessario per la riparazione della nave danneggiata (1).

Responsabilità civili in base a reati.

Oltre i casi di responsabilità previsti nelle leggi civili, di commercio e di marina, sorge responsabilità civile anche pei fatti che sono previsti dalla legge penale, e così:

1º Chi appicca il fuoco a *navi* od edifizi *natanti* o ne cagiona la sommersione o il naufragio deliberatamente (art. 304 Cod. pen.);

2º Chi distrugge, rimuove o fa mancare in qualsiasi modo le lanterne, o altri segnali o adoperando falsi segnali o altri artifizi fa sorgere il pericolo o cagiona effettivamente un naufragio (art. 306 Cod. pen.);

3º Chi per imprudenza o negligenza, o per imperizia nella propria arte o professione, o per inosservanza di regolamenti, ordini e discipline, cagiona un naufragio od una sommersione (art. 311 Cod. pen.).

Responsabilità pel pilota pratico.

In alcuni porti o rade, a termine degli art. 200 e 201 Cod. mar. merc., è obbligatorio l'assumere un *pilota pra-*

---

(1) App. Genova, 9 luglio 1888, *Eco*, 193.

tico che stabilisce la rotta e comanda la manovra, e sebbene egli non sia scelto liberamente dal capitano, tuttavia la prevalente Giurisprudenza ritiene che non sia esonerato il capitano dalla risponsabilità dei danni che colla sua imperizia sia per recare alla nave il detto *pilota pratico*, dovendo il capitano controllare e vegliare al suo operato (1). E non si deroga quindi neppure alla risponsabilità sancita dall'art. 191 Cod. comm.

Massime diverse.

Il capitano è personalmente risponsabile del cattivo caricamento e stivaggio delle merci.

Nel caso di trasporti di *emigranti*, se il ritardo nella partenza supera i *dieci giorni*, l'emigrante ha diritto al rimborso del nolo se lo pagò ed al risarcimento dei danni. Il vettore è pure risponsabile dei danni verso l'emigrante e lo dovrà rimpatriare a tutte sue spese quando esso sia respinto dal luogo di destinazione, ed a lui fossero note le cause che dovevano dar luogo alla reiezione (art. 22, 24, 27 legge per l'emigrazione 31 gennaio 1901).

Le controversie tra vettore ed emigrante per risarcimento di danni o restituzione di somme, sarà risolta inappellabilmente da una Commissione provinciale composta del Presidente del Tribunale o giudice da lui delegato, dal Procuratore del Re o suo sostituito; due Consiglieri di prefettura e due membri nominati dal Consiglio provinciale.

Le controversie non eccedenti L. 50 sono invece decise inappellabilmente dall'*ispettore* di emigrazione del luogo di partenza. Riguardo a tale punto si osserva che non è ancora decisa la giurisprudenza circa la competenza

---

(1) Martini, *Istituzioni di Diritto Marittimo*, Manuale La Terza, Bari, pag. 22.

di queste Commissioni a giudicare dei danni quando concorrano casì gravi di colpa (es. nel caso del naufragio recente del piroscafo *Sirio*), alcune commissioni Provinciali si dichiararono incompetenti, altre invece affermarono la propria competenza e giudicarono in merito.

Il capitano che arreca aiuto ad altra nave in pericolo, ha diritto al risarcimento dei danni subìti per recare i soccorsi (art. 120, 121, 127 Cod. per la marina mercantile).

Così pure coloro che riesciranno a mettere in salvo una nave *abbandonata*, avranno diritto ai danni, se il salvataggio fu compiuto con danno e con pericolo per la nave e per le persone (art. 121 e 134 Cod. mar. merc.).

Notai.

> (Vedi anche **Professioni liberali — Procuratori ad lites**).

Dimenticanze.

Il notaio che si dimentica di eseguire operazioni di surroga e posposizione ipotecaria per le quali ha ricevuto esplicito incarico e la somma occorrente, è tenuto al risarcimento dei danni (art. 1745 Cod. civ.) (1). Qui trattasi di colpa *contrattuale* e non *extracontrattuale*, cioè di inadempimento di contratto.

Sicurezza di dote.

È risponsabile di danni il notaio che, dietro formale mandato dello sposo, di accertarsi della sicurezza della dote, gli dichiara essere valida la donazione fatta dal padre alla sposa nonostante le iscrizioni ipotecarie ed i precetti trascritti, e che quindi è sicura la costituzione di dote

---

(1) App. Torino, 10 marzo 1905, *Giur. Tor.*, 545.

che la sposa si farà cogli stabili donatile; mentre poi successivamente i creditori insorgono e fanno cadere la donazione e con essa la costituzione di dote (art. 1151, 1745, 1746 Cod. civ.) (1).

Però l'azione di danni per inadempimento del mandato compete esclusivamente allo sposo, e non anche alla prole nata dal matrimonio.

Il notaio così risponsabile, non è però tenuto a *reintegrare il capitale* dotale andato perduto, e nemmeno a risarcire i danni morali; egli è soltanto obbligato al risarcimento dei danni che sono per lo sposo conseguenza prevedibile e diretta della mala esecuzione del mandato, e così, per esempio, trattandosi di una dote di L. 58 mila, dovrà corrispondere allo sposo un annuo assegno di lire 1200 dalla perdita della dote allo scioglimento del matrimonio.

Danni morali.

Per inadempimento contrattuale non può mai chiedersi risarcimento di danni morali (2) (art. 1228 Cod. civ.).

Protesti cambiarii.

Non è responsabile di danni il notaio che protesta l'effetto presso il trattario nonostante la mancanza del titolo di sua accettazione, se pel contegno dell'emittente e di esso trattario, abbia ragione di presumere in costui l'incarico di pagare (art. 261-303 Cod. comm.) (3).

L'obbligo pei notari e per gli Ufficiali giudiziarii della trascrizione degli elenchi mensili dei protesti, comprende anche quelli per mancata accettazione (art. 689 Cod. comm.).

---

1) App. Torino, 27 giugno 1908, *Giur. Tor.*, 1301.
2) Cass. Torino, 10 luglio 1908, *Giur. Tor.*, 1281.
3) App. Torino, 16 maggio 1905, *Giur. Tor.*, 956.

Altri giudicati però ritengono che l'elenco dei protesti fatti nel mese antecedente, la cui trasmissione al Presidente del Tribunale è obbligatoria pei notai e per gli ufficiali giudiziarii, è quello soltanto dei protesti per mancato pagamento, non di quelli per mancata accettazione (1). Però il notaio che estende l'elenco anche a questi ultimi protesti, non è per ciò solo risponsabile di danni: e se pure il notaio male avesse interpretato la legge, comprendendo nell'elenco dei protesti quelli per mancata accettazione, il suo sarebbe un errore professionale scusabile, e non dovrebbe per ciò alcun risarcimento di danni (2) (Vedi pure *Giornali*).

La circolare ministeriale 28 giugno 1884 avrebbe eccettuato i protesti per mancata accettazione; ma la Corte d'Appello di Torino, con sentenza 16 maggio 1905 (3), ebbe a ritenere che questa circolare non sia obbligatoria e non basti a rendere responsabile di danni il notaio che abbia compreso nell'elenco uno di tali protesti.

Perchè il notaio debba rispondere dei danni che si lamentano sofferti da una Ditta per avere esso compreso il protesto per la *mancata accettazione* di una cambiale da parte della stessa nell'elenco dei protesti cambiarii per *mancato pagamento*, bisogna che detti danni siano stati la conseguenza *diretta, immediata* e *inevitabile dell'errore* imputato al notaio (4).

Sembra preferibile l'opinione che l'art. 689 Cod. comm. non comprende i protesti per mancata accettazione, perchè tale articolo fa parte del titolo I, libro III del Codice che ha per titolo: " *Della dichiarazione di fallimento e dei suoi effetti* „ ed è inserto precisamente nella trattazione della *cessazione dei pagamenti*, il che lascia

---

(1) App. Torino, 11 settembre 1901, *Giur. Tor.*, 1905.
(2) Trib. Genova, 27 marzo 1900, *Massime*, 181.
(3) *Giur. Tor.*, 956.
(4) Trib. Roma, 18 giugno 1888, *Legge*, II, 165. — Vidari, *Diritto Commerciale*, VIII, n. 7440, quarta edizione.

presumere che si riferisca quindi unicamente ai protesti per *mancato pagamento* (1).

Iscrizioni ipotecarie.

Il notaio rogante un atto di mutuo con incarico di inscrivere la relativa ipoteca sopra due stabili, il quale, dopo quattro mesi di trascuranza, non arriva in tempo che ad ipotecarne uno solo, può senz'altro essere condannato ai danni derivandi (cioè anche prima che siansi avverati ed accertati) al creditore per la diminuita garanzia in caso di mancata restituzione e di perdenza nella subasta.

Fu però giudicato che il notaio, che ha accettato l'incarico di curare l'iscrizione di un'ipoteca senza obbligarsi però ad anticipare del proprio le spese relative, non risponde della mancata iscrizione, se non ha avuto dal cliente l'anticipazione delle spese suddette (2).

Non esiste nelle leggi del notariato alcuna disposizione che obblighi il notaio a fare esso quell'anticipazione delle spese, e nemmeno nelle leggi speciali o generali del mandato esiste tale obbligo. Anzi, dall'art. 1753 Cod. civ. si evince che il mandatario che abbia fatto delle spese per l'esecuzione del mandato, ha diritto di esserne rimborsato dal mandante.

Se però il notaio che ha avuto l'incarico di iscrivere l'ipoteca ebbe pure incarico di anticipare la spesa, ed egli *accettò* anche questo secondo incarico, incorrerebbe nella responsabilità per la omessa o ritardata esecuzione (3).

---

(1) App. Torino, 10 maggio 1904, *Giur. Tor.*, 1035.
(2) Cass. Roma, 7 aprile 1899, *Giur. Tor.*, 955.
(3) App. Torino, 1º maggio 1888, *Giur. Tor.*, 466.

Trascrizioni.

Non è obbligato il notaio per proprio ufficio a curarla solo perchè fu incaricato di ricevere l'atto da trascriversi (1).

Se il notaio abbia operata la trascrizione ad un ufficio *diverso* da quello dove sono situati i beni, può il giudice ritenere che il notaio avesse accettato l'incarico di trascrivere, e che poi abbia male eseguito il mandato eseguendo la trascrizione inefficace perchè fatta in ufficio diverso da quello della situazione dei beni, e tenerlo quindi responsabile di danno (2). Il conservatore delle ipoteche non può ritenersi risponsabile per aver eseguita la trascrizione pel solo fatto che i beni siano posti fuori della sua circoscrizione (art. 2069 Cod. civ.).

Però potrebbe pure, se lo crede, dichiarare la incompetenza in base all'art. 1938 del Cod. civ., salvo al richiedente il procedere a mente dell'accennato art. 2069 Codice civile.

L'operare le trascrizioni è certamente uno degli uffici a cui attendono i notai; ma evidentemente è un'operazione diversa e ben distinta da quella di ricevere l'atto della cui trascrizione si tratti: e richiesto dell'atto, il notaio non può intendersi senz'altro obbligato a curarne la trascrizione non essendo essa necessaria alla esistenza o validità del contratto. Sarà dunque necessario uno speciale incarico, senza del quale non sarà risponsabile il notaio di avere omesso la trascrizione (3).

Mutuo.

Nessuno può essere dichiarato risponsabile di un semplice consiglio (purchè non dato *fraudolentemente*), anche

---

(1) Cass. Torino, 2 maggio 1893, *Giur. Tor.*, 888.
(2) Cass. Torino, 31 dicembre 1889, *Giur. Tor.*, 1890, 131.
(3) *Giur. Tor.*, 1893, pag. 888 in nota.

se l'averlo seguìto riuscì fatale; quindi un notaio non è responsabile della perdita delle somme che il di lui cliente diede a mutuo dietro suo consiglio, nel quale non intervenne nè dolo nè colpa (1).

Nullità di testamento.

Se viene in giudizio dichiarato nullo un testamento pubblico per omissione di formalità estrinseche, prescritte dal chiaro disposto di legge, deve il notaio rogante (o, se morto, il di lui erede), dichiararsi tenuto al risarcimento del danno verso gli eredi scritti nel testamento (2).

Se si trattasse di *nullità per imperfetta chiusura del testamento segreto*, escluso il caso di mala fede del notaio, non può questi essere tenuto responsabile della imperfetta chiusura del testamento, essendo questa una formalità che non entra nelle attribuzioni del suo ministero, e se egli la compie, ciò fa non altrimenti che come libero mandatario od incaricato dal testatore (3).

Venne osservato dagli scrittori francesi che la risponsabilità non dovrebbe aver luogo che nel caso di dolo (4), poichè il notaio è esercente una professione liberale, e perciò il danneggiato *imputet sibi* di avere scelto una persona poco istruita o poco esperta. L'argomento prende maggior apparenza di verità riguardo alla questione della risponsabilità per nullità di testamento. Si osserva che la legge non può tener risponsabile civilmente il notaio verso l'erede scritto o verso il legatario senza cadere in contraddizione; giacchè mentre da un lato annulla il testamento perchè per la mancanza di formalità non consta

____

(1) Cass. Torino, 31 maggio 1867, *Giur. Tor.*, 401.

(2) App. Casale, 9 aprile 1875, *Giur. Tor.*, 446.

(3) App. Napoli, 30 novembre 1870, *Gazzetta Proc.*, VI, 65 — Cass. Napoli, 8 febbraio 1873, *Gazzetta dei Tribunali di Napoli*, XXV, pag. 617.

(4) Maleville, *Analyse du Code civil*, art. 1382, 1383. — Louet et Brodeau, *Notaire*, n. 9. — Furgole, *Testam.*, tit. 4, cap. 12.

legittimamente della *volontà* del defunto, dall'altro lato darebbe all'erede scritto, od al legatario, azione di indennità contro il notaio, perchè essi perdono di fatto il beneficio che il testatore voleva loro fare. Sembrerebbe più logico non annullare il testamento se si ammette quella volontà del defunto. Nondimeno la giurisprudenza ritiene che il notaio risponde della nullità del testamento procedente non solo da dolo, ma anche da grave di lui colpa, come sarebbe l'omissione delle formalità ordinarie estrinseche letteralmente prescritte dalla legge (1).

Così risponde per la *mancanza di data* nel testamento, o della nullità del testamento stesso per avere assunto come *teste* nell'atto medesimo una persona incapace, come ad esempio, *un parente dell'erede o del legatario*, ove tale circostanza della parentela fosse nota al notaio (2), e così pure nel caso avesse assunto a teste sia nel testamento, sia in altro atto pubblico, un *minore* (3).

Risponde pure della nullità per aver omessa la dichiarazione di aver data lettura del testamento al testatore in presenza dei testimonii (4).

Altri casi in cui si ritenne la risponsabilità del notaio sono i seguenti:

I. Quando il notaio esce fuori dei limiti del suo ministero ed accetta un mandato, od assume una gestione negli affari altrui, si rende risponsabile come semplice privato, secondo le leggi del mandato (5).

II. Risponde di danni il notaio se, richiesto di ricevere un testamento, consiglia invece di fare una donazione

---

(1) Cass. Torino, 30 giugno 1870, *Giur. Tor.*, 497.
(2) Cass. Francese, 15 gennaio 1835, *Journ. du Palais*, 1835, p. 31.
(3) Dalloz, *Responsab.*, n. 440.
(4) Cass. Torino, 30 giugno 1870, *Giur. Tor.*, 497, Sent. cit.
(5) App. Genova, 28 maggio 1872, *Gazz. Trib. di Genova*, 529.

tra vivi e questa. da lui ricevuta, viene annullata pella
minore età del donante (1).

III. Risponde pure di *nullità intrinseche*; per es., della
nullità di una donazione derivante dall'essersi apposta
ad essa la condizione illecita di cui all'art. 1067 Codice
civile (2).

IV. Risponde della nullità dell'ipoteca costituita a
suo rogito sopra beni che sapeva non appartenere al
costituente (3).

V. Risponde anche dell'inefficacia dell'ipoteca costituita a suo rogito, se conosceva le precedenti passività
del costituente (4).

VI. È risponsabile in proprio il notaio che, incaricato di eseguire un deposito di rendita pubblica, invece
di farlo all'ufficio in cui dovrebbe eseguirsi, lo eseguisce
in altro a mezzo di terza persona che se ne impossessa,
producendo così la perdita della rendita a danno dell'interessato (5).

VII. Risponde il notaio della nullità degli atti ricevuti, nei quali abbia *omesso le solennità* imperiosamente
richieste dalla legge per la loro validità (6).

VIII. Il notaio che serve non soltanto da redattore
dell'atto, ma funge da intermediario, con espresso incarico, per un mutuo ipotecario, deve esaminare i titoli di
proprietà, assicurarsi dello stato dell'immobile ipotecato
e prendere tutte le precauzioni che la prudenza esige ;
cosicchè l'omissione di queste precauzioni impegna la
risponsabilità del notaio, anche di buona fede, e lo sottopone a risarcire il danno derivato al mutuante che non
potè ottenere collocazione utile sul prezzo dell'immobile

---

(1) Dalloz, 1867, 2, 125.
(2) Trib. Lione, 8 febbraio 1867 (id. 154).
(3) Trib. Lione, 1866, 1-11.
(4) Trib. Lione, 1858, 1-874.
(5) *Giur. Tor.*, VIII, 288 (anno 1871).
(6) Cass. Napoli, 18 febbraio 1873, *Gazz. Trib.*, XXV, 617.

ipotecato, per effetto di alienazioni o iscrizioni rimaste ignorate (1).

IX. Il notaio che si incaricò di *denunciare una successione* all'ufficio del registro, è risponsabile delle conseguenze della valutazione smisuratamente da lui fatta, del reddito dei beni (2).

X. Il notaio commette *colpa grave* equiparabile al dolo, se conoscendo la debolezza di spirito e la *debole intelligenza* di una delle parti, nonchè gli artifizi adoperati dall'altra per ottenere una procura pregiudizievole agli interessi di quella, consente a ricevere l'atto relativo, e deve quindi rispondere del danno derivatone alla parte (3).

XI. Il notaio è risponsabile della *nullità di un testamento* per incapacità dei testimoni, se risulta che egli non si accertò della loro capacità (4).

XII. Il notaio incaricato di *iscrivere un'ipoteca*, è risponsabile della nullità derivante dall'aver egli *preso l'iscrizione in un ufficio delle ipoteche diverso da quello nel cui territorio è posto l'immobile gravato* (5).

XIII. Il notaio che riceve un *contratto di matrimonio* deve rilevare la minore età di uno degli sposi, e quindi se non procura l'assistenza delle persone, il cui consenso sarebbe necessario per la validità del matrimonio, è risponsabile verso gli sposi del danno risultante dall'annullamento delle donazioni contenute in quel contratto (6).

XIV. Il notaio risponde del danno derivato a un contraente per effetto di una *clausola inserta nel contratto*, e della quale esso notaio non spiegò alle parti gli effetti legali, o ne diede spiegazioni insufficienti, e ciò sebbene nell'atto stesso il notaio abbia fatto risultare di avere istruito le parti sui pericoli di quella clausola ed in ispecie

---

(1) Trib. Orléans, 8 gennaio 1870. — Dalloz, 1871, 2-68.
(2) Cass. Francese, 1º luglio 1871. — Dalloz, 1-215.
(3) Cass. Francese, 4 maggio 1868. — Dalloz, 246.
(4) Cass. Francese, 5 febbraio 1872. — Dalloz, 225.
(5) Parigi, 26 gennaio 1872. — Dalloz, 1873, 1-134.
(6) Cass. Francese, 19 giugno 1872. — Dalloz, 1-346.

della clausola inserta nella *vendita*, per cui il compratore dovesse pagare il prezzo nonostante qualunque molestia, quantunque tale clausola sia autorizzata dalla legge (1).

XV. Il notaio risponde degli *atti illegali o fraudolenti* ai quali egli presta il suo ministero *con piena cognizione dello stato delle cose* (2).

XVI. Il notaio che accetta espressamente il mandato di eseguire formalità estrinseche di un atto che riceve, risponde del non eseguito incarico ove ne sia derivato danno (3).

XVII. Il notaio risponde della nullità del testamento per omissione della menzione che il testamento fu letto in presenza dei testimoni, o per omissione di altre formalità sostanziali per crassa ignoranza (4).

Fu invece giudicato che il notaio non sia risponsabile di danni nei casi seguenti:

I. Non risponde di *nullità indipendenti da sua colpa*, o che sono effetto di *errore* di fatto avvenuto nonostante ogni diligenza e quale *etiam prudentissimos fallit* (5).

II. Non risponde delle nullità per aver assunto a *teste* in un testamento un *minore di età*, che però era pubblicamente ritenuto per maggiore, ovvero concorrano altre circostanze per cui anche un notaio avveduto avrebbe potuto incorrere in errore, come sarebbe nel caso in cui mancasse solo brevissimo tempo al compimento della minore età (6).

III. Nemmeno risponde il notaio, se il teste interpellato *si disse maggiore di età* (7); o per avere assunto a testimonio una persona *congiunta in parentela*, nei gradi

---

(1) Cass. Francese, 2 aprile 1872. — DALLOZ, 1-862.
(2) Parigi, 7 maggio 1878. — DALLOZ, 1874, 1-20.
(3) Cass. Torino, 1° luglio 1874, *Giur. Tor.*, 667.
(4) Cass. Torino, 26 febbraio 1875, *Giur. Tor.*, 832 in nota.
(5) Cass. Torino, 4 aprile 1866, *Giur. Tor.*, 240.
(6) App. Genova, 31 luglio 1855. — Cass. Torino, 21 luglio 1866, *Giur. Tor.*, 872.
(7) App. Napoli, 17 giugno 1870, *Annali di Giur. It.*, IV, 2-827.

dalla legge indicati, con una delle parti, se egli ignorava questa circostanza (1).

IV. Non risponde delle nullità per *errore di diritto*, quando la retta interpretazione sia incerta per essere la *giurisprudenza varia e contraddittoria nei suoi responsi* (2) (*Caso non raro*).

V. Non è risponsabile per avere assunto come *teste* uno *straniero* che da tutti era ritenuto per cittadino, e sia dubbia la sua cittadinanza (3).

VI. Non risponde degli *impieghi di capitale* da lui consigliati, ma non garantiti (se però non concorre il dolo) (4) (Vedi pure il titolo *Procuratori ad lites*).

VII. Non risponde generalmente delle *nullità intrinseche*, come ad esempio della nullità di una donazione tra coniugi (5), da lui ricevuta.

VIII. Non risponde di una nullità di *costituzione di ipoteca* per insufficiente designazione dei beni ipotecati, quando egli abbia operato in buona fede e non abbia fatto che riprodurre le indicazioni dategli dalle parti, seguendo nell'interpretazione della legge un errore comune e scusabile (6).

IX. Non risponde se semplicemente ha redatto un atto di *mutuo ipotecario* senza averlo trattato come intermediario, sebbene ne sia derivato grave pregiudizio al mutuante (7).

X. Non risponde del modo inesatto con cui fu chiuso il *testamento segreto*, perchè egli in tale atto concorre solo per distendere l'atto di *sopraiscrizione*; la chiusura

---

(1) Cass. Napoli, 26 giugno 1869, *Gazz. Trib. di Genova*, XIV, 13.
(2) Cass. Torino, 16 aprile 1864, *Giur. Tor.*, 196.
(3) App. Parma, 28 novembre 1861, *Gazz. dei Trib.*, 34.
(4) Cass. Torino, 13 agosto 1864, *Giur. Tor.*, 285.
(5) *Journal du Palais*, 1832, 655.
(6) Cass. Francese, 13 aprile 1869. — Dalloz, 1-147.
(7) Cass. Francese, 6 luglio 1870. — Dalloz, 1871, 1-145.

e sigillazione non è opera del funzionario, ma può farsi dallo stesso testatore o da altri presente all'atto (1).

XI. Non risponde per non aver preso una *iscrizione ipotecaria*, di cui ebbe incarico, se per tale omissione non derivò e non poteva derivare danno per essere già il valore del fondo completamente esaurito all'epoca in cui si sarebbe dovuto prendere la iscrizione (2).

XII. Non risponde neppure della *simulazione* o *frode* che si fosse ordita in un atto da lui ricevuto, sebbene egli ne fosse consapevole.

È poi da avvertire che nel caso sia pronunciata la nullità dell'atto notarile, sia pure per fatto imputabile al notaio stesso, se il notaio però non fu parte nel giudizio stesso, la sentenza non forma cosa giudicata verso di lui; e così, ad esempio, nel caso che si fosse dichiarato nullo un testamento per avere il notaio assunto a testimonio un amanuense del notaio stesso, questi potrà, nel giudizio di danni istituito contro di lui, provare che non ha mai avuto per amanuense quel testimonio, non essendo vietato il riesame di quei fatti che già si discussero col precedente giudizio di nullità.

Risponsabilità dei notai in materia commerciale.

Il notaio che ha ricevuto il *contratto di matrimonio* tra persone, una delle quali sia commerciante, deve trasmettere, a mente dell'art. 16 Cod. comm,. un estratto del contratto medesimo alla cancelleria del Tribunale. L'omissione di tale trasmissione importa *risarcimento di danni* (art. 17 Cod. comm.).

Il notaio domiciliatario di una cambiale, di cui egli stesso elevi il protesto, commette una nullità sostanziale ed è responsabile dei danni (3).

---

(1) Cass. Napoli, 18 febbraio 1878, *Gazz. Trib.* XXV, 617.
(2) Torino, 1° luglio 1874, *Giur. Tor.*, 667.
(3) App. Torino, 22 dicembre 1888, *Giur. It.*, 1889, 161.

Omicidio.

(Vedi pure **Liquidazione dei danni — Carrozze — Danni morali**).

Condizioni per reclamare i danni civili.

Per reclamare i danni derivati da omicidio *colposo* o *doloso*, non occorre essere erede dell'ucciso, ma basta averne risentito pregiudizio (1).

E per vero, i danni in questo caso si chiedono dal leso *ex capite proprio* e non quale successore dell'ucciso. L'infortunio colpisce non la vittima, ma chi le sopravvive ed abbia perduta in essa un appoggio, un lucro ed un sacro affetto di famiglia.

Quanto ai danni per omicidii commessi da *minorenni* o da *maniaci*, vedi rispettivamente i titoli analoghi.

Non solo si è tenuti ai danni civili e si risponde penalmente per il caso di omicidio volontario, ma anche pel caso di omicidio causato in qualsiasi modo per imprudenza, negligenza, ovvero per imperizia nella propria arte o professione, o per inosservanza di regolamenti, ordini o discipline (art. 371 Cod. pen.).

Risponde dei danni civili e penalmente colui che cerca di percuotere un individuo, ed è causa che questi tenti di evitare i colpi, inciampi e vada a cadere sotto un veicolo che transitava in quell'istante, incontrandovi la morte (2).

Chi lascia un pozzo senza riparo risponde dei danni se alcuno vi cade e vi annega (3).

Risponde pure dei danni per omicidio colposo l'oste che trasportò fuori del proprio esercizio un ubbriaco

---

(1) Cass. Torino, 30 aprile 1904, 945.
(2) App. Napoli, 10 settembre 1887, *Legge*, II, 789.
(3) Cass. Roma, 13 gennaio 1893, *Legge*, I, 202.

privo di sensi abbandonandolo in luogo aperto dove fu poi trovato morto, quando non risulti in modo positivo la vera causa per la quale la morte sia avvenuta (1).

Non risponde il droghiere, che ignaro della determinazione suicida di un suo avventore, gli venda cloralio idrato col quale costui si avvelena volontariamente (2) (Vedi pure *Ordine di superiore*).

Opere d'arte.

(Vedi pure **Monumenti nazionali**).

Guasti ad oggetti d'arte sequestrati.

Lo Stato che, per sospetto di trasporto all'estero di oggetti d'arte nazionali, dà ordini particolari per indagini e sorveglianza ai proprii agenti doganali, è responsabile pei danni da costoro arrecati col sequestrare e trattenere una cassa sospetta, coll'estrarre malamente quadri ivi racchiusi e col nuovamente riporveli senza nessuna cura e diligenza d'imballo. Per fissare in tal caso l'ammontare preciso del risarcimento dovuto per i guasti a tali opere d'arte, non è d'uopo conoscere esattamente il valore prima e dopo l'avvenuto danneggiamento; ma è in facoltà del magistrato di ricavare l'ammontare suddetto rilevando dalle risultanze degli atti e di prove testimoniali seguìte, la importanza ed il numero delle opere d'arte suddette, e l'entità dei guasti inferti (articolo 1151 e 1153 Cod. civ.) (3). Sulla somma liquidata per indennità decorrono gli interessi civili *dal giorno dell'evento dannoso*, e non dal giorno della domanda giudiziale e della condanna.

---

(1) Cass. Roma, 2 luglio 1894, *Giur. Pen.*, 7.
(2) Trib. Napoli, 8 febbraio 1893, *Giur. Pen.*, 149.
(3) Cass. Torino, 20 dicembre 1900, *Giur. Tor.*, 33.

Fotografia di quadro.

Se il sindaco autorizza un fotografo a ritrarre un quadro depositato presso il Comune, pendenti trattative di acquisto, e ciò senza il consenso del proprietario, è tenuto a rifazione di danni; e se il sindaco abbia ciò fatto senza autorizzazione del Consiglio comunale, il sindaco dovrà rispondere in proprio personalmente, e non può addossare la responsabilità al Comune (1).

Quadri d'autore.

L'Autorità giudiziaria è competente a conoscere della domanda di annullamento di un atto dell'Autorità amministrativa che abbia dichiarato essere di dominio privato e non di proprietà pubblica, un quadro artistico infisso nelle pareti esterne di una casa privata (2). Infatti, qui trattasi non solo di giudicare se quel quadro fosse stato posto dall'antico proprietario *ad civitatis delectationem et ornamentum*, con destinazione perpetua *ad patriam*, ma di decidere se l'atto amministrativo sia lesivo di un diritto vero e proprio quale è quello che in tesi generale ogni proprietario ha, per principio fondamentale di diritto, di servirsi e disporre della cosa propria.

In ogni caso poi il provvedimento del sindaco che inibisse il distacco del quadro o dipinto artistico di cui sopra si disse, sebbene possa ritenersi come provvedimento di ordine pubblico ed atto di impero, tuttavia può impugnarsi davanti l'Autorità giudiziaria per *difetto di potestà*, o perchè emesso senza *osservare le forme di legge* (3).

---

(1) App. Trani, 15 marzo 1904, *Legge*, 2022, con nota di Ferrara Luigi.
(2) Cass. Roma, Sez. unite, 28 marzo 1900, *Giur. Tor.*, 684.
(3) Cass. Roma, 9 settembre 1897, *Giur. It.*, I, 1-987.

Opere pie ed Ospedali.

(Vedi anche Amministrazione in generale e amministratori nonchè Medici-Chirurghi).

Risponsabilità civile.

Le amministrazioni *ospitaliere* sono risponsabili, come ogni altra opera pia ed ogni altro istituto congenere, dei fatti commessi dai loro dipendenti, e preposti, essendo applicabile a loro l'art. 1153 Cod. civ. (1).

Colpa dell'infermiere.

Non si ravvisa colpa nell'*infermiere* di un ospedale, se per salvare un ammalato da pericolo di morte adopera mezzi energici che raggiungono l'effetto, ma lasciano le traccie di qualche tenue incomodo o danno (2).

Risponsabilità degli amministratori.

Gli amministratori sono tenuti *solidariamente*, ma soltanto per il tempo della rispettiva loro gestione, e non vale a togliere o diminuire la responsabilità l'allegare la *gratuità* del mandato (3).

I direttori ed amministratori di un ospedale, i quali non vigilino affinchè le operazioni chirurgiche siano eseguite dai chirurghi a ciò destinati dal regolamento interno, rispondono civilmente per le conseguenze funeste avute dall'ammalato (4).

L'amministrazione di un *brefotrofio* è responsabile dei danni risentiti da una balia, che avendo preso ad allattare un trovatello affetto da *sifilide*, ne sia rimasta in-

---

(1) Trib. Roma, 22 giugno 1904, *Palazzo Giustizia*, 468.
(2) Sentenza citata Trib. Roma.
(3) Cass. Torino, 13 aprile 1878, *Giur. Tor.*, vol. XV, 477,
(4) Cass. Roma, 20 dicembre 1895, *Legge*, 1896, I, 526.

fetta, comunicandola anche alle persone della famiglia, allorchè il fatto sia avvenuto per colpa dei sanitari dell'ospizio, i quali non adoperarono le dovute cautele per constatare l'affezione sifilitica del lattante prima di consegnarlo alla nutrice (1).

Non può valere in tal caso la clausola di non rispondere delle malattie che le nutrici possono contrarre coll'allattamento dei bambini, quando le cause di malattia preesistevano nel bambino consegnato e non siansi rese note alla persona di cui si loca l'opera. Tale clausola esonererebbe solo dalle risponsabilità per quelle malattie che possono sorgere *naturalmente* durante l'allattamento (es. *ragadi*, ecc.) (2).

I componenti l'amministrazione di un ospedale sono civilmente risponsabili *in proprio* dei danni cagionati agli infermi dai loro dipendenti sui quali, giusta il regolamento degli ospedali, avevano l'obbligo della vigilanza (3), e così pure ne rispondono tutti i *corpi morali* od *istituti pubblici* alla cui dipendenza trovasi la persona che recò il danno. E così i medici e sanitari addetti ad un ospedale sono *commessi* dell'ospizio, per cui l'ospizio stesso è risponsabile pei danni cagionati dal medico o sanitario per propria colpa nell'esercizio della sua professione (4).

L'amministrazione di un ospedale, che avendo in cura un *ammalato di tifo*, trascura di farlo assistere e sorvegliare dagli infermieri, omettendo di prendere le opportune precauzioni, è risponsabile dei danni se il malato in un attacco febbrile, per difetto di custodia, si getta da una finestra incontrando la morte (5). Nè la risponsabilità dell'amministrazione viene meno per il fatto che il suo scopo sia puramente benefico e gratuito.

---

(1) App. Bologna, 25 aprile 1894, *Legge*, I, 773.
(2) Trib. Genova, 30 maggio 1895, *Legge*, II, 266.
(3) Cass. Roma, 10 dicembre 1896, *Legge*, 1897, I, 130.
(4) App. Genova, 21 novembre 1896, *Legge*, 1897, I, 413.
(5) Trib. Genova, 1° giugno 1896, *Legge*, 1897, I, 56. ·

. Fu anche giudicato circa l'operato dei medici, che non può rivestire le qualità di committente agli effetti dell'art. 1153 Cod. civ., e non può incorrere nella *culpa in eligendo* o nella *culpa in vigilando* chi ricorre all'opera di persona tecnica munita del prescritto diploma per l'esercizio di un'arte speciale; per cui l'amministrazione di un ospizio di carità non risponde dell'errore *professionale* di un medico dell'ospizio che abbia dichiarato sano un bambino affetto da sifilide (1).

Danni recati dagli amministratori degli enti amministrati.

Per l'art. 29 della legge 17 luglio 1890 la *Giunta provinciale amministrativa* (e dopo la legge 18 luglio 1904, n. 300 (2), la *Commissione provinciale* ed il *Consiglio di Prefettura* a seconda della competenza) procede all'accertamento del *danno* per inosservanza delle forme stabilite dalla legge, dagli statuti e regolamenti, sia stato recato agli istituti pii dai loro amministratori con *dolo* o *colpa grave*, indicando altresì quali amministratori ne appariscono risponsabili, e per quale ammontare; e la decisione della *Giunta*, senza pregiudicare la ragioni dell'istituto e degli amministratori, serve di titolo per domandare all'Autorità giudiziaria provvedimenti conservatori.

Dal tenore di tale disposizione di legge chiaramente risulta essersi voluto attribuire nella soggetta materia alla Giunta provinciale, non già la potestà di pronunciare un definitivo giudizio di risponsabilità, sibbene quella soltanto di stabilire in via amministrativa la cifra apparente del danno derivato dalla inosservanza delle forme di legge, di statuti o di regolamento e di addi-

---

(1) Cass. Torino, 7 ottobre 1897, *Legge*, II, 694.
(2) Art. 8.

tare quali amministratori e per quale ammontare ne appariscano risponsabili; e ciò con l'unico intento di mettere l'istituto in grado di provvedere alle proprie ragioni con mezzi conservativi. In conseguenza le decisioni della Giunta, emesse secondo l'art. 29 della legge, si devono stimare censurabili allora soltanto quando il danno non abbia avuto per causa l'inosservanza delle norme di legge, di statuto e di regolamento, o quando sia manifestamente errato l'ammontare od infine quando a carico dell'amministratore dichiarato risponsabile non vi sia l'*apparenza* della risponsabilità derivante da dolo o da colpa grave (1).

Fu anche giudicato che a determinare la risponsabilità degli amministratori di Opere pie per fatti avvenuti prima della legge 1890 sulle istituzioni di pubblica beneficenza, devesi ricorrere alle norme di diritto comune, e quindi agli art. 1224 e segg. del Cod. civ. e 1746 (2).

Gli amministratori che abbiano lasciato ad uno di loro, senza garanzia, i fondi che dovevano essere invece affidati ad un tesoriere, regolarmente nominato secondo le prescrizioni della legge, sono solidariamente risponsabili degli avvenuti ammanchi (3). La sentenza che dichiarò tale massima, ritenne pure che gli amministratori di un'opera pia di fronte all'ente amministrato hanno la risponsabilità contrattuale del diritto comune, di cui all'art. 1224 Cod. civ., non quella del mandatario, e nemmeno quella del quasi delitto, nè altra speciale derivante dall'art. 29 della legge 17 luglio 1890 sulle Opere pie.

Ogni amministratore pubblico è risponsabile anche dell'operato dei suoi predecessori in quanto, potendo e dovendo, non provvide all'osservanza della legge, nè può

---

(1) Cons. di Stato, Sezione Interno, 22 febbraio 1895, *Legge*, 172.
(2) App. Roma, 15 marzo 1898, *Legge*, XXXIV, 2, 21.
(3) App. Milano, 27 aprile 1906, *Giur. Tor.*, 635.

allegare ignoranza di quanto essi avessero in precedenza operato (1).

Ordini di Superiore.

Risponde di risarcimento di danni il superiore (es. un capitano di nave) che nell'esercizio delle sue funzioni, e nonostante le giuste riluttanze del suo dipendente, lo costringe alla esecuzione di un suo ordine, da cui derivò danno al dipendente stesso (art. 1151 e 1152 Codice civ.) (2).

Non basta ad escludere la risponsabilità di danno, che l'ordine rientrava nelle attribuzioni sue, e così nel darlo il superiore esercitasse un diritto proprio (*qui suo iure utitur neminem laedit*), ma per esonerarsi dalla risponsabilità dovrebbe provare che nel fatto non vi era nè colpa, nè negligenza, nè imprudenza (3), e che se il dipendente ebbe danno, fu per sua negligenza o per fortuito.

Se la morte di un soldato fu conseguenza immediata e diretta dell'azione del tenente che aveva la di lui istruzione, il tenente risponde civilmente pei danni e di omicidio colposo se la sua azione fu imprudente e sprezzante dei regolamenti per la sicurezza dell'integrità personale delle reclute (4).

Così pure risponde per omicidio colposo l'ufficiale preposto alla istruzione dei soldati di cavalleria che non osserva i regolamenti in ordine alla graduazione degli esercizi di stare a cavallo; che stimola collo scudiscio e spinge imprudentemente il cavallo al trotto per cui il soldato cade e riporta ferite mortali (5).

Vedi pure *Fatti leciti ed illeciti.*

---

(1) App. Macerata, 13 aprile 1905, *Corte Ancona*, I, 277.
(2) Cass. Torino, 9 ottobre 1904, *Giur. Tor.*, 1594.
(3) Cass. Torino, 31 dicembre 1890, *Giur. Tor.*, 1891, 127.
(4) Cass. Roma, 5 gennaio 1895, *Legge*, I, 423.
(5) Cass. Roma, 5 gennaio 1895, *Giur. Pen.*, 110.

Pignoramento.

(Vedi pure **Sequestro** — **Danni morali**).

Annullamento.

Nel caso di pignoramento annullato non sono risarcibili danni di sorta al debitore, poichè non sono pecuniariamente risarcibili danni morali che riguardano una mera offesa morale senza ripercussione sulla persona fisica (1). È pacifico in giurisprudenza che di regola la nullità del pignoramento non induce di necessità la condanna del pignorante al risarcimento del danno, ma si richiede la prova della sua colpa (2).

Se poi il pignoramento fosse stato eseguito ingiustamente *su cose non spettanti al debitore*, possono concorrere simultaneamente *danni morali* e *danni materiali*, consistendo i primi nella presunzione di insolvibilità che ne deriva a carico del pignorato, ed i secondi nella menomata disponibilità della cosa pignorata (3).

Furto della cosa pignorata (Vedi Sequestro).

Rivendicazioni.

Nel caso di un terzo che rivendichi come cose sue tutte o parte di quelle pignorate, il creditore pignorante, se l'istanza di rivendica venga accolta, non può essere condannato ai danni, se risulti esclusa ogni colpa nel suo procedere (4).

---

(1) Cass. Napoli, 19 agosto 1903, *Legge*, 1903, 2219.
(2) Cass. Torino, 30 giugno 1885, *Legge*, 1886, I, 202. — Mattirolo, *Dir. Giud. Civ.*, III edizione, n. 617.
(3) Cass. Torino, 28 gennaio 1890, *Legge*, II, 12.
(4) Cass. Torino, 22 luglio 1901, *Giur. Tor.*, 1504.

Mancanza di titolo esecutivo.

È sempre in colpa e deve quindi risarcire i danni chi ha proceduto al pignoramento senza essere munito di titolo esecutivo (1).

Nè può giovargli che *dopo* aver proceduto al pignoramento, egli sia venuto in possesso del titolo esecutivo o lo abbia conseguito (2) (art. 553-1152 Cod. proc. civ.).

Non vi ha risponsabilità di danno per nullità di precetto, di pignoramento o di sequestro se non è stabilita la colpa, la leggerezza od imprudenza (3).

Se la nullità dipende da inosservanza delle forme stabilite dalla legge, fu giudicato che la colpa è *in re ipsa*, come in ogni altro caso in cui il fatto da cui il danno deriva sia contrario alla legge (4).

La possibilità che il precetto e il pignoramento annullati vengano rinnovati non è ragione per negare intanto il risarcimento dei danni patiti per tali atti già nullamente eseguiti (5).

I danni per esecuzione forzata stata annullata non sono dovuti *ex lege*, ma solo possono essere attribuiti dal giudice, a condizione però di accertare la colpa anche *lievissima* dell'instante (6).

Il pignorante non è tenuto ai danni per ciò solo che i mobili pignorati vengano dichiarati di proprietà del terzo che li ha rivendicati, se non è stabilita in lui veruna colpa, negligenza od imprudenza. Giurisprudenza costante (7).

Chi procede ad esecuzione forzata per un credito che sa già essere estinto per compensazione, ha l'obbligo di

---

(1) App. Genova, 15 dicembre 1898, *Giur. Tor.*, 827.
(2) App. Torino, 6 febbraio 1899, *Giur. Tor.*, 415.
(3) Cass. Torino, 20 maggio 1898, *Giur. Tor.*, 958.
(4) App. Torino, 25 giugno 1895, *Giur. Tor.*, 564.
(5) Cass. Torino, 20 febbraio 1896, *Giur. Tor.*, 844.
(6) Cass. Firenze, 22 febbraio 1894, *Giur. Tor.*, 228.
(7) App. Torino, 17 marzo 1894, *Giur. Tor.*, 728.

restituire la somma riscossa *cogli interessi* dal giorno della riscossione e di *risarcire il danno*, quantunque l'esecutato non abbia fatto opposizione al precetto, ed abbia pagato senza riserva (1).

Plagio e Proprietà letteraria.

(Vedi **Concorrenza sleale** — **Proprietà artistica** — **Diritti di autore**).

Copiare libri.

L'autore che copia pagine intere di un altro libro senza citarne la fonte, è colpevole di *concorrenza sleale*, e quindi tenuto al risarcimento dei danni, quantunque di detto libro non sia stata riservata colle forme di legge la proprietà letteraria (2). E per vero, è principio di ragion naturale che le produzioni dell'ingegno appartengono al loro autore (art. 437 Cod. civ.), e quindi il diritto di proprietà deve esplicarsi indipendentemente dall'osservanza delle formalità prescritte per godere dei diritti d'autore, avendo il diritto di proprietà base nel principio della individualità, cosicchè nessuno può sfruttare a beneficio proprio il lavoro altrui con mezzi artificiosi, nè può arrogarsi la facoltà di riprodurre il lavoro stesso in tutto od anche solo in parte, usurpando il diritto del suo autore. È però lecito in un lavoro scientifico di riferire brani di opere altrui, accennando però la fonte e l'autore (art. 21, 27, 32 della legge sulla proprietà letteraria 19 settembre 1882).

Fu pure giudicato che la riproduzione di uno o più brani di un lavoro, senza ottemperare a quanto sopra, sia pure nel compendio del lavoro medesimo quando non possa escludersi il fine del lucro, costituisce contravvenzione all'art. 40 della legge sui diritti d'autore (3).

---

(1) Cass. Torino, 16 maggio 1894, *Giur. Tor.*, 452.
(2) Cass. Torino, 17 luglio 1906, *Giur. Tor.*, 1267.
(3) Cass. Roma, 17 settembre 1898, *Giur. It.*, II, 811.

Opere straniere.

La riproduzione di brani da un'opera estera deve sempre essere preceduta dall'indicazione dell'opera stessa: e non basta un richiamo generico fatto una volta tanto, nella prefazione dell'opera italiana (art. 4, convenzione Italo-Germanica 20 giugno 1884) (1).

Ponti.

(Vedi pure **Lavori pubblici** – **Strade** – **Fiumi** – **Industrie**, § 11).

Ponte provinciale — Rovina.

Lo Stato non incontra alcuna risponsabilità verso la Provincia per la rovina di un ponte da esso costruito per conto della provincia stessa lungo una strada provinciale di *serie*, a norma della legge 23 luglio 1881, poichè in ciò fare compie una funzione d'impero (2).

Ponte comunale.

Se un ponte provvisorio in una via comunale obbligatoria pervenne al Comune in condizioni pericolose per il transito dei veicoli, e ciò nondimeno fu mantenuto senza riparazioni a tale scopo, nel caso di sua rottura, il Comune risponde dei danni verso il proprietario di veicolo che ne abbia avuto pregiudizio, quando sia esclusa una imprevidenza qualsiasi da parte del danneggiato (3).

---

(1) Su questo argomento può consultarsi: PIOLA, *Diritti di autore*, n. 237: *Digesto italiano*, vol. IX, parte II, pag. 692.

(2) Cass. Roma, Sez. Unite, 31 dicembre 1901, *Legge*, I. 902. I, 146.

(3) Cass. Firenze, 10 febbraio 1890, *Legge*, II, 492.

Possesso, azioni possessorie ed affini.

Spoglio.

Nel fatto dello *spoglio* è naturalmente insita e sottintesa la *colpa*; e non vi ha quindi necessità di esplicita motivazione per condannare l'autore di esso spoglio nel risarcimento dei danni occasionati (art. 695 Cod. civile) (1).

Acque.

Il proprietario che durante il giudizio possessorio in cui fu soccombente, e sino alla definizione del petitorio in cui fu vittorioso, non ha potuto godere di tutta la sua acqua irrigua, ma dovette lasciarla decorrere a beneficio del suo avversario in quantità maggiore di quella a cui aveva diritto, ha diritto al *pagamento del prezzo dell'acqua così perduta*, quantunque intanto non abbia sofferto impedimento ad irrigare i suoi beni. Il proprietario dell'acqua illegalmente sottratta, ha azione propria pel rimborso del prezzo, quantunque il danno della sottrazione sia andato a pregiudizio dei suo affittuarii, ai quali l'acqua stessa fosse stata affittata od altrimenti dovuta per irrigare i beni affittati, salva agli affittuarii l'azione contro di lui (2).

Denuncia di opera nuova.

La sospensione dei lavori ordinata in giudizio per denuncia di nuova opera, obbliga il denunciante al risarcimento del danno, se la sua opposizione viene in definitiva giudicata infondata, quantunque in questo giudizio definitivo sia esclusa in lui la temerarietà della lite.

---

(1) Cass. Torino, 22 gennaio 1901, *Giur. Tor.*, 663.
(2) Cass. Torino, 19 giugno 1895, *Giur. Tor.*, 803.

I danni stessi si devono risarcire anche quando l'opera si fosse sospesa volontariamente dalla parte in sèguito alla denuncia e senza attendere il decreto del Pretore (1). L'obbligo del risarcimento poi sta in questo caso *indipendentemente* dalle prove di una colpa qualsiasi nel denunciante.

Non si devono confondere i danni della *lite temeraria* coi danni della *sospensione*. Per questi ultimi l'art. 698 Cod. civ. ne dispone il risarcimento senza la condizione che l'opposizione sia temeraria, bastando che la medesima in definitiva sia stata giudicata *infondata*. Non sempre però è *obbligatoria* la liquidazione dei danni, ed anzi questi non saranno accordati se l'opposizione, sebbene giudicata poi infondata, fu fatta in base ad un timore ragionevole (2). E viceversa può accadere che il timore non fosse ragionevole, senza che vi fosse temerità nel fare e sostenere l'opposizione, ed allora in questo caso il risarcimento viene a buon diritto accordato.

Distruzione di opere arbitrarie.

Non vi è responsabilità quando nel fatto lamentato non si verifica nè colpa, nè negligenza, nè imprudenza, ma costituisce l'esercizio di un *diritto* proprio, come nel caso in cui il proprietario distrugga opere da altri arbitrariamente costrutte in pregiudizio delle di lui proprietà. È lecito respingere la forza colla forza per la difesa e pel ricupero della cosa al *momento dello spoglio,* ed in ispecie la distruzione di opere lesive dei proprii diritti eseguita appena verificate le opere stesse (3). E per vero, non incorre in responsabilità di danno *qui*

---

(1) Cass. Torino, 21 marzo 1894, *Giur. Tor.*, 540.
(2) Cass. Torino, 3 dicembre 1884 e 10 aprile 1889, *Giur. Tor.*, XXII, 6, XXIV, 320.
(3) Cass. Torino, 31 dicembre 1890, *Giur. Tor.*, 1891, 127.

iure suo utitur; il danno allora non è ingiusto, *neminem laedit* (1).

Resta a vedersi se sia lecito distruggere le opere compiute anche illegittimamente da un terzo. La massima *vim vi repellere licet*, autorizza ad impedire anche colla forza l'altrui fatto dannoso ed illecito *nell'atto in cui esso si sta compiendo. Qui per vim possessionem suam retinuerit, Labeo ait non vi possidere* (l. 1, § 28, *De vi et vi arm.*). Autorizza anche a reintegrarsi, ma purchè ciò si faccia incontanente, *confestim non ex intervallo.* E così scrive GIULIANO: *Qui possessionem vi ereptam, vi in ipso congressu recuperat, in pristinam causam reverti potius quam vi possidere intelligendus est* (leg. 17, stesso titolo). Ed ULPIANO: *Eum qui cum armis venit, possumus armis repellere, sed hoc* confestim, *non* ex intervallo; *dummodo sciamus non solum permissum resistere ne deiciatur sed et si dejectus quis fuerit, eumdem deiicere* non ex intervallo *sed* ex continenti (leg. 3, § 9, id.).

Entro i limiti suddetti la violenza è mezzo legittimo di difesa propria (2). Non è però possibile determinare con una regola precisa ed assoluta quando si possa dire ricuperato il possesso *in continenti*; secondo i casi, anche un qualche intervallo fra la prima violenza e la reazione, è tollerabile (3).

Ma è esagerare la portata razionale della regola l'ammettere che dopo compiuta colla violenza l'opera spogliativa, forse ad insaputa del possessore, possa questi, informatone e recatosi sul luogo, e constatato o verificata l'opera lesiva dei suoi diritti, procedere di propria autorità alla sua distruzione. Qui non si tratterebbe più di difesa, ma sarebbe un rendersi ragione da sè: l'atto sarebbe illecito e potrebbe anzi essere represso col-

---

(1) Cass. Torino, 21 maggio 1887, *Giur. Tor.*, XXIV, 599.
(2) Cass. Torino, 30 settembre 1885, *Giur. Tor.*, XXII, 645 e 744.
(3) GARNIER, *Possess.*, p. 66. — LUPARIA, *Az. Poss.*, n. 273 *bis.*

l'azione di spoglio: *Vim facere videtur quisquis ius suum non per iudicem reposcit* (1).

Spetta pure risarcimento di danni nel caso di *denuncia di nuova* opera o di *danno temuto* (art. 698 e 699 Codice civile).

Procuratori " ad lites „.

Nullità di appello.

Il procuratore *ad lites* può essere tenuto risponsabile dei danni verso il cliente pel fatto che l'appello da lui predisposto sia stato dichiarato nullo, *per causa a lui imputabile*, indipendentemente dal fatto che nel merito potesse considerarsi più o meno fondato. Ma il semplice fatto che la nullità dell'appello sia stata pronunziata per essere il medesimo stato notificato in un solo originale a due convenuti per quanto rappresentati da un solo procuratore, non basta a costituire quella colpa *lata* che induce la risponsabilità del Procuratore (2). Quanto alla misura del danno (nel caso di risponsabilità), venne giudicato che il Procuratore non sia tenuto a rispondere degli effetti della intera soccombenza della causa, ma bensì deve limitarsi il danno alla perdita degli onorarii relativi (3).

Non ne risponde l'avvocato consulente, e nel caso che la nullità dell'appello sia derivata da *nullità di notificazione* dell'atto di appello perchè fatta ad un domicilio falso, per trascuratezza del Procuratore, non vale a giustificare quest'ultimo il fatto che l'avvocato siasi tenuti gli atti dai quali il verò domicilio eletto risultava; se il Procuratore aveva il tempo necessario per farsi man-

---

(1) Fabro, in cod. lib. 7, tit. 8, def. 2.
(2) App. Milano, 22 novembre 1904, *Mon. Trib.*, 188.
(3) App. Casale, 28 luglio 1904, *Mon. Trib.*, 190 e *Giur. Tor.*, pag. 1257.

dare gli atti suddetti o di andare nella vicina città di residenza dell'avvocato a consultarli.

Risponsabilità.

Il Procuratore *ad lites* non è soggetto a risponsabilità pel modo di condurre la lite e per le sue opinioni intorno ai punti di diritto controversi, ma è risponsabile quando per imperizia o negligenza trascuri di fare quanto la legge prescrive in termini perentorii, ed esponga così il cliente alla perdita del diritto (1).

Graduazioni.

In conformità del suesposto principio, il Procuratore del creditore posteriore, il quale trascuri di sollevare questione avanti il Tribunale ed indi appellare dalla sentenza omologativa che abbia approvato senza discussione la *collocazione* provvisoria del giudice delegato per equivoco concessa ad un creditore antecedente, oltre i limiti della costui iscrizione e della stessa domanda di collocazione, *è responsabile* verso il cliente per *tutta quella parte di credito* di cui questi, per l'equivoco incorso, è *andato perdente* (2), ed il Procuratore il quale nè in linea di osservazione al progetto di graduazione, nè nella comparsa conclusionale innanzi al tribunale chiede che lo stato di collocazione sia corretto per essersi *omesso* un credito a causa della poca chiarezza della domanda, pregiudica irremissibilmente il proprio mandante, e si rende verso costui risponsabile dei danni e interessi (3).

La parte non ha diritto di indennità verso il suo Procuratore per una decadenza procedurale, se non quando

---

(1) Cass. Roma, 2 dicembre 1895, *Legge*, 1896, I, 149, *Foro It.*, 1894, 816.

(2) Cass. Torino, 19 dicembre 1899, *Giur. Tor.*, 93.

(3) App. Roma, 29 maggio 1889, *Legge*, I, 673.

più non possa coi mezzi legali impugnare la sentenza che questa decadenza ha pronunciato, e sia anzi accertato che tale sentenza non potesse con quei mezzi essere riparata (1).

Il Procuratore *ad lites* deve rispondere di quanto non ha fatto non solo per sua negligenza, ma anche solo per sua *imperizia* (2).

Il patrocinante, al pari del mandatario, è tenuto per il dolo e per la colpa nella direzione della lite, ma non risponde però mai per quanto si attiene ai mezzi scelti per sostenere le ragioni del cliente, e neppure per quanto riguarda l'attitudine sua nel propugnarle, qualunque sia il successo della causa; però risponde della *imperizia*, la quale deve risultare *da fatti così evidenti che non possano lasciare dubbio di sorta*, che cioè non si possano spiegare che colla crassa ignoranza (che è errore vincibile) del patrocinante. Allora la imperizia si equipara alla colpa. Scrive il Mollot (3): " L'avocat ne répond pas " plus de ses conseils que le magistrat de sa sentence, " à moins de fraude ou d'*erreur grossière*, équivalent " à dol „.

Consiglio a lite.

Un consiglio dà luogo a risponsabilità solo quando è *fraudolento*, e quindi il Procuratore non è risponsabile per aver consigliato il cliente ad intraprendere una lite, se non si prova l'elemento dell'inganno, e se la lite non era temeraria e capricciosa. " *Consilii non fraudolenti, nulla obbligatio est; coeterum, si dolus et calliditas intercessit de dolo actio competit* „.

---

(1) App. Torino, 16 febbraio 1891, *Giur. Tor.*, 307; *Temi Rom.*, 1901, pag. 326.

(2) Cass. Roma, 11 giugno 1894, *Foro It.*, 816. – App. Torino, 26 marzo 1878, *Giur. Tor.*, 334.

(3) *Responsabilità*, pag. 72. -- Dalloz, *Avocat*, n. 366.

Nullità di ordinanza.

Il Procuratore non risponde della nullità di un'ordinanza da lui estesa e firmata dal giudice delegato (1).

Nullità di precetto.

Se il Procuratore ha sostenuta la *validità* di un precetto, non risponde di danni se poi il precetto sia dichiarato nullo (2).

Rigetto d'appello.

Nel caso di rigetto di appello senza esame per mancato deposito degli atti per colpa del Procuratore, non si possono reclamare i danni per la diserzione stessa, se non si provi che la sentenza appellata dovesse venire riparata certamente ed indubbiamente (3).

Ricorso in Cassazione — Ingiurie.

Il terzo ingiuriato o diffamato in un controricorso in Cassazione ha azione contro i patrocinanti ad esso sottoscritti per ottenere il risarcimento dei danni in via civile, e non basta ad escludere tale azione che i patrocinanti non avessero l'intenzione di ingiuriare il terzo, ma solo il proposito di giovare alla difesa del proprio cliente, se viceversa tale difesa non portava alcuna necessità delle ingiurie e diffamazioni suddette (4). E per vero, si ha qui un vero abuso della difesa, che costituisce un fatto illecito che, essendo causa di danno per il carattere *ingiurioso* della difesa stessa, obbliga al relativo

---

(1) Cass. Torino, 8 luglio 1868, *Giur. Tor.*, 545.
(2) App. Torino, 25 gennaio 1867, *Giur. Tor.*, 255.
(3) App. Torino, 15 aprile 1867, *Giur. Tor.*, 454.
(4) Trib. Torino, 8 luglio 1905, *Giur. Tor.*, 1906, 292.

risarcimento (Vedi pure su questo riguardo anche il titolo *Cause e liti temerarie*).

Divieto di rendersi cessionarii di ragioni litigiose o concorrere ad incanti (Vedi **Vendite**).

Risponsabilità penali.

Risponde civilmente dei *danni* nonchè penalmente il patrocinatore (Avvocato o Procuratore) che collude colla parte avversaria (art. 222 Cod. pen.): o si rende infedele (art. 223 Cod. pen.).

Professioni liberali in genere.

(Vedi pure **Medici-chirurghi** — **Procuratori** **legali** — **Notai** — **Ingegneri**).

Gli esercenti professioni liberali sono risponsabili dei danni a termini degli art. 1151 e 1152 Cod. civ., senza potersi distinguere tra il caso del dolo e quello della colpa lata e quello della colpa lievissima o lieve (1).

Avvocato. L'opera dell'avvocato è principalmente intellettuale, nè il cliente ha diritto di chiedergli conto della sua opinione giuridica e del sistema di difesa adoperato nella trattazione della causa (2); per quanto invece riguarda i *Procuratori legali,* essi non possono essere tenuti a rifazione di danni se non viene provata la loro colpa o mala fede e non rispondono che di quella grave negligenza o crassa imperizia che si equipara al dolo (Leg. 1, *Dig. Si mensor falsum modum dixerit*). Una semplice omissione non può attribuirsi a colpa lata quando si riscontri influita da una giusta credulità o buona fede (3).

---

(1) Cass. Firenze, 12 luglio 1888, *Legge*, II, 588.
(2) Trib. Oristano, 30 gennaio 1904, *Boll. Op. Pie*, 264.
(3) App. Roma, 18 marzo 1888, vedi pure *Legge*, 1888, II, 253.

È ritenuta come colpa la evidente imperizia nell'esercizio di arti, uffici o professioni (1). Ma non costituisce mai colpa quell'errore professionale che dipende dall'incertezza connaturale di certe scienze ed arti, per cui non sempre si riesce ad ottenere l'evento cercato. La quale massima trova frequenti applicazioni nell'esercizio delle professioni liberali, come la medicina, l'avvocatura, la chirurgia, ecc., ecc.

Proprietà artistica.

(Vedi anche **Plagio** — **Concorrenza sleale**).

Fotografie artistiche.

I danni che all'autore di fotografie artistiche poste sotto la protezione della legge sulla proprietà letteraria devono risarcirsi da chi indebitamente le ha riprodotte in *fototipia* per adornare scatole di fiammiferi, non possono consistere nel semplice pagamento del compenso d'uso che l'usurpatore avrebbe dovuto sborsare per acquistare il diritto di riproduzione delle fotografie, ma devono compensare l'autore delle fotografie suddette, di quel maggior guadagno che la riproduzione gli ha tolto, deprezzandogli le fotografie e sopprimendone o diminuendone assai ogni ulteriore diffusione (art. 2, legge 19 settembre 1882, n. 1012, art. 1151 Cod. civ.) (2).

Anche le *fotografie* ricadono sotto la protezione della proprietà letteraria quando presentano le caratteristiche di speciale composizione artistica, ritraente un dato gruppo di tipi particolari in apposita foggia od atteggiamento (3).

La asserta *buona fede* e mancanza di ogni fine di lucro

---

(1) Giorgi, *Teoria delle Obbligazioni*, vol. V, § 154.
(2) App. Torino, 2 aprile 1901, *Giur. Tor.*, 647.
(3) App. Torino, 81 dicembre 1897, *Giur. Tor.*, 621.

non bastano ad esimere dall'obbligo di risarcimento di danni per violata proprietà letteraria, derivando invece tale obbligo dalla semplice vietata riproduzione oggettiva dell'opera garantita, imperocchè in tema di concorrenza sleale si bada al mezzo adoperato (1) (art. 33 legge suddetta).

Fu ritenuto che la *fotografia* non sia opera dell'ingegno quando si limita alla riproduzione materiale di un quadro o di un lavoro artistico; ma deve il fotografo col suo ingegno e non colla sola opera meccanica o chimica dare al lavoro l'impronta della propria personalità (2).

È pure ritenuto che è opera dell'ingegno protetta dalla legge non soltanto l'*incisione* che estrinseca un concetto originale dell'incisore, ma persino quella che riproduce una determinata altrui opera d'arte (3).

In generale, per acquistare la proprietà letteraria è d'uopo essersi conformati alle prescrizioni dalla legge all'uopo prefisse (4); e quindi non si ha *mansione precisa* dell'opera ed è perciò nulla la concessione di proprietà letteraria se nella dichiarazione all'uopo presentata al Prefetto della Provincia, si accenna semplicemente a *gruppo di gatti in fotografia*, senz'altra aggiunta relativa alla posa umoristica dei gatti medesimi ed alla allusione cui la fotografia è rivolta in modo da pòtersi distinguere la stessa da ogni altra fotografia congenere (art. 21, legge 19 settembre 1882). E nulla decide in contrario che siasi sulle copie della fotografia impressa la dicitura " *Proprietà riservata* „ (5).

---

(1) Cass. Roma, 7 dicembre 1896, *Giur. It.*, 1897, I, 1, 52.
(2) Cass. Roma, 18 marzo 1891, *Giur. It.*, I, 2, 113.
(3) App. Venezia, 28 maggio 1890, *Temi Ven.*, XV, 267.
(4) App. Napoli, 18 novembre 1889, *Gazz. dei Proc.*, XXIII, 296.
(5) App. Torino, 23 maggio 1898, *Giur. Tor.*, 1202.

Proprietarii di case.

(Vedi anche **Edifizii** — **Costruzioni**).

Portinaio.

Non è tenuto a risarcimento di danni il proprietario
verso il portinaio, pel fatto che questi nel salire, in
adempimento delle sue funzioni, una scala disposta per
l'alimentazione del calorifero, a cagione della inidoneità
di questa, sia precipitato e abbia riportato lesioni, *qualora*
però il portinaio abbia mancato di avvertire il proprietario della sopravvenuta inidoneità; imperocchè il locatore d'opera è lui in grado, in forza dei suoi doveri
professionali, di vedere e distinguere a tempo se i mezzi
affidatigli dal conduttore dell'opera stessa siano convenienti e deve informare esso il proprietario se diventano,
per qualsiasi causa, inidonei; il proprietario poi dal canto
suo, come ogni conduttore d'opera, in tal caso, deve
fornire al locatore d'opera i mezzi idonei all'esecuzione
del lavoro, e mantenerli tali, ed è tenuto a rifondere i
danni in caso di trasgressione (1).

Locatore e conduttore.

Il locatore non risponde civilmente del fatto del conduttore, non potendosi i rapporti di locazione confondere
con quelli di gestione. Evidentemente il locatore, di
fronte al conduttore, non si trova in nessuno dei rapporti previsti dall'articolo 1153 del Codice civile, e sarebbe assurdo considerare il conduttore, inquilino od
affittuario, come un *commesso* del proprietario della casa
locata; e neppure si può sostenere che il proprietario
sia tenuto a risponsabilità civile pel cattivo uso della
cosa ad altri data in affitto, poichè ciò sarebbe in aperta
violazione dell'art. 1155 del Cod. civ., il quale dispone

---

(1) App. Milano 22 novembre 1904, *Mon. Trib. Milano*, 372.

che il proprietario di un edifizio è obbligato pei danni cagionati dalla rovina di esso, quando sia avvenuta per mancanza di riparazioni o per un vizio nella costruzione, onde è che *all'infuori* di questi due casi, non può parlarsi di risponsabilità civile dal proprietario della cosa locata (1).

Però se si tratta di danno derivato alle proprietà vicine a causa della destinazione stata data dal locatore stesso al fondo locato, ed attuata dal conduttore, il locatore è tenuto a risarcire i danni medesimi, poichè in sostanza qui il locatore risponde di un *fatto proprio*, essendo lui che ha dato alla cosa quella certa destinazione, da cui derivano i danni (2); e risponderebbe pure anche se il danno fosse arrecato per un fatto proprio del conduttore (es. se questi deposita materie nocive in prossimità del fondo vicino, le cui infiltrazioni nel terreno vanno ad inquinare le acque del pozzo del proprietario confinante) se però colla sua sorveglianza il locatore poteva impedire il fatto stesso. In questo caso la sua colpa sta nell'aver trascurato di sorvegliare il conduttore che non facesse uso della cosa in modo da recar danno al vicino, quando ciò potevasi evitare.

Pilastri e vasi.

Il proprietario, che a fianco di un suo pilastro, sulla cui sommità trovasi collocato un pesante vaso di cemento, lascia un addentellato di mattoni facilitante la salita, non è responsabile del danno se un ragazzo se ne giova per arrampicarsi sul pilastro suddetto, provocando la caduta del vaso addosso ad un passante (3). Infatti, il lasciare l'addentellato non costituisce cosa illecita. Il proprietario di un edificio ha il dovere di

---

(1) Cass. Roma, 11 gennaio 1904, *Legge*, 884.
(2) Cass. Torino, 29 ottobre 1897, *Giur. Tor.*, 1480.
(3) App. Casale, 21 agosto 1901, *Giur. Tor.*, 1169.

provvedere che il pubblico sia garantito contro il pericolo di quelle cose che sono *in sè* e *per sè stesse* pericolose (art. 466, n. 2 e 473 Cod. pen., art. 28 legge di Pubblica sicurezza), ma non di quelle che possono divenire tali per l'altrui maltalento, come nel caso del monello che dell'addentellato si serve di scala per salire e far cadere il vaso.

(Vedi pure **Minori** — *Locazione di case.* — *Malattie infettive*).

Aumento di piani.

Il proprietario dell'*ultimo piano* (superiore) di una casa, non può alzare nuovi piani senza il consenso dei proprietarii dei piani inferiori (art. 564 Cod. civ.). In difetto è tenuto al risarcimento di danni (1), oppure alla demolizione del piano rialzato.

Mancanza di inferriate.

Il proprietario di casa che non ha munito degli opportuni ripari un *finestrino* aprentesi sul pianerottolo di una scala inserviente al passaggio degli inquilini. è responsabile civilmente della *morte di un bambino* di quattro anni di uno dei detti inquilini, avvenuta per essersi il medesimo introdotto nel finestrino stesso, precipitando nel sottostante cortile. Per questo infortunio però egli non è tenuto che a risarcire i soli danni *morali* ai genitori (2).

Allagamenti.

Sono dovuti i danni al proprietario di edifizio il cui piano terreno trovisi soggetto ad innondazioni ed alla-

---

(1) Cass. Firenze, 25 aprile 1895, *Giur. Tor.*, 540.
(2) App. Milano, 31 maggio 1901, *Legge*, 1902, II, 17.

gamento pel fatto del rialzato livello di uno stradale vicino (art. 46 legge 25 giugno 1865 sulle espropriazioni per pubblica utilità) (1).

Caduta di imposta.

L'art. 1155 Cod. civ. contempla anche la rovina di una parte qualsiasi dell'edifizio, che ne sia parte integrante, e quindi il proprietario risponde del danno derivato ad un passante dalla caduta di un'imposta, se originata non da *forza maggiore* (es. un vento impetuosissimo), ma da *vizio di costruzione* o da *mancata riparazione* (2).

Rovina di pavimento (Vedi **Locazione di case, § 2**).

Il proprietario del piano di sopra è tenuto solamente alle riparazioni del pavimento su cui cammina e quello del piano sottostante, alla riparazione della volta o soffitto su cui poggia il pavimento suddetto (art. 562 Cod. civ.) (3). Giurisprudenza costante. Il RICCI però è di opinione contraria (4).

Il proprietario locatore è responsabile per quasi-delitto verso gli inquilini della rovina dell'edificio, e se si tratta di un immobile posseduto in comunione da più persone, tutte sono solidariamente responsabili (5); e la negligenza od imperizia dell'ingegnere che costruì la casa, non salva il proprietario dalla responsabilità verso l'inquilino danneggiato.

---

(1) Cass. Torino, 27 gennaio 1903, *Giur. Tor.*, 785.

(2) App. Venezia, 16 aprile 1903, *Temi Ven.*, 857.

(3) Cass. Roma, 29 aprile 1902, *Giur. Tor.*, 897. — FINETTI, *Questioni sulla riparazione agli edifizi i cui piani sono di diversi condomini* (*Giur. It.*, 1901, I, 2, 815). — CARABELLI, *Servitù Prediali*, sull'art. 564, pag. 80. — PACIFICI-MAZZONI, *Servitù Legali*, n. 477, seconda edizione.

(4) RICCI, *Dir. Civ.*, vol. II, n. 408.

(5) Cass. Palermo, 15 aprile 1899, *Legge*, II, 835.

Proprietà rurale e Fondi rustici.

(Vedi pure **Strade** — **Servitù di passaggio**).

Coltivazione a riso — Danni.

Il proprietario che introduce nel suo fondo la coltivazione a *riso* e produce danno nei fondi vicini a causa delle infiltrazioni di acqua, è tenuto al risarcimento dei danni (1). Poichè se è giusto che il proprietario di un fondo tragga dall'uno piuttosto che dall'altro modo di coltivazione del proprio fondo il massimo beneficio, non deve d'altra parte con tale fatto danneggiare gli altri. Il *jus utendi et abutendi* deve coesistere col *neminem laedere* per mantenere la sociale convivenza in buona armonia. Nella pratica però è difficile il dare la prova che la filtrazione derivi dalla risaia superiore, e perciò molti giudicati di antica giurisprudenza assolvettero i coltivatori di riso da simili azioni (2).

Essiccamento di fontana.

Il proprietario di una *fontana*, essiccata per effetto della costruzione di un sottostante *tunnel*, ha diritto a risarcimento di danno a mente dell'art. 46 della legge 25 giugno 1865 sulle spropriazioni per utilità pubblica (3).

Così pure fu deciso che il Comune avente sopra un fondo proprio una fontana inserviente ai bisogni della popolazione, ha ragione di indennità per essersi, colla costruzione di una galleria ferroviaria, recise e soppresse le vene conduttrici delle acque che alimentavano quella fontana ed alle quali il Comune aveva diritto (4).

---

(1) Cass. Torino, 6 novembre 1903, *Giur. Tor.*, 1904, 38. — Gianzana, *Delle Acque*, I, 542.
(2) *Giur. Tor.*, anno 1891, pag. 599 in nota.
(3) Cass. Torino, 19 ottobre 1904, *Giur. Tor.*, 1593.
(4) Cass. Torino, 24 ottobre 1900, *Giur. Tor.*, 1369.

Franamenti.

I fondi inferiori sono soggetti a ricevere i franamenti di terreno che vi cadono *naturalmente* dai fondi più elevati, senza che vi sia concorso in alcun modo l'opera dell'uomo (art. 536 Cod. civ.)(1). A questo riguardo scrive il Laurent (2): " Si les fonds inférieurs doivent recevoir les eaux pluviales, il va sans dire que c'est avec les pierres et les sables qu'elles charrient; il en pourra résulter un dommage pour les propriétaires, mais ils n'ont pas droit à une indemnité de ce chef; c'est la nature qui le veut ainsi „.

Ma se il franamento è derivato da opere di *dissodamento* o da *imprudente cultura* praticate nel fondo superiore, il proprietario del fondo sottostante ha diritto al risarcimento dei danni, allo sgombro dei detriti franati, ed alla costruzione delle opere di riparo a spese del proprietario del fondo superiore (art. 1155 Cod. civ.). Infatti, nello stabilire la servitù in discorso, determinata dalla situazione dei luoghi, scrive il Laurent, *la loi n'entend consacrer que l'œuvre de la nature* (3).

La risponsabilità del proprietario del fondo superiore franato, come ora si è detto, continua anche nel caso in cui il fondo fosse stato da lui concesso in affitto ad un terzo, essendo egli in colpa nel non aver impedito o nel non essersi curato di impedire agli affittavoli le opere che ebbero a determinare la frana (Vedi pure *Acque*).

Il proprietario del fondo inferiore ha diritto di farsi indennizzare dei danni che subisce allorchè il proprietario

---

(1) Ricci, *Dir. Civ.*, II, n. 289. — Cass. Torino, 9 dicembre 1901 (*Giur. Tor.*, 1902, pag. 153).

(2) *Principes*, VII, n. 358, quarta edizione. — *Conforme*, Dalloz, *Servitude*, n. 348, 1°. — Aubry et Rau, III, p. 10, nota 11. — Demolombe, XI, p. 28, n. 19; p. 40 n. 32.

(3) Laurent, op. cit., vol. VII, n. 360. — Ricci, vol. ed op. cit., n. 290.

del fondo superiore si fa ad asportare le cose cadute nel fondo inferiore (1).

Possesso.

Nella turbativa di possesso la colpa è *in re ipsa*, e quindi importa risarcimento di danno (2).

Illecita introduzione in fondo altrui.

Chiunque incontri danno introducendosi senza diritto nella proprietà altrui, non può lagnarsene, dovendo imputarlo a sè stesso, imperocchè per far questione di colpa imputabile ad alcuno per ritenerlo risponsabile del danno derivato ad altri, occorre che colui al quale si dirige il rimprovero non abbia avuto il diritto di agire come ha fatto, non potendo esservi alcuna colpa nè alcun danno da ripetere da chi ha usato del proprio diritto, anche se il suo atto sia stato occasione del male altrui (3).

Chi reca danno al vicino, anche indipendentemente dai modi indicati nell'art. 574 Cod. civ., è tenuto a risarcirlo (4). Il proprietario di un immobile è risponsabile del danno che deriva dal suo immobile al fondo vicino, quantunque autore diretto del danno lamentato sia l'affittuario dell'immobile stesso (5).

Erba — Praterie — Danno.

Anche l'*erba* che si fa crescere nelle praterie per industria dell'allevamento del bestiame o per l'industria della produzione del latte mediante appositi bestiami

---

(1) Ricci, *id.*, n. 289.
(2) Cass. Torino, 28 maggio 1884, *Giur. Tor.*, vol. XXI, 578.
(3) Cass. Firenze, 29 dicembre 1887, *Legge*, 1888, I, 224.
(4) Cass. Torino, 18 aprile 1898, *Legge*, II, 188.
(5) Cass. Torino, 5 febbraio 1896, *Legge*, I, 732.

destinati al pascolo nelle medesime, costituisce un *valore*, cosicchè la perdita di essa per opera altrui, dà luogo ad azione per risarcimento di danni (1).

Il proprietario di un fondo risponde dei danni recati a terzi dalle persone da lui preposte alla custodia del suo fondo (2).

Piante di gelso — Danni.

L'azione di danno dato a fondi urbani o rustici non è possessoria; essa si estende ad ogni danno dato con *colpa* o con *dolo*. E così compete pel danno dato alle *piante di gelso* del vicino colla colposa immissione nel fondo di costui di residui *fluoridrici*. La prova dei danni lamentati può darsi anche con testimonii aventi cognizioni tecniche, se la constatazione peritale non è più oramai possibile (art. 1151 Cod. civ., 229 Cod. pen.). Ciò però in via puramente eccezionale, perchè i testimonii devono limitarsi a declinare ciò che hanno veduto ed udito, senza che possano emettere giudizio di apprezzamento, che sono riservati ai periti (3).

Il Mattirolo ritiene pure che l'azione di danni di cui sopra si è detto, sia azione *possessoria sui generis*, che si distingue sotto molti aspetti dalle azioni ordinarie (4).

Animali difettosi.

Il padrone è risponsabile dei danni subìti dal colono in causa del bestiame difettoso concessogli per la coltura del fondo (5).

---

(1) Cass. Napoli, 4 marzo 1895, *Gazz. Proc.*, XXXIII, 851.
(2) App. Trani, 15 marzo 1904, *Mon. Trib.*, 855.
(3) Mattirolo, *Diritto giudiziario*, II, n. 1018, quinta edizione.
(4) Cass. Torino, 17 aprile 1906, *Giur. Torinese*, 881.
(5) Cass. Firenze, 23 giugno 1904, *Mon. Trib.*, 47.

Prove del danno o della colpa.

(Vedi pure **Danni in genere** — **Colpa**).

Atti penali.

Gli atti del processo penale, deposizioni testimoniali, risposte dell'imputato, relazioni di periti, possono prodursi nel giudizio civile ed assumersi a prova dei fatti inducenti la risponsabilità civile (1) (Vedi pure *Giudizio civile* e *Giudizio penale*).

Altre prove.

Gli apprezzamenti intorno alla colpa inducente risponsabilità di danni, non sono censurabili in Cassazione.

Quando la *colpa* è insita nel fatto medesimo che ha prodotto il danno, non occorre altra prova di essa, e tocca all'autore del fatto l'escluderla colla prova del caso fortuito o della forza maggiore (2).

Nel ferimento con *arma da fuoco* la colpa sta *in re ipsa* e tocca al feritore l'escluderla con prova contraria (3).

Nelle materie *difficilioris probationis*, come quando si tratta di provare il dolo, sono da ammettersi siccome prove sufficienti, anche semplici argomenti di *probabilità* (4).

A provare il *danno* ed il suo ammontare, sono idonei tutti i *mezzi istruttorii*, e quindi anche la *prova testimoniale* senza limite di somma (5).

---

(1) Cass. Torino, 12 maggio 1896, *Giur. Tor.*, 357.
(2) App. Torino, 25 giugno 1895, *Giur. Tor.*, 564.
(3) App. Torino, 21 gennaio 1890, *Giur. Tor.*, 261.
(4) App. Venezia, 1° luglio 1898, *Legge*, II, 711.
(5) Giorgi, *Teoria delle Obbligazioni*, vol. V, § 217.

Querelanti o Parti civili.

(Vedi pure **Denuncia**).

Danni.

Il querelante per diffamazione costituitosi parte civile ed opponente alla ordinanza di assolutoria del giudice istruttore confermata dalla sezione di accusa, non è tenuto ai danni verso l'imputato assolto fuorchè nel caso in cui sia dimostrato avere egli agito malvagiamente e nel solo intento di nuocere (art. 1151 Cod. civ.) (1).

Non è risponsabile di danni neppure il querelante verso l'imputato assolto, se egli ha operato in buona fede, e nella convinzione di far valere un proprio diritto (2).

Per rendere il querelante risponsabile dei danni in caso di dichiarazione di non luogo, non basta siasi respinta la querela per mancanza di prove o per inesistenza di reato, ma è indispensabile la prova che venne sporta querela con dolosi intendimenti o con colpevole leggerezza od imprudenza (3).

Il querelante non è tenuto ai danni verso l'imputato prosciolto se non provandosene il dolo o colpa (4). Non basta a far ritenere dolo o colpa il solo fatto della persistenza del querelante nell'accusa e nella costituzione di parte civile, ma *la colpa deve risultare da circostanze gravi, precise e concordanti* (5).

Il querelante per diffamazione è risponsabile dei danni verso l'imputato assolto nel caso in cui risulti da leggerezza o dolo per essere rimasta esclusa ogni sussistenza dei fatti posti a base della querela, oppure per essersene ad arte travisate le circostanze più sostanziali; invece

---

(1) App. Casale, 31 gennaio 1905, *Giur. Tor.*, 244.
(2) Cass. Torino, 26 novembre 1891, *Giur. Tor.*, 774.
(3) App. Torino, 10 aprile 1899, *Giur. Tor.*, 960.
(4) App. Torino, 5 marzo 1894, *Giur. Tor.*
(5) Cass. Torino, 8 giugno 1901, *Giur. Tor.*, 1183.

non ha alcuna risponsabilità se i fatti posti a base della querela erano esatti, e per esso querelante veramente offensivi, cosicchè venne dato corso alla querela, sebbene per apprezzamenti di indole giuridica il Tribunale abbia assolto (1).

Non basta infine il semplice fatto di *costituirsi parte civile*, per rendere risponsabile di danni verso l'imputato assolto.

Reati d'azione privata.

L'imputato di reato di azione privata rimasto assolto, ha diritto al rimborso delle spese di difesa contro il querelante *costituitosi parte civile*, indipendentemente dai danni, e qualunque sia formola usata nella sentenza penale di assolutoria (art. 570 Cod. proc. civ.) (2).

Questa massima venne però censurata, non essendo trasportabili norme di diritto civile nei giudizi penali e viceversa, se non sia espressamente dal legislatore dichiarato. E così non è applicabile l'art. 570 Cod. proc. civ. al giudizio penale: che se la condanna dell'imputato porta con sè l'obbligo delle spese, non può nel caso di assolutoria dirsi altrettanto rispetto alla parte civile, giacchè le spese di difesa a favore del reo assolto non potrebbero considerarsi se non una *nuova* condanna in base a *nuovo* e regolare giudizio, essendo già a carico del querelante le spese verso l'erario, per effetto della soccombenza.

L'imputato, che *trattandosi di reato di azione privata*, ha accettata la *remissione* e *desistenza* dal querelante, non può più esperire contro di questo l'azione di danno per la querela data (3). Infatti, gli art. 117 e 118 del Cod. di proc. pen. limitano gli effetti civili della desistenza a

---

(1) App. Torino, 7 aprile 1900, *Giur. Tor.*, 650.
(2) Tribunale Sarzana, 28 febbraio 1905, *Giur. Tor.*, 1025.
(3) Cass. Napoli, 2 giugno 1896, *Giur. Tor.*, 632.

ciò che il desistente deve **pagare le spese occorse e non può** più proporre l'azione civile se non l'ha espressamente riservata. Il che in sostanza vuol dire che tali effetti sono regolati dall'accordo delle parti, poichè anche per le spese nulla osta che il desistente stipuli che esse siano a carico del querelato in **tutto od in parte, e questi** accetti tale condizione. E ciò si deve riconoscere tanto più facilmente dopo che il Codice penale all'art. 88 ha disposto che la desistenza **non abbia effetto se non è ac**cettata dall'imputato. **Essa è dunque una convenzione** regolata dai patti e dalle condizioni proposte da una parte e accettate dall'altra, e in difetto di speciali condizioni è regolata dalla legge, cioè il desistente pagherà le spese, e non potrà più **proporre l'azione civile, e l'a**zione penale sarà estinta. **In quanto all'azione civile del**l'imputato contro il querelante, appena si può immaginare il caso che il querelato accetti la desistenza e riservi tale azione, ed il desistente accetti tale condizione, tanto essa è contraria alla natura **stessa della desistenza ed ai** suoi effetti legali. Si potrebbe ammettere però che venissero riservate entrambe le azioni civili. **Ma estinta** l'azione penale, ed estinta con essa l'azione civile del desistente, perchè non **stata riservata, non** sarebbe possibile la sopravvivenza dell'**azione civile del querelato** contro il querelante.

L'accettazione della **desistenza da parte del querelato** è condizione necessaria dell'efficacia della desistenza, affinchè non avvenga che l'imputato, colpito da un'accusa che offende la sua riputazione, non si trovasse, per effetto di una desistenza, privato **contro sua volontà del mezzo** che egli aveva di ribattere l'accusa, di provare la sua innocenza, e di ottenere **nella sentenza del giudice un** titolo in base al quale potesse fondare una domanda di danni contro il querelante. **Egli dunque ripara a questo** pericolo col rifiutare la desistenza, ossia la *remissione di querela*, e coll'esigere che il processo continui a sua giustificazione; ma se egli accetta la *remissione* per gli ef-

fetti dell'azione penale, riconosce per ciò stesso che l'azione
era fondata, od almeno che la querela non era nè avven-
tata, nè imprudente; poichè non vi è luogo a remissione
se non vi sia una colpa da condonare. Sarebbe adunque
contraddizione manifesta ed ingiustizia mostruosa l'ammettere che il querelato, dopo avere accettato gli effetti
utili della remissione ed evitato il procedimento penale
ed i suoi pericoli, potesse poi, col proporre un'azione
civile contro il desistente che ha fatto la remissione,
farsi a sostenere che non solo non vi fosse una colpa da
rimettere, ma ancora fosse *colposa la stessa accusa fatta
colla querela*, rivolgendo contro il querelante l'atto di cui
intanto ha accettato e gode i benefizii (1).

Riputazione individuale.

(Vedi pure **Giornali** — **Cause civili** — **Danni morali** — **Lettere**).

Reca danno ad una persona, ed è tenuto al risarcimento di danni chi pubblicamente le attribuisce una
infermità od imperfezione fisica, divulgando un attestato
da cui apparisca che ne sia guarita o migliorata con
l'uso di uno specifico, al quale in tal maniera si fa la
réclame commerciale. Nè elimina la colpa il consenso
ottenuto dalla persona di cui trattasi, sia al rilascio, sia
alla pubblicazione dell'attestato di guarigione, se il fatto
sia in sè *insussistente* ed il consenso sia · *nullo giuridicamente*, per non avere capacità la persona che lo ha accordato (2).

Fotografie.

Il *fotografo* che abbia pubblicato e per di più riprodotto
a scopo di lucro il ritratto di una ragazza minorenne

---

(1) Nota nella *Giur. Tor.*, 1896, pag. 631-633.
(2) Trib. Roma, 23 dicembre 1903, *Giur. Ital.*, I, 2, 75.

senza il consenso del genitore, è responsabile dei danni verso quest'ultimo. Nè vale a costituire il tacito consenso alla riproduzione il fatto di detto genitore di avere permessa la fotografia e di averne avuto anche delle copie (1).

Non commette reato contro il buon costume, ma è responsabile di danno in via civile il *fotografo* che riproduce la *fotografia a nudo* di una giovine minorenne, senza il consenso dei genitori, ed esponga in pubblica mostra la fotografia, sebbene questa sia stata fatta a puro scopo d'arte, e la giovane fotografata eserciti il mestiere di *modella* e come tale sia solita a posare nuda in studii di privati artisti, o in accademie di belle arti (2).

Informazioni sulla moralità.

Il *pubblico ufficiale*, che per ragione del suo ministero ha fornito informazioni e notizie all'Autorità giudiziaria intorno a persone assoggettate a procedimento penale, non può essere chiamato a rispondere del risarcimento dei danni morali per la *leggerezza* con cui abbia raccolte e trasmesse le notizie, o per la sostanziale inesattezza delle medesime; ma soltanto si verificherebbe la di lui risponsabilità quando la falsità delle informazioni fosse attribuita a *dolo* (3).

Non si rende colpevole di ingiuria il consigliere comunale che con lettera al prefetto accusi il segretario del Comune di fatti abusivi, e perciò non può il segretario comunale per talune espressioni usate nella lettera del consigliere chiedere risarcimento di danni (Vedi pure *Danni morali*).

L'attribuire fatti disonoranti o anche *mediante discorso con una sola persona* con proposito doloso ed ingiurioso, dà diritto all'ingiuriato di chiedere il risarcimento dei

---

(1) Pret. Milano, 17 agosto 1903, *Mon. Trib.*, 573.
(2) App. Torino, 3 marzo 1904, *Foro Ital.*, I, 688.
(3) Cass. Roma, Sez. Unite, 19 febbraio 1904, *Giur. Ital.*, I, 1, 797.

danni (1). E l'azione pei danni d'ingiuria non spetterebbe solo alla persona ingiuriata, ma anche ai suoi figli eredi.

Romanzi ricavati da processi penali.

Il diritto di un autore di basare su fatti storici o su episodii rivelati in processi giudiziarii il soggetto di un *romanzo* o di un *dramma* non è assoluto, e non esclude la risponsabilità per quasi-delitto. In tal caso, perchè l'azione di risarcimento di danni intentata da un parente del condannato avente lo stesso casato, sia ammessibile contro l'autore che ha riprodotto le circostanze del delitto, basta, in mancanza dell'intenzione di nuocere, una *colpa* qualunque dell'autore che abbia recato pregiudizio all'attore in causa. Manca tale colpa se l'autore si limitò a raccontare il fatto veramente successo e da tempo diventato notorio, evitando ogni malevolo apprezzamento e qualsiasi aggiunta atta a snaturare il fatto od a rendere più odiosa l'azione del colpevole. Ciò tanto più se risulta che l'autore ha voluto mettere in scena un soggetto di osservazione o di studio, tacendo il nome patronimico del colpevole (2).

Relazione con donna maritata — Danni.

Chi tiene relazione amorosa con una donna coniugata, reca offesa all'onore della sua famiglia e danno al patrimonio morale e sociale di ciascuno dei suoi membri; il quale danno è risarcibile anche pecuniariamente. Non può quindi ritenersi nulla per causa illecita la promessa di una indennità fatta a persona riconosciuta quale capo della famiglia, e da lui accettata, per tenere celata la relazione avuta, e quasi a rinunzia della querela e dell'azione di riparazione del danno (3).

---

(1) App. Bordeaux, 24 gennaio 1899, *Legge*, II, 744.
(2) App. Torino, 21 gennaio 1896, *Giur. Tor.*, 205.
(3) App. Venezia, 14 luglio 1892, *Temi Ven.*, XVIII, 12.

Attestazione giudiziale di fatti insussistenti.

Se non vi è *dolo*, vi è verò grave leggerezza e *colpa civile* nel fatto di più persone che si rechino alla Pretura ed ivi fanno redigere un'attestazione giudiziale portante accuse gravi contro un insegnante locale per promuoverne la rimozione, e quando tali accuse sono ritenute del tutto insussistenti da tutte le autorità scolastiche comunali e provinciali, e dettate soltanto da animosità personali e spirito di parte; e quindi in questo caso tutti i partecipanti alla detta attestazione debbono rispondere pel gran principio di diritto, che qualunque fatto dell'uomo che arreca danno ad altri e sia illecito, obbliga quello, per colpa del quale è avvenuto, a risarcire il danno (1).

Denuncia di furto.

La denuncia di un furto, riconosciuta in seguito insussistente, con indicazione della persona sospettata, non sottopone ai danni verso la persona stessa stata anche arrestata, se non quando si provi la leggerezza o imprudenza colpevole del denunciante (2).

Ingiurie ed eccessi nella difesa avanti le autorità giudiziarie.

Il terzo che sia ingiuriato e diffamato in un controricorso in Cassazione, ha azione contro i patrocinanti, ad esso sottoscritti, pel risarcimento dei danni in via civile (art. 1151 Cod. civ.).

Non basta ad escludere tale azione il fatto che i patrocinanti non avessero l'intenzione di ingiuriare il terzo, ma solo il proposito di giovare alla difesa del proprio

---

(1) App. Torino, 3 agosto 1889, *Giur. Tor.*, 745.
(2) App. Torino, 25 febbraio 1898, *Legge*, I, 623.

cliente, se tale difesa non portava veruna necessità delle ingiurie e diffamazioni suddette (1). Infatti, qui si avrebbe un vero *abuso* di difesa, il quale costituisce un fatto illecito, e pel carattere ingiurioso dà luogo ad un danno morale che va risarcito.

Impiegati.

Non è risponsabile di danni l'*impiegato* che denuncia il suo dipendente pei fatti che egli ritenga riprovevoli, al comune superiore gerarchico, e così il medico capo di un ospedale non incontra risponsabilità per il fatto di avere denunciato al presidente gli atti di negligenza di un sanitario addetto all'ospedale stesso (2). È per vero in tanto si può invocare un risarcimento di danno, in quanto vi sia un diritto violato. Il concetto di *colpa* è inseparabile dall'obbligo di risarcire il danno; essa consiste nell'*iniuria factum*, e solo *quod est non jure factum, contra jus est*. Ora il fatto di denunciare all'Autorità superiore il contegno di un dipendente, non può mai essere un fatto illecito nè violare diritto qualsiasi del dipendente. Anzi non solo è diritto, ma *dovere* del superiore controllare, regolare, dirigere e correggere le azioni dell'inferiore, e proporne secondo i casi anche la revoca dall'ufficio. Chi ha la risponsabilità di persone che da lui dipendono, usa del suo pieno diritto quando riferisce al superiore comune i fatti dai dipendenti commessi. Certo la cosa cambierebbe aspetto se si denunciassero fatti *non veri*; ma anche su tale punto devesi esaminare con prudenza se effettivamente furono denunciati *fatti falsi*, o se *falso* è soltanto l'*apprezzamento* dei fatti, reso dal denunciante; imperocchè in questo secondo caso il fare un apprezzamento individuale, di per sè non lede alcun diritto e non è fatto illecito; che se si vietasse ai superiori

---

(1) Trib. Torino, 8 luglio 1905, *Giur. Tor.*, 1906, 292.
(2) Trib. Torino, 29 marzo 1905, *Giur. Tor.*, 644; *Mon. Trib.*, 735.

l'apprezzare i fatti dei dipendenti, si infrangerebbe o scuoterebbe il vincolo disciplinare che deve esservi fra i funzionari di una amministrazione.

Concludendo quindi e per quanto in pratica possano derivarne degli inconvenienti, non sarà mai possibile ritenere risponsabile dei danni l'impiegato che per *sentimento di dovere* abbia denunziato al superiore fatti addebitati al suo dipendente, restando *esatto* nell'esporli e facendone quegli apprezzamenti che la sua libera coscienza gli suggeriva, salvo il debito controllo da parte del superiore così informato.

Guardia municipale — Denuncia penale.

La guardia municipale che abbia denunciato un reato inesistente, è tenuta a risarcire i danni causati dall'illegittima denuncia, ed il *Comune è civilmente risponsabile* dei danni stessi in forza dell'art. 1153 Cod. civ. (1).

Querelante doloso.

Chi querela o denunzia dolosamente o colposamente un reato d'azione pubblica, è tenuto ai danni tanto morali quanto materiali verso l'imputato, anche se questi sia rimasto assolto da semplice pronuncia del giudice istruttore o della Camera di Consiglio per semplice insufficienza di prove specifiche (2) (art. 1151-1152 Cod. civ.).

Questa massima però va intesa nel senso che chi denuncia o querela, sia in *dolo* (calunnia), oppure in *colpa*, cioè denunci con soverchia leggerezza, che costituisca imprudenza; poichè in caso contrario, se ogni qualvolta si denuncia un reato, e l'imputato viene prosciolto, si dovesse dichiarar tenuto ai danni il denunciante, quale

---

(1) Trib. Ancona, 16 settembre 1904, *Corte d'Ancona*, I, 419.
(2) App. Torino, 4 aprile 1906, 794.

sarebbe quel galantuomo che si prenderebbe il disturbo di denunciare i bricconi ?

E così venne appunto deciso che la semplice proposizione di una querela penale, dalla quale l'imputato sia stato assolto, non basta a dargli azione di danni contro il querelante, se non prova che costui abbia agito con dolo o colpa grave (1).

In questo ultimo caso, l'imputato avrebbe diritto al risarcimento dei danni morali e materiali, e tra questi il rimborso delle spese occorse per la propria difesa e le altre dette di giustizia (2).

I principii sopra svolti sono applicabili anche quando il querelante sia costituito parte civile.

Perquisizione subìta ingiustamente.

La leggerezza nello sporgere una querela e nel provocare una perquisizione dei carabinieri a domicilio obbliga al risarcimento dei danni morali (3).

Quanto ai *danni* morali per *perquisizioni illegali*, vedi il titolo *Funzionarii pubblici.*

Calunnia.

Colui il quale con denuncia all'Autorità giudiziaria od a pubblico ufficiale che abbia dovere di riferirne all'Autorità stessa, incolpa taluno di un reato di cui egli sa essere innocente, o ne simula le traccie a carico di esso, risponde non solo dei danni morali e materiali, ma anche penalmente pel reato di *calunnia* (art. 212 Cod. pen.).

Diffamazioni ed ingiurie,

Risponde civilmente dei danni, oltre che penalmente, chi, comunicando con più persone riunite od anche sepa-

---

(1) Cass. Torino, 11 settembre 1902, *Giur. Tor.*, 1581.
(2) Cass. Torino, 8 giugno 1901, *Giur. Tor.*, 1188.
(3) Cass. Torino, 27 dicembre 1905, *Giur. Tor.*, 1906, 147.

rate, attribuisce ad una persona un *fatto determinato* (*diffamazione*) tale da esporla al disprezzo o all'odio pubblico, o da offenderne l'onore o la riputazione (art. 393 Codice penale); e chiunque in qualsiasi modo comunicando con più persone riunite od anche separate offenda l'onore, la riputazione od il decoro di una persona (art. 395 Codice penale) (*ingiuria*).

In ogni delitto poi che offenda l'onore della persona o della famiglia, *ancorchè non abbia cagionato danno*, il giudice può assegnare alla parte offesa, che ne faccia domanda, una somma determinata di danaro a titolo di riparazione (art. 38 Cod. pen.) (Vedi anche *Giornali*).

Seduzione.

(Vedi pure **Matrimonio**).

Promessa di matrimonio.

La promessa di matrimonio inadempiuta, obbliga al risarcimento dei danni quando sia stata stromento e mezzo di seduzione (art. 54 Codice civile) (1).

La prova del parto è ammessibile in tal caso, e non costituisce indagine illegittima di paternità, se è offerta dalla sedotta al solo scopo di ottenere risarcimento di danno (art. 189 Cod. civ.).

Il seduttore è sempre tenuto ai danni, anche se la promessa di matrimonio, che fu mezzo di seduzione, non siasi potuta effettuare per fatto a lui non imputabile (2).

Fu però anche giudicato che quando la promessa di matrimonio non siasi dal seduttore adempiuta per una legittima causa impeditiva, specialmente se imputabile alla stessa sedotta, non può più questa esercitare contro

(1) App. Torino, 11 aprile 1905, *Giur. Tor.*, 705.
(2) App. Torino, 26 giugno 1900, *Giur. Tor.*, 1068.

di lui l'azione di indennità (1). Fuori dell'ipotesi della seduzione con promessa di matrimonio, l'inadempimento ingiustificato di tale promessa non dà niun diritto a risarcimento di danni maggiori e diversi dalle spese fatte per causa del promesso matrimonio, nemmeno quando questi danni dipendono da un fatto distinto dalla promessa medesima (2).

Donna maggiorenne.

Alcune sentenze ritengono che, tranne il caso di *violenza*, cioè nel caso di *stupro*, contemplato dal Codice penale, non possa mai la donna maggiorenne pretendere di essere indennizzata per essere stata vittima di seduzione (3). Queste sentenze si fondano sul riflesso che non debba essese ascoltata la donna maggiorenne che si dolga di seduzione, perchè essa viene ad allegare la propria *turpitudine*. Consentendo essa per blandizie o per doni, o per promessa di matrimonio ad essere deflorata, calpesta il dovere di custodire la sua personale integrità, e commette un fatto turpe, da cui non può derivare azione giudiziaria nè per una parte nè per l'altra, perchè *volenti non fit iniuria.*

Ma pare più equa la giurisprudenza contraria che ammette anche la donna maggiore di età stata *sedotta con promesse serie di matrimonio rimaste inadempiute* senza legittima causa, a chiedere risarcimento di danni (4). E per vero, l'età maggiore o minore potrà avere influenza per accertare se siavi vera *seduzione*, e quindi raggiro od inganno praticato per ottenere lo scopo, ma nessuna può averne nel decidere se spetti l'azione, quando la seduzione sia provata, ben potendo anche la donna mag-

---

(1) App. Venezia, 1° luglio 1898, *Mon. dei Trib.*, 1899, 131.
(2) Trib. Casale, 8 marzo 1904, *Giur. Tor.*, 1904, pag. 332.
(3) App. Torino, 30 dicembre 1879, *Giur. Tor.*, 1880, 258.
(4) Cass. Torino, 18 dicembre 1895, *Giur. Tor.*, 155.

giorenne essere vittima di artifizi e inganni con effetti dannosi talora irreparabili (la perdita nella pubblica stima che rende impossibili o difficili altri matrimoni) e quindi risarcibili a senso dei principii generali di diritto (1).

Tanto più sarà dovuta l'indennità, se la donna maggiorenne, vittima di fraudolenti blandizie e subdole promesse di matrimonio, sia rimasta incinta ed abbia partorito. Ciò può provarsi, come si disse più sopra, al fine di stabilire un fatto da cui derivò danno morale e materiale, e non vi osta il divieto di ricerca di paternità, perchè la sentenza non pronunzierà punto su questo e tanto meno potrà formare al riguardo stato di cosa giudicata (2).

L'età *minore* fu da taluni giudicati ritenuto come un elemento che fa *presumere* la seduzione senz'altro (3). E così fu giudicato che la seduzione e l'abuso di fanciulla inesperta, costituisce sempre, *senza altro bisogno di provare la colpa*, un atto illecito e causa di danno risarcibile: infatti, in tal caso la colpa è *in re ipsa*, cioè nell'abusare di minorenne inesperta, il che è atto contrario alla legge ed alla morale, e spetta all'incolpato il distruggere la presunzione col dare la prova contraria.

Venne però anche giudicato che la deflorazione di una fanciulla e il successivo di lei parto non le dànno ragione di indennità verso il seduttore, se avendo essa al tempo della deflorazione sorpassato i sedici anni, non prova altrimenti alcun altro fatto colposo o doloso adoperato dall'amante per indurla a cedere alle sue voglie (4).

La semplice deflorazione non basterebbe a darle diritto a danni, perchè si avrebbe turpitudine *ex utraque*;

(1) Cass. Roma, 6 marzo 1893, *Giur. Tor.*, 839.
(2) Cass. Torino, 11 ottobre 1887, *Giur. Tor.*, XXIV, 727.
(3) Cass. Torino, 26 maggio 1887, *Giur. Tor.*, XXIV, 560.
(4) App. Torino, 22 giugno 1901, *Giur. Tor.*, 1061.

ma quando la fanciulla fu vittima di maneggi dolosi e promesse di matrimonio, ha certamente tale diritto.

Massime diverse.

Nella materia che ci occupa furono dalla Giurisprudenza dati i seguenti responsi:

I. Per regola generale la donna non può essere ammessa a chiedere in via giudiziaria il prezzo della sua debolezza, del suo disonore e del suo libertinaggio.

II. Di regola non si dà azione per il solo fatto che la donna sia rimasta gravida ed abbia partorito.

III. Il commercio carnale illegittimo praticato fra un uomo ed una donna per parecchi anni, non può servire di base ad un'azione di indennità a favore della donna contro l'uomo.

IV. La seduzione praticata mercè *promessa di matrimonio* non eseguita, e susseguita da gravidanza, può dar luogo a favore della donna ad un'azione di danni contro il seduttore.

V. Tale diritto sussiste anche se non vi sia reato punibile.

VI. Deve ritenersi un fatto illecito (*quasi delitto*) quello di colui che abusando della sua superiorità di età, della sua posizione sociale, dell'influenza che può aver acquistato per beneficii resi alla famiglia, usa arti malvagie per sedurre una fanciulla minore di età e inesperta, e deve perciò risarcire i danni (1).

VII. È valida la promessa fatta di risarcire il danno cagionato ad una donna con illecito commercio, e così di indennizzarla delle spese di parto, di alimentare il figlio che fosse nato dalla illecita relazione (2).

VIII. È valida la obbligazione assunta da un uomo verso una donna per indennità pel fatto che per le sue

---

(1) Dalloz, 1862, 2, 192.
(2) Duranton, X, 367.

assidue relazioni e colle promesse fattele, fu causa che essa non si collocasse come avrebbe potuto fare in diverse circostanze.

IX. È valido l'atto col quale venga istituita una rendita vitalizia a favore di unà donna nubile per risarcirla dei danni a lei derivati dall'illecito commercio mantenuto col costituente (1).

X. È valido l'obbligo assuntosi di alimentare un figlio naturale, ancorchè non siasi espressamente confessato padre del medesimo.

XI. È pur valida l'obbligazione contratta dal concubino a favore della concubina al momento di separarsi; non ha nulla di illecito, se non è che la riparazione di un danno realmente dato (2).

Con tutte queste convenzioni o promesse di indennità non ha nulla di comune il patto contenente il *pretium stupri*, il quale essendo fondato sopra causa illecita, non sarebbe efficace, e così in applicazione di tale principio fu deciso:

a) Che l'obbligazione sottoscritta da un individuo a profitto di una fanciulla all'unico scopo di indurla a stabilire o continuare seco lui relazioni turpi, è nulla come avente causa illecita;

b) Che si ammette la prova diretta a stabilire che tale è la causale della obbligazione se questa esprime una causa onesta o non ne esprime alcuna (3);

c) Che l'obbligazione è pure nulla quantunque le relazioni illecite siansi già abbandonate; nè la pubblicità che queste hanno avuto, nè il conseguente pregiudizio recato alla donna, sono fatti che possano giustificare l'assunta obbligazione.

---

(1) Cass. Torino, 19 agosto 1872, *Giur. Tor.*, pag. 639.
(2) Cass. Napoli, 26 luglio 1872, *Gazz. dei Trib.*, XXV, 225.
(3) App. Milano, 22 marzo 1872, *Gazz. dei Trib. di Genova*, XXIV, 316.

XII. Secondo la più recente giurisprudenza, estremo indispensabile dell'azione di danni per seduzione, sono le promesse di matrimonio fatte alle scopo di illudere la ragazza; però tali promesse di matrimonio possono anche consistere semplicemente in proteste di fedeltà costante e di amore sempiterno, il che può rilevarsi dal calore delle lettere spedite. Infatti, i mezzi di seduzione non vanno considerati con criterii assoluti, ma bensì in relazione alla condizione, all'età della donna che ne sia stata vittima; e sono mezzi efficaci di seduzione gli *artifizi, raggiri, inganni, invenzioni, false proteste di amore, parole ambigue* messe in opera per far credere ciò che non è; ciò nonostante, colui che disonora e seduce una giovane sotto mentita promessa di matrimonio, può essere tenuto al risarcimento dei danni e per colpa aquiliana giusta l'art. 1151 Cod. civ., poichè in tal caso soltanto la donna cede, considerando l'amplesso come una anticipazione dei diritti coniugali, ciò che la mette fuori di ogni risponsabilità colposa; e però, all'infuori di questo caso, non vi sarebbe colpa nè frode imputabile al seduttore, mentre la sedotta sarebbe in ogni caso pure essa in colpa, e quindi privata dagli art. 1104, 1119 Codice civile, del diritto di invocare la risponsabilità del seduttore.

Fra i mezzi di seduzione sono poi efficaci evidentemente le calde parole d'amore, le carezze ed i baci che stimolano la concupiscenza e che vincono le dubbiezze della donna. Il Tribunale in simili cause deve convincersi insomma del *dolo* dell'uno e dell'*innocenza* dell'altra.

La seduzione sotto promessa di matrimonio non dà mai luogo ad alcuna azione per *danni* allorchè la donna venne sedotta dopo che aveva già raggiunto l'età di *18 anni* (1). Questa teoria però seguìta in questa sen-

---

(1) Cass. Palermo, 27 luglio 1889, *Legge*, 1890, I, 672.

tenza, è contraddetta da moltissime ed anzi dalla maggioranza di altri giudicati, i quali ritengono che anche per la seduzione di donna maggiorenne sia dovuto risarcimento di danno, essendo sempre un fatto illecito se accompagnato da lusinghe o promesse fallaci, od abuso dei rapporti famigliari, come nel caso di seduzione compiuta dal padrone a danno della servente (1). La prova del dolo imputabile al seduttore è a carico della sedotta, secondo il noto principio: *onus probandi incumbit ei qui dicit.*

La successiva condotta immorale della minore sedotta con promessa di matrimonio, può giustificare l'inadempimento della promessa, ma non esclude però mai l'azione di danni per la seduzione (2).

Fu pure giudicato che la donna maggiorenne sedotta con promessa di matrimonio non ha diritto ad indennizzo se detta promessa fu semplicemente *verbale*. Se poi la donna fu essa pure in colpa (poichè sappiamo che se vi sono seduttori vi sono anche delle *seduttrici*) essendo la colpa comune, non si farebbe luogo ad indennizzo: *qui ex culpa sua damnum sentit, non intelligitur damnum sentire* (L. 203, D. *De reg. jus.*). — *Si duo fecerint dolo malo, invicem de dolo malo non agent* (L. 36, D. *De dolo malo*).

La condizione di *corista di teatro* nella donna ultraventenne, e l'aver mantenuto essa per ben due anni il concubinato con l'asserito seduttore, sono circostanze di fatti che già di per sè escludono gli estremi della seduzione (3).

La sola *deflorazione* di una fanciulla, seguìta anche da gravidanza e da parto, non è motivo di indennità se

---

(1) App. Bologna, 18 dicembre 1885, *Legge*, 1886, I, 631. — Laurent, *Principes de Droit civil*, vol. IV, n. 90. — Aubry e Rau, 4ª ediz., vol. VI, § 569, pag. 191.

(2) Cass. Firenze, 31 luglio 1899, *Legge*, II, 516.

(3) Trib. Novara, 22 ottobre 1900, *Giur. Tor.*, 1420.

non è stata adoperata la frode, la malizia e l'inganno, e se sia esclusa anche ogni promessa di matrimonio (1).

Non vi è seduzione nè risponsabilità se vi concorra il consenso reciproco (2), ma è d'uopo esaminare però se non concorra l'inganno da parte dell'una o dell'altra delle parti.

Nel caso però di abuso e seduzione di donna *inesperta* e *minorenne*, come sopra si disse, la seduzione non ha d'uopo di prova di colpa, e costituisce atto illegittimo, che dà luogo a risarcimento di danno.

La base giuridica dell'azione per seduzione fu variamente dimostrata in dottrina (3).

Il Fadda la fonda sul disposto dell'art. 1151 Cod. civile, ed osserva che causa *immediata* del danno per la donna è la perdita della *pudicizia* e la causa *mediata* è il dolo dell'uomo. Se la donna può agire pei danni in quanto la congiunzione sessuale sia l'effetto della violenza o del timore (che sono puniti dalla legge penale), non vi ha ragione per non concederle tale diritto quando il vizio della volontà non sia nel *metus*, ma nel *dolo*. Sia pure che in questo caso non vi sia pena pubblica, ma la *ragione* pel risarcimento del danno, nell'uno e nell'altro caso, è la medesima, cioè il *difetto di una volontà libera* (4).

Il Gabba sostiene invece che il danno contemplato nell'art. 1151 è danno *extracontrattuale*, ma la seduzione mediante *promessa* di matrimonio non può essere un fatto *extra contrattuale*, ma è invece un patto violato, anzi con-

---

(1) App. Torino, 23 dicembre 1892, *Giur. Tor.*, 1896, 172.

(2) Cass. Torino, 20 maggio 1891, *Giur. Tor.*, 608. — Giacobone, *I diritti della donna sedotta*, n. 6 e segg.

(3) Cass. Torino, 26 maggio 1887, *Giur. Tor.*, 580.

(4) *Legge*, 1896, I, 604. — Bianchi, *Corso Element. di diritto civile*, III, n. 188. — Pacifici-Mazzoni, *Ist. di Dir. Civile*, IV, n. 66, seconda edizione. — Mattei, *Commento al Codice Civile*, I, pag. 126. — Laurent, *Principes*, IV, pag. 189 e XX, pag. 416. — Aubry e Rau, pag. 569.

cluso coll'intenzione di violarlo; dunque trattasi di danno che deriva *ex contractu*, e non può farsi valere che a senso dell'art. 1265 Cod. civ. (1).

Il Gianzana infine, nella sua monografia sull'*indennizzo alla donna sedotta*, risolve negativamente la questione, perchè nella seduzione manca un fatto che si possa dire civilmente illecito, e perchè non esiste disposizione specifica di legge in proposito (2).

Fu ritenuto che una ragazza quattordicenne, per quanto risulti già corrotta, ha sempre diritto ai danni tanto materiali quanto morali per patita seduzione, senza necessità di prove maggiori o speciali (3).

Donne galanti — Cambiali.

Fu giudicata che è nulla la cambiale od altra obbligazione qualsiasi rilasciata come compenso di una relazione amorosa da un uomo *ammogliato ad una donna galante*, la quale conosceva lo stato dell'uomo col quale si univa; ed è inammissibile in tal caso anche l'azione di risarcimento di danno morale o màteriale (4). La causa *turpe* reciproca impedisce anche l'azione diretta a ripetere ciò che per avventura si fosse pagato.

È sempre nulla l'obbligazione cambiaria che abbia una causa illecita o vietata dalla legge (5).

Segreti (Rivelazione di)

Segreti industriali.

Unicamente i segreti *industriali* ossia di *fabbrica* (attinenti ad una invenzione speciale) non possono essere

---

(1) Gabba, *Studio sul Foro Ital.*, 1897, pag. 709.

(2) Vedi Traduzione italiana dei *Principii di Diritto Civile del* Laurent, IV, appendice 3ª.

(3) Trib. Lodi, 5 settembre 1900, *Giur. Tor.*, 1484.

(4) Cass. Napoli, 24 maggio 1897, *Legge*, II, 82.

(5) App. Roma, 5 febbraio 1897, *Legge*, II, 311.

divulgati dai terzi; non i segreti semplicemente *commer-ciali* (attinenti per esempio alla clientela, alle esportazioni annue di una Ditta, al prezzo delle materie greggie, ai salarii degli operai, prezzi massimi e minimi dei prodotti lavorati e simili) (art. 1151-1152 Cod. civ.). Tali segreti *commerciali* non possono divulgarsi dai commessi ed impiegati finchè essi restano al servizio della Ditta; ma cessato tale servizio, anche i commessi possono divulgarlo, tranne che ne siano venuti a conoscenza illecitamente ed abusando della propria qualità di commessi (1). Vedi pure un maggior svolgimento sotto il titolo *Concorrenza sleale (Indirizzi di clienti)*.

Segreti epistolari (Vedi Amministrazione postale).

Risponsabilità penali e civili.

Talora per la rivelazione di segreti, si incorre in risponsabilità non solo civili, ma anche penali, e così chiunque, avendo notizia, per ragione del proprio stato d'ufficio o della propria professione od arte, di un segreto che possa cagionare nocumento, lo rivela senza giusta causa (art. 163 Cod. pen.).

Così pure è punito penalmente chi rivela segreti politici o militari concernenti la sicurezza dello Stato (art. 107 Cod. pen.): oppure chi lascia conoscere tali segreti per imprudenza o negligenza nel custodire i documenti, piani, disegni che contengono i segreti, ecc. (articolo 109 Cod. pen.).

Sentenze.

Esecuzione provvisoria — Danni.

Non ha diritto a risarcimento di danni chi subì la esecuzione provvisoria di una sentenza di primo grado,

---

(1) App. Brescia, 3 maggio 1904, *Giur. Tor.*, 1448.

solo in parte revocata o *modificata* in appello, se definitivamente in applicazione degli stessi criterii che informarono la prima condanna, risulti, comprese le spese, debitore di somma presso che uguale (1).

È principio fondamentale però in materia che l'esecuzione provvisoria di una sentenza è una semplice facoltà concessa al litigante vittorioso, il quale perciò è responsabile delle conseguenze che possono derivare dall'uso, che egli fa volontariamente, della sua facoltà (2).

Quindi chi eseguisce una sentenza che viene più tardi annullata in Cassazione, è obbligato, per la colpa che trovasi insita nel suo fatto, a risarcire tutti i danni derivati dall'imprudente esecuzione cogli interessi legali, decorribili dalla data della notizia della sentenza (3).

Sentenze estere.

Anche la sentenza *penale* estera può essere, previa delibazione, dichiarata esecutoria nel Regno nella parte in cui condannò il reo al risarcimento dei danni verso la parte lesa costituitasi parte civile, liquidandone il relativo ammontare (art. 941 Cod. proc. civ.) (4).

Circa la esecuzione delle sentenze dichiarate esecutorie provvisoriamente, vi sono giudicati che ritengono che allora solo, in caso di revoca, si può aver diritto a risarcimento, quando sia dimostrato che la parte che ha promosso l'esecuzione abbia agito con *dolo* o con soverchia *leggerezza* od *imprudente negligenza* (5).

E così fu pure giudicato che chi, *senza necessità* e *fuori*

---

(1) Cass. Roma, 24 marzo 1904, *Annali*, II, 88.

(2) Cass. Firenze, 13 dicembre 1888, *Legge*, 1889, I, 476.

(3) Cass. Torino, 8 agosto 1889, *Legge*, II, 782. — MATTIROLO, *Dir. Giud. Civ.*, 8ª ediz., vol. IV, n. 931.

(4) App. Torino, 21 gennaio 1901, *Giur. Tor.*, 842.

(5) Cass. Firenze, 31 marzo 1892, *Legge*, II, 190.

dei casi d'urgenza, dà esecuzione ad una sentenza ancora suscettiva di essere riparata in appello, od annullata in Cassazione, è responsabile dei danni in caso di riparazione o di annullamento di essa sentenza (1). Pertanto la parte vittoriosa, che in pendenza del termine utile per ricorrere in Cassazione metta ad esecuzione una sentenza con cui si sia ordinata la demolizione di un muro, si rende responsabile di danni nel caso in cui sopravvenga la cassazione della sentenza (2); ed in tal caso, cassata la sentenza, il giudice di rinvio deve senz'altro giudicare della domanda di risarcimento di danni proposta dalla parte aventevi diritto; nè sarebbe lecito il sospendere su di ciò la pronuncia fino all'esito di ulteriore giudizio decisivo del merito della causa (3).

Vi sono anche giudicati che ritengono che a produrre la responsabilità pei danni di esecuzione di sentenza provvisoriamente esecutiva, *basta il fatto della successiva suà riparazione in appello*, e non occorre che l'instante sia stato in colpa o dolo o che abbia voluto approfittare dell'esecutorietà a puro scopo vessatorio (4).

Sequestro.

(Vedi pure **Pignoramento**).

Revoca — Danni.

La revoca del sequestro conservativo, non basta di per sè a indurre la condanna a risarcimento di danni, ma occorre sia dimostrato che il creditore abbia agito o con *imprudenza* o *leggerezza*, o in modo *vessatorio* od *inconsulto* da dare ragione di danni (5).

---

(1) Cass. Torino, 31 dicembre 1887, *Legge*, 1888, II, 47.
(2) Cass. Torino, 30 giugno 1888, *Legge*, II, 801.
(3) Sentenza precedente.
(4) App. Torino, 28 agosto 1906, *Giur. Tor.*, 1374.
(5) Cass. Torino, 16 gennaio 1905, *Giur. Tor.*, 308.

Il sequestrante è tenuto invece ai danni se il sequestro è revocato per riconosciuta insussistenza in chi lo ha provocato, di ogni ragione di credito, anzi in questo caso la condanna ai danni è *inevitabile* senza necessità di suffragarla di apposita motivazione, essendovi il dolo *in re ipsa* (1). Così pure sarebbe tenuto ai danni il sequestrante, se il sequestro rimase senza effetto per incorsa *nullità della notifica* al debitore della citazione per conferma o revoca (2).

Incompetenza.

Se il sequestro è revocato semplicemente per incompetenza del magistrato che lo ha accordato, non può condannarsi ai danni il sequestrante, se ne sia esclusa la colpa o il dolo (art. 935 Cod. proc. civ.) (3).

Colpa o dolo.

Nel fatto di richiedere un sequestro senza legittima causa è insita quanto meno la colpa che importa obbligo di risarcire i danni; all'infuori di questo, negli altri casi, per dichiararsi tenuto il sequestrante ai danni, occorre dare la prova che commise o *colpa* o *dolo* (4).

Sequestro giudiziario.

Anche trattandosi di sequestro giudiziario, la revoca del medesimo non porta di diritto la responsabilità del sequestrante pel risarcimento dei danni, ma devesi per tale oggetto dimostrare prima la colpa od il dolo (5).

---

(1) Cass. Torino, 21 giugno 1901, *Giur. Tor.*, 1280.
(2) App. Torino, 17 maggio 1901, *Giur. Tor.*, 841.
(3) Cass. Torino, 11 marzo 1902, *Giur. Tor.*, 589.
(4) Cass. Torino, 11 aprile 1900, *Giur. Tor.*, 547.
(5) Cass. Torino, 21 maggio 1904, *Giur. Tor.*, 1189.

Trattandosi di sequestro *giudiziario*, non si ammette contro il sequestrante riserva di danni (1).

Liquidazione del danno.

Constando che il sequestro fu *ingiusto*, e risultando soltanto *in genere* i danni, il loro preciso ammontare, in mancanza di prove specifiche, ben può determinarsi dal Tribunale secondo il suo criterio e secondo l'apprezzamento delle circostanze (2).

I danni da risarcirsi in caso di revoca di sequestro riconosciuto senza causa non sono soggetti alla limitazione di cui all'art. 1229 Cod. civ., il quale riguarda esclusivamente i danni derivanti da inadempimento delle obbligazioni contrattuali (3).

Furto o perdita della cosa sequestrata.

Per stabilire la risponsabilità del depositario giudiziale (*custode*) per il danno derivato alla cosa *pignorata* o *sequestrata*, o per la perdita di essa giusta il combinato disposto degli art. 1224. 1843, 1844, 1876 del Cod. civ., devesi aver riguardo alle circostanze tutte del fatto, alle idee, costumi e condizioni del luogo, ed alle singole persone.

Conseguentemente non è imputabile a negligenza del depositario il furto di una bestia sequestrata, commesso di notte tempo in una stalla lasciata aperta, se la precauzione di chiudimento della medesima, è, pei luoghi dell'avvenuto furto, una misura inusitata e superflua, non seguìta neppure dai buoni padri di famiglia (4).

---

(1) Cass. Torino, 22 aprile 1901, *Giur. Tor.*, 765.
(2) App. Torino, 14 febbraio 1870, *Giur. Tor.*, vol. VII, 279.
(3) Cass. Torino, 7 luglio 1882, *Giur. Tor.*, XIX, 713.
(4) Cass. Torino, 2 maggio 1866, *Giur. Tor.*, 200.

Sequestro giudiziario.

Venne giudicato che nel caso di *sequestro giudiziario* non sia ammessibile riserva di danni (art. 933, 935 Cod. proc. civ.), imperocchè il sequestro giudiziario è un provvedimento che si concede solo alla scopo di assicurare l'*integrità* della cosa che è *controversa* fra le parti, o sulla quale il sequestrante vanti un diritto reale (1).

Nullità della citazione per conferma.

Il sequestrante è tenuto al risarcimento dei danni se il sequestro rimase senza effetto per incorsa nullità nella notifica al debitore sequestrato nella citazione per conferma o revoca (art. 933 Cod. proc. civ.) (2).

Ed altre sentenze ritennero senz'altro che di fronte al disposto dell'art. 933 Cod. proc. civ., debba sempre nell'istanza del debitore dichiararsi tenuto il creditore sequestrante al risarcimento dei danni indipendentemente da alcuna indagine sulla di lui buona o mala fede (3).

Prevalente però è la giurisprudenza nel senso di ritenere che quando l'annullamento del sequestro avvenga per violazione delle norme degli art. 931 e 932, la condanna del creditore nei danni, debba dipendere dalla constatazione dell'esistenza di una *colpa* (4).

Sequestratario — Frutti.

È risponsabile in proprio il sequestratario od amministratore che omette di impiegare a frutto le somme che man mano egli riscuote (art. 1876 Cod. civ.).

---

(1) Cass. Torino, 22 aprile 1901, *Giur. Tor.*, 765.
(2) App. Torino, 17 maggio 1901, *Giur. Tor.*, 841.
(3) Cass. Torino, 17 marzo 1880, *Giur. Tor.*, 397. — GIANZANA, *Sequestro*, n. 266-268. — LESSONA, n. 194.
(4) Cass. Torino, 20 marzo 1882, *Giur. Tor.*, 573. — MATTIROLO, *Dir. giud.*, V, n. 1212.

Il sequestratario, infatti, non è che un *mandatario* con poteri segnati dalla legge, a cui sono applicabili le disposizioni dell'art. 1750 Cod. civ. (1).

Servitù di passaggio.

(Vedi pure **Proprietà rurale**).

L'impedito esercizio di una servitù di passaggio in una data via, è produttivo di risarcimento di danno, poichè la ingiusta negazione di un diritto dà ragione a pretendere danni interessi (2).

Pronunciata la reintegrazione nel possesso di un passaggio, e attribuiti i danni come di ragione, non può pretendersi il rifacimento del danno occasionato dall'interruzione del passaggio, se questi si potevano evitare accedendo e recedendo dal fondo per mezzo di altro passaggio, la cui esistenza od esercizio non fossero negati. Si avrà però in questo caso diritto alla rifazione delle spese per le opere necessarie per riattivare quest'altro passaggio e dei danni che devonsi incontrare per riattivarlo (3).

Sindaci e Prefetti.

(Vedi pure **Amministrazione comunale**).

Ritardato rilascio di certificato.

L'azione per ritardato rilascio di un *certificato di moralità* non può essere diretta contro l'ente *Comune*, ma solo contro la *persona del sindaco* ed in quanto *si provi che egli ha mancato a precisi suoi doveri* (4).

---

(1) Cass. Torino, 9 marzo 1899, *Giur. Tor.*, 607.
(2) App. Catania, 7 maggio 1908, *Giur. Cat.*, 184.
(3) Cass. Torino, 26 aprile 1888, *Giur. Tor.*, vol. XX.
(4) App. Cagliari, 4 agosto 1904, *Mon. Trib.*, 193.

Divieto di passaggio.

È legittimo il provvedimento del sindaco col quale interdice il transito di veicoli lungo una pubblica via, ove si costruisca un acquedotto; imperocchè non vi è colpa in colui che esercita un suo diritto, od· adempie un suo dovere, salvo che si dimostri che agì coll'intenzione di *nuocere* (1). Il sindaco ha facoltà di dare provvedimenti contingibili ed urgenti non solo quando esistano regolamenti locali debitamente approvati, ma anche quando non siano emanati.

Per contro il sindaco non può, neppure con atti d'impero, disporre della proprietà privata, e così ordinare che venga aperta una strada privata al transito pubblico. L'atto illegale del sindaco impegna le risponsabilità del Comune, se fu fatto in esecuzione di deliberazione del Consiglio o della Giunta municipale (2).

Azione per danni contro il Sindaco — Autorizzazione.

L'autorizzazione sovrana richiesta dalla legge comunale e provinciale (art. 8, 109 e 158 legge 4 maggio 1898, n. 164), riguarda soltanto la persona del sindaco, non le azioni di indennità che si propongono contro il Comune per fatto del sindaco, onde non è necessaria tale autorizzazione per l'ammessibilità dell'azione contro il sindaco proposta da un impiegato comunale per provvedimenti da quello emanati e lesivi dei suoi diritti nell'esercizio della funzione che gli spetta di sovraintendere a tutti gli uffizi comunali. L'azione per danni per fatti del sindaco come capo dell'Amministrazione comunale, è proponibile non solo contro il Comune, ma anche contro il sindaco in proprio (3); e, per vero, quando al rappresen-

---

(1) Cass. Firenze, 30 giugno 1892, *Mon. Pret.*, 219.
(2) Cass. Firenze, 5 marzo 1894, *Giur. Tor.*, 361.
(3) App. Torino, 7 ottobre 1892, *Giur. Tor.*, 1896, 87.

tante è imputabile una colpa 'propria, egli deve rispondere di questa in proprio, sebbene l'azione competa anche contro il rappresentato, risponsabile del fatto di quello (1).

Il sindaco può sempre dare provvedimenti nell'interesse della pubblica igiene e sanità, ed approvati tali provvedimenti, o quanto meno non impugnati nei modi legali per ottenerne la revocazione, non possono sindacarsi dall'Autorità giudiziaria; nè il Comune nè il sindaco possono trarsi in giudizio quali risponsabili del danno e tenuti ad indennità. E così può il sindaco, in base a deliberazione del Consiglio comunale, approvata dall'Autorità superiore, ordinare la distruzione di piantagioni che per la loro estensione e pel terreno acquitrinoso in cui si trovano, siano state riconosciute dannose alla pubblica salute (2). L'utile privato deve invero cedere all'utile pubblico.

L'approvazione amministrativa superiore alla gestione di un sindaco, non è di ostaco.o a che il Comune proponga azione contro il Sindaco stesso per danni da questo arrecati al Comune colla gestione medesima (3).

Sanità pubblica.

Così pure fu riconosciuto che le disposizioni di polizia sanitaria non dànno luogo a diritti di indennità a favore del privato che ne risenta pregiudizio.

Ciò fu dichiarato riguardo alle *ordinanze di sanità marittima,* colle quali si nega la libera pratica a legni provenienti da luoghi infetti per epidemie (4).

Così ancora non si ha diritto ad indennità pel decreto prefettizio che per misura di igiene, in tempo di epidemie, ordina la temporanea *chiusura* di uno stabilimento insa-

---

(1) Cass. Torino, 8 agosto 1891, *Giur. Tor.,* 586.
(2) Cass. Palermo, 9 aprile 1889, *Giur. Tor.,* 617.
(3) Cass. Firenze, 10 febbraio 1878, *Legge,* XIII, 197.
(4) Cass. Palermo, 14 aprile 1888, *Giur. Tor.,* 694.

lubre (es. di una *fabbrica di concimi*) (1); pel provvedimento od ordinanza di sanità per cui si vieta *l'introduzione di carni suine* infette di trichina o si prescrive la trasformazione mediante ebollizione e riduzione in strutto (2); o pel provvedimento prefettizio con cui per urgenti motivi di pubblica salute si è ordinato di sommergere in alto mare il *carico di una nave*, che per il suo putridume (es. residui di animali per concimi) poteva compromettere la pubblica salute (3); o infine per l'ordinanza del sindaco, che prescrive la *dispersione del vino* esposto in vendita, stato riconosciuto falsificato e nocivo (4).

Commissario regio.

Il commissario regio, il quale *jure imperii* emana un provvedimento nel pubblico interesse secondo le forme di legge, non è risponsabile di danni avanti l'Autorità giudiziaria, ma solo è ammesso contro il suo provvedimento il reclamo alla superiore Autorità amministrativa.

Se poi il provvedimento non aveva base in alcuna legge, nemmeno si ammette azione di danno contro di lui in proprio, se non si provi che agì con dolo o colpa; la colpa sarebbe esclusa se il provvedimento fu dato previo parere del Consiglio di prefettura ed autorizzazione del Prefetto (5).

Lo *Stato* non risponde dell'operato illecito e dannoso a terzi, di un *commissario regio*.

Fuochi artificiali — Incendio — Danni (Vedi Fuochi artificiali).

---

(1) Cass. Roma, 3 marzo 1887, *Giur. Tor.*, 437.
(2) Cass. Roma, 19 maggio 1882, *Annali di Giur. It.*, XVI, 58.
(3) Cass. Roma, 15 giugno 1885, *Corte Suprema*, X, 876.
(4) Cass. Roma, 11 giugno 1885, *Corte Suprema*, X, 833.
(5) App. Casale, 21 luglio 1904, *Giur. Tor.*, 1224.

Certificato di moralità contrario al vero.

Il sindaco il quale, contrariamente al vero, e con *dolo* attesta in un certificato la riprovevole condotta di un suo amministrato, risponde non solo civilmente dei danni, ma anche penalmente per falso in atto pubblico (art. 275 Cod. pen.) (1). Se poi ciò fosse avvenuto per *colpa* o negligenza (es. avendo confuso una persona con un'altra), risponderà civilmente dei danni per avere con leggerezza e senza verificare bene, causato il fatto lesivo e dannoso (Vedi pure *Funzionari pubblici*).

Offese gravi al Sindaco (schiaffo) (Vedi Danni morali).

Garanzia amministrativa.

Questa garanzia è introdotta dalla legge a tulela dei sindaci, prefetti e sottoprefetti; e la medesima si estende, secondo la prevalente dottrina, non solo alla responsabilità penale, ma anche alla civile. Essa è sanzionata negli art. 8 e 157 del testo unico della legge comunale e provinciale 4 maggio 1898, e copre tutti gli atti che vengono compiuti dal fuzionario nell'esercizio del proprio ufficio, o a cui servì di mezzo o di causa il pubblico ufficio senza distinguere abuso da eccesso. Però non copre il sindaco quando egli non agisce quale ufficiale del Governo, ma agisce come capo dell'Amministrazione comunale.

Società commerciali.

Risponsabilità dei soci.

Il socio accomandatario *è tenuto ai danni* verso gli accomandanti per un *fido* (credito) imprudentemente con-

---

(1) Cass. Roma, 23 marzo 1899, *Legge*, I, 779.

cesso ad un terzo, nell'esercizio della gestione sociale (art. 114 Codice di commercio e art. 1746 Cod. civ.) (1). È per vero, l'accomandatario ha l'amministrazione degli affari sociali; e quindi come mandatario, deve rispondere della sua amministrazione e delle operazioni *colpose* od *imprudenti* che danneggiano gli interessi della società.

Il socio (sia nel caso di società in nome collettivo, sia in accomandita) che tarda a consegnare la quota conferita, è tenuto al risarcimento dei *danni* (art. 83 Codice commerciale).

Il socio non può opporre a compensazione dei danni cagionati alla società per dolo, abuso di facoltà o colpa, i vantaggi che in qualunque modo le avesse procurati (art. 84 Cod. comm.).

Ciascun socio che soffra perdita o danno per causa dei suoi atti come socio, deve essere risarcito di quanto ha perduto e del *danno* che ha sofferto (art. 109 Cod. comm.).

Il socio, che senza il consenso scritto degli altri soci impiega i capitali o le cose della società ad uso o traffico proprio o di terzi, è obbligato a conferire alla società i vantaggi conseguiti, ed a risarcire il *danno*, senza pregiudizio dell'azione penale se vi è luogo (art. 110 Codice commerciale).

Il socio non può separare dal fondo comune più di ciò che gli è stato assegnato per le sue spese particolari; e se a ciò contravviene risponde per le somme prese, ed è tenuto al risarcimento del danno (art. 111 Cod. comm.), e così pure deve risarcire i danni il socio che in una società in nome collettivo faccia operazioni per conto proprio o prenda interesse come socio illimitatamente responsabile in altra società avente lo stesso oggetto, senza il consenso degli altri soci (art. 112-113 Cod. comm.).

Nelle società in *accomandita per azioni* l'amministratore può essere *revocato* a senso dell'art. 119, ma se la rivocazione è fatta senza giusti motivi, l'amministratore

---

(1) Cass. Torino, 15 dicembre 1900, *Giur. Tor.*, 45.

revocato ha diritto al risarcimento dei danni (art. 119 Cod. comm.).

Amministratori di società in accomandita ed anonime.

I *promotori* sono risponsabili solidariamente e senza limitazione delle obbligazioni che contraggono per *costituire* la società, salvo il regresso verso di essa, se vi è luogo (art. 126 Cod. comm.).

Gli amministratori sono risponsabili, a mente dell'articolo 147 Cod. comm., di quanto in detto articolo si contiene sia verso i soci che verso i terzi.

Gli amministratori che hanno in qualche operazione un interesse contrario a quello della società ed omettono di darne notizia ai soci od amministratori, e non si astengono dalle deliberazioni su tale affare, sono risponsabili delle perdite che derivassero alla società (art. 149-150 Cod. comm.).

Sindaci.

La *risponsabilità* dei sindaci è regolata come quella dei mandatarii (Vedi *Mandatarii*).

Gli amministratori sono solidariamente risponsabili verso i soci ed i terzi, ma la risponsabilità si misura sulla *colpa individuale* (1). A renderli risponsabili basta anche l'omissione, la negligenza e la colpa lievissima (2).

Il difetto di sorveglianza può indurre la risponsabilità degli amministratori di fronte alla società, ma non di fronte ai terzi acquirenti di azioni (3).

Le *dimissioni* degli amministratori non li esonerano

---

(1) App. Roma, 7 marzo 1889, *Temi Rom.*, 461.
(2) App. Genova, 22 dicembre 1884, *Eco di Giurisprud.*, 1885, 22.
(3) App. Genova, 4 giugno 1886, *Annali*, 346.

dalle risponsabilità se non dal momento in cui sono accettate, e quando siano state date in buona fede (1).

L'*assoluzione* degli amministratori in giudizio penale non esclude l'azione civile di risponsabilità (2). L'azione di risponsabilità contro gli amministratori è azione sociale (3).

I componenti di una *Società di mutuo soccorso* hanno azione *uti singuli* per risarcimento di danno per fatti che, investendo la società, si ripercuotono singolarmente sopra di essi per le conseguenze ; e ciò anche quando la società, come ente collettivo, non abbia reclamato (4).

Gli amministratori di società anonime sono risponsabili per le operazioni eccedenti i limiti dello statuto, non ostante che siano state deliberate dall'assemblea generale (5).

L'azionista che intenta azione di risponsabilità contro gli amministratori, non è obbligato a provare di essere stato socio all'epoca delle censurate operazioni.

Può cumularsi all'azione collettiva quella individuale contro gli amministratori, per risponsabilità *ex quasidelicto*, promossa da alcuni creditori (6).

L'esclusione di un socio, pei fatti indicati nell'art. 186 Cod. comm., dalla società, non lo libera dalle obbligazioni incorse e dal risarcimento dei danni.

Risponsabilità dei liquidatori.

I liquidatori di società sono sottoposti alle regole del mandato (art. 205 Cod. comm.) (Vedi *Mandatarii*).

---

(1) App. Genova, 16 settembre 1884, *Eco*, 326.

(2) App. Genova, 22 dicembre 1884 citata e 25 novembre 1887, *Eco*, 1888, 1.

(3) App. Roma, 14 settembre 1889, *Legge*, 1896, I, 495.

(4) App. Torino, 26 gennaio 1903, *Giur. Tor.*, 295.

(5) App. Genova, 1° febbraio 1887, *Eco*, 1888, 49.

(6) App. Lucca, 29 marzo 1892, *Temi Ven.*, 476.

Spavento.

(Vedi pure **Danni morali**).

Aborto.

Se lo spavento prodotto dall'imbizzarrirsi di un cavallo transitante per la pubblica via, fu causa che una signora gestante, essa pure transitante, abbia abortito, il padrone del cavallo non è tenuto a danni, perchè la risponsabilità aquiliana non si ha quando tra la colpa addebitata e l'evento dannoso denunciato non corra nesso *diretto* ed *immediato* da causa ad éffetto (art. 1151 Cod. civ.) (1). Infatti, se così non fosse, la risponsabilità *ex lege aquilia non avrebbe più limiti* e dovrebbe applicarsi a casi affatto respinti dalla ragion naturale e dalla legge. Nel caso in esame potrebbe esservi risponsabilità per l'aborto causato dallo spavento per l'imbizzarrirsi del cavallo, se, ad es., il cavallo fosse stato abbandonato a sè stesso, oppure lanciato a corsa sfrenata in una via stretta, o in un pubblico passeggio o in sentiero riservato a pedoni; altrimenti, in ipotesi normale, l'imbizzarrirsi di un cavallo è cosa nè prevedibile nè prevenibile, e quindi soccorre l'adagio *culpa caret qui prohibere non potest* (leg. 50, 109, *Dig., De reg. juris*).

Minaccie di morte — Sparo.

Chi fu minacciato nella vita con un colpo di pistola esplosogli contro, e fortunatamente andato a vuoto, ha diritto di essere indennizzato dei *danni morali* per lo spavento sofferto, poichè anche i patemi d'animo ed intimi affanni costituiscono ragione di risarcimento che si risolve in una somma pecuniaria (2). Furono liquidate in questo caso L. 600.

(Vedi anche *Carrozze. — Cavalli*).

---

(1) Cass. Torino, 5 febbraio 190.), *Giur. Tor.*, 187.
(2) App. Torino, 12 febbraio 1901, *Giur. Tor.*, 489.

Macchinista ferroviario.

Lo *spavento* con susseguente malattia subìto da un macchinista ferroviario per il temuto scontro del suo treno mentre egli conosceva che si poteva evitare (come fu effettivamente evitato) col mezzo normale dei segnali e dei freni, non dà luogo a danni risarcibili da parte dell'amministrazione ferroviaria, quantunque siavi colpa nel fatto di avere lasciato che corressero in senso opposto i due treni sullo stesso binario (1).

Spavento provato in occasione di caccia (Vedi Caccia).

Specialità medicinali ed invenzioni.

L'inventore di uno specifico per la distruzione della tignola della vite (*anticochilys*) non è responsabile del pregiudizio che in seguito al fattone trattamento dei vigneti, siane derivato al vino prodotto, se esso inventore altro non garantì che l'effetto distruttivo della tignuola, e se non consta che il pregiudizio al vino fosse da lui preveduto ed a sua conoscenza (art. 1218 e 1151 Cod. civ.) (2).

Fu censurata questa massima in quanto che se il detto inventore conosceva le deleterie conseguenze sul vino prodotte dal suo specifico, nello spacciarlo era evidentemente in dolo e mala fede quanto meno civilmente.

In ogni caso poi se non conosceva tali conseguenze e la portata del suo trovato, era in colpa nel non essersene accertato e doveva farsi scrupolo di conoscerlo, prima di consigliare al prossimo l'uso del suo specifico. E di più, nel caso in esame, a che servirebbe il distruggere la

---

(1) App. Firenze, 8 luglio 1905, *Annali*, III, 281.
(2) App. Torino, 1º giugno 1890, *Giur. Tor.*, 796.

ti gnuola dell'uva e rendere così possibile il raccolto, se poi il raccolto non serve per fare il vino ? (1).

Stato (Risponsabilità civile dello)

(Vedi anche **Amministrazione pubblica in generale**).

Generalità.

Gravissime sono le discussioni se lo Stato abbia la veste giuridica di Committente dei suoi impiegati di fronte ai terzi, per tenerlo civilmente risponsabile delle colpe di costoro secondo l'art. 1158 Cod. civ. Al riguardo sono in campo tre diverse teorie:

I. *Teoria negativa*, secondo cui si ritiene che lo *Stato* non sia mai da parificarsi ad un committente; e perciò sia sempre irrisponsabile; e ritiensi che il Governo nel nominare i pubblici funzionarii non incorre in risponsabilità per le colpe da essi commesse.

Questa teoria non è seguìta nè dalla dottrina Italiana nè dalla patria Giurisprudenza.

II. *Teoria affermativa*, secondo cui lo Stato è sempre committente e sempre risponsabile. Troppo assoluta.

III. *Teoria media*, che distingue cioè tra atti di *impero* ed atti di *gestione*; ed è questa la teoria seguìta dalla prevalente Giurisprudenza e Dottrina.

Le prime funzioni corrispondono alla *personalità politica dello Stato* e non generano mai risponsabilità civile nel medesimo; le seconde si riferiscono alla *personalità giuridica o civile* dello Stato medesimo, e lo sottopongono quindi a civile risponsabilità.

Lo Stato è persona giuridica quando compie atti di *amministrazione*, facendo il gestore degli interessi patrimoniali della Nazione. *Tamquam privatus egisse censetur,*

---

(1) **Nota di** *a* *s* *b* **alla detta Sentenza.**

quando cioè compera o vende; quando prende a mutuo o in deposito; esercita imprese o regìe; quando si costituisce parte civile in giudizio e generalmente quando assume diritti ed obbligazioni di indole civile. All'incontro lo Stato *non utitur jure privatorum* quando compie atti di sovranità, dichiara o fa la guerra, detta leggi, rende giustizia, impone tasse o tributi, provvede alla sanità pubblica, alla sicurezza interna od esterna della Nazione; quando conchiude trattati di commercio o di alleanza (1).

È sofisma l'obbiettare che il Governo, anche quando agisce nella cerchia della pura gestione degli interessi patrimoniali della Nazione, ha sempre lo scopo dell'interesse pubblico e quindi anche tali atti debbono considerarsi come atti di governo; imperocchè deve aversi riguardo al *principio* da cui l'atto si diparte e su cui riposa, se cioè dalla facoltà di governare *(jure imperii)* o dalla facoltà di amministrare *(jure gestionis)*.

Nei casi dunque in cui si può avere la risponsabilità dello Stato pel fatto dei suoi funzionarii, non basta che le incombenze del pubblico ufficiale si riannodino colla personalità giuridica dello Stato, ma occorre altresì che l'atto illecito e dannoso sia commesso nell'esercizio di quelle incombenze; sul quale punto valgono i principii generali della risponsabilità civile indiretta (Vedi *Committenti e Commessi. — Funzionarii Pubblici*).

Bisogna in secondo luogo che l'atto illecito abbia leso un diritto, non un semplice *interesse*.

Colla stregua di questi principii è a ritenersi che sempre sia risponsabile in proprio il pubblico ufficiale quando abbia agito con *dolo*; ma il pubblico ufficiale obbliga la pubblica amministrazione soltanto quando abbia compiuta una funzione per conto e nell'interesse

---

(1) Giorgi, *Teoria delle Obbligazioni*, vol. V, § 358-359 e segg.

della medesima, come ad esempio quando si approprii delle tasse dopo averle esatte (1).

Sorge in tal caso la risponsabilità delle autorità superiori che avevano incarico di sorvegliare l'inferiore per ragione di negligenza, imprudenza o colpa.

Lo Stato quindi negli atti di sua gestione patrimoniale, come sopra si disse, risponde bensì del fatto dei suoi funzionarii in quanto. questi abbiano operato colposamente o delittuosamente nell'esercizio delle loro funzioni (2); ma se il funzionario non ha abusato della sua funzione, ma ha *usurpato* la funzione di un altro e in questa ha prevaricato, lo Stato non è più risponsabile.

Casi di irrisponsabilità.

Fu anche giudicato (3) che lo Stato, per regola generale, non assume risponsabilità pel fatto colposo dei suoi funzionarii se non nei casi dalla legge determinati.

Gli atti dipendenti dalla facoltà discrezionale dell'Amministrazione, e a più forte ragione gli atti del potere legislativo o del giudiziario, non dànno luogo a risarcimento di danno (Vedi *Funzionarii pubblici* per quanto riguarda l'azione civile contro le Autorità giudiziarie).

Circa le sottrazioni commesse dagli *Ufficiali Giudiziarii* sulle somme da essi riscosse per prezzo di vendite di oggetti pignorati, anzichè versarle al Cancelliere come prescrive l'art. 650 Cod. pen., alcuni giudicati ritengono che non sia risponsabile lo Stato (4) (Vedi *Ufficiali Giudiziarii*).

Altri giudicati invece decisero che lo Stato è risponsabile civilmente delle somme distratte dagli ufficiali giudiziarii delegati alle vendite di oggetti pignorati (5).

---

(1) Cass. Napoli, 2 marzo 1876, *Giur. Tor.*, vol. XIII, 669.
(2) Cass. Roma, 27 aprile 1878, *Giur. Tor.*, XV, 572.
(3) Cass. Roma, Sezioni unite, 9 febbraio 1905, *Legge*, 847.
(4) Cass. Roma, 7 novembre 1905, *Legge*, 2297.
(5) Trib. Ancona, 28 febbraio 1905, *Corte d'Ancona.*

Se poi dalla *pubblicazione ed attuazione di una legge* derivino danni patrimoniali ai cittadini, questi non hanno diritto a risarcimento dei danni medesimi dall'erario pubblico, salvo che la legge stessa porti speciali disposizioni al riguardo (1).

Neanche offrono materia a risarcimento di danni gli atti che sono diretti al mantenimento della sicurezza e della sanità pubblica, poichè essi·non riguardano la personalità giuridica dello Stato, nè mai perciò impegnano la responsabilità civile (2) (Vedi *Amministrazione Comunale*).

Quanto alla custodia dei depositi affidati ai cancellieri giudiziarii, prevale la giurisprudenza che non producano risponsabilità civile dello Stato (Vedi *Depositi Giudiziarii*).

Molto meno può risalire allo Stato la risponsabilità nella quale incorrono gli *uscieri* od *ufficiali giudiziarii* nell'esercizio delle loro funzioni.

Il medesimo è a dirsi per i sequestri fatti dalle *guardie doganali* nel reprimere od impedire il contrabbando (Vedi *Dogane* e *Contrabbando*); però si ritengono esse responsabili insieme al Governo per i danni cagionati nella custodia delle merci.

Lo Stato non risponde del pari delle illegalità e arbitrii commessi dagli *esattori* delle imposte; e neppure risponde lo Stato delle malversazioni commesse dal funzionario che fu delegato dal Prefetto a reggere l'Esattoria Comunale per non essersi potuto collocare nei modi ordinarii l'appalto dell'esattoria (3) (Vedi *Esattori*). Neppure l'Amministrazione delle Finanze dello Stato risponde delle operazioni e riscossioni indebite dell'esattore rispetto al contribuente (4).

---

(1) Cass. Roma, 14 gennaio 1890, *Legge*, I, 764. — Mantellini, *Lo Stato ed il Codice Civile*, vol. I, pag. 59.

(2) Giorgi, opera e luogo citato, § 364.

(3) Cass. Roma, 17 luglio 1905, *Legge*, 1665.

(4) Trib. Roma, 29 dicembre 1899, *Legge*, 1900, I, 91.

Per i *danni di guerra*, secondo la teoria del Vattel, si ritiene responsabile lo *Stato* unicamente dei danni recati per provvedimenti presi con deliberazioni anteriori al combattimento; non per quelli derivanti dalla flagranza della pugna (Vedi *Danni di Guerra*). Non si può far luogo a risponsabilità dello Stato neppure per i danni recati dal nemico, sebbene deliberatamente (1). Quanto ai danni recati in occasione di *sommosse, rivoluzioni, ribellioni*, non sono risarcibili senza distinguere se siano cagionati dai ribelli o facinorosi o dalle forze militari (2).

Non incontra risponsabilità l'Amministrazione Pubblica (Lavori Pubblici e Demanio) per i danni recati da opere di *bonifica* ed in ispecie dalla bonifica dell'Agro Romano, se non quando si dimostri che tali opere abbiano innovato le preesistenti condizioni dei luoghi, cagionando innondazioni e danni che prima non si verificavano (3) (Vedi *Innondazioni — Amministrazione Pubblica in generale*).

Non è in colpa e tanto meno in mala fede il Demanio, che per inesatta applicazione della legge abbia preso indebitamente possesso delle rendite di una eredità; e perciò non risponde di danni; ed è tenuto solo alla restituzione dei frutti dal giorno della citazione (4).

Non è neppure risponsabile lo Stato dei fatti del direttore di una *agenzia commerciale* all'estero istituita dal Governo per promuovere od agevolare le relazioni commerciali tra l'Italia e gli stranieri (5).

Casi di risponsabilità.

Risponde invece lo Stato per gli atti degli impiegati della *Cassa Depositi e Prestiti*; e degli atti illeciti com-

---

(1) Giorgi, *Obbligazioni*, vol. V, § 380.
(2) Giorgi, opera citata, § 379.
(3) Cass. Roma, Sezioni Unite, 9 febbraio 1905, *Legge*, 847.
(4) App. Palermo, 12 aprile 1901, *Riv. Ecclesiastica*, pag. 56.
(5) App. Genova, 5 maggio 1899, *Legge*, II, 47.

messi dagli impiegati preposti all'Amministrazione del suo Demanio o Patrimonio (1): e così il Demanio che abbia venduto per franco e libero un fondo enfiteutico, non è tenuto al risarcimento dei danni se non nel caso di *dolo o colpa* (2).

È pure risponsabile delle *Regìe* ed imprese che assume; delle poste e telegrafi, salvo le restrizioni che le leggi speciali su tali servizii portino espressamente circa la responsabilità (3). Risponde delle sottrazioni di valori *ereditarii* depositati presso i *Regi Consoli* per essere rimessi agli eredi in Italia. E per vero le funzioni consolari, a mente dell'art. 20 della legge consolare, sono funzioni *amministrative*, come si rileva anche dagli articoli 106-108 del regolamento consolare e art. 2 del R. Decreto 10 agosto 1890 sui diritti da riscuotersi dagli uffici consolari; e così trattandosi di funzioni di *gestione* e non di *impero*, è evidente la responsabilità civile dello Stato pel fatto dei suoi dipendenti (4).

Lo *Stato* risponde verso i privati in taluni casi anche per atti *jure imperii*, e così è tenuto a rispondere dei danni derivati ad una *nave* in dipendenza di *erronee segnalazioni* fattele all'ingresso di un porto dagli ufficiali governativi preposti a questo servizio, e quando risulti che il danno è derivato dalla inosservanza di norme che l'autorità amministrativa diede e rese pubbliche (5).

Secondo altri, non risponde lo Stato pei danni derivati ad una nave per avere investito in una *scogliera* per false segnalazioni degli ufficiali governativi. Questa sentenza però del Tribunale di Savona (6) venne riformata

---

(1) Giorgi, *Obblig.*, vol. V, § 369-870.
(2) Cass. Roma, 1º aprile 1902, *Riv. Ecclesiastica*, 1904, pag. 701.
(3) Giorgi, op. cit., § 871-872.
(4) App. Roma, 27 giugno 1899, *Legge*, II, 815.
(5) App. Genova, 13 giugno 1905, *Legge*, 2028.
(6) App. Macerata, 5 ottobre 1899, *Legge*, 1900, I, 50. — Meucci, *Istituzioni di Diritto Amministrativo*, terza edizione, pag. 228 e 243.

dalla Corte di Appello di Genova colla sentenza riportata precedentemente.

Risponde pure lo Stato per *ispezioni indebite*; e così il Ministro di Agricoltura, Industria e Commercio non ha alcuna ingerenza o vigilanza sulle società *anonime* e perciò, qualora, sia pure d'accordo col Ministro di Grazia e Giustizia e con quello dell'Interno e su rapporto del Prefetto, abbia ordinato una *inchiesta* od ispezione straordinaria sull'amministrazione di una *Banca Cooperativa*, è risponsabile dei danni. Il Ministro è tenuto al risarcimento del danno derivante, sia pure, da un *atto di impero*, quando il suo Ministero, per legge, non aveva alcuna competenza ad emanare simili atti. La risponsabilità in questi casi, più che dello Stato, è del *Ministro* anche solo come *carica* o *funzione* (1).

L'Amministrazione preposta al regime delle *acque pubbliche*, va soggetta a risponsabilità quando coi provvedimenti decretati dai proprii ufficiali, abbia manomessa la proprietà privata od un diritto contrattuale del privato (2).

Per i danni dati dai *militari* in tempo di *pace* lo Stato non è risponsabile finchè si tratti di colpe, ma soltanto deve compensi per le espropriazioni definitive (3) (Vedi pure *Militari* (Danni) e *Tiro a Segno*.

Per i danni recati dai *cavalli militari* si applicano le norme sugli animali in genere (Vedi *Animali*).

Lo Stato risponde dei danni risentiti da una *tonnara* da esso venduta ad un privato a causa dell'inquinamento o delle acque marine derivanti dagli scoli di una miniera posteriormente concessa nelle vicinanze della tonnara (4).

---

(1) Giorgi, op. cit., V, § 873.
(2) Giorgi, op. cit., V, 874.
(3) 23 gennaio 1904, *Temi Gen.*, 94.
(4) Cass. Roma, 13 gennaio 1904, *Legge*, 324.

Strade.

(Vedi pure **Lavori pubblici**).

Strada provinciale.

Lo Stato provvedendo per conto della Provincia alla costruzione di una strada provinciale a senso della legge 30 maggio 1875 e 23 luglio 1881, compie una funzione di *imperio*, e non contrae alcuna risponsabilità per gli errori o le colpe commesse dai suoi agenti nell'esecuzione dell'opera. Il privato danneggiato permanentemente dalla costruzione della strada può soltanto chiedere un indennizzo alla Provincia, proprietaria della strada, in base all'art. 46 della legge 25 giugno 1865 sulla spropriazione per pubblica utilità (1).

Argini — Rovina — Danni.

Il proprietario che trascura la manutenzione di *argini stradali* per modo che vengano a rovinare sopra i fondi sottostanti, è tenuto al risarcimento dei danni (art. 1155 Cod. civ.).

Il proprietario del fondo danneggiato o minacciato da sponde od argini esistenti sopra altro fondo, che non si valga della facoltà riservatagli dalla legge di ripararli, ristabilirli o costruirli a proprie spese, non perde solo per questo la ragione di indennizzo, se di tali argini o sponde avvenga la rovina per la colposa trascuranza del proprietario (art. 537 Cod. civ.) (2).

Quando la rovina delle sponde o degli argini avviene per fatto dell'uomo, il proprietario danneggiato ha diritto da costui al risarcimento dei danni (3).

---

(1) Cass. Roma, Sezioni Unite, 8 marzo 1902, *Legge*, I, 651.

(2) Cass. Torino, 20 marzo 1903, *Giur. Tor.*, 673. — Ricci, *Diritto Civile*, VI, n. 102. — Giorgi, *Obbligazioni*, V, 410-413. — Laurent, *Principes*, XX, 689.

(3) Carabelli, *Servitù Prediali*, art. 537, pag. 81, seconda edizione.

Strade comunali — Pessima manutenzione.

Ai proprietarii limitrofi a strade di campagna, in caso di trascurata manutenzione, compete azione contro il Comune pei soli danni diretti, immediati e permanenti, per quelli cioè che costituiscono non un semplice incomodo, ma una *lesione* del loro diritto di dominio (art. 175, N. 8 legge Comunale e Provinciale 4 maggio 1898, art. 1151-1152 Cod. civ.) (1).

Così fu giudicato che il Comune, che deliberata la spesa per la manutenzione delle vie pubbliche si ingerisce nella esecuzione sua direttamente in economia o appaltando le opere relative, fa atto di gestione, ed è perciò responsabile verso il privato per la trascurata manutenzione (2). Può pure il privato azionare il Comune per avere il risarcimento dei danni avuti a causa della rovina di una strada (3), il quale fatto rese necessario il passaggio sul suo fondo. Il Comune risponde infine pei danni derivati dalla frana di una strada comunale (4).

Se la viziosa costruzione o manutenzione di vie pubbliche ha diminuito la *comodità* del transito, non dà diritto al privato, nè azione per chiedere risarcimento ai danni (5) (art. 430, 432, 1151 Cod. civ., art. 22, 28 e 39 Legge sui Lavori Pubblici, 20 marzo 1865, *Alleg.* F). E così non può il privato dolersi se per tale fatto sia reso più difficile l'accesso ad un suo stabile ed il trasporto di sue merci dalla sua casa alla stazione ferroviaria.

---

(1) Cass. Roma, Sez. Unite, 12 maggio 1903, *Giur. Tor.*, 1455.

(2) Cass. Firenze, 28 dicembre 1898, *Foro Ital.*, 1899, 461.

(3) Cass. Roma, 14 maggio 1891, *Annali*, XXV, I, 185.

(4) App. Casale, 29 settembre 1886, *Giur. Casalese*, VI, 817.

(5) Cass. Romana, 29 novembre 1895, *Legge*, 1896, I, 77. — Giorgi, *Obbligazioni*, V, n. 184. — De Marinis, *La responsabilità del Municipio per la costruzione e manutenzione del Demanio Comunale* (Napoli, 1888). — Natoli, *Le vie pubbliche, l'autorità municipale ed i diritti dei proprietarii frontisti*, Catania, 1894.

Rialzo del piano stradale — Innondazioni.

Sono dovuti i danni al proprietario di edifizio il cui piano terreno trovisi soggetto ad innondazioni ed allagamenti pel fatto del rialzato livello di uno stradale vicino (art. 46 legge sulle espropriazioni per pubblica utilità 25 giugno 1865) (1).

Se però il Comune, per ragioni di più comoda viabilità, ha ritenuto di alzare di pochi centimetri il livello di un suo stradale, non è tenuto a risarcire i danni che un privato lamentasse per difficoltà derivatagli nell'accedere al suo portone e per il facilitato prospetto nelle sue camere per parte di chi si trova sullo stradale (2) (Vedi pure *Lavori Pubblici*, § 9).

Responsabilità dei Comuni in materia di strade.

Di regola, il Comune, tanto nella costruzione che nella manutenzione delle pubbliche strade, compie atti di impero, e non può perciò mai trovarsi sottoposto per essi ad azione diretta di danni, a parte però la sua responsabilità per *dolo* o *colpa dei suoi dipendenti*. E così per essere stato lasciato aperto un *ponte girante* (per dar passo alle navicelle) ed esservi caduto un ciclista, non si ritenne esser dovuto risarcimento (3). La Corte Suprema di Roma giudicò che l'Autorità giudiziaria non possa conoscere dell'azione promossa dal privato per danni derivati da trascurata manutenzione delle strade comunali (4).

L'azione per danni sarebbe ammessibile sempre se il Comune non abbia nella costruzione o manutenzione osservate le condizioni alle quali era tenuto per contratto (5).

---

(1) Cass. Torino, 27 gennaio 1903, *Giur. Tor.*, 785.
(2) Cass. Torino, 2 aprile 1901, *Giur. Tor.*, 605.
(3) Cass. Roma, Sezioni Unite, 5 febbraio 1904, *Giur. Tor.*, 1483.
(4) Cass. Roma, 23 luglio 1903, *Temi Ven.*, 748.
(5) App. Bologna, 18 gennaio 1901, *Temi Ven.*, 201.

Così pure risponde dei danni il Comune che abbia ordinato lo scavo in una via per collocarvi le condutture del gaz, se, ricoperta l'escavazione in malo modo, sia stata causa che un cavallo inciampasse, cadesse e riportasse lesione a causa dell'imperfetta ricopritura dell'escavazione stessa (1).

Risponde pure il Comune nella costruzione o manutenzione di strade, se lede il diritto di un privato (2); e così anche per avere fatto costrurre una palancola per attraversare un torrente, trascurando poi la manutenzione in modo che siasi sfasciata, cagionando la caduta dei passanti nel torrente sottostante (3).

È necessaria però la prova della *colpa* del Comune, che non si presume. In tutti i casi suddetti è ragionevole che il Comune risponda di danni, perchè non si tratta di atti puramente di *impero*, ma di atti illeciti pei quali è applicabile la colpa aquiliana. *Magistratus municipales, si damnum iniuria dederint, posse lege Aquilia teneri* (ULPIANO).

Fossi stradali.

Il Comune è tenuto ai danni derivati alle proprietà private laterali alle strade, da allagamenti prodotti dal mancato spurgo dei fossi e dalla deficienza degli edifizi di smaltimento di piene in caso di temporali; ed è di competenza ordinaria dei Tribunali l'azione del privato intesa ad ottenere questo risarcimento dei danni (4).

L'incaricato della vigilanza su una strada (cantoniere o stazioniere) ha l'obbligo di ovviare ai pericoli prodotti da eventuali guasti che, anzichè esimerlo, rendono più intenso il dovere della vigilanza, e così risponderà civil-

---

(1) Cass. Firenze, 23 luglio 1903, *Temi Ven.*, 809.
(2) App. Bologna, Sentenza citata.
(3) App. Torino, 18 giugno 1902, *Giur. Tor.*, 1076.
(4) Trib. Casale, 1° febbraio 1906, *Giur. Tor.* 220.

mente del danno derivato, ad es. da sprofondamento di tratto di strada cui non si misero ripari od avvisi per evitare il pericolo.

Nè l'appalto altrui concesso per la manutenzione della strada non esime l'amministrazione comunale dalla responsabilità civile per i fatti conseguenti alla mancata o trascurata manutenzione; e neppure vien meno la civile risponsabilità per l'ignoranza dei fatti di trascuranza o per esserne immediata l'influenza (1).

Teatri.

Chiusura — Distruzione.

Se l'Autorità amministrativa per ragioni di sicurezza, vieta l'esercizio di un teatro e ne ordina la chiusura, non può l'Autorità giudiziaria sindacare tale provvedimento, e non può il proprietario del teatro pretendere risarcimento di danni, perchè è concorde giurisprudenza che dai provvedimenti emessi dall'Autorità amministrativa per prevenire od allontanare un pericolo sovrastante alla *sanità* o *sicurezza pubblica*, non può mai derivare un diritto ad indennizzo a favore dei privati, che dalla esecuzione di siffatto provvedimento abbiano risentito un danno od una perdita patrimoniale (2).

Ma se l'Autorità amministrativa ordinasse e facesse eseguire la distruzione del teatro, avrebbe diritto il proprietario a risarcimento e può chiederlo avanti l'Autorità giudiziaria. L'art. 7 infatti della legge sul contenzioso amministrativo concede all'Autorità amministrativa di disporre, per grave necessità pubblica, della proprietà privata, ma senza *pregiudicare il diritto di proprietà*, cioè indennizzando se la proprietà non viene solo limitata nel

---

(1) Cass. 15 febbraio 1905. *Cass. Unica*, XVI, 957.

(2) Cass. Roma, Sez. Unite, 10 dicembre 1902, *Man. Ammin.*, 1903, 227.

suo esercizio (come nel caso di chiusura), ma viene *tolta* addirittura.

Deposito di bastoni od ombrelli alla guardaroba (Vedi **Depositi e depositari**).

Contratti con compagnie teatrali.

Il decreto prefettizio che impone al proprietario di un teatro di eseguirvi dei lavori di sicurezza entro un dato termine sotto pena della chiusura del teatro dopo decorso questo termine, non costituisce forza maggiore che lo liberi dalla risponsabilità di danni per inadempienza di contratto già concluso dal proprietario con una Compagnia per agire in quel teatro durante il tempo prefisso per l'esecuzione dei lavori: tanto più se risulti che il proprietario, dopo avuto l'ordine, non si affrettò ad incominciare ed eseguire i lavori (1).

Deputazione teatrale — Protesta di un artista.

Dove sia consuetudine che le scritture degli artisti siano soggette all'approvazione della *Direzione o Deputazione teatrale*, questa costituisce una condizione sospensiva di ogni scrittura, quantunque non sia espressa. Per tale condizione l'artista scritturato dall'impresa e poi protestato dalla Direzione teatrale, non ha ragione di indennità contro l'impresario per l'inosservanza del contratto, e neppure è tenuto l'impresario a discutere coll'artista e giustificare l'atto di protestazione della Direzione (2).

Diritti di autore — Società francese.

La Società francese degli Autori compositori drammatici è legalmente costituita, ed i suoi rappresentanti

---

(1) App. Torino, 16 settembre 1887, *Legge*, 1888, I, 812.
(2) Cass. Torino, 6 giugno 1891, *Legge*, 1892, I, 21.

hanno legittimo mandato per far valere così in Francia come in Italia i diritti d'autore spettanti ai suoi membri. Non può per altro far valere i diritti d'autore per rappresentazioni drammatiche d'opere che pretenda garantite dalla proprietà letteraria se non specifica e non prova le rappresentazioni date, se non designa le opere, se non dimostra che gli autori facciano parte della Società, e non prova essersi osservate le formalità di legge per l'acquisto dei diritti d'autore. Senza di questa giustificazione non può preliminarmente pretendere il resoconto degli *introiti* di un teatro durante un certo periodo di tempo, con riserva delle sue specifiche instanze (1).

Artista di religione israelitica.

L'artista teatrale di religione israelitica, è obbligato a recitare anche nei giorni in cui questa religione vieta ogni occupazione, considerandola come sacrilegio per essere i giorni stessi consacrati alla preghiera ed al digiuno, salvo che sia stata fatta espressa riserva di questo caso nel contratto tra esso artista e l'impresario o capocomico (2). In caso di rifiuto dell'artista a recitare deve pagare la penale che siasi pattuita in caso di mancate recite ingiustificate, la quale penale tiene luogo di risarcimento di danni.

Artista minorenne.

La scrittura teatrale, quando l'artista è minorenne, essendo un *contratto*, e mancando il minore, secondo le nostre leggi civili, di capacità giuridica, deve farsi dal genitore che ha la patria potestà, che contratterà coll'impresario in rappresentanza del minore. Ma se il genitore

____

(1) App. Torino, 18 marzo 1876, *Giur. Tor.*, XIII, 397.
(2) Pretore Verona, 2 novembre 1875, *Giur. Tor.*, XIII, 29.

stipulasse il contratto malgrado il dissenso del minore, il quale poi rifiutasse e non prestasse l'opera pattuita, in tal caso il minore non ha alcuna risponsabilità, e sarà invece tenuto ai danni verso l'impresario il *solo* genitore *in proprio*, verificandosi il caso dell'art. 1129 del Codice civile, secondo cui, quando si promette il fatto di una *terza* persona, questa promessa dà diritto ad indennità allorchè il terzo si rifiuta di adempiere la obbligazione.

Debutti — Maneggi dolosi.

È consuetudine che un artista nel fare la sua prima comparsa sulle scene, oppure comparendo per la *prima volta* sul teatro di una data città, non possa ritenersi per definitivamente scritturato per tutta la stagione se non dopo l'esito del *debutto*. Se il debutto riesce, e l'artista incontra il favore del pubblico, il contratto è perfetto (art. 1170 Cod. civ.); se invece l'attore è *fischiato* e non incontra, il contratto è risolto; il debuttante non è tenuto a danni verso l'impresario, e solo rimane in libertà. Alcuni impresarii sogliono anzi pretendere un'indennità anticipata per lasciar debuttare artisti novelli alle scene e desiderosi di farsi conoscere.

Però nel caso in cui l'impresario con raggiri o dolo e con maneggi subdoli (es. dando ingresso gratuito a ragazzaglia con incarico di fischiare) provoca la caduta dell'artista e questi può provare il fatto, avrà l'artista diritto ad essere indennizzato dei danni, oltre al considerare come nulli i debutti stessi.

Per consuetudine l'artista ha diritto a *tre sere di debutto*, e così anche se la prima sera riesce sfavorevole, ha nondimeno diritto di fare le recite delle due sere successive.

Risponsabilità pei danni.

L'impresario è civilmente risponsabile per le colpe e negligenze degli attrezzisti, macchinisti, ecc., e delle disgrazie che siano per derivare agli artisti in occasione della prestazione dell'opera loro per le dette negligenze e imprudenze o poca solidità degli attrezzi (es. se invece di sparare una rivoltella a sola polvere, se ne faccia sparare una carica a proiettili od in modo da cagionare danno).

L'artista ha pure diritto di rifiutare di recitare (e senza esser tenuto a danni) se non riscontra la sicurezza degli attrezzi, o se gli si vuole far indossare un costume contrario alla decenza od alla morale.

Malattie simulate.

È tenuto ai danni verso l'impresario l'artista che per non prestare l'opera sua *simuli una malattia*. La simulazione si prova con perizia.

Telegrafi.

Errori in telegrammi.

L'ufficiale telegrafico non è risponsabile civilmente dell'errore in cui egli sia per avventura incorso nella trasmissione di un telegramma (1).

Agenzie.

Un'agenzia telegrafica è risponsabile di danni verso un giornale politico, abbonato al servizio telegrafico, per il fatto di interrompersi repentinamente la somministrazione delle notizie (2).

Risponsabilità civili in base a reati.

Risponde civilmente per i danni, oltre che penalmente, chiunque danneggia le macchine, gli apparecchi od i fili

---

(1) Trib. Lucera, 8 luglio 1887, *Legge*, II, 452.
(2) App. Trani, 7 luglio 1899, *Legge*, 1900, I, 165.

telegrafici o cagiona la dispersione delle correnti (art. 315 Cod. pen.). Il medesimo è a dirsi per i telefoni destinati ad uso pubblico.

Disposizioni legislative.

Dispone il Codice di commercio all'art. 46 che in caso di errori, alterazioni o ritardi nella trasmissione dei telegrammi, si applicano i principii generali intorno alla colpa, ma il mittente di un telegramma, se abbia curato di farlo collazionare o raccomandare secondo le disposizioni dei regolamenti telegrafici, si presume esente da colpa. Questa disposizione ha importanza specialmente per le contrattazioni che si facciano a distanza per telegramma.

Se la colpa dell'errore è dell'Amministrazione e dei suoi impiegati, è principio generale ed assoluto che, sia l'Amministrazione che i telegrafisti dei telegrafi esercitati dallo Stato, siano irrisponsabili, come sanciscono i Regolamenti speciali. Ciò anche nei rapporti internazionali.

Se i telegrafi sono esercitati da Società private (esempio quelli di linee ferroviarie con servizio anche per il pubblico), il loro esercizio è regolato dall'atto di concessione, ma di regola si richiamano le norme dei telegrafi dello Stato.

Telefoni.

Interruzione del servizio.

Le imprese telefoniche sono tenute ai *danni* verso gli abbonati per le interruzioni di servizio oltre i limiti di tolleranza fissati dal regolamento (art. 1225-1226 Codice civile). Nulla giova l'invocare in contrario che l'interruzione sia stata causata da nevicata eccezionale che recò grandi guasti in città, e neppure che l'impianto fu fatto colla maggiore regolarità e solidità (1).

Risponsabilità civile in base a reati (Vedi Telegrafi).

Danni civili.

L'esercizio delle reti telefoniche pubbliche è regolato dalla legge 7 aprile 1892, n. 184, e regolamento 16 giugno 1892, n. 288, ed è in essa stabilito che il concessionario è obbligato a restituire e rimborsare le tasse riscosse per le conversazioni che non si sono potute fare. L'abbonato che non può servirsi delle comunicazioni convenute nei patti di abbonamento e per un periodo di tempo continuato, se l'impedimento deriva da forza maggiore, ha diritto alla restituzione della tassa per tutta la durata dell'interruzione meno tre giorni ; se invece la interruzione nasce per colpa del concessionario dell'esercizio dei telefoni, ha diritto ad una indennità ragguagliata al *doppio* della somma che importerebbe l'abbonamento per il periodo di tempo in cui dura l'interruzione (art. 27 regol.).

Tipografi.

(Vedi pure Giornali).

La risponsabilità civile derivante da un reato può avere per causa determinante tanto un fatto proprio quanto un fatto altrui; e può derivare per colpa così diretta, come indiretta; epperò il tipografo che non è sempre e non può escludersi che sia talvolta risponsabile civilmente per quanto si stampi nella sua officina, lo è allora che sia accertato avere egli direttamente o

---

(1) Pretura di Torino, 14 novembre 1902, *Giur. Tor.*, **1494.**

indirettamente cooperato al fatto lesivo del diritto altrui (1) (art. 5 editto sulla stampa 26 marzo 1848, 1151 Cod. civ.).

Il tipografo è civilmente risponsabile per reati commessi col mezzo della stampa del suo stabilimento (2).

Il tipografo che stampa un opuscolo *anonimo* non costituente delitto di diffamazione o di ingiuria, ma lesivo nondimeno della riputazione o dei legittimi interessi altrui, è risponsabile dei danni prodotti (3).

Lo stampatore di un *periodico* non può, quale committente, secondo l'art. 1153 Cod. civ., essere chiamato a rispondere civilmente di articoli ingiuriosi pubblicati nel periodico, e nemmeno per il solo fatto della stampa può essere dichiarato risponsabile il tipografo a senso degli art. 1151, 1152 Cod. civ.; ma però potrebbe incontrare tale risponsabilità se risulti che egli era edotto degli articoli ingiuriosi da stamparsi e del loro contenuto (4).

A cotesta risponsabilità civile non ostano nè vi derogano le disposizioni della legge sulla stampa.

A termini dell'art. 1153 Cod. civ., il *direttore-proprietario* di un giornale è civilmente risponsabile dei danni arrecati dai *redattori* del suo giornale colla pubblicazione di articoli offensivi dell'altrui riputazione (5).

Imprese di pubblicità.

Le imprese di pubblicità sulle pagine di annunzi su giornali sono risponsabili pel fatto di dare corso ad avvisi che contengono elementi dannosi per terzi (6) (Vedi *Giornali*).

---

(1) Cass. Roma, 9 maggio 1899, *Legge*, II, 94.
(2) App. Roma, 22 ottobre 1892, *Legge*, 1893, I, 230.
(3) Cass. Roma, 18 novembre 1893, *Legge*, 1894, I, 17.
(4) App. Brescia, 13 febbraio 1891, *Legge*, I, 447.
(5) App. Roma, 21 maggio 1887, *Legge*, II, 788.
(6) Trib. Milano, 27 maggio 1905, *Mon. Trib.*, 694.

Tiro a Segno Nazionale.

Competenza.

Secondo la prevalente giurisprudenza non è competente l'Autorità giudiziaria a conoscere di azione di danni derivanti a privati da pretesa *viziosa costruzione* delle opere di un *Tiro a segno* (legge 20 marzo 1865, all. *F*, sul contenzioso amministrativo)(1); imperocchè ciò costituirebbe un vero *collaudo* dell'opera che è di esclusiva competenza dell'Autorità amministrativa.

Fu però anche giudicato che l'Autorità giudiziaria possa conoscere della imperfetta costruzione dei bersagli onde dedurne declaratorie di danni a favore dei privati (2).

Rientra poi indubbiamente nella competenza dell'Autorità giudiziaria il conoscere dell'azione di danni che ai fondi latistanti deriverebbero dal menomato uso durante le esercitazioni di tiro.

Le Società di Tiro a segno sono enti *autonomi* che rispondono *in proprio* delle loro obbligazioni senza alcuna risponsabilità per esse delle Amministrazioni dello Stato, come si rileva dal testo della legge 2 luglio 1892 che istituiva i tiri a segno (3).

Vi sono però sentenze che ritennero il contrario, cioè che le Società locali del Tiro a segno nazionale, per quanto eccede le speciali funzioni loro attribuite dalla legge, sono organi governativi per la speciale funzione del tiro a segno, e sono quindi rappresentanti del Governo per quanto in particolare riguarda la costruzione dei bersagli; epperò lo Stato è risponsabile dei danni che, per la imperfetta costruzione loro, possono dall'esercizio del tiro derivare ai privati (4).

---

(1) App. Torino, 12 luglio 1904, *Giur. Tor.*, 1380.
(2) Cass. Torino, 9 agosto 1892, *Giur. Tor.*, 640.
(3) Giorgi, *Delle persone giuridiche*, VI, n. 228. Studio di Girodi, *Legge*, 1897, pag. 181.
(4) Cass. Torino, 9 agosto 1892, *Giur. Tor.*, 640.

Danni.

Il proprietario di fondo limitrofo al campo di tiro ha diritto ad indennità per non potersi accedere al fondo stesso durante le esercitazioni senza grave pericolo personale (art. 46 legge 25 giugno 1865 sulle espropriazioni per pubblica utilità); e tale diritto gli compete anche quando non sia confinante coi fondi espropriati; e così pure quando non sia stato neppure parzialmente espropriato.

Il proprietario spropriato, poi che già ha ricevuto una indennità amichevolmente concordata coll'espropriante, ha diritto a risarcimento dei maggiori danni verificatisi in seguito alla costruzione ed esercizio dell'opera di pubblica utilità nei fondi rimastigli e non espropriati (es, dei maggiori danni provenienti alla proprietà limitrofa o poco distante dal tiro a segno, per non potervisi metter piede senza grave pericolo durante le esercitazioni) (1).

Infatti è ritenuto che in generale i proprietari dei fondi permanentemente danneggiati dall'esecuzione di un'opera pubblica, per la perdita o la diminuzione di un loro diritto possono agire per farsi indennizzare valendosi del disposto del citato art. 46 (2).

E il detto art. 46 si applica non solo quando si espropria un immobile, ma anche quando a ragione della pubblica utilità si grava di una servitù (3).

Errori o vizii di costruzione.

I danni derivanti da errori o da vizii di costruzione, da errori di *piani* di esecuzione o da cattiva costituzione

---

(1) Consulta Sabbatini, *Commento alle leggi sulle espropriazioni per pubblica utilità*, sull'art. 1, 2ª Edizione. — De Bosio, *Dell'espropriazione e degli altri danni che si recano per causa di pubblica utilità*, I, § 49.

(2) Cass. Roma, 7 dicembre 1901, *Legge*, 1902, I, 113.

(3) Cass. Palermo, 7 aprile 1900, *Foro Sic.*, 299.

dei campi di tiro, non si intendono già tenuti a calcolo dell'indennizzo liquidato in base alla legge sulle espropriazioni per pubblica utilità, nè si possono dire conseguenza di una di quelle servitù stabilite da legge speciale di cui nel ripetuto art. 46 (1).

La soverchia *vicinanza* di un campo di tiro ad abitazioni *preesistenti al suo impianto*, qualora sia causa di molestia o di deprezzamento del valore locativo delle case medesime, dà titolo al risarcimento dei danni senza che il carattere di pubblico interesse dell'istituto diminuisca o sopprima l'obbligo dell'indennizzo (2).

Se poi gli esercizi di tiro in un poligono, ordinati dall'Autorità militare, si svolgono *ad intervalli* e per alcuni giorni soltanto dell'anno, e quindi la forzata sospensione dell'attività nella proprietà privata vicina è riconosciuta parziale, momentanea e variabile, non si ha per questo il *danno permanente* che possa dar luogo ad una indennità da liquidare a termini dell'art. 46 della legge sulle espropriazioni; ma bensì un *danno transitorio* che deve compensarsi volta per volta in misura della durata effettiva della sospensione (3) (Vedi pure *Lavori pubblici*, § 8).

Il *parzialmente espropriato* per la costruzione di un tiro a segno, ha ragione di *indennizzo supplementare* per trovarsi il terreno rimastogli esposto ai proiettili durante le esercitazioni di tiro (art. 40, 41, 46 legge sulle espropriazioni per pubblica utilità) (4).

Hanno diritto a risarcimento di danni i proprietari di case vicine al Tiro a segno nazionale, che risentono danno dall'esercizio del tiro a cagione del rumore dei colpi e della ripercussione, che recando molestia agli inquilini, diminuiscono il valore locativo delle case (5).

---

(1) App. Bologna, 3 agosto 1896, *Giur. Ital.*, 1897, I, 2, 80.
(2) Cass. Firenze, 23 aprile 1896, *Temi Ven.*, 410.
(3) Cass. Firenze, 27 luglio 1901, *Temi Ven.*, 779.
(4) Cass. Torino, 27 luglio 1905, *Giur. Tor.*, 1084.
(5) Cass. Firenze, 23 aprile 1896, *Legge*, II, 474.

È incensurablile poi in Cassazione il giudizio del magistrato di merito escludente che la molestia prodotta dall'esercizio di tiro a segno sia un semplice incomodo tollerabile tra vicini.

Tramwie.

(Vedi pure **Disastri ferroviarii — Ferrovie**).

Investimento di viandante.

Il contadino danneggiato dall'investimento di un tramway non può essere costretto ad accettare il risarcimento sotto forma di indennità giornaliera, ma ha diritto che gli venga liquidata in una somma complessiva (1).

Mancato rallentamento in luogo abitato.

Secondo l'art. 6 della legge 27 dicembre 1896, n. 561, sulle tramvie a trazione meccanica, non è neeessario che il prefetto specifichi i punti di percorrenza delle tramvie costituenti *traverse di abitati*, all'effetto di regolare la velocità dei treni per garantire la incolumità delle persone, ma può l'Autorità giudiziaria giudicare essa nei singoli casi se si tratti di tali traverse onde determinare la risponsabilità della Società tramviaria in caso di sinistro per non avere il personale rallentata in qualche punto la corsa, con successivo investimento di persona (2).

Sinistri — Danni.

La Compagnia tramviaria è risponsabile dei danni causati dai sinistri che accadono alle persone da essa trasportati, se non prova che il danno è derivato da

---

(1) App. Bologna, 14 febbraio 1902, *Legge*, II, 274.
(2) Cass. Torino, 30 gennaio 1904, *Giur. Tor.*, 469.

causa ad essa non imputabile (1). Così è stata ritenuta risponsabile la Società tramviaria pel fatto che essendosi lasciato che un viaggiatore portasse seco nella vettura un oggetto assai pesante, ed anche pericoloso, e non essendo stato convenientemente collocato, ne sia avvenuto per la sua caduta il ferimento di un altro viaggiatore, e spetta alla Società il provare che non fu in colpa.

Allorquando rimanga investita una persona da un tram senza colpa degli agenti o dell'impresa, ed il ferito venga in seguito a morire, potranno essere ritenuti egualmente risponsabili della costui morte gli agenti e l'impresa o Società tramviaria, se risulti che la morte stessa sia da attribuirsi a trascuratezza o *mancata assistenza* al ferito da parte degli agenti a senso dell'art. 389 Cod. pen. e art. 2 del reg. 31 ottobre 1873 sulla polizia delle strade ferrate.

Non si potrebbe parlare di trascuratezza o mancata assistenza nel caso in cui, avendo un convoglio tramviario notturno spaccata una gamba ad un ubbriaco che dormiva sulla strada colla gamba sul binario, gli agenti del convoglio abbiano:

1° Cercato di fasciare alla meglio con stracci il moncone di gamba;

2° Distaccato la macchina correndo al più vicino centro abitato in cerca di un medico;

3° Non trovando il medico, abbiano retrocesso ponendo il ferito sul treno e portandolo al più vicino ospedale (2).

Rifiuto di fermare — Danni.

L'assuntore dell'esercizio di una *tramvia urbana* è tenuto, di fronte ai cittadini, a rispettare il contratto e il regolamento che disciplinano la concessione del pubblico

---

(1) Cass. Torino, 31 dicembre 1896, *Giur. Tor.*, 1897, 114.
(2) App. Milano, 2 dicembre 1908, *Mon. Trib.*, 152.

servizio, ed in caso di trasgressione è tenuto ai danni. Quindi ben può il cittadino agire per danni contro il concessionario perchè una vettura tramviaria in servizio *non si arrestò al di lui segnale fatto.* Il cittadino deve però provare che la vettura fosse adibita al pubblico servizio (1). Il concessionario potrà provare a sua volta che non si fermò per essere la carrozza *completa di viaggiatori.*

Caduta nel discendere.

Una Società tramviaria è tenuta a rispondere dei danni risentiti da un viaggiatore nel discendere, se venga provato che il conduttore mancò al proprio còmpito sia nel non fermare completamente il veicolo, sia per non essersi aiutato a discendere se ne era la necessità (2).

Incendio causato dalle scintille della locomotiva (Vedi Incendii).

Risponsabilità della Società.

Il direttore di una Società tramviaria risponde civilmente *in ogni caso* dell'omicidio colposo commesso dal *macchinista* ancorchè egli abbia dovuto sceglierlo fra quelli dichiarati idonei dal Ministero, nè possa rimproverarglisi alcun che di concreto o di specifico nella scelta fatta e nella vigilanza esercitata (3); imperocchè i padroni e committenti rispondono civilmente per presunzione *juris et de jure* dei danni cagionati dai loro domestici e commessi nell'esercizio delle incombenze alle quali li hanno destinati.

Risponde di omicidio involontario e di danni il mac-

---

(1) Cass. Napoli, 1° aprile 1905, *Foro Ital.,* I, 982.
(2) App. Parigi, 5 agosto 1897, *Legge,* 1898, I, 793.
(3) Cass. Roma, 21 maggio 1897, *Legge,* I, 570.

chinista di una tramvia a vapore che abbia osservate tutte le disposizioni regolamentari, ma che risulti nondimeno in colpa secondo il diritto comune, cioè, potendo evitare il disastro, non lo evitò (1).

Rispondono delle funeste conseguenze dello scontro di due treni tranviarii avvenuto per partenza fuori orario, tanto il capo stazione quanto il capo treno.

Così pure il capo treno risponde se ordina la partenza senza verificare se il personale si trova a suo posto, ed il macchinista che parte senza aver seco il fuochista, risponde dello scontro di treni (2).

Danni morali e materiali per infortunio.

Venne giudicato che per l'infortunio toccato ad una signora per un investimento tramviario che le cagionò la frattura delle falangi della mano sinistra, è dovuto risarcimento di danni non solo *materiali*, ma anche *morali* per i dolori sofferti e per la permanente deturpazione rimastale. Per la liquidazione dei danni materiali in seguito a tale deturpazione non sono applicabili le norme di valutazione sancite dall'art. 95 del regolamento 13 marzo 1904 per l'esecuzione della legge sugli infortunii sul lavoro. Sull'indennità poi per quasi-delitto, gli interessi decorrono sempre dal giorno dell'evento dannoso e non già da quello della domanda giudiziale (3).

Distanze delle rotaie dai fabbricati — Danni.

È incompetente l'Autorità giudiziaria a conoscere se l'esercizio di una linea tramviaria arrechi danno ai privati proprietarii nelle vie nelle quali le rotaie sono collocate *a breve distanza dalle case latistanti*, in modo da

---

(1) Cass. Torino, 8 luglio 1889, *Legge*, II, 424.
(2) App. Roma, 12 febbraio 1889, *Giur. Pen.*, 210.
(3) App. Torino, 4 dicembre 1905, *Giur. Tor.*, 1906, 822.

rendere incomodo e pericoloso l'accesso e l'uscita dalle botteghe o dai portoni. Il *jus civitatis* non si estende rispetto al diritto che i latistanti possono avere sulla via pubblica fino ad assicurare loro luce, vista e facilità di accesso sulla strada, e quindi non compete indennizzo in caso di diminuzione per lavori pubblici o concessioni municipali.

La legge speciale 27 dicembre 1896 sulla trazione tramviaria autorizza l'impianto di rotaie e la sporgenza dei carrozzoni anche a distanza minore di 80 centimetri in casi eccezionali, che spetta al Governo di riconoscere: ed esclude perciò ogni competenza dell'Autorità giudiziaria in caso di danni ai proprietarii delle case latistanti (1).

Infatti qui non si ha *violazione di diritto*, ma solo una diminuzione del *jus civitatis* in conflitto coll'interesse generale e diritto dello Stato o del Comune.

Analogamente si decise che relativamente al modo di *chiusura dei passaggi a livello* delle ferrovie attraverso a fondi privati che il pericolo non basta a rendere competente l'Autorità giudiziaria a conoscere dell'azione diretta ad ottenere una modificazione qualsiasi del sistema di chiusura.

Però la competenza dell'Autorità giudiziaria risorgerebbe ogni qualvolta dalla concessione, cioè dall'impianto, sorgesse un *danno diretto* ed una risponsabilità del concessionario, fosse pure il danno derivato dalla brevità della distanza tra la linea tramviaria e le proprietà confinanti. E così, ad es., fu ritenuto che il concessionario di un tramway a vapore, come si è detto più sopra, risponde dei danni dell'incendio ad un pagliaio, provocato dalle scintille della macchina, poichè la concessione è

---

(1) Cass. Roma, 30 novembre 1899, *Legge*, 1900, I, 1. – Confronta pure su questa materia App. Genova, 2 maggio 1898 (*Legge*, II, pag. 83) ; Cass. Roma, Sezioni Unite, 17 dicembre 1896 (*Legge*, 1897, I, pag. 183).

fatta, rispetto all'esercizio, a tutto rischio.e, pericolo del concessionario.

La questione della risarcibilità dei danni derivati direttamente dall'impianto di linee tramviarie, cioè dall'opera pubblica e non dal fatto del concessionario, non è che un aspetto della questione generale sui rapporti tra la proprietà pubblica e la privata, . alla quale questione appartiene pure il punto relativo al decidere se il Comune possa fare costruzioni sulla strada pubblica a detrimento della luce o delle uscite sulle vie pubbliche (Vedi pure *Strade* e *Lavori pubblici*).

Il Meucci (1) tratta ampiamente questa questione e sostiene che l'Amministrazione comunale non ha obbligo di risarcire i privati per certe comodità di accesso diminuite, per quanto in apparenza possano sembrare vere diminuzioni di proprietà; mentre invece va distinto il diritto di proprietà dello stabile, dal diritto di accesso alla e dalla via pubblica. Il privato, per pretendere un risarcimento, dovrebbe dimostrare che è assoluto ed intangibile non il suo diritto di proprietà del fondo, ma il diritto suo *sul suolo pubblico*, cioè *l'uso civico del medesimo* (2).

Trasporti in generale e Vettori.

(Vedi pure **Ferrovie** — **Navi e navigazione**).

Oggetti fragili.

Il vettore che, attesa la *fragilità* degli oggetti da trasportare, avverte il mittente che a sue spese farà procedere ad accurato imballo incaricandone un abile specialista, è responsabile dei guasti causati agli oggetti trasportati per la *deficienza dell'imballo* stesso, senza pos-

---

(1) *Istituzioni di Diritto Amministrativo*, terza ediz. 1892, pag. 411.
(2) Note alla citata Sentenza 30 novembre 1899.

sibilità di costringere il mittente a rivolgersi contro lo specialista suddetto, notoriamente più che solvibile (articoli 393, 400 Cod. comm. e 1748 Cod. civile) (1).

Il mittente deve consegnare al vettore le merci in tale condizione che siano atte e pronte ad essere trasportate. Le merci devono quindi consegnarsi convenientemente imballate, quando ciò sia richiesto dalle circostanze. Niun dubbio che il vettore possa fare osservazioni sul modo di imballaggio, e che *possa rifiutare* le merci male imballate, o *accettarle* soltanto *con riserva*, onde poterne dedurre le speciali conseguenze di cui agli art. 393 Cod. comm. Noi vediamo che tuttodì il vettore accetta non di rado di adempiere ad incarichi affatto estranei al suo carattere di vettore, come ad esempio la *pesaturu* delle merci, lo *sdoganamento* e simili; in questi casi, al contratto di trasporto si aggiunge un contratto accessorio, e precisamente un mandato, il quale va regolato colle sue proprie norme, e induce la responsabilità che le è propria, anzichè quella caratteristica del vettore (2).

Lo *spedizioniere* cui venga dato incarico di consegnare alcune merci a determinata persona, ha l'obbligo di fargliele pervenire a domicilio, sì che, ritenendole nei suoi magazzini, deve rispondere del *furto* che ne fosse avvenuto (3).

Risponsabilità dei vettori in generale.

Onde valutare la risponsabilità del vettore per danni ed avarie alle merci trasportate è a ritenersi che se il vettore *accetta* le cose da trasportarsi senza fare riserva, si presume che esse non presentino vizii apparenti di imballaggio (art. 393 Cod. comm.).

---

(1) App. Torino, 25 novembre 1901, *Giur. Tor.*, 1902, 596.
(2) Nota alla citata Sentenza del Prof. Arnaldo Bruschettini e App. Milano, 21 dicembre 1885, *Diritto Commerciale*, IV, 395.
(3) Cass. Napoli, 16 luglio 1874, *Gazz. dei Trib. di Napoli*, XXVI, 737.

Se il trasporto è impedito o soverchiamente ritardato da *caso fortuito* o da *forza maggiore*, il vettore deve darne avviso al mittente, il quale ha la facoltà di risolvere il contratto colla sola rifusione delle spese sostenute dal vettore, e del pagamento del porto in proporzione del cammino che si fosse percorso (art. 395 Cod. comm.).

Il vettore è *responsabile dei fatti dei suoi dipendenti*, di tutti i vettori successivi e di ogni altra persona cui egli affidi l'esecuzione del trasporto (art. 398 Cod. comm.).

Il vettore è responsabile della *perdita* o dell'*avaria* delle cose affidategli per il trasporto dal momento in cui le riceve sino a quello della riconsegna al destinatario, se non prova che la perdita o l'avaria è derivata da *caso fortuito* o da *forza maggiore* o da *vizio* delle cose stesse o dalla loro *natura* o da *fatto del mittente o del destinatario* (art. 400 Cod. comm.).

Le avarie si accertano nei modi indicati dall'art. 71 Cod. comm. (perizia ordinata dal Pretore o Presidente del Tribunale) (art. 402 Cod. comm.).

Ritardi nel trasporto.

In caso di ritardo nell'esecuzione del trasporto oltre il termine convenuto o determinato dai regolamenti od uso commerciale, il vettore perde una parte del prezzo di trasporto proporzionata alla durata del ritardo, e *perde l'intiero prezzo* del trasporto se il ritardo è durato il *doppio* del tempo stabilito per l'esecuzione del trasporto, oltre l'obbligo di *risarcire il maggior danno* che si provasse essere derivato.

Il vettore non è responsabile del ritardo se prova che esso sia derivato da caso fortuito o da forza maggiore, o da fatto del mittente o del destinatario.

La mancanza dei mezzi di trasporto non basta a scusare il ritardo (art. 403 Cod. comm.).

Può stabilirsi una limitazione di responsabilità a senso dell'art. 404 Cod. comm. per le merci o cose che soggiacciono per la loro natura durante il trasporto ad una diminuzione di peso o di misura.

Avarie — Loro calcolo.

Il danno derivante dalla perdita o da avaria si calcola secondo il *prezzo corrente* delle cose trasportate nel luogo e nel tempo della riconsegna.

Il prezzo corrente si determina dalle mercuriali del luogo o da quelle del luogo più vicino, o con ogni altra fonte di prova, dedotte però le spese risparmiate in conseguenza della perdita o dell'avaria.

Se il danno è operato con dolo o manifesta negligenza, la misura del risarcimento si determina secondo le disposizioni degli articoli 1227 e 1228 del Cod. civ. (Vedi il titolo *Colpa contrattuale*).

La misura del risarcimento del danno derivante da *perdita dei bagagli* di un viaggiatore consegnati al vettore senza indicazione del contenuto, si determina secondo le speciali circostanze del fatto (art. 405 Cod. comm.).

Il vettore non risponde degli *oggetti preziosi*, del denaro e dei titoli di credito che non gli sono stati dichiarati, e in caso di perdita o di avaria, non è tenuto a risarcire più del valore denunciato (art. 406 Cod. comm.).

Il destinatario ha diritto di verificare a sue spese al momento della riconsegna lo stato delle cose trasportate, se anche non presentino segni esterni di avaria (art. 409 Cod. comm.).

Ogni domanda di risarcimento deve essere diretta contro il primo o contro l'ultimo vettore. Si può proporre contro il vettore intermedio quando si provi che il danno sia avvenuto durante il trasporto da lui eseguito (art. 441 Cod. comm.).

La *ferrovia* non risponde per l'avaria occorsa alla merce dopo lo scarico ed in sèguito al ritardo a ritirarla (1).

---

(1) Cass. Torino, 29 marzo 1887, *Giur. Tor.*, 865.

L'azione di indennizzo è ammessibile non ostante che i danni non siano stati verificati secondo gli art. 70 e 402 Cod. comm. (1).

In caso di ritardo nella consegna delle merci trasportate, il vettore è tenuto a risarcire il solo danno reale ed effettivo che il mittente dimostri di avere subìto come conseguenza diretta ed immediata del ritardo, e non già i danni indiretti, come lo sperato lucro possibile. La somma di tal danno non produce interessi se non dalla data della notificazione della sentenza che ne liquida l'ammontare (2).

Nel caso di *colpa lata* da parte dell'Amministrazione ferroviaria, il danno, nonostante che la merce viaggi con tariffe speciali, è commisurato secondo gli articoli 1227 e 1229 Cod. civ., e quindi è dovuto in genere tanto per la perdita sofferta, quanto pel mancato guadagno (3).

Il commissionario di trasporti ha obbligo di accertarsi dell'identità delle persone che si presentano a ritirare la merce, nonostante la clausola contraria nella polizza (4).

Se il trasporto ferroviario fu richiesto con tariffa speciale, la risponsabilità dell'Amministrazione pel ritardo è ristretta al rimborso del prezzo di trasporto, se il ritardo ha durato il doppio del termine prefisso per la resa (5).

Quando poi vi fu *dolo* o *colpa* da parte dell'Amministrazione, si può chiedere però la rivalsa dei danni. Una falsa manovra non costituisce colpa (6).

Nei trasporti a tariffa speciale la risponsabilità pei danni è limitata in ogni caso al valore delle merci perdute (7).

---

(1) App. Genova, 12 dicembre 1887, *Dir. Comm.*, 227.
(2) Cass. Torino, 18 febbraio 1889, *Legge*, I, 871.
(3) Cass. Napoli, 15 novembre 1893, *Gazz. Proc.*, XXVI, 245.
(4) App. Genova, 30 dicembre 1885, *Eco*, 1886, 47.
(5) App. Torino, 2 novembre 1888, *Dir. Comm.*, 1889, 26.
(6) Cass. Torino, 15 ottobre 1890, *Dir. Comm.*, 1891, 82.
(7) Cass. Torino, 20 marzo 1889, *Dir. Comm.*, 564.

La ferrovia non risponde del danno dipendente dalla sospensione dei termini di resa della merce causata da difetto del materiale, se di tale sospensione è stato avvisato il pubblico, e sebbene non sia approvata dall'Autorità governativa nel caso di ferrovie esercitate da società (1).

Se il trasporto non è eseguito a tariffa speciale, la ferrovia, oltre che del danno pel ritardo a termini dell'art. 403 Cod. comm., risponde anche del danno reale (2).

Disposizioni del Codice civile sui vettori.

I *vetturini* (cioè chiunque con qualsiasi mezzo eserciti un trasporto) per terra e per acqua sono sottoposti, quanto alla custodia, agli stessi obblighi degli *albergatori* (articolo 1629 Cod. civ.) (Vedi *albergatori*).

I vetturini sono obbligati non solo per ciò che essi hanno già ricevuto nel loro bastimento o nella loro vettura, ma altresì per ciò che è stato consegnato loro sul porto o nel luogo di ricapito per essere riposto nel loro bastimento o nella loro vettura (art. 1630 Cod. civ.).

Essi sono obbligati per la perdita e per i guasti o le avarie delle cose loro affidate se non provano che si sono perdute o hanno sofferto guasto od avaria per un caso fortuito o per forza maggiore (art. 1631 Cod. civ.).

La disposizione suddetta è applicabile anche alle *ferrovie*, ma queste, per esimere l'Amministrazione da lunghe discussioni, hanno fissato determinate indennità nelle *Tariffe*, cosicchè se il mittente non si acqueta a quelle disposizioni ed a quella indennità fissata dalla tariffa, deve provare la *qualità* e quantità della merce, e l'Amministrazione non deve provare altro, per scagionarsi, che l'esistenza del caso fortuito o della forza maggiore (3).

---

(1) Cass. Torino, 27 marzo 1884, *Legge*, II, 225.

(2) Cass. Roma, 18 gennaio 1888, *Dir. Comm.*, 280.

(3) Cass. Roma, 25 gennaio 1882, *Legge*, I, 327; Cass. Roma, 22 novembre 1881, *Legge*, 1882, I, 37; Cass. Firenze, 31 marzo 1882, *Legge*, 1, 625; Cass. Torino, 18 giugno 1883, *Legge*, 1884, I, 386; App. Genova, 23 luglio 1881, *Legge*, 1882, I, 413.

Gli imprenditori di pubblici trasporti per terra o per acqua e delle *vetture pubbliche*. debbono tenere un registro del denaro e degli effetti ed involti di cui si incaricano (art. 1632 Cod. civ.). Sono inoltre soggetti, come pure i *direttori* dei trasporti ed i padroni dei bastimenti, ai regolamenti particolari.

Le disposizioni suddette si applicano anche ai cosidetti *corrieri giornalieri*, i quali esercitano i trasporti di piccoli colli dalle piccole città o borghi alle grandi città; essi sono risponsabili verso coloro che loro consegnano le merci, i quali non possono rivolgersi per ogni avaria od altro danno verso la ferrovia, ma verso il corriere che a sua volta potrà in proprio agire verso la ferrovia.

Le disposizioni sui trasporti dell'art. 406 Cod. comm. non sono applicabili agli albergatori pel trasporto di bagagli alla stazione, perchè ciò non forma oggetto di contratto di trasporto a parte, ma è un accessorio del trasporto della persona del viaggiatore (1).

Uffiziali giudiziarii.

(Vedi pure **Notai**).

Sottrazione di somme.

Lo Stato non è risponsabile della sottrazione commessa da un ufficiale giudiziario che si appropria del prezzo di vendita degli oggetti mobili pignorati, anzichè versarlo al Cancelliere della Pretura, come prescrive l'art. 650 del Cod. di proc. civ. (2) (art. 650, 642 Cod. proc. civ., art. 1153 Cod. civ.). Infatti la risponsabilità dello *Stato* incomincia soltanto dal momento in cui le somme ricavate dalla vendita giudiziale sono regolarmente depositate in Cancelleria, e di più essendo disposto tassativa-

---

(1) Cass. Torino, 26 aprile 1887, *Legge*, 2, 659.
(2) Cass. Roma, 7 novembre 1905, *Legge*, 2297.

mente all'art. 642 Cod. proc. civ., che l'ufficiale delegato
alla vendita è *personalmente risponsabile* del prezzo ricavato dalla medesima, implicitamente si viene ad escludere, per concorde e pacifica interpretazione, qualsiasi
risponsabilità diretta od indiretta dello Stato. Altri giudicati però ritennero, in senso contrario, che lo Stato sia
risponsabile delle distrazioni che l'Ufficiale giudiziario
delegato alla vendita di oggetti pignorati, operi del prezzo
ricavato dalla vendita stessa (1) (Vedi pure *Depositi giudiziarii*). La massima che proclama la *non risponsabilità*
dello Stato, è prevalente e fondata sul principio generale
che lo *Stato non assume risponsabilità pel fatto dei suoi
funzionarii se non nei casi espressamente determinati dalla
legge* (2).

Nullità di atti.

Non è tenuto a risarcimento di danni l'ufficiale giudiziario per la *nullità della citazione*, per essere stata questa
da lui eseguita in una casa nella quale il citando non
aveva nè domicilio, nè residenza, nè dimora, se questa
casa gli venne indicata dallo stesso instante (3).

Non è tenuto a risarcimento l'ufficiale giudiziario che
non abbia fatto altro che uniformarsi alle istruzioni,
consigli o suggerimenti della parte a cui instanza esso
agiva (4).

Se l'atto fu compilato dal *procuratore,* non sempre può
ritenersi risponsabile per la nullità l'ufficiale giudiziario
che lo abbia notificato (5) (Vedi *Procuratori ad lites*).

L'ufficiale giudiziario non è risponsabile della *nullità
del precetto cambiario* stata pronunciata per l'omessavi

---

(1) Trib. Ancona, 28 febbraio 1905, *Corte di Ancona,* I, 135.
(2) Cass. Roma, Sezioni Unite, 9 febbraio 1905, *Legge,* 847.
(3) Cass. Torino, 17 luglio 1873, *Giur. Tor.,* vol. XI, 28.
(4) App. Torino, 10 settembre 1867, *Giur. Tor.,* IV, 640.
(5) App. Torino, 25 gennaio 1867, *Giur. Tor.,* IV, 285.

trascrizione del protesto, se la trascrizione non venne a lui espressamente inculcata dal committente e specialmente se l'atto fu redatto da procuratore della parte (1).

Vendite.

Promessa di vendita.

La semplice promessa *unilaterale* di *vendita* fatta senza correlativa promessa di *comprare* dall'altra parte, non equivale nei suoi effetti a vendita perfetta (art. 1314, n. 1, Cod. civ.); ma colui a cui favore fu fatta *ha diritto* al risarcimento dei *danni* per inadempimento, se poi il promittente si ricusi di vendere (2).

È valida, anche se fatta solo *verbalmente*, la promessa di vendita di stabili, e quindi dà dirittto di ottenere condannato il promettente ad eseguire il contratto, o in difetto a risarcire i danni (3).

Vi sono però anche varie sentenze della stessa Corte Suprema di Torino che ritennero che trattandosi di *immobili* la semplice promessa *verbale* di vendere è inefficace, e quindi non può invocarsi per pretendere risarcimento di danni (4).

Vi sono infine sentenze che ritennero che la semplice promessa di vendere, finchè non sia *accettata* dall'altra parte, non generi obbligazione veruna (5).

Incanti.

Colui che con offerte allontana gli oblatori dall'incanto, è risponsabile del danno che ne deriva al venditore, ma

---

(1) App. Torino, 7 febbraio 1898, *Giur. Tor.*, 223.

(2) Cass. Torino, 13 aprile 1901, *Giur. Tor.*, 665.

(3) Cass. Torino, 17 dicembre 1900, *Giur. Tor.*, 132.

(4) Cass. Torino, 4 marzo 1899. *Giur. Tor.*, 509. – Giorgi, *Obbligazioni*, III, n. 161, quarta edizione. – Pacifici-Mazzoni, *Vendita*, I, n. 10. – Borsari, *Cod. Civ.*, § 3478. – Luzzati, *Trascrizione*, n. 24.

(5) Cass. Torino, 28 luglio 1884, *Giur. Tor.*, 577.

non è ugualmente risponsabile anche colui che, accettando il danaro promesso, desiste dal concorrere all'asta (1).

Risarcimento di danni in generale, dipendenti da vendite.

Il venditore deve garantire il compratore dall'*evizione* e dai *vizi* e *difetti occulti* della cosa venduta, e quindi circa l'evizione, il compratore che l'abbia sofferta, ha diritto, oltre ai rimborsi e restituzioni indicati all'art. 1486, n. 1, 2 e 3, al *risarcimento dei danni* (art. 1486, n. 4, Codice civile).

Per quanto riguarda i vizii occulti, è risponsabile il venditore, salvo che si fosse stipulato di non essere tenuto ad alcuna garanzia al riguardo (art. 1500 Cod. civ.).

Se il venditore *conosceva* i vizi della cosa venduta, è tenuto, oltre alla restituzione del prezzo ricevuto, al *risarcimento dei danni verso il compratore* (art. 1502 Codice civile).

Circa la vendita di animali, vedi *Animali in generale*.

Se invece il venditore *ignorava* i vizi della cosa, non è tenuto che alla restituzione del prezzo ed a rimborsare il compratore delle spese fatte per causa della vendita (art. 1503 Cod. civ.).

Se la cosa che era difettosa, è perita in conseguenza dei suoi *difetti*, il perimento sta a carico del *venditore*, il quale è tenuto verso il compratore alla restituzione del prezzo, ed alle altre indennità indicate precedentemente. È però a carico del compratore il perimento derivante da *caso fortuito* (art. 1504 Cod. civ.).

Carni infette.

Il venditore di carne, proveniente dalla macellazione di bestia affetta da carbonchio, che mangiata da più

---

(1) App. Torino. 6 aprile 1877, *Giur. Tor.*, XIV, 481.

persone cagioni disturbi ed anche la morte, risponde
non solo dei danni civili, ma anche di lesione ed omicidio colposo (1).

Farine adulterate.

La stessa risponsabilità si avrebbe nel caso di vendita
di farine adulterate; però colui che sia condannato per
spaccio di tali farine non può agire verso il venditore
delle farine stesse per danni, se costui fu assolto in separato giudizio penale per essersi giudicate buone le
farine vendute (2).

Vendite commerciali.

Nel caso di *vendita di merci in viaggio* il venditore può
riservarsi di designare, entro un termine stabilito dalla
convenzione o dall'uso, la nave che trasporta o deve
trasportare le merci vendute, ed il compratore, trascorso
tale termine, ha diritto di domandare l'esecuzione del
contratto, od il *risarcimento del danno.*

Nella liquidazione del danno si ha riguardo al tempo
fissato per la consegna della merce, od, in difetto, a
quello stabilito per la designazione della nave (art. 62
Cod. comm.).

Nel caso di risoluzione di vendita per inadempienza
delle obbligazioni o del compratore o del venditore ai
sensi degli art. 67 Cod. di commercio e 1165 del Codice
civile è sempre tenuto l'inadempiente al risarcimento
del danno (art. 67 Cod. comm.). Questa regola si applica
anche al caso in cui il venditore consegni una merce *dif-
forme* per qualità sostanziale da quella pattuita, e non
è estremo essenziale la malafede (3).

---

(1) Cass. Roma, 27 febbraio 1897, *Giur. Pen.*, 216.
(2) Trib. Ancona, 18 luglio 1905, *Corte di Ancona*, I, 388.
(3) App. Perugia, 14 luglio 1890, *Legge*, II, 844. — Cass. Roma,
16 marzo 1891, *Legge*, II, 8.

La prova però della diversità della merce venduta è a carico del compratore (1).

Fu anche giudicato che il compratore di merce acquistata mercè polizza di carico, che istituisca azione di danni contro il venditore ed il vettore colpevoli di inganno, ha il titolo non nel contratto di vendita o di noleggio, ma nell'obbligazione *ex delicto* (2).

Nel caso in cui il compratore di cosa mobile non adempia alle sue obbligazioni, il venditore ha diritto di depositarla o farla vendere a pubblico incanto *per conto* ed a spese del compratore stesso, ed ha diritto inoltre alla differenza di prezzo tra quello pattuito e quello di vendita a pubblico incanto, ed al risarcimento dei danni.

Se invece sia inadempiente il venditore, il compratore ha diritto di far comprare la cosa a mezzo di un pubblico ufficiale autorizzato a tale specie di atti, per conto e spese del venditore, oltre il risarcimento dei danni (art. 68 Cod. comm.).

Il contraente che usa delle suddette facoltà, deve in ogni caso darne pronta notizia all'altro contraente.

Contratti a distanza.

Nel caso di contratti bilaterali tra persone lontane, sino a che il contratto non è perfetto, la proposta e la accettazione sono revocabili; ma sebbene la rivocazione impedisca la perfezione del contratto, tuttavia, se essa giunga a notizia dell'altra parte dopo che questa ne ha impresa la esecuzione, il *rivocante* è tenuto *al risarcimento dei danni* (art. 36 Cod. comm.).

Vendite civili.

I *giudici*, gli *uffiziali* del *pubblico ministero*, i *cancellieri*, gli *uscieri*, gli *avvocati*, i *procuratori* o patrocinatori ed

---

(1) App. Venezia, 4 settembre 1890, *Dir. Comm.*, 920.
(2) Cass. Napoli, 24 settembre 1904, *Gazz. Proc.*, XXXIII, 169.

i *notai* non possono essere cessionarii delle liti, ragioni ed azioni litigiose di competenza della Corte, del Tribunale o della Pretura di cui fanno parte, e nella cui giurisdizione esercitano le loro funzioni, sotto pena di nullità, *dei danni* e delle spese.

Inoltre gli *avvocati* e *procuratori* non possono neppure per interposta persona stabilire coi loro clienti alcun patto, nè fare coi medesimi contratto alcuno di vendita, donazione, permuta o simile contratto sulle cose comprese nelle cause alle quali prestano il loro patrocinio sotto pena di nullità, dei *danni* e delle spese (art. 1458 Codice civile).

Inoltre non possono essere compratori nemmeno all'asta pubblica, sotto pena di nullità, i pubblici ufficiali, dei beni che si vendono sotto la loro autorità e col loro intervento, ed i procuratori, dei beni che sono incaricati di vendere (art. 1457 Cod. civ.).

Però è eccettuato il procuratore del creditore *instante* la subasta, il quale può, per conto dello stesso creditore, adire all'incanto a senso dell'art. 672 Cod. proc. pen. (1).

Veneficio involontario.

Veleno per i topi.

Il negoziante, che *in fondo ad una cassa* nella sua bottega abbia collocato un pezzetto di *formaggio avvelenato* per la distruzione dei topi, *non risponde* di danni per la morte di un fanciullo di cinque anni, che, entrato nella bottega insieme coi suoi parenti ivi recatisi a far provviste, abbia frugato inosservato nella cassa e mangiato il formaggio suddetto (art. 1152 Cod. civ.) (2). E per vero, non si ravvisa colpa o negligenza nel fatto del negoziante, imperocchè non poteva certo prevedere che alcuno

---

(1) Cass. Firenze, 5 marzo 1888, *Legge*, II, 730.
(2) App. Milano, 23 aprile 1901, *Giur. Tor.*, 1491.

degli avventori del suo negozio fosse attratto da quel pezzetto di formaggio, forse indurito, e non certo della miglior qualità, e tanto meno che andasse a rovistare nella cassa dove era messo, per raccoglierlo e mangiarlo; e se ciò era possibile .per un bambino per la sua naturale spensieratezza infantile, poteva anche il negoziante presumere che il bambino dovesse essere sorvegliato dai parenti, ed a questi sarebbe addebitabile la mancata sorveglianza e non si ravvisa perciò neppure una colpa lievissima.

Veneficio di animali.

Colui che nel proprio fondo sparge bocconi venefici collo scopo di preservarlo da animali nocivi, non è civilmente responsabile della morte degli animali domestici (ad es. cani) di proprietà altrui, che per mancanza di custodia si siano introdotti in quel fondo (1).

Responsabilità di chi vende il veleno.

Le responsabilità del droghiere per avere somministrato sostanze velenose (es. acido fenico) non è esclusa dal fatto che la somministrazione colposa alla vittima sia stata fatta da membri della famiglia di questa (2), imperocchè ove egli non avesse fatta quella somministrazione o l'avesse fatta colle debite cautele, il caso disgraziato forse non sarebbe accaduto, cosicchè la colpa dell'avvenimento risale necessariamente all'imprudenza del venditore. Se poi il fatto della vendita del veleno fu commesso dal *garzone* del droghiere, il quale ebbe la negligenza di porre il veleno in una bottiglia di vetro *nero* comune *senza apporvi nessun segno* che indicasse il contenuto, la responsabilità rimonta al droghiere suo

---

(1) Cass. Firenze, 29 dicembre 1887, *Foro Ital.*, 1888, 77.
(2) Cass. Torino, 9 maggio 1899, *Legge*, II, 41, *Giur. Tor.*, 892.

principale per il risarcimento dei danni a senso degli art. 1151, 1153 Cod. civ., indipendentemente dalla legge sanitaria 22 dicembre 1888 (art. 50 e 32).

E per vero, indipendentemente dalle discipline speciali della legge sanitaria, rientra nelle cautele di un'ordinaria previdenza, il tenere i recipienti contenenti veleni contrassegnati da apposita marca che ne indichi il contenuto, onde evitare inconvenienti; e così anche un *droghiere*, come chiunque altro debba maneggiare e vendere veleni, è tenuto ad osservare e far osservare dai dipendenti, le cautele medesime. Ai droghieri è applicabile quindi anche la disposizione dell'art. 66 del Regol. Sanitario 9 ottobre 1889 (1).

Così pure fu giudicato che il *farmacista* che abbia affidato in sua assenza la farmacia a persona non patentata, la quale, sbagliando nella somministrazione del farmaco abbia prodotto la morte di una persona, risponde, oltrechè di contravvenzione alla legge sanitaria, anche di omicidio *colposo* e dei relativi danni in via civile (2).

Non può muoversi accusa di colpa a senso dell'articolo 371 Cod. penale al capo esercente una industria di prodotti chimici, a cagione della morte di un operaio, dovuto soccombere ad un processo di avvelenamento per derivato di mercurio, se, non solo manchi una prova diretta della colpa, ma consti anzi che il principale aveva insegnato all'operaio a distinguere le sostanze innocue dalle venefiche, a tenere lontano il pericolo di avvelenamento fornendo acqua per lavarsi le mani, disinfettanti per evitare i contagi, la maschera preservativa contro le esalazioni, ecc., ecc. (3).

Non risponde di omicidio colposo il farmacista, che abbia lasciata esposta sul banco una sostanza venefica, la quale, per disattenzione dell'assistente, venne sommi-

---

(1) Citata Sentenza.
(2) Cass. Roma, 2 marzo 1900, *Legge*, I, 818.
(3) Trib. Milano, 31 gennaio 1904, *Casa Unica*, XV, 1185.

nistrata a persona che ne morì: ma vi ha però luogo ad azione civile verso il disattento ed il principale per l'art. 1153 Cod. civ. (1).

Non risponde di danni il farmacista che, sia pure in contravvenzione alla legge, abbia somministrato del veleno come polvere insetticida, dalla quale sia derivata la morte di una persona per imprudenza e fatto dell'acquirente (2); e neppure risponde se col veleno acquistato alcuno ebbe a servirsene per suicidio (3) (Vedi pure il titolo *Farmacisti*).

Risponde di lesione colposa e di danni il droghiere che per avere affidata la drogheria alla propria domestica sia stato causa che la medesima vendesse una quantità di veleno in iscambio di altra sostanza non nociva con pregiudizio dell'acquirente o di persona della di lui famiglia (4). E per vero, non può negarsi in tal caso tra l'evento dannoso e la causa che lo determinò, il necessario nesso da causa ad effetto.

---

(1) Cass. Roma, 19 febbraio 1892, *Legge*, II, 98.
(2) Cass. Roma, 19 gennaio 1891, *Legge*, II, 101.
(3) Cass. Roma, 27 ottobre 1890, *Legge*, II, 822.
(4) Cass. Roma, 5 giugno 1900, *Giur. Pen.*, 485.

INDICE ANALITICO-ALFABETICO

ERRATA-CORRIGE

Pag. 245, linea 18, invece di *fatto* — leggasi *patto*.